FO
JUN

Le Seigneur des Anneaux

1. La Fraternité de l'Anneau

2. Les Deux Tours

3. Le Retour du Roi

Titre original :
The Lord of the Rings, The Return of the King
Initialement publié en anglais par Harper Collins Ltd.
sous le titre *The Lord of The Rings* de J.R.R. Tolkien.
© The Tolkien Estate Limited, 1955, 1966

TOLKIEN and ⍟ are registered trademarks of The Tolkien Estate Limited.

© Christian Bourgois éditeur, 1972, 2016
pour la présente traduction française
© Éditions Gallimard Jeunesse, 2019, pour la présente édition

J.R.R. Tolkien

Le Seigneur des Anneaux

3. Le Retour du Roi

Traduit de l'anglais
par Daniel Lauzon

CHRISTIAN BOURGOIS ÉDITEUR ◊

Trois Anneaux pour les rois des Elfes sous le ciel,
    Sept aux seigneurs des Nains dans leurs salles de pierre,
Neuf aux Hommes mortels voués à trépasser,
    Un pour le Seigneur Sombre au trône de ténèbres
Au pays de Mordor où s'étendent les Ombres.
        Un Anneau pour les dominer tous, Un Anneau pour
            les trouver,
        Un Anneau pour les amener tous et dans les ténèbres
            les lier
Au pays de Mordor où s'étendent les Ombres.

LE RETOUR DU ROI

Troisième partie
du *Seigneur des Anneaux*

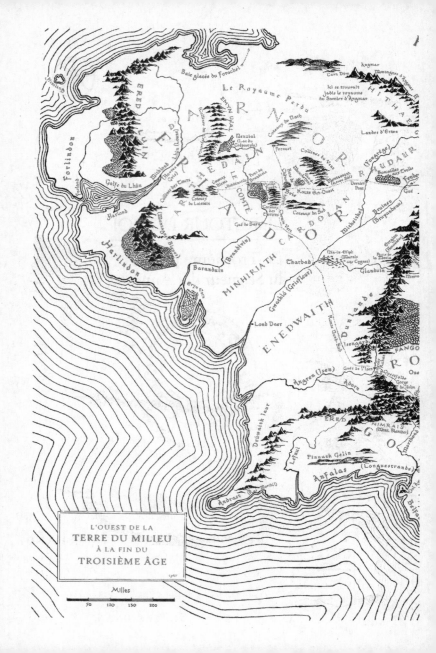

L'OUEST DE LA
TERRE DU MILIEU
À LA FIN DU
TROISIÈME ÂGE

Milles

50   100   150   200

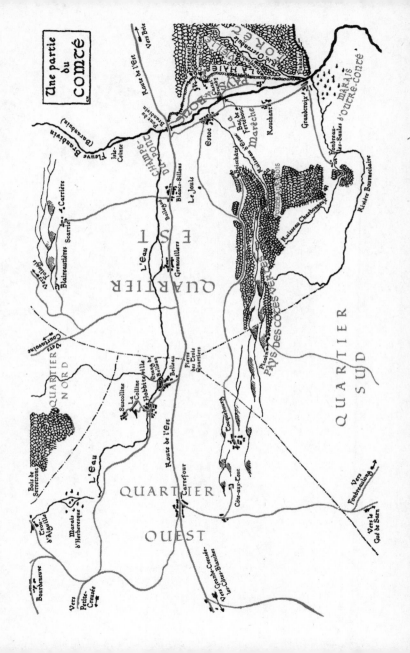

Résumé des tomes I et II

Ceci est la troisième partie du *Seigneur des Anneaux*.

Dans la première partie, *La Fraternité de l'Anneau*, on apprenait comment Gandalf le Gris finit par découvrir que l'anneau détenu par Frodo le Hobbit n'était en fait nul autre que l'Anneau Unique, maître de tous les Anneaux de Pouvoir. On y racontait la fuite de Frodo et de ses compagnons loin de leur tranquille patrie, le Comté, pourchassés par les terribles Cavaliers Noirs du Mordor, avant de parvenir enfin, avec l'aide d'Aragorn, le Coureur de l'Eriador, et en dépit d'incroyables dangers, à la maison d'Elrond à Fendeval.

C'est là que se tint le grand Conseil d'Elrond, où il fut décidé de tenter la destruction de l'Anneau, Frodo étant alors nommé Porteur de l'Anneau. Furent ensuite choisis les Compagnons de l'Anneau qui auraient pour mission de l'aider dans sa quête : celle de se rendre, s'il le pouvait, à la Montagne du Feu, au Mordor, le pays même de l'Ennemi, seul endroit au monde où l'Anneau pouvait être détruit. Au sein de cette fraternité se trouvaient Aragorn, et Boromir, fils du Seigneur du Gondor, pour représenter les Hommes ; Legolas, fils du Roi elfe de Grand'Peur, pour les Elfes ; Gimli, fils de Glóin, de la Montagne Solitaire, pour les

Nains ; Frodo, son serviteur Samsaget, et ses deux jeunes cousins Meriadoc et Peregrin, pour les Hobbits ; de même que Gandalf le Gris.

Depuis Fendeval dans le Nord, les Compagnons entreprirent une longue marche secrète, jusqu'au jour où, freinés dans leur tentative de franchir le haut col du Caradhras en hiver, ils furent conduits par Gandalf à la porte cachée des vastes Mines de Moria afin de chercher un chemin sous les montagnes. Là Gandalf, confronté à un effroyable esprit des profondeurs, tomba dans un abîme de ténèbres. Mais Aragorn, désormais connu comme l'héritier véritable des anciens Rois de l'Ouest, prit alors la tête de la Compagnie ; et il les mena depuis la Porte Est de la Moria à travers le pays elfique de Lórien jusqu'au Grand Fleuve Anduin, qui les emporta aux chutes du Rauros. Déjà, ils s'étaient avisés que leur voyage était surveillé par des espions, et que la créature appelée Gollum, qui avait jadis été en possession de l'Anneau et qui le convoitait toujours, les suivait à la trace.

La Compagnie dut alors décider si elle se dirigerait vers l'est, vers le Mordor, ou si elle irait avec Boromir au secours de Minas Tirith, la plus grande cité du Gondor, dans la guerre qui s'annonçait ; ou encore, si elle se diviserait. Lorsqu'il apparut que le Porteur de l'Anneau était déterminé à poursuivre sa mission désespérée jusque sur le territoire de l'Ennemi, Boromir tenta de s'emparer de l'Anneau par la force. Ainsi, la première partie se terminait avec la chute de Boromir succombant au charme de l'Anneau, la fuite de Frodo et de son serviteur Samsaget, et la dispersion du reste de la Fraternité, surprise par une attaque de soldats orques, d'aucuns sous la sujétion du Sombre Seigneur du Mordor, d'autres à la solde du traître Saruman, établi à

Isengard. Déjà, la Quête du Porteur de l'Anneau semblait vouée à la catastrophe.

La deuxième partie, *Les Deux Tours* (livres troisième et quatrième), rapportait les faits et gestes de chacun des membres de la Compagnie après l'éclatement de la Fraternité de l'Anneau. Le troisième livre racontait le repentir de Boromir, sa mort et ses funérailles dans un bateau confié aux Chutes du Rauros ; la capture de Meriadoc et de Peregrin, emmenés vers Isengard par des soldats orques à travers les plaines de l'est du Rohan ; et la poursuite lancée par Aragorn, Legolas et Gimli.

Apparurent alors les Cavaliers du Rohan. Une troupe d'hommes à cheval, dirigée par Éomer le Maréchal, encercla les orques aux lisières de la Forêt de Fangorn et les anéantit ; mais les hobbits se réfugièrent dans la forêt et y rencontrèrent l'Ent Barbebois, le maître secret de Fangorn. En sa compagnie, ils assistèrent au réveil de la colère du Peuple des Arbres et à leur marche sur Isengard.

Pendant ce temps, Aragorn et ses compagnons faisaient la rencontre d'Éomer à son retour du champ de bataille. Éomer leur fournit des montures, et ils chevauchèrent jusqu'à la forêt. Là, au milieu de leurs vaines recherches pour retrouver les hobbits, ils rencontrèrent de nouveau Gandalf, revenu de la mort, devenu le Cavalier Blanc, mais encore voilé de gris. Avec lui, ils traversèrent le Rohan à cheval jusqu'aux salles de Théoden, Roi de la Marche. Gandalf guérit alors le roi âgé, et il le délivra des sortilèges de son perfide conseiller Langue de Serpent, un allié secret de Saruman. Ils chevauchèrent ensuite avec le roi et son armée contre les forces d'Isengard, remportant une victoire inespérée à la Ferté-au-Cor. Gandalf les conduisit enfin à Isengard, où ils trouvèrent la grande place forte démolie par le Peuple des Arbres, et Saruman et son complice Langue de Serpent retranchés dans l'impénétrable tour d'Orthanc.

Au cours de pourparlers à la porte, Saruman refusa de se repentir ; ainsi Gandalf le destitua et brisa son bâton, le laissant à la vigilance des Ents. D'une fenêtre haute, Langue de Serpent lança une pierre sur Gandalf ; mais elle rata sa cible et fut ramassée par Peregrin. Cette pierre se révéla être l'un des quatre *palantíri* encore existants, les Pierres de Vision de Númenor. Plus tard dans la nuit, Pippin succomba au charme de la Pierre : l'ayant dérobée, il regarda au-dedans et fut ainsi révélé à Sauron. Le livre prenait fin avec le survol d'un Nazgûl au-dessus des plaines du Rohan, un Spectre de l'Anneau sur un coursier volant, présage d'une guerre imminente. Gandalf remit alors le *palantír* à Aragorn, puis, emmenant Peregrin avec lui, il s'en fut à cheval vers Minas Tirith.

Le quatrième livre revenait à Frodo et à Samsaget, à présent égarés dans les mornes collines des Emyn Muil. Il racontait comment les deux voyageurs réussirent à s'échapper des collines, mais furent rattrapés par Sméagol-Gollum ; et comment Frodo apprivoisa Gollum et eut presque raison de sa malveillance, si bien que Gollum les conduisit à travers les Marais Morts et les terres dévastées jusqu'à la Morannon, la Porte Noire à la frontière nord du Pays de Mordor.

Il se révéla impossible d'y entrer, aussi Frodo fut-il contraint d'accepter le conseil de Gollum d'aller à la recherche d'une « entrée secrète » qu'il connaissait loin au sud, dans les Montagnes de l'Ombre, la muraille occidentale du Mordor. En cours de route, les hobbits furent capturés par une troupe d'éclaireurs des Hommes du Gondor dirigée par Faramir, le frère de Boromir. Faramir découvrit bientôt la nature de leur quête ; mais, résistant à la tentation à laquelle avait succombé son frère, il leur permit d'entreprendre la dernière étape de leur voyage vers Cirith Ungol, le Col de l'Araignée – non sans les avoir avertis du péril mortel de cet endroit, dont Gollum n'avait pas dit tout ce qu'il savait. Au moment même où ils atteignaient la Croisée des Routes et prenaient le chemin de l'horrible cité de Minas Morgul, une grande obscurité surgit du Mordor, recouvrant toutes les terres. Sauron envoya alors sa première armée, dirigée par le sombre Roi des Spectres de l'Anneau : la Guerre de l'Anneau était déclenchée.

Gollum conduisit les hobbits à un chemin secret à l'écart de Minas Morgul ; et, entourés de ténèbres, ils parvinrent enfin à Cirith Ungol. Là, Gollum retomba dans la plus noire malfaisance, et voulut les trahir au profit de la monstrueuse gardienne du col, Araigne. Ses plans furent néanmoins déjoués par l'héroïsme de Samsaget, qui repoussa l'attaque de Gollum et blessa ensuite Araigne.

La deuxième partie se terminait avec les choix de Samsaget. Frodo, piqué par Araigne, gisait au sol, comme mort : ou bien la quête trouvait une fin désastreuse, ou bien Samsaget prenait sur lui d'abandonner son maître. Il finit par s'emparer de l'Anneau et tenta de poursuivre, seul, la quête désespérée. Mais comme il s'apprêtait à passer les frontières du Mordor, des orques surgirent devant et derrière lui, les uns montés depuis Minas Morgul, les autres descendus de la tour de Cirith Ungol qui gardait le sommet du col. Rendu invisible par l'Anneau, Samsaget, prêtant l'oreille aux querelles des orques, comprit alors que Frodo n'était pas mort, mais simplement drogué. Il se lança à leur poursuite, trop tard : les orques emportèrent le corps de Frodo dans un tunnel conduisant à une porte secondaire de leur tour. Au moment où celle-ci se refermait avec un claquement de métal, Samsaget tomba sans connaissance sur le seuil.

Cette troisième et dernière partie raconte les stratégies concurrentes de Gandalf et de Sauron, jusqu'à la catastrophe ultime et la fin de la grande obscurité. L'on retourne d'abord aux fortunes de la guerre dans l'Ouest.

Livre cinquième

1

Minas Tirith

Pippin regarda au-dehors, abrité sous le manteau de Gandalf. Il se demandait s'il s'était éveillé ou s'il dormait toujours, toujours dans ce rêve impétueux qui l'avait si souvent enveloppé depuis le début de la grande chevauchée. Le monde enténébré filait à toute allure et le vent sifflait bruyamment à ses oreilles. Il ne voyait que les étoiles tournoyantes et, loin à sa droite, de vastes ombres devant le ciel où défilaient les montagnes du Sud. Somnolent, il essayait de se rappeler les jours et les étapes de leur voyage, mais sa mémoire était confuse et encore à moitié endormie.

Il y avait eu, d'abord, la première course effrénée et ininterrompue ; puis, au lever du jour, il avait vu un pâle miroitement d'or, et ils étaient arrivés au bourg silencieux et à la maison vide sur la colline. Et à peine avaient-ils gagné sa sécurité que l'ombre ailée les avait survolés de nouveau, glaçant le cœur des hommes. Mais Gandalf l'avait réconforté par de douces paroles, et Pippin avait dormi dans un coin, fourbu mais inquiet, vaguement conscient du va-et-vient et des conversations des hommes, pendant que Gandalf donnait des ordres. Puis encore à cheval, à cheval dans la nuit. Il y avait maintenant deux, non, trois nuits qu'il avait regardé dans la Pierre. Et sur cet affreux souvenir, il se réveilla tout à fait, puis il frissonna, et la rumeur du vent s'emplit tout à coup de voix menaçantes.

Une lueur s'alluma dans le ciel, un flamboiement jaune derrière de noires palissades. Pippin eut un mouvement de recul, un instant effrayé, se demandant dans quel pays horrible Gandalf le conduisait. Il se frotta les yeux, puis il vit que c'était la lune, maintenant presque pleine, montant au-dessus des ombres de l'est. La nuit était donc encore jeune, et le sombre voyage se poursuivrait pendant des heures encore. Il remua et hasarda une question.

« Où sommes-nous, Gandalf ? » demanda-t-il.

« Au royaume de Gondor, répondit le magicien. Le pays d'Anórien défile toujours sous nos yeux. »

Le silence revint pendant quelque temps. Puis soudain : « Qu'est-ce que c'est ? s'écria Pippin, agrippant la cape de Gandalf. Regardez ! Un feu, rouge ! Y a-t-il des dragons dans ce pays ? Regardez, en voilà un autre ! »

Gandalf héla son cheval en guise de réponse. « En avant, Scadufax ! Il faut nous hâter. Le temps presse. Vois ! Les feux d'alarme du Gondor s'allument, appelant à l'aide. La guerre embrase le pays. Vois, les flammes montent sur l'Amon Dîn, de même que sur l'Eilenach ; et les voici qui se portent rapidement vers l'ouest : le Nardol, l'Erelas, le Min-Rimmon, le Calenhad, enfin le Halifirien aux frontières du Rohan. »

Mais Scadufax ralentit sa course et finit par prendre le pas, puis il leva la tête et hennit. D'autres hennissements vinrent en réponse, sortant des ténèbres ; et bientôt, on entendit le sourd martèlement de sabots au galop, et trois cavaliers arrivèrent en trombe. Ils passèrent, volant comme des fantômes au clair de lune, et s'évanouirent dans l'Ouest. Alors Scadufax se ramassa et s'élança, et la nuit glissa sur lui tel un vent rugissant.

Pippin recommença à sommeiller. Il ne prêtait guère attention à Gandalf tandis que celui-ci l'entretenait des coutumes du Gondor, et des feux d'alarme établis par le Seigneur de la Cité au sommet de collines avancées, de chaque côté de la grande chaîne de montagnes, et des postes de garde qu'il maintenait en ces endroits, toujours pourvus de chevaux frais, prêts à emmener ses estafettes vers le Rohan, du côté nord, ou vers le Belfalas, du côté sud. « Il y a longtemps que les feux d'alarme du Nord n'ont pas été allumés, dit-il ; et autrefois, les Seigneurs du Gondor n'en avaient aucun besoin, car ils avaient les Sept Pierres. » Pippin remua avec inquiétude.

« Rendormez-vous et n'ayez pas peur ! dit Gandalf. Car vous n'allez pas au Mordor comme Frodo, mais à Minas Tirith, et c'est un endroit aussi sûr que partout ailleurs par les temps qui courent. Si le Gondor tombe, ou si l'Anneau est pris, le Comté ne sera plus un refuge. »

« Vos paroles n'ont rien de rassurant », dit Pippin ; mais le sommeil le gagna tout de même. La dernière chose qu'il se rappela, avant de sombrer dans les profondeurs du rêve, fut un aperçu de hautes cimes blanches, chatoyant sous les rayons de la lune déclinante, comme des îles flottantes au-dessus des nuages. Il se demanda où était Frodo, s'il était déjà au Mordor, ou s'il était mort ; et il ne savait pas que Frodo contemplait cette même lune, loin, très loin, au moment où elle se couchait derrière le Gondor avant l'arrivée du jour.

Pippin se réveilla au son d'une conversation. Un autre jour à se cacher et encore une nuit de voyage avaient passé à la vitesse de l'éclair. La pénombre régnait : l'aube grelottante était de nouveau près de paraître, et ils étaient entourés de brumes grises et froides. Scadufax fumait de sueur, mais il dressait fièrement l'encolure et ne montrait aucun signe de fatigue. Des hommes de grande taille, vêtus de lourdes capes, se tenaient en nombre près de lui ; et derrière eux, à travers la brume, se dessinait un mur de pierre. À moitié délabré, eût-on dit ; mais déjà, la nuit à peine terminée, on entendait les bruits d'un travail précipité : coups de marteaux, tintements de truelles et grincements de roues. Ici et là, des feux et des flambeaux jetaient un rougeoiement mat dans le brouillard. Gandalf s'adressait aux hommes qui lui barraient la route et, en prêtant une oreille distraite, Pippin s'aperçut que l'objet de la discussion n'était autre que lui-même.

« Certes, il est vrai que nous vous connaissons, Mithrandir, dit le chef des hommes rassemblés, et vous connaissez les mots de passe des Sept Portes et êtes libre de continuer. Mais nous ne connaissons pas votre compagnon. Qu'est-ce donc là ? Un nain des montagnes du Nord ? Nous ne voulons pas d'étrangers chez nous en ce moment, à moins qu'il ne s'agisse de vaillants hommes d'armes dont la loyauté et l'assistance nous seraient acquises. »

« Je répondrai de lui devant le siège de Denethor, dit Gandalf. Quant à la valeur, elle ne se mesure pas à la taille. Il a traversé plus de batailles et de périls que vous, Ingold, bien que vous ayez deux fois sa stature ; et il sort tout juste de l'assaut mené contre Isengard, dont nous apportons des nouvelles – aussi éprouve-t-il une grande fatigue, sans quoi je le réveillerais. Il s'appelle Peregrin, un homme fort valeureux. »

« Un homme ? » fit Ingold d'un ton dubitatif, et les autres rirent.

« Un homme ! s'écria Pippin, bien réveillé, à présent. Un homme ! Certainement pas ! Je suis un hobbit – et pas plus valeureux que je ne suis homme, sauf peut-être de temps à autre, par nécessité. Ne laissez pas Gandalf vous tromper ! »

« Bien des hommes parmi les plus preux ne parleraient pas autrement, dit Ingold. Mais qu'est-ce qu'un hobbit ? »

« Un Demi-Homme, répondit Gandalf. Non, pas celui qui a été annoncé, ajouta-t-il, voyant la stupéfaction sur le visage des hommes. Pas lui, mais l'un des siens. »

« Oui, et l'un de ses compagnons de voyage, dit Pippin. Et Boromir de votre Cité, qui était avec nous, m'a sauvé dans les neiges du Nord, et finalement, il est tombé en me défendant contre de nombreux ennemis. »

« Paix ! dit Gandalf. La nouvelle de ce malheur aurait dû être annoncée d'abord au père. »

« On l'a devinée, dit Ingold ; car d'étranges présages sont arrivés ici ces jours derniers. Mais passez vite, à présent ! Car le Seigneur de Minas Tirith sera désireux de voir quiconque peut lui apporter les dernières nouvelles de son fils, fût-il homme ou… »

« Hobbit, dit Pippin. Je n'ai pas grand-chose à offrir à votre seigneur, mais si je puis faire quelque chose pour le servir, je le ferai, en mémoire de Boromir le brave. »

« Adieu ! » dit Ingold ; et les hommes s'écartèrent devant Scadufax, qui franchit le mur par un étroit portail. « Puissiez-vous être de bon conseil pour Denethor à l'heure de la nécessité, et pour nous tous, Mithrandir ! cria Ingold. Mais vous apportez des nouvelles de malheur et de danger, comme c'est votre coutume, dit-on. »

« Parce que je ne viens guère que lorsque mon aide est requise, répondit Gandalf. Et pour ce qui est des conseils, à vous, je dirai qu'il est beaucoup trop tard pour réparer le mur du Pelennor. Le courage, à présent, sera votre meilleure défense contre la tempête qui approche – le courage, et le peu d'espoir que j'apporte. Car toutes mes nouvelles ne sont pas mauvaises. Mais laissez là vos truelles et affilez vos épées ! »

« Les travaux seront finis avant le soir, dit Ingold. C'est la dernière partie du mur à préparer pour la défense : la moins exposée aux attaques, car elle regarde vers nos amis du Rohan. Savez-vous ce qu'ils font ? Répondront-ils à notre appel, selon vous ? »

« Oui, ils viendront. Mais ils ont livré plusieurs batailles sur vos arrières. Cette route, ni aucune autre, ne conduit plus vers la sécurité, désormais. Soyez vigilants ! N'eût été Gandalf, le Corbeau de Tourmente, c'est une mer d'ennemis que vous auriez vue déferler de l'Anórien, et non des Cavaliers du Rohan. Et ce pourrait être encore le cas. Adieu, et ne dormez point ! »

Gandalf entra alors dans le vaste pays au-delà du Rammas Echor. Tel était le nom que les Hommes du Gondor donnaient au mur extérieur qu'ils avaient construit au prix de durs labeurs, quand l'Ithilien était tombé sous l'ombre de leur Ennemi. Sur dix lieues ou plus, il partait des montagnes pour y revenir ensuite, enfermant dans son enceinte les champs du Pelennor : des terres fertiles et belles sur les longues pentes et les terrasses qui descendaient jusqu'aux plaines basses de l'Anduin. À son point le plus éloigné de la Grande Porte de la Cité, au nord-est, la muraille se trouvait à quatre lieues de distance, et là, juchée sur un talus escarpé, elle dominait les longues plaines en bordure du fleuve, et ses remparts étaient hauts et forts ; car à cet endroit, sur une chaussée bordée de murs, la route partait des gués et des ponts d'Osgiliath et passait par une porte gardée entre des tours fortifiées. Au point le plus rapproché de la Cité, la muraille n'était guère à plus d'une lieue de distance ; et ce point se trouvait au sud-est. Là, l'Anduin, formant un long coude afin de contourner les collines des Emyn Arnen en Ithilien du Sud, s'incurvait fortement vers l'ouest, et le mur extérieur s'élevait sur sa rive même ; et sous lui se trouvaient les quais et les appontements du Harlond, destinés aux embarcations qui remontaient des fiefs du Sud.

Les terres au-dedans de l'enceinte étaient riches, avec de vastes cultures et de nombreux vergers ; et il y avait des fermes, avec fours à houblon et greniers, parcs à moutons et bouveries, et maints petits ruisseaux ondoyants qui coulaient à travers les prés depuis les hautes terres jusqu'à l'Anduin. Pourtant, les bergers et les cultivateurs étaient peu nombreux à y habiter, et la plupart des gens du Gondor vivaient dans les sept cercles de la Cité, ou dans les hautes vallées sur les contreforts des montagnes, au Lossarnach, ou plus loin au sud, dans le beau Lebennin aux cinq rapides rivières. Là, entre les montagnes et la mer, vivait un peuple robuste. On considérait ces hommes comme des gens du Gondor, mais ils étaient de sang mêlé, et il y avait parmi eux des gens de courte taille au teint bistré, dont les ancêtres étaient plus souvent issus des hommes oubliés qui gîtaient parmi les ombres des collines au cours des Années Sombres, avant la venue des rois. Mais au-delà, dans le grand fief du Belfalas, vivait le prince Imrahil dans son château de Dol Amroth au bord de la mer ; et il était de haut lignage, et les siens aussi l'étaient, hommes grands et fiers aux yeux d'un gris de mer.

Or donc, après quelques minutes de chevauchée, la lumière du jour grandit dans le ciel, et Pippin se secoua et releva la tête. À sa gauche s'étendait une mer de brume qui s'élevait en une ombre morne dans l'Est ; mais à sa droite, de grandes montagnes dressaient la tête : elles s'avançaient depuis l'Ouest, mais trouvaient ici une fin abrupte et soudaine, comme si, lors du façonnement des terres, le Fleuve avait percé une grande barrière, creusant une immense vallée pour en faire un lieu de bataille et de conflit dans les âges à venir. Et là, à l'endroit où se terminaient les Montagnes Blanches des Ered Nimrais, il vit, comme Gandalf le lui avait annoncé, la sombre masse du mont Mindolluin, les ombres violettes de ses hauts cols, et sa haute face blanche dévoilée par le jour croissant. Et sur le genou qu'elle projetait était assise la Cité Gardée et ses sept murs de pierre, si forts et si anciens qu'elle semblait non pas bâtie de main d'homme, mais sculptée par des géants dans l'ossature de la terre.

Ses murs d'un gris indécis, sous les regards ébahis de Pippin, passèrent au blanc, faiblement rosis par l'aurore ; et tout à coup le soleil, franchissant l'ombre de l'est, darda un premier rayon sur la façade de la Cité. Alors Pippin ne put réprimer un cri, car la Tour d'Ecthelion, dressée fièrement derrière le plus haut mur, flamboyait contre le ciel, luisant telle une pointe de perle et d'argent, haute et belle, élancée, et son pinacle étincelait comme s'il était fait de cristaux ; et des bannières blanches se déployèrent aux créneaux et flottèrent dans la brise matinale, et à ses oreilles retentit une claire sonnerie, comme de trompettes d'argent.

C'est ainsi que Gandalf et Peregrin se présentèrent à la Grande Porte des Hommes du Gondor au lever du soleil, et ses battants de fer tournèrent sur leurs gonds et cédèrent devant eux.

« Mithrandir ! Mithrandir ! crièrent les hommes. La tempête est donc bien proche ! »

« Elle est sur vous, dit Gandalf. J'ai volé sur ses ailes. Laissez-moi passer ! Je dois voir votre seigneur Denethor tant que dure son intendance. Quoi qu'il advienne, ceci est la fin du Gondor que vous avez connu. Laissez-moi passer ! »

Alors, les hommes reculèrent devant l'autorité de sa voix, et ils cessèrent de le questionner, mais ils regardèrent avec stupéfaction le hobbit assis devant lui et le cheval qui les portait. Car les gens de la Cité usaient peu souvent des chevaux, et l'on en voyait rarement dans leurs rues, hormis ceux qui servaient de montures aux estafettes de leur seigneur. Et ils dirent : « C'est là assurément l'un des grands coursiers du Roi du Rohan ! Peut-être les Rohirrim viendront-ils bientôt nous prêter main-forte. » Mais Scadufax s'engagea fièrement dans le long chemin sinueux qui escaladait la Cité.

Car Minas Tirith était bâtie de telle sorte qu'elle s'étalait sur sept niveaux, tous creusés dans la colline, et chacun d'entre eux était entouré d'un mur, et dans chaque mur s'ouvrait une porte. Mais les portes n'étaient pas sur une même ligne : la Grande Porte du Mur de la Cité se trouvait à l'est du circuit, mais la suivante était à mi-chemin au sud, et la troisième à mi-chemin au nord, et ainsi de suite, jusqu'au sommet ; de sorte que la route pavée qui grimpait vers la citadelle partait d'abord d'un côté, puis de l'autre, au flanc de la colline. Et chaque fois qu'elle parvenait à la hauteur de la Grande Porte, elle passait par un tunnel voûté à travers une gigantesque colonne rocheuse dont l'énorme saillant divisait tous les cercles de la Cité en deux, sauf le tout premier. Car, grâce en partie au façonnement primitif de la colline, en partie au labeur et au grand savoir-faire d'autrefois, se dressait au fond de la grande place située derrière la Porte un imposant bastion de pierre, terminé en pointe, comme la quille d'un navire faisant face à l'est. Il s'élevait très haut, jusqu'au niveau du dernier cercle, où il était surmonté d'un rempart ; si bien que les occupants de la Citadelle pouvaient, tels des marins sur un éminent bâtiment, regarder de son faîte et apercevoir la Porte à sept cents pieds au-dessous. L'entrée de la Citadelle donnait également sur l'est, mais elle était creusée au cœur du rocher : de là, un long passage incliné, éclairé de lanternes, grimpait jusqu'à la septième porte. Ainsi pouvait-on atteindre la Haute Cour et la Place de la Fontaine au pied de la Tour Blanche : haute et élancée, elle faisait cinquante toises de la base au pinacle, où flottait la bannière des Intendants à mille pieds au-dessus de la plaine.

C'était, à n'en pas douter, une puissante citadelle, imprenable pour toute armée, tant qu'il resterait des hommes d'armes pour la défendre ; à moins qu'un adversaire ne pût arriver par-derrière, escalader les pentes inférieures du Mindolluin et parvenir ainsi à l'épaulement étroit qui reliait la Colline de Garde à la masse de la montagne. Mais cet épaulement, qui se dressait au niveau du cinquième mur, était bordé de hauts remparts jusqu'à l'escarpement qui surplombait son extrémité ouest ; et au sein de cet espace s'élevaient les coupoles de tombeaux, demeures des rois et des seigneurs du temps jadis, à jamais silencieuses entre la montagne et la tour.

Pippin s'émerveillait toujours plus de contempler cette grande cité de pierre, plus vaste et plus magnifique que tout ce dont il avait pu rêver : plus grande et plus forte qu'Isengard, et beaucoup plus belle. Mais, à la vérité, chaque année qui passait la voyait dépérir ; et déjà, elle était privée de la moitié de la population qui aurait pu y habiter dans le confort. Ils passaient, dans chaque rue, devant quelque grande maison ou cour dont le portail voûté était surmonté de nombreuses lettres gravées, aux formes anciennes, étranges et belles – les noms des grands hommes et des grandes familles qui avaient dû y habiter autrefois, se disait Pippin ; mais elles étaient désormais silencieuses, et aucun bruit de pas ne résonnait plus sur leurs vastes pavages, aucune voix ne s'entendait dans leurs salles, aucun visage ne paraissait à la porte ou aux fenêtres vides.

Enfin, sortant des ombres, ils parvinrent à la septième porte ; et le chaud soleil qui brillait au-delà du fleuve, tandis que Frodo arpentait les clairières de l'Ithilien, rayonnait ici sur les murs lisses et les piliers solidement ancrés, et sur la grande arche dont la clef de voûte était sculptée à la ressemblance d'une majestueuse tête couronnée. Gandalf mit pied à terre, car aucune monture n'était admise dans la Citadelle ; et Scadufax, cédant à la douce parole de son maître, fut mené à l'écart.

Les Gardes de la porte étaient vêtus de noir, et coiffés de heaumes d'aspect étrange, hauts de forme, avec de longs oreillons très rapprochés du visage, et ces oreillons étaient surmontés d'ailes blanches pareilles à celles d'oiseaux marins ; mais les heaumes luisaient d'une flamme argent, car ils étaient de *mithril* véritable, héritage de la gloire de l'ancien temps. Sur leurs surcots noirs, était brodé en blanc un arbre à la floraison de neige, sous une couronne argent et des étoiles aux multiples rayons. C'était la livrée des héritiers d'Elendil, que nul ne portait plus au Gondor, hormis les Gardes de la Citadelle devant la Cour de la Fontaine où avait autrefois poussé l'Arbre Blanc.

La rumeur de leur venue semblait les avoir précédés ; et ils furent aussitôt admis, en silence, sans être interrogés. Gandalf traversa vivement la cour pavée de blanc. Là, une douce fontaine jouait dans le soleil matinal, entourée d'une pelouse verdoyante ; mais au milieu, penché sur le bassin, se dressait un arbre mort, et l'eau dégouttait tristement de ses branches stériles et délabrées, retombant dans le clair bassin.

Pippin, se hâtant derrière Gandalf, arrêta son regard sur l'arbre mort. Il était lugubre à voir ; et il se demanda pourquoi on le laissait à cet endroit, alors que tout le reste était si bien entretenu.

Sept étoiles et sept pierres et un arbre blanc.

Les mots que Gandalf avait murmurés à son oreille lui revinrent à l'esprit. Puis il se trouva aux portes de la grand-salle sous la brillante tour ; et toujours sur les pas du magicien, il passa les grands huissiers silencieux et pénétra dans les ombres fraîches et sonores de la maison de pierre.

Ils traversèrent une allée, longue et vide ; et ce faisant, Gandalf parla doucement à Pippin. « Attention à ce que vous dites, maître Peregrin ! L'heure n'est pas aux hardiesses de hobbit. Théoden est un affable vieillard. Denethor est d'une autre espèce, fière et subtile, un homme d'un tout autre lignage, et beaucoup plus puissant, bien qu'il n'ait pas le titre de roi. Mais il s'adressera surtout à vous, et il vous posera bien des questions, car il voudra vous entendre parler de son fils Boromir. Il l'aimait beaucoup : trop, peut-être ; et cela d'autant plus qu'ils ne se ressemblaient pas. Mais sous le couvert de cet amour, il trouvera plus facile d'apprendre de vous, et non de moi, ce qu'il désire savoir. Ne lui en dites pas plus qu'il ne le faut, et gardez-vous d'évoquer la mission de Frodo. Je m'occuperai de cela en temps voulu. Et ne parlez pas non plus d'Aragorn, à moins d'y être obligé. »

« Pourquoi ? Qu'est-ce qui ne va pas avec l'Arpenteur ? demanda Pippin à voix basse. Il n'avait pas l'intention de venir ici ? Si ça se trouve, on le verra bientôt arriver en personne. »

« Peut-être, peut-être, dit Gandalf. Mais s'il vient, ce sera sans doute d'une manière que personne n'attendait, pas même Denethor. Ce sera mieux ainsi. Du moins, il est préférable qu'il vienne sans que nous l'annoncions. »

Gandalf s'arrêta devant une grande porte de métal poli. « Voyez-vous, maître Pippin, il n'y a pas le temps de vous instruire maintenant sur l'histoire du Gondor ; même s'il eût été préférable que vous en appreniez quelque chose pendant que vous étiez encore à chaparder dans les nids et à musarder dans les bois du Comté. Faites ce que je vous demande ! Il n'est guère sage, en apportant à un puissant seigneur la nouvelle de la mort de son héritier, de s'étendre sur la venue d'un homme qui, s'il vient, doit revendiquer la royauté. Cela vous suffit-il ? »

« La royauté ? » s'exclama Pippin, ébahi.

« Oui, dit Gandalf. Si vous marchez depuis tout ce temps

les oreilles bouchées et la tête dans les nuages, réveillez-vous, à présent ! » Il frappa à la porte.

La porte s'ouvrit, mais personne ne semblait être là pour l'ouvrir. Pippin se trouva à regarder dans une grande salle. Elle était éclairée par de profondes fenêtres dans les larges allées latérales qui s'étendaient de part et d'autre, derrière les rangées de hauts piliers supportant la voûte. Monolithes de marbre noir, ils s'élevaient vers de grands chapiteaux sculptés en formes d'animaux et de feuillages étranges et variés ; et loin dans l'ombre du vaste plafond se devinait un reflet d'or mat. Le sol était de pierre polie, d'un blanc miroitant, incrusté d'élégants dessins multicolores. Point de tentures ni de tapisseries historiées, point d'objets de tissu ou de bois ne se voyaient dans cette longue et solennelle salle ; mais entre les colonnes se dressait une compagnie silencieuse de hautes statues gravées dans la pierre froide.

Pippin se rappela soudain les rochers sculptés des Argonath, et un sentiment de crainte révérencieuse l'envahit en regardant cette grande procession de rois, morts depuis longtemps. Au fond de la salle, sur une estrade précédée de nombreuses marches, se trouvait un haut trône placé sous un dais de marbre en forme de heaume couronné ; et sur le mur était gravée l'image d'un arbre en fleur, tout incrustée de gemmes. Mais le trône était vide. Au pied de l'estrade, sur la plus basse marche, laquelle était large et profonde, il y avait un siège de pierre, noir et sans ornement, et un vieillard y était assis, le regard baissé sur son giron. Il avait à la main un bâton de couleur blanche, garni d'un pommeau d'or. Il ne leva pas les yeux. D'une démarche solennelle, ils montèrent la longue allée jusqu'à lui, et s'arrêtèrent à trois pas de son marchepied. Puis Gandalf parla.

« Je vous salue, Denethor fils d'Ecthelion, Seigneur et Intendant de Minas Tirith ! J'apporte des conseils et des nouvelles en cette heure sombre. »

Le vieillard leva alors la tête. Pippin put voir son visage ciselé, la fierté de ses traits, sa peau d'ivoire, le long nez recourbé entre les yeux noirs et profonds ; et ils ne lui rappelèrent pas tant Boromir qu'Aragorn. « L'heure est certes sombre, dit le vieillard, et c'est en pareils moments que nous avons coutume de vous voir, Mithrandir. Mais si tous les signes laissent entrevoir la ruine prochaine du Gondor, ils me semblent aujourd'hui moins noirs que ma propre noirceur. Il m'a été rapporté que vous amenez quelqu'un qui a vu mourir mon fils. Est-ce lui ? »

« Oui, dit Gandalf. L'un des deux. L'autre se trouve auprès de Théoden du Rohan, et il viendra peut-être. Ce sont des Demi-Hommes, comme vous le constatez, mais lui que vous voyez n'est pas celui dont parlaient les présages. »

« Il n'en est pas moins un Demi-Homme, dit sévèrement Denethor, et ce nom ne m'est pas bien doux à entendre, depuis que ces paroles maudites sont venues troubler nos conseils, et ont emporté mon fils dans la folle mission qui lui a coûté la vie. Mon Boromir ! Que nous avons besoin de toi, à présent. Faramir aurait dû partir à sa place. »

« Il l'aurait fait volontiers, dit Gandalf. Ne soyez pas injuste dans votre deuil ! Boromir a revendiqué cette mission et ne pouvait souffrir qu'elle soit confiée à aucun autre que lui. Autoritaire par nature, il était homme à prendre ce qu'il désirait. J'ai longuement voyagé avec lui et j'ai beaucoup appris sur son tempérament. Mais vous parlez de sa mort. Vous avez eu vent de cela avant notre venue ? »

« J'ai reçu ceci », dit Denethor, posant le bâton blanc, et prenant dans son giron l'objet sur lequel ses yeux étaient fixés un instant plus tôt. Il leva dans chaque main une moitié d'un grand cor fendu au milieu, une corne de bœuf sauvage cerclée d'argent.

« C'est le cor que Boromir portait toujours ! » s'écria Pippin.

« Celui-là même, dit Denethor. Et je l'ai porté en mon temps, comme chacun des aînés de notre maison depuis les siècles disparus d'avant la fin des rois, au temps où Vorondil père de Mardil chassait les bœufs sauvages d'Araw dans les lointaines prairies du Rhûn. Je l'ai entendu appeler, faiblement, sur nos marches septentrionales il y a treize jours, et le Fleuve me l'a apporté, brisé en deux : il ne sonnera plus. » Il marqua une pause, et il y eut un lourd silence. Soudain, ses yeux noirs se tournèrent vers Pippin. « Que dites-vous de cela, Demi-Homme ? »

« Treize jours, treize jours, balbutia Pippin. Oui, je crois que ça doit être cela. Oui, j'étais à côté de lui… quand il a sonné de son cor. Mais aucune aide n'est venue. Seulement d'autres orques. »

« Ainsi donc, fit Denethor, examinant Pippin avec attention, vous étiez là ? Dites-m'en davantage ! Pourquoi aucune aide n'est-elle venue ? Et comment en avez-vous réchappé, alors que lui n'a pas pu, un homme de sa trempe, avec de simples orques pour lui tenir tête ? »

Pippin rougit et oublia sa peur. « Le plus vaillant des hommes peut mourir d'une seule flèche, dit-il ; et Boromir en a reçu beaucoup. Quand je l'ai vu pour la dernière fois, il s'était effondré contre un arbre, et il retirait de son côté une flèche aux pennes noires. Puis j'ai perdu connaissance et j'ai été fait prisonnier. Je ne l'ai plus revu, et je n'en sais pas davantage. Mais j'honore sa mémoire, car il a été très brave. Il est mort pour nous sauver, mon cousin Meriadoc et moi-même, assaillis en plein bois par les soldats du Seigneur Sombre ; et s'il est tombé et a échoué, ma gratitude n'en est pas moins grande. »

Alors Pippin regarda le vieillard bien en face ; car il se sentit remué par un curieux accès d'orgueil, blessé par le mépris et la suspicion qu'il avait perçus dans cette voix glaciale. « Aux yeux d'un si grand seigneur des Hommes, le service d'un hobbit, d'un demi-homme du nordique Comté, comptera sans doute pour peu de chose ; mais si infime soit-il, je l'offre tout de même, en paiement de ma dette. » Rejetant nerveusement sa cape grise, Pippin tira sa petite épée et la déposa aux pieds de Denethor.

Un pâle sourire, comme un froid rayon de soleil par un soir d'hiver, passa sur les traits du vieillard ; mais il baissa la tête et lui tendit la main, déposant les fragments du cor. « Donnez-moi cette arme ! » dit-il.

Pippin la souleva et lui présenta la garde. « D'où vient cet objet ? s'enquit Denethor. Maintes et maintes années pèsent sur lui. Assurément, il s'agit là d'une lame forgée dans un lointain passé par nos parents du Nord ? »

« Elle vient des monticules qui se dressent aux frontières de mon pays, dit Pippin. Mais seuls de mauvais esprits y habitent, à présent, et je préfère ne pas en dire plus long. »

« Je vois que d'étranges récits sont tissés tout autour de vous, dit Denethor ; et il se vérifie une fois de plus que les apparences peuvent tromper sur l'homme – ou sur le hobbit. J'accepte votre service. Car les mots ne vous intimident pas ; et votre discours est plein de courtoisie, aussi étrange puisse-t-il nous paraître à nous, habitants du Sud. Et nous aurons grand besoin de gens courtois, grands ou petits, dans les jours à venir. Maintenant, prêtez-moi serment ! »

« Prenez la poignée, et répétez après le Seigneur si votre résolution est ferme », dit Gandalf. « Elle l'est », dit Pippin.

Le vieillard plaça l'épée en travers de ses genoux, et Pippin mit la main sur la poignée et répéta lentement les mots de Denethor :

« Je jure ici fidélité et allégeance au Gondor, et au Seigneur et Intendant du royaume, de parler et de me taire, d'agir et de laisser faire, de venir et d'aller, dans le besoin ou l'abondance, la paix ou la guerre, dans la vie comme dans la mort, et ce, dès la présente heure, jusqu'à ce que mon seigneur me libère, ou que la mort me prenne, ou que le monde expire. Telle est ma parole, à moi, Peregrin fils de Paladin, du Comté des Demi-Hommes. »

« Et je l'entends, moi, Denethor fils d'Ecthelion, Seigneur du Gondor, Intendant du Grand Roi ; et je ne l'oublierai pas, comme je ne manquerai pas de récompenser ce qui est donné : la fidélité par l'amour, la valeur par l'honneur, le parjure par la vengeance. » Alors Pippin reçut de nouveau son épée et la remit au fourreau.

« À présent, dit Denethor, voici mon premier ordre : parlez et ne tarissez point ! Faites-moi votre récit au long, et tâchez de vous rappeler tout ce que vous pourrez concernant Boromir, mon fils. Asseyez-vous, maintenant, et commencez ! » Et ce disant, il frappa un petit gong d'argent qui se trouvait près de son marchepied, et des serviteurs accoururent aussitôt. Pippin vit alors qu'ils se tenaient dans des niches de chaque côté de la porte, invisibles aux yeux de ceux qui entraient.

« Apportez du vin, de la nourriture et des sièges pour les invités, dit Denethor, et veillez à ce que nul ne nous dérange dans la prochaine heure. »

« C'est là tout le temps dont je dispose, car je dois voir à bien d'autres affaires, dit-il à Gandalf. Bien d'autres, et de plus importantes à première vue, quoique moins pressantes à mes yeux. Mais peut-être pourrons-nous nous reparler en fin de journée. »

« Et plus tôt que cela, espérons-le, dit Gandalf. Car je ne suis pas venu ici d'Isengard, sur cent cinquante lieues, vif comme le vent, à seule fin de vous amener ce petit guerrier, aussi courtois puisse-t-il paraître. Est-ce rien pour vous si je vous dis que Théoden a livré une grande bataille, que l'Isengard a été vaincu et que j'ai brisé le bâton de Saruman ? »

« C'est beaucoup pour moi. Mais j'en sais déjà suffisamment à ce sujet pour guider ma conduite contre la menace de l'Est. » Il posa ses yeux sombres sur Gandalf, et Pippin vit alors une ressemblance entre les deux hommes, et il sentit la tension entre eux, presque comme si une traînée de braise se dessinait entre leurs deux regards et menaçait de s'enflammer tout à coup.

Denethor faisait penser à un grand magicien, beaucoup plus que Gandalf, en fait : plus royal, plus beau, plus puissant ; plus vieux aussi. Néanmoins, par un sens autre que la vue, Pippin percevait que Gandalf détenait le plus grand pouvoir, la sagesse la plus profonde, et une majesté voilée. Et il était plus vieux, beaucoup plus vieux. « De combien plus vieux ? » se demanda-t-il ; mais le plus étrange était qu'il ne s'était jamais posé la question avant. Barbebois leur avait parlé des magiciens, mais, même alors, il ne s'était pas avisé que Gandalf pouvait être considéré comme tel. Qu'était Gandalf ? Dans quel lieu reculé, à quelle époque lointaine était-il venu au monde, et quand le quitterait-il ? Puis le hobbit sortit de sa rêverie, et il vit que Denethor et Gandalf étaient toujours à s'entreregarder, comme si chacun lisait dans les pensées de l'autre. Mais ce fut Dene-thor qui, le premier, détourna le regard.

« Oui, reprit-il ; car bien que les Pierres soient perdues, dit-on, la vue des seigneurs du Gondor reste tout de même plus pénétrante que celle des hommes de moindre stature, et bien des messages leur parviennent. Mais asseyez-vous, à présent ! »

Des hommes apportèrent alors une chaise et un tabouret bas, et, sur un plateau, une cruche et des coupes d'argent, ainsi que des gâteaux blancs. Pippin s'assit, sans pouvoir détourner le regard du vieux seigneur. Était-ce le fruit de son imagination, ou bien y avait-il eu dans l'œil de Dene-thor un soudain reflet dirigé vers lui, lorsqu'il avait été question des Pierres ?

« Maintenant, faites-moi votre récit, mon homme-lige, dit Denethor d'un ton mi-bienveillant, mi-moqueur. Car les paroles seront certes bienvenues, de qui s'est attiré de la part de mon fils une si grande considération. »

Pippin n'oublia jamais cette heure passée dans la grande salle sous le regard perçant du Seigneur du Gondor, souvent taraudé par ses habiles questions, et toujours conscient de la présence de Gandalf à ses côtés, écoutant, observant, et (se dit Pippin) tentant de contenir une colère et une impatience grandissantes. Une fois l'heure écoulée, quand Denethor donna un nouveau coup de gong, Pippin était à bout. « Il ne peut pas être plus de neuf heures, se dit-il. Je pourrais maintenant engloutir trois petits déjeuners de suite. »

« Conduisez le seigneur Mithrandir aux appartements préparés pour lui, dit Denethor. Son compagnon peut loger avec lui pour le moment, s'il le désire. Mais qu'il soit dit et su que je l'ai attaché à mon service ; il sera connu sous le nom de Peregrin fils de Paladin, et les mots de passe secondaires lui seront enseignés. Faites savoir aux Capitaines qu'ils seront attendus ici, aussitôt que possible dès la troisième heure sonnée.

« Et vous, monseigneur Mithrandir, pourrez venir aussi, à l'heure et en la qualité que vous voudrez. Nul ne vous empêchera de venir à moi à tout moment, sauf dans mes brèves heures de sommeil. Laissez passer votre colère contre la folie d'un vieil homme, et revenez pour mon réconfort ! »

« Folie ? dit Gandalf. Non pas, monseigneur. Quand vous serez gâteux, vous mourrez. Même votre deuil peut vous servir de manteau. Croyez-vous que je ne sache pas pourquoi vous interrogez pendant une heure celui de nous deux qui en sait le moins, pendant que je reste assis en retrait ? »

« Si vous le comprenez, soyez satisfait, repartit Denethor. Fol est celui qui par orgueil dédaignerait votre aide et vos conseils en pareille nécessité ; mais vous dispensez vos bienfaits selon vos propres desseins. Or, le Seigneur du Gondor ne saurait se faire l'instrument des desseins des autres, aussi nobles soient-ils. Et pour lui, il n'est pas de cause plus élevée de nos jours dans le monde que celle du Gondor ; et l'autorité du Gondor, monseigneur, m'est échue à moi et à nul autre, sauf si le roi revenait. »

« Si le roi revenait ? répéta Gandalf. Eh bien, monseigneur l'Intendant, votre tâche n'est-elle pas de conserver une parcelle de royaume en prévision de cet événement, que peu de gens espèrent encore voir ? Pour ce faire, vous recevrez toute l'aide qu'il vous plaira de demander. Mais je dirai ceci : aucun royaume n'est sous mon autorité, ni le Gondor ni aucun autre, grand ou petit. Toutes choses de valeur dans le monde, toutes celles qui sont aujourd'hui en péril, voilà ce qui m'occupe. Et pour ma part, je n'aurai pas entièrement failli à ma tâche, le Gondor dût-il disparaître, s'il survit à cette nuit la moindre chose encore capable de beauté, ou de porter fleurs et fruits dans les jours à venir. Car je suis moi-même un intendant. Ne le saviez-vous pas ? » Et sur ce, il se détourna et sortit de la salle à grands pas, et Pippin le suivit, courant à ses côtés.

Gandalf ne lui adressa pas un mot en chemin, ni le moindre regard. Leur guide les accueillit aux portes de la salle, puis il leur fit traverser la Cour de la Fontaine jusqu'à une ruelle entre de hauts édifices de pierre. Après plusieurs tournants, ils arrivèrent à une maison située près du mur nord de la citadelle, non loin de l'épaulement qui reliait la colline à la montagne. À l'intérieur, il les mena par un long escalier sculpté au premier étage au-dessus de la rue et à une jolie pièce, claire et aérée, décorée de belles tentures d'un tissu uni, aux reflets d'or mat. Sommairement meublée, elle n'était pourvue que d'une petite table, avec deux chaises et un banc ; mais deux alcôves étaient aménagées de chaque côté, fermées par des rideaux, et à l'intérieur se trouvaient des lits bien fournis, ainsi que des récipients et des cuvettes pour se laver. Trois hautes fenêtres étroites regardaient au nord par-dessus la grande boucle de l'Anduin, encore enveloppé de brumes, vers les Emyn Muil et le lointain Rauros. Pippin dut monter sur le banc afin de regarder par-dessus le large rebord de pierre.

« Êtes-vous fâché contre moi, Gandalf ? demanda-t-il, alors que leur guide sortait et refermait la porte. J'ai fait de mon mieux. »

« Assurément ! » dit Gandalf avec un rire soudain ; et le vieillard s'approcha et se tint près de lui, posant son bras sur ses épaules et regardant par la fenêtre. Pippin tourna un regard quelque peu étonné vers le visage maintenant tout près du sien, car le son de ce rire avait été joyeux. Il ne vit là d'abord que des plis de chagrin et d'inquiétude ; mais en y regardant plus attentivement, il perçut que sous les traits du magicien se cachait une grande gaieté : une fontaine de joie capable de soulever tout un royaume d'allégresse, dût-elle jaillir soudain.

« Assurément, vous avez fait de votre mieux, reprit le magicien ; et j'espère qu'il faudra longtemps avant de vous voir de nouveau pris entre deux aussi terribles vieillards. N'empêche, le Seigneur du Gondor aura plus appris de vous que vous ne le croyez, Pippin. Vous n'avez pas pu lui cacher que Boromir n'a pas dirigé la Compagnie au sortir de la Moria, qu'il y avait parmi vous une personne de haut rang qui se rendait à Minas Tirith, et qu'elle maniait une épée de renom. Au Gondor, on pense beaucoup aux histoires de l'ancien temps ; et Denethor a longuement médité les vers où il était question du *Fléau d'Isildur*, depuis que Boromir est parti.

« Il n'est pas semblable aux hommes de son temps, Pippin ; et quelle que soit sa lignée de père en fils, le hasard a voulu que le sang de l'Occidentale coule en lui presque franc ; comme c'est le cas chez son deuxième fils, Faramir, mais non chez Boromir, son préféré. Il a la vue longue. Il peut discerner, pour peu qu'il y dirige sa volonté, une grande part de ce qui agite l'esprit des hommes, même ceux qui demeurent au loin. Il est difficile de l'abuser, et périlleux d'essayer.

« Souvenez-vous-en ! Car vous êtes maintenant lié à son service. Je ne sais ce qui vous a mis cette idée en tête, ou comment elle s'est imposée à votre cœur, mais c'était

un geste noble. Je ne l'ai pas empêché, car un acte généreux ne devrait pas être entravé par de froides recomman-
dations. Votre geste l'a touché, en plus de le flatter – si je
puis me permettre. Et au moins, vous voilà libre d'aller où
bon vous semble à Minas Tirith – quand vous ne serez pas
de service. Car il y a un revers à cette médaille. Vous êtes
sous son commandement ; et il ne l'oubliera pas. Restez sur
vos gardes ! »

Il s'arrêta et soupira. « Eh bien, inutile de ruminer sur ce
que demain pourrait apporter. Car demain sera certainement pire qu'aujourd'hui, pour bien des jours encore. Et je
ne puis rien faire d'autre qui y changerait quoi que ce soit.
L'échiquier est prêt, et les pièces sont en mouvement. Il en
est une que je désire vivement trouver : Faramir, le nouvel
héritier de Denethor. Je ne crois pas qu'il soit dans la Cité ;
mais je n'ai pas eu le temps d'aller aux nouvelles. Je dois
partir, Pippin. Il faut me rendre à ce conseil des seigneurs
pour y apprendre ce que je pourrai. Mais l'Ennemi a le trait,
et il est sur le point d'ouvrir son jeu. Et il est probable que
les pions en verront tout autant que les autres, Peregrin fils
de Paladin, soldat du Gondor. Affûtez votre lame ! »

Gandalf alla à la porte et se retourna. « Je dois me
hâter, Pippin, dit-il. Soyez gentil, quand vous ressortirez…
avant même de vous reposer, si vous n'êtes pas trop fatigué. Allez trouver Scadufax pour voir comment il est logé.
Ces hommes sont tendres avec les bêtes, car ils sont sages
et bienveillants, mais pour le soin des chevaux, ils sont
moins doués que d'autres. »

Là-dessus, Gandalf se retira ; et au même moment, on
entendit un son clair, le doux tintement d'une cloche dans

une tour de la citadelle. Elle sonna trois coups, comme du vermeil dans l'air, puis se tut : la troisième heure depuis le lever du soleil.

Au bout d'un moment, Pippin se rendit à la porte, descendit l'escalier et regarda dans la rue. Le soleil brillait à présent, lumineux et chaud, et les tours et les hautes maisons projetaient des ombres longues et nettement découpées sur leur côté ouest. Haut dans l'azur, le mont Mindolluin élevait son blanc cimier et son manteau de neige. Des hommes armés allaient et venaient dans les rues de la Cité, comme si la sonnerie de l'heure appelait à un changement de poste et de fonction.

« Neuf heures, dirions-nous dans le Comté, se dit Pippin à voix haute. L'heure parfaite pour un bon petit déjeuner près de la fenêtre ouverte au soleil printanier. Et j'ai tant envie de déjeuner ! Ces gens savent-ils ce que c'est, ou bien est-ce déjà fini ? Et quand dînent-ils, et où ? »

Il remarqua bientôt un homme au costume noir et blanc qui déambulait dans l'étroite rue partant du centre de la citadelle. Il se dirigeait vers lui, et Pippin, qui se sentait un peu seul, résolut de lui parler lorsqu'il passerait ; mais c'était inutile. L'homme vint directement l'aborder.

« Vous êtes Peregrin le Demi-Homme ? demanda-t-il. On m'informe que vous vous êtes engagé au service du Seigneur et de la Cité. Soyez le bienvenu ! » Il lui tendit la main et Pippin l'accepta.

« Je me nomme Beregond fils de Baranor. Je ne suis pas de service ce matin, et on m'a envoyé pour vous enseigner les mots de passe, et pour vous dire quelques-unes des nombreuses choses que vous désirez sans doute savoir. Et pour ma part, j'aimerais apprendre de vous également. Car jamais auparavant nous n'avions vu de demi-hommes en ce pays, et bien que nous ayons entendu dire qu'ils existaient, il n'en est à peu près jamais question dans les récits que nous connaissons. De plus, vous êtes un ami de Mithrandir. Parlez-vous souvent avec lui ?»

«Eh bien, dit Pippin, j'entends parler *de* lui depuis que je suis tout petit, si vous me passez l'expression ; et ces derniers temps, j'ai beaucoup voyagé avec lui. Mais c'est un livre qu'on n'a jamais fini de lire, et je ne saurais prétendre en avoir vu plus d'une page ou deux. Je le connais peut-être aussi bien que la plupart, cela dit, sauf quelques privilégiés. Aragorn était le seul de notre Compagnie à le connaître vraiment, je pense.»

«Aragorn ? fit Beregond. Qui est-ce ?»

«Oh, balbutia Pippin, un homme qui roulait sa bosse avec nous. Je crois qu'il est au Rohan, à présent.»

«Vous fûtes au Rohan, à ce que j'entends. Il est bien des choses que j'aimerais aussi vous demander quant à ce pays-là ; car le peu d'espoir que nous avons réside avant tout dans son peuple. Mais j'en oublie ma mission, qui était de répondre d'abord aux questions que vous auriez à poser. Que voulez-vous savoir, maître Peregrin ?»

«Euh, eh bien, commença Pippin, si je puis me hasarder à vous le demander… la question qui me brûle les lèvres en ce moment, c'est, enfin… quid du petit déjeuner et tout ça ? Je veux dire, quelles sont les heures des repas, si vous voyez ce que je veux dire, et où est la salle à manger, s'il y en a une ? Et les auberges ? J'ai eu beau regarder, je n'en ai pas vu une seule en montant. Moi qui étais plutôt requinqué par l'espoir d'une gorgée de bière, sitôt que nous serions arrivés chez des gens de sagesse et de courtoisie.»

Beregond le considéra d'un air grave. «Un vieux de la vieille, à ce que je vois, fit-il. Ceux qui vont à la guerre pensent toujours au prochain espoir de nourriture et de boisson, à ce qu'on dit ; non que j'aie beaucoup voyagé moi-même. Ainsi, vous n'avez encore rien mangé aujourd'hui ? »

« Enfin, si, en toute honnêteté, si, répondit Pippin. Mais au plus une coupe de vin et un ou deux gâteaux blancs que votre seigneur a eu la bonté de m'offrir ; sauf qu'il me les a fait payer par une heure de questions, et cela donne faim. »

Beregond rit. « À table, les plus grands exploits sont souvent le fait des plus petits hommes, a-t-on coutume de dire. Mais vous avez aussi bien déjeuné que quiconque dans la Citadelle, et dans un plus grand honneur. C'est ici une forteresse et une tour de garde, et nous sommes en guerre. Nous nous levons avant le Soleil, nous prenons une bouchée aux premières lueurs, et nous sommes au poste à l'ouverture des portes. Mais ne désespérez pas ! » Il rit de nouveau, lisant la consternation sur le visage de Pippin. « Ceux qui ont eu une *lourde* tâche prennent quelque chose pour se remonter en milieu de matinée. Ensuite il y a le déjeuner, à midi ou plus tard, selon que nos occupations le permettent ; et les hommes se rassemblent pour le repas principal, et pour les réjouissances qu'il peut encore y avoir, vers l'heure du couchant.

« Venez ! Allons marcher un peu, trouver de quoi nous sustenter, et nous irons manger et boire sur le rempart et contempler la belle matinée. »

« Une minute ! dit Pippin, rougissant. La gourmandise, ou ce que vous nommez courtoisement la faim, a manqué de me faire oublier. Mais Gandalf, Mithrandir, comme vous l'appelez, m'a demandé de rendre visite à son cheval – Scadufax, un grand coursier du Rohan, la prunelle des yeux du roi, à ce que j'entends, bien qu'il l'ait offert à

Mithrandir en récompense de ses services. Son nouveau maître, je crois, a plus d'amour pour cette bête que pour bien des hommes ; et si sa bonne volonté est de quelque valeur pour cette cité, vous traiterez Scadufax avec les égards qu'il mérite : avec plus de bonté encore que vous en avez montré à ce hobbit, si la chose est possible. »

« Hobbit ? » fit Beregond.

« C'est le nom que nous nous donnons », répondit Pippin.

« Je suis heureux de l'apprendre, dit Beregond, car je constate que les accents étrangers n'altèrent en rien la beauté du discours, et les hobbits parlent de belle façon. Mais allons ! Vous me ferez connaître ce bon cheval. J'adore les bêtes, et nous en voyons rarement dans cette cité de pierre ; car voyez-vous, les miens sont originaires des vaux des montagnes, et avant cela, de l'Ithilien. Mais n'ayez crainte ! Nous ne resterons pas longtemps, une simple visite de courtoisie, et nous irons de là aux dépenses. »

Pippin constata que Scadufax avait été bien soigné et qu'il était convenablement logé. Car il y avait dans le sixième cercle, au-dehors des murs de la citadelle, de belles écuries où l'on tenait quelques rapides coursiers, près des logements des estafettes du Seigneur : des messagers, toujours prêts à partir sur l'ordre instant de Denethor ou de ses grands capitaines. Mais pour lors, tous les chevaux et cavaliers étaient sortis en mission.

Scadufax tourna la tête, hennissant, quand Pippin entra dans l'écurie. « Bonjour ! lui dit celui-ci. Gandalf viendra aussitôt qu'il le peut. Il est occupé, mais il te salue, et me demande de m'assurer que tout va bien de ton côté ; et que tu te reposes, j'ose espérer, après un si long labeur. »

Scadufax secoua l'encolure et piaffa. Mais il laissa Beregond lui tapoter doucement la tête et caresser ses larges flancs.

« On croirait qu'il est prêt pour une course, non qu'il arrive tout juste d'un grand voyage, dit Beregond. Qu'il est fort et fier ! Où est son harnais ? Il doit être beau et richement orné. »

« Aucun n'est assez beau et riche pour lui, dit Pippin. Il refuse tout harnais. S'il consent à vous porter, il vous porte ; sinon, eh bien, ni mors ni bride, ni longe ni cravache ne pourront le dompter. Au revoir, Scadufax ! Patience. La bataille s'en vient. »

Scadufax rejeta la tête en arrière et hennit, si bien que l'écurie en trembla, et ils se couvrirent les oreilles. Ils prirent ensuite congé de lui, non sans s'être assurés que la mangeoire était pleine.

« Maintenant, voyons à notre propre mangeoire », dit Beregond ; et, ayant ramené Pippin à la citadelle, il le conduisit à une porte sur la façade nord de la grande tour. Là, ils descendirent dans la fraîcheur d'un long escalier jusqu'à un large couloir éclairé de lampes. Des passe-plats étaient ménagés dans les murs latéraux, et l'un d'eux était ouvert.

« C'est ici le magasin et la dépense de ma compagnie de la Garde, dit Beregond. Salut, Targon ! cria-t-il à travers le passe-plat. Il est encore tôt, mais voici un nouveau venu que le Seigneur a attaché à son service. Il a chevauché sur de longues lieues en se serrant la ceinture, il a eu une dure matinée, et il est affamé. Donne-nous ce que tu as ! »

Ils reçurent du pain et du beurre, ainsi que du fromage et des pommes : les dernières de la réserve d'hiver, ridées mais saines et sucrées ; de même qu'une gourde de cuir remplie

51

de bière frais tirée, et des assiettes et des godets de bois. Ils mirent le tout dans un panier d'osier et remontèrent dans la clarté; alors Beregond conduisit Pippin à l'extrémité orientale du grand rempart en saillie : à cet endroit, une embrasure s'ouvrait dans les murs avec un banc de pierre sous le rebord. De là, ils pouvaient contempler le matin étendu sur le monde.

Ils burent et mangèrent, parlant tantôt du Gondor, de ses us et coutumes, tantôt du Comté et des étranges pays que Pippin avait vus. Et à mesure qu'ils conversaient, la surprise grandissait chez Beregond, et il s'émerveillait toujours plus de ce hobbit qui tantôt balançait ses courtes jambes au bout du siège où il était assis, tantôt s'y dressait sur la pointe des pieds pour regarder par-dessus le rebord, vers le pays en contrebas.

« Je ne vous cacherai pas, maître Peregrin, dit Beregond, qu'à nos yeux vous semblez presque un de nos enfants, un garçon d'à peine neuf printemps; pourtant, vous avez connu des dangers et des merveilles comme peu de nos vieilles barbes pourraient s'en vanter. Je croyais que c'était le caprice de notre Seigneur de prendre un noble page, à la manière des rois d'autrefois, dit-on. Mais je vois qu'il n'en est rien, et vous devrez pardonner ma sottise. »

« Volontiers, dit Pippin. Mais vous n'êtes pas loin du compte. Même pour les gens de mon pays, je ne suis encore qu'un garçon, et il me reste encore quatre ans avant mon "passage à l'âge adulte", comme on dit dans le Comté. Mais ne vous préoccupez pas de moi. Approchez-vous, et dites-moi ce que j'aperçois là-bas. »

Le soleil montait à présent, et les brumes s'étaient levées dans la vallée en bas. Les derniers haillons flottaient juste au-dessus de leur tête, telles de minces bandes de nuages laiteux emportées par la brise de l'Est qui fraîchissait, faisant voler et claquer les drapeaux et les étendards blancs de la citadelle. Tout au fond de la vallée, à environ cinq lieues à vue d'œil, le miroitement gris du Grand Fleuve pouvait dès lors être aperçu, partant du nord-ouest et décrivant une grande courbe vers le sud, puis à nouveau vers l'ouest, jusqu'à se fondre dans des lointains vaporeux et scintillants au-delà desquels s'étendait la Mer au loin, à cinquante lieues de distance.

La vue de Pippin embrassait tout le Pelennor, semé à perte de vue de fermes et de murets, de fenils et de bouveries ; mais nulle part ne voyait-on de bestiaux ou d'animaux d'aucune sorte. De nombreux chemins et sentiers traversaient les champs verts, et il y avait beaucoup d'allées et venues : des convois de chariots se dirigeant vers la Grande Porte, et d'autres qui en sortaient. De temps à autre, un cavalier arrivait au galop, sautait de sa selle et entrait en hâte dans la Cité. Mais les gens et les convois en sortaient surtout, le long de la principale grand-route : elle tournait vers le sud, puis, fléchissant plus rapidement que le Fleuve, contournait les collines et passait bientôt hors de vue. Large et bien pavée, elle était longée du côté droit par une importante piste cavalière, elle-même bordée par un mur. Sur la piste verte, des cavaliers allaient et venaient bon train, mais toute la chaussée semblait engorgée par de grands chariots couverts qui s'acheminaient vers le sud. Toutefois, Pippin s'aperçut bientôt que la circulation était parfaitement ordonnée : les chariots avançaient sur trois colonnes, les uns, les plus rapides, tirés par des chevaux ;

d'autres, de grands wagons munis de belles housses multicolores, tirés lentement par des bœufs; et tout le long du bord ouest de la route, de nombreuses petites charrettes que des hommes traînaient péniblement.

« C'est la route qui mène aux vaux de Tumladen et du Lossarnach, aux villages montagnards, et de là, au Lebennin, dit Beregond. Ce sont là les dernières voitures qui emmènent les vieillards, les enfants, ainsi que les femmes qui doivent les accompagner au refuge. Tous doivent avoir passé la Porte et libéré la route sur une lieue avant le coup de midi, suivant l'ordre qui a été donné. C'est une triste nécessité. » Il soupira. « Peu d'entre eux, sans doute, retrouveront un jour leurs proches. Et s'il y a toujours eu trop peu d'enfants dans cette cité, il n'y en a plus du tout à présent – hormis quelques jeunes garçons qui refusent de partir, et qui pourraient encore trouver quelque tâche à faire : mon fils est de ceux-là. »

Il y eut un silence. Pippin contempla l'Est d'un regard inquiet, comme s'il craignait de voir à tout moment se déverser des milliers d'orques dans les champs. « Que voit-on là-bas? demanda-t-il, désignant un endroit au milieu de la grande courbe de l'Anduin. Est-ce une autre cité, ou quoi? »

« C'en était une, répondit Beregond : la plus grande cité du Gondor, dont cette place-ci n'était qu'une forteresse. Car là sont les ruines d'Osgiliath de part et d'autre de l'Anduin, que nos ennemis ont prise et incendiée il y a fort longtemps. Nous ne l'avons pas moins reconquise au temps de la jeunesse de Denethor : non pour y vivre, mais afin qu'elle serve d'avant-poste, ce qui en outre nous a permis de reconstruire le pont pour le passage de nos armes. Puis les Terribles Cavaliers sont sortis de Minas Morgul. »

« Les Cavaliers Noirs ? » dit Pippin, écarquillant les yeux, son regard assombri par une vieille peur soudainement ranimée.

« Oui, ils étaient noirs, dit Beregond, et je vois que vous en savez quelque chose, bien que vous n'en ayez parlé dans aucun de vos récits. »

« Je les connais, dit Pippin à voix basse, mais je ne veux pas en parler maintenant, si près, si près… » Il s'interrompit, levant les yeux au-dessus du Fleuve ; et il lui sembla voir là, obscurcissant sa vision entière, une ombre vaste et menaçante. Étaient-ce des montagnes se dessinant aux limites de la vue, leur découpure comme adoucie par près de vingt lieues d'air embrumé ; ou était-ce seulement une barrière de nuages, dressée devant des ténèbres encore plus noires ? Mais plus il regardait, plus il lui semblait que les ténèbres croissaient et s'amoncelaient, lentement, très lentement, et s'élevaient pour engloutir les régions du soleil.

« Si près du Mordor ? dit doucement Beregond. Oui, il s'étend là-bas au loin. Nous en prononçons rarement le nom ; mais nous avons toujours demeuré en vue de cette ombre : parfois, elle semble plus faible et plus lointaine ; parfois plus proche et plus sombre. Elle grandit à présent, et elle s'assombrit ; ainsi, chez nous, la crainte et l'inquiétude grandissent à proportion. Et les Terribles Cavaliers, il y a moins d'un an, ont repris les passages du Fleuve, et bon nombre de nos plus valeureux ont été tués. C'est grâce à Boromir si l'ennemi a pu enfin être repoussé de notre rive, et nous tenons depuis la moitié ouest d'Osgiliath. Pour quelque temps encore. Mais un nouvel assaut est attendu là-bas. Peut-être le plus grand de la guerre qui approche. »

« Quand ? demanda Pippin. En avez-vous idée ? Car

j'ai vu les feux d'alarme il y a deux nuits de cela, et vos estafettes; et Gandalf a dit que c'était signe que la guerre avait commencé. Il semblait désespérément pressé. Mais tout semble se ralentir de nouveau, à présent. »

« Pour la simple raison que tout est maintenant prêt, dit Beregond. C'est la grande inspiration, avant de sauter le pas. »

« Mais pourquoi a-t-on allumé les feux d'alarme il y a deux nuits ? »

« Il est trop tard pour aller quérir de l'aide lorsqu'on est déjà assiégé, répondit Beregond. Mais les desseins du Seigneur et de ses capitaines me sont inconnus. Ils ont diverses façons d'obtenir des nouvelles. Et le seigneur Denethor est différent des autres hommes : il voit loin. D'aucuns disent que, assis dans la chambre haute de la Tour, la nuit, à diriger sa pensée de côté et d'autre, il parvient à lire une partie de l'avenir; et qu'il scrute même parfois la pensée de l'Ennemi, luttant avec lui. Et c'est pourquoi il paraît vieux, usé avant l'heure, dit-on. Quoi qu'il en soit, mon seigneur Faramir est au-dehors des murs : il a traversé le Fleuve dans quelque périlleuse mission, et il peut avoir envoyé des nouvelles.

« Mais ce qui, d'après moi, a fait allumer les feux d'alarme, ce sont les nouvelles qu'on a vues arriver du Lebennin ce soir-là. Une grande flotte s'approche des bouches de l'Anduin, manœuvrée par les corsaires d'Umbar dans le Sud. Il y a longtemps qu'ils ont cessé de craindre la puissance du Gondor et qu'ils se sont alliés avec l'Ennemi, et voilà qu'ils portent un grand coup au service de sa cause. Car leur attaque détournera une bonne partie de l'aide que nous souhaitions obtenir du Lebennin et du Belfalas, où les gens sont hardis et nombreux. Nos pensées se tournent d'autant plus au nord, vers le Rohan ; et nous nous réjouissons d'autant plus des nouvelles de victoire que vous apportez.

« Et pourtant – il s'arrêta et se leva, scrutant l'horizon au nord, à l'est et au sud –, les agissements d'Isengard devraient achever de nous convaincre que c'est une vaste stratégie qui se joue, un grand filet qui se resserre à présent autour de nous. Il ne s'agit plus d'escarmouches sur les gués, d'incursions par l'Ithilien ou par l'Anórien, d'embuscades et de pillages. Il s'agit d'une grande guerre planifiée de longtemps, et nous ne formons qu'une partie de cette vaste trame, quoi qu'en dise notre orgueil. Les choses bougent dans l'Est lointain, par-delà la Mer Intérieure, entend-on rapporter ; et aussi au nord, à Grand'Peur et au-delà, et dans les terres du Sud, au Harad. Et tous les royaumes seront bientôt mis à l'épreuve, et ils tiendront, ou tomberont – sous la domination de l'Ombre.

« Mais, maître Peregrin, nous avons néanmoins cet honneur : c'est nous qui, fois après fois, subissons le plus sévèrement la haine du Seigneur Sombre, car cette haine trouve son origine dans les profondeurs du temps et par-delà celles de la Mer. C'est ici que le marteau s'abattra le plus durement. Et c'est pourquoi Mithrandir a mis tant de hâte à venir ici. Car si nous tombons, qui tiendra ? Et, maître Peregrin, voyez-vous aucun espoir que nous tenions ? »

Pippin ne répondit pas. Il contempla les grandes murailles, et les tours et les fiers étendards, et le soleil au haut firmament, enfin il se tourna vers les ténèbres montantes de l'Est ; et il pensa aux longs doigts que cette Ombre étendait : aux Orques dans les bois et dans les montagnes, à la trahison d'Isengard, à ces oiseaux aux yeux malfaisants, et aux Cavaliers Noirs jusque sur les routes du

Comté – enfin, à la terreur ailée, aux Nazgûl. Il frissonna, et l'espoir parut s'évanouir. Et à cet instant même, le soleil vacilla pendant une seconde et se voila, comme si une aile noire était passée sur son disque. Il crut alors entendre, presque imperceptible à l'ouïe, loin dans les hauteurs du ciel, un cri : faible et pourtant glaçant pour le cœur, cruel et froid. Il blêmit et se recroquevilla contre le mur.

« Qu'était-ce donc ? demanda Beregond. Vous avez senti quelque chose, vous aussi ? »

« Oui, marmonna Pippin. C'est l'annonce de notre chute et l'ombre du destin, un Terrible Cavalier des airs. »

« Oui, l'ombre du destin, dit Beregond. Je crains que Minas Tirith ne tombe. La nuit approche. La chaleur même de mon sang semble être dérobée. »

Ils restèrent quelque temps assis ensemble, la tête baissée, sans mot dire. Puis soudain, Pippin releva le front et vit que le soleil brillait toujours, que les étendards continuaient de flotter au vent. Il se secoua. « C'est passé, dit-il. Non, mon cœur refuse encore de désespérer. Gandalf est tombé, mais il est revenu et il est avec nous. Il se peut que nous tenions, ne serait-ce que sur une jambe ; du moins nous pourrions finir encore sur nos genoux. »

« Bien dit ! s'écria Beregond, se levant et arpentant le pavé. Non, bien que toutes choses doivent disparaître avec le temps, ceci n'est pas la fin du Gondor. Quand même nos murs seraient pris par un redoutable adversaire qui lèverait devant lui des amas de charogne. Il y a d'autres forteresses, et des chemins secrets qui mènent dans les montagnes. L'espoir et la mémoire survivront, dans quelque vallée cachée où l'herbe demeurera verte. »

« Tout de même, j'aimerais qu'on en finisse, pour le meilleur ou pour le pire, dit Pippin. Je suis loin d'être un guerrier, et toute idée de bataille me répugne ; mais être obligé de rester sur les côtés en attendant qu'elle se déclare est la pire chose qui soit. La journée commence, mais elle paraît déjà bien longue ! Je serais moins malheureux si nous n'étions pas forcés d'attendre et d'observer, sans faire un seul mouvement, sans frapper nulle part un premier coup. C'est ce qui serait arrivé au Rohan, je pense, n'eût été Gandalf. »

« Ah ! vous mettez le doigt sur une plaie qui en indispose plus d'un ! dit Beregond. Mais les choses seront peut-être différentes quand Faramir reviendra. Il est hardi, plus hardi que beaucoup ne l'imaginent ; car de nos jours, les hommes sont lents à croire qu'un capitaine puisse être sage et savant, versé comme lui dans la tradition et les chants, tout en étant un homme de prouesses, au jugement sûr et prompt, sur le champ de bataille. Moins avide et moins téméraire que Boromir, quoique non moins déterminé. Mais dans les faits, que peut-il faire ? Nous ne pouvons assaillir les montagnes du… du royaume là-bas. Notre champ d'action est réduit, et nous ne pouvons frapper avant que l'ennemi décide d'y entrer. Mais quand il le fera, nous devrons avoir la main lourde ! » Il frappa la garde de son épée.

Pippin le regarda : grand, fier et noble, comme chacun des hommes qu'il avait vus jusque-là dans ce pays ; et ses yeux étincelaient à l'idée de se battre. « Hélas ! ma propre main paraît légère comme une plume, songea Pippin en son for intérieur. Un pion, disait Gandalf ? Peut-être, mais sur le mauvais échiquier. »

Ils parlèrent ainsi jusqu'à ce que le soleil fût à son zénith ; alors, les cloches de midi retentirent soudain et il y eut quelque agitation dans la citadelle, car tous hormis les guetteurs allaient prendre leur repas.

« Voulez-vous m'accompagner ? demanda Beregond. Vous pourriez venir à mon mess pour aujourd'hui. J'ignore à quelle compagnie vous serez affecté ; le Seigneur pourrait aussi vous garder à sa disposition. Mais vous serez le bienvenu. Et il serait bon de rencontrer autant d'hommes que possible, pendant qu'il est encore temps. »

« Avec plaisir, dit Pippin. Je me sens bien seul, à vrai dire. J'ai laissé mon meilleur ami au Rohan, et je n'ai eu personne pour discuter ou plaisanter. Je pourrais même rejoindre votre compagnie ? Vous en êtes le capitaine ? Si oui, vous pourriez me prendre dans vos rangs, ou parler en ma faveur ? »

« Que non, que non, fit Beregond en riant. Je ne suis pas capitaine. Je n'ai ni fonction ni rang ni dignité, n'étant moi-même qu'un homme d'armes de la Troisième Compagnie de la Citadelle. Mais le seul fait d'être de la Garde de la Tour du Gondor vous vaut une grande considération dans la Cité, maître Peregrin ; et ces hommes sont honorés à travers le pays. »

« C'est bien au-dessus de moi, alors, répondit Pippin. Reconduisez-moi à notre chambre, et si Gandalf n'y est pas, j'irai où vous voudrez – en tant qu'invité. »

Gandalf ne s'y trouvait pas, et il n'avait envoyé aucun message. Pippin accompagna donc Beregond, et il fut présenté aux hommes de la Troisième Compagnie. Et

Beregond parut en tirer autant d'honneur que son hôte, car la présence de Pippin fut des plus appréciées. On avait déjà beaucoup parlé, dans la citadelle, du compagnon de Mithrandir et de son long tête-à-tête avec le Seigneur ; et la rumeur voulait qu'un Prince des Demi-Hommes fût venu du Nord pour offrir son allégeance au Gondor, ainsi que cinq mille épées. Et d'aucuns disaient que les Cavaliers du Rohan, lorsqu'ils viendraient, arriveraient chacun avec un guerrier demi-homme en croupe, certes petit, mais vaillant.

S'il dut contredire à regret cette fable encourageante, Pippin ne put s'affranchir de son nouveau titre, bien dû, trouvait-on chez les hommes, à qui s'était attiré la faveur de Boromir, et l'honneur du seigneur Denethor ; et, suspendus à ses paroles et à ses histoires de contrées éloignées, ils le remercièrent d'être venu parmi eux, et ils lui offrirent autant de nourriture et de bière qu'il pouvait le souhaiter. En fait, son seul souci fut de rester « sur ses gardes » comme le lui avait conseillé Gandalf, et de ne pas parler à tort et à travers comme un hobbit entouré d'amis.

Enfin, Beregond se leva. « Au revoir pour l'heure ! dit-il. Je reprends le service jusqu'au coucher du soleil, comme tous ceux qui sont ici, je pense. Mais si vous vous sentez seul, comme vous le dites, peut-être aimeriez-vous un joyeux guide pour vous faire visiter la ville. Mon fils serait ravi de vous accompagner. C'est un bon garçon, je puis le dire. Si cela vous agrée, descendez jusqu'au tout premier cercle et demandez la Vieille Hôtellerie de Rath Celerdain, la rue des Lanterniers. Vous le trouverez là-bas avec les autres garçons qui sont restés. Il pourrait y avoir des choses intéressantes à voir à la Grande Porte avant la fermeture. »

Il sortit, et tous les autres le suivirent peu après. La journée était encore belle, quoique de plus en plus brumeuse, et il faisait chaud pour un mois de mars, même aussi loin au sud. Pippin avait sommeil, mais il se morfondait dans le logement, et il décida de descendre explorer la Cité. Il apporta à Scadufax un morceau qu'il avait gardé et que la bête accepta de bonne grâce, bien qu'elle ne parût manquer de rien. Puis, par de nombreuses rues sinueuses, il se rendit à pied jusqu'au bas de la ville.

On se retournait sur son passage. Face à lui, les hommes étaient graves et courtois, le saluant à la manière du Gondor, la tête courbée et les mains sur la poitrine ; mais il entendait souvent appeler derrière son dos, tandis que ceux qui étaient dehors criaient à d'autres de sortir voir le Prince des Demi-Hommes, le compagnon de Mithrandir. Nombre d'entre eux usaient d'une autre langue que le parler commun, mais il ne mit pas longtemps à comprendre tout au moins ce que signifiait *Ernil i Pheriannath*, et il sut que son titre l'avait précédé dans la Cité.

Enfin, par des passages voûtés et plusieurs belles allées aux riches pavages, il parvint au cercle le plus bas et le plus vaste, où on le dirigea vers la rue des Lanterniers, une large voie qui conduisait à la Grande Porte. Il y trouva la Vieille Hôtellerie, un grand bâtiment de pierre grise usée par les intempéries dont les deux ailes s'étendaient en retrait de la rue, séparées par une étroite pelouse derrière laquelle s'élevait la façade aux multiples fenêtres : sur toute sa largeur, un porche soutenu par une colonnade donnait accès à l'édifice, précédé d'un escalier qui descendait dans le gazon. Des garçons jouaient entre les colonnes :

c'étaient les seuls enfants qu'il avait vus à Minas Tirith, et il s'arrêta pour les observer. L'un d'eux ne tarda pas à l'apercevoir et, criant, il s'élança à travers la pelouse et le rejoignit dans la rue, suivi de plusieurs de ses camarades. Il se tint face à Pippin, l'examinant de bas en haut.

« Salutations ! dit le garçon. Tu viens d'où ? Tu es un étranger dans la Cité. »

« J'en étais un, dit Pippin ; mais on dit que je suis devenu un homme du Gondor. »

« Allons ! fit le garçon. On est tous des hommes ici, à ce compte-là. Mais quel âge as-tu, et comment t'appelles-tu ? J'ai déjà dix ans, et je ferai bientôt cinq pieds. Je suis plus grand que toi. Bien sûr, mon père est un Garde, parmi les plus grands. Qu'est-ce qu'il fait, ton père ? »

« À quoi dois-je répondre en premier ? dit Pippin. Mon père cultive les terres autour de Fontblanche, près de Tocquebourg dans le Comté. J'ai presque vingt-neuf ans, alors pour ça je te bats ; même si je fais seulement quatre pieds et que je ne devrais plus grandir, sinon en largeur. »

« Vingt-neuf ans ! dit le garçon avec un sifflement. Ma foi, tu es bien vieux ! Aussi vieux que mon oncle Iorlas. N'empêche, ajouta-t-il sans se laisser abattre, je gage que je pourrais te retourner sur la tête ou bien t'étendre sur le dos. »

« Peut-être, si je te laissais faire, répondit Pippin avec un rire. Et je pourrais te faire la même chose : on connaît quelques tours de lutte dans mon petit pays. Où, soit dit en passant, je passe pour exceptionnellement grand et fort ; et je n'ai jamais laissé personne me retourner sur la tête. Alors, si tu t'avisais d'essayer et que rien n'y faisait, je serais peut-être obligé de te tuer. Car quand tu seras plus grand, tu découvriras que les gens ne sont pas toujours ce qu'ils semblent être ; et au cas où tu m'aurais pris pour un jeune étranger mollasson et une proie facile, détrompe-toi : je ne le suis pas, je suis un demi-homme, hardi, implacable et terrifiant ! » Pippin prit un visage si dur que le garçon recula d'un pas ; mais il revint aussitôt en serrant les poings, une lueur belliqueuse dans les yeux.

« Non ! s'écria Pippin en riant. Ne crois pas non plus ce que les étrangers disent d'eux-mêmes ! Je n'ai rien d'un bagarreur. Mais si tu cherches à te mesurer à moi, la moindre des politesses serait de te présenter avant. »

Le garçon se dressa avec fierté. « Je suis Bergil fils de Beregond de la Garde », dit-il.

« J'en étais sûr, reprit Pippin, car tu ressembles à ton père. Je le connais, et il m'a envoyé te trouver. »

« Alors pourquoi ne pas l'avoir dit tout de suite ? » s'exclama Bergil. Et soudain, un air de consternation envahit son visage. « Ne me dis pas qu'il a changé d'avis et qu'il veut m'envoyer avec les filles ! Mais non – les derniers chars sont partis. »

« Sa requête est moins pénible que cela, sinon bonne, expliqua Pippin. Il dit qu'au lieu de me retourner sur la tête, tu pourrais décider de me faire visiter un peu la Cité, question d'égayer ma solitude. En échange, je peux te raconter des histoires des pays lointains. »

Bergil tapa des mains et eut un rire de soulagement. « C'est bon, s'écria-t-il. Viens, alors ! Nous étions sur le point d'aller flâner devant la Porte. Allons-y tout de suite. »

« Que se passe-t-il là-bas ? »

« Les Capitaines des Provinces sont attendus sur la Route du Sud avant le coucher du soleil. Suis-nous et tu verras. »

Bergil s'avéra un bon camarade, la compagnie la plus agréable que Pippin ait eue depuis qu'il s'était séparé de Merry ; et bientôt, ils riaient et discutaient gaiement tout en flânant dans les rues, insoucieux des nombreux regards qui leur étaient lancés. Avant peu, ils se retrouvèrent au milieu d'une foule qui avançait vers la Grande Porte. Là, Pippin monta beaucoup dans l'estime de Bergil, car dès qu'il eut donné son nom et son mot de passe, le garde le salua et le laissa passer ; et qui plus est, il lui permit d'emmener son compagnon avec lui.

« Excellent ! dit Bergil. Nous, les garçons, on n'a plus le droit de passer la Porte sans la présence d'un aîné. Maintenant, on verra mieux. »

Dehors, une foule s'était rassemblée sur le bas-côté de la route, et en bordure du grand espace pavé où tous les chemins menant à Minas Tirith se rejoignaient. Tous les regards étaient tournés vers le sud, et un murmure s'éleva bientôt : « Il y a de la poussière là-bas ! Ils arrivent ! »

Pippin et Bergil se faufilèrent jusqu'aux premiers rangs, et ils attendirent. Des cors retentirent à quelque distance, et la rumeur des acclamations s'enfla et déferla sur eux tel un coup de vent. Il y eut alors une grande sonnerie de trompettes, et tout autour d'eux, les gens criaient.

« Forlong ! Forlong ! » scandaient les hommes. « Que disent-ils ? » demanda Pippin.

« Forlong arrive, répondit Bergil, le vieux Forlong le Gros, Seigneur du Lossarnach. C'est là qu'habite mon grand-père. Hourra ! Le voici. Ce bon vieux Forlong ! »

À la tête du cortège s'avançait un grand cheval aux jambes épaisses sur lequel se tenait une figure pansue et large d'épaules, un homme âgé à la barbe grisonnante, pourtant couvert de mailles et casqué de noir, et qui portait une longue et lourde lance. Derrière lui venait une file d'hommes poussiéreux à la démarche fière, bien équipés et portant de grandes haches d'armes : ils étaient sévères de traits, plus courts et légèrement plus basanés que tous ceux que Pippin avaient vus jusque-là au Gondor.

« Forlong ! criait-on. Cœur loyal, fidèle ami ! Forlong ! » Mais quand les hommes du Lossarnach furent passés, on murmura : « Si peu ! Deux cents, qu'ils sont ? On espérait dix fois plus. C'est sans doute les récentes nouvelles de la flotte noire. Ils n'envoient que le dixième de leurs forces. N'empêche, chaque petit peu compte. »

Ainsi, les compagnies se succédèrent, saluées, acclamées, puis admises par la Grande Porte : des hommes des Provinces venus défendre la Cité du Gondor à l'heure funeste ; mais toujours en nombre insuffisant, toujours moindres que ce que l'espoir appelait ou que la nécessité demandait. Les hommes du Val du Ringló suivant le fils de leur seigneur, Dervorin allant à pied : trois cents. Des hauteurs du Morthond, où s'étend le Val de Sourcenoire, le grand Duinhir et ses fils, Duilin et Derufin, et cinq cents archers. De l'Anfalas, la lointaine Longuestrande, une longue file disparate d'hommes bigarrés, chasseurs, vachers et habitants de petits villages, mal équipés, sauf pour la maison de Golasgil, leur seigneur. Du Lamedon, une poignée de rudes montagnards sans capitaine. Des pêcheurs de l'Ethir, une centaine ou plus, prélevés sur les navires. Hirluin le Beau des Collines Vertes, venu de Pinnath Gelin, avec trois cents vaillants hommes vêtus de vert. Et le dernier et le plus fier, Imrahil, Prince de Dol

Amroth, parent du Seigneur, avec ses bannières dorées portant l'emblème du Navire et du Cygne d'Argent, et une compagnie de chevaliers en harnais, sur des montures grises ; et derrière eux, sept cents hommes d'armes à la stature de seigneur, aux yeux gris et aux cheveux sombres, qui chantaient en avançant.

Et ce fut tout : moins de trois mille au total. Il n'en viendrait plus d'autres. Leurs cris et le son de leurs pas entrèrent dans la Cité, puis s'évanouirent. Les spectateurs se tinrent quelque temps silencieux. La poussière restait suspendue, car le vent était tombé et le soir était lourd. L'heure de la fermeture approchait déjà, et le soleil rouge avait sombré derrière le Mindolluin. L'ombre descendait sur la Cité.

Pippin leva le regard, et il lui sembla que le ciel s'était fait d'un gris de cendre, comme si un vaste nuage de fumée et de poussière planait au-dessus d'eux, traversé par la lumière mate. Mais dans l'Ouest, le soleil moribond avait enflammé les vapeurs, et le Mindolluin se détachait alors en noir sur un âtre dormant, picoté de braises. « Ainsi une belle journée finit dans la colère ! » dit-il, oublieux de l'enfant qui se trouvait à côté de lui.

« Oui, si je ne suis pas rentré avant la sonnerie du couchant, dit Bergil. Allons ! C'est la trompette qui annonce la fermeture de la Porte. »

Ils regagnèrent la Cité main dans la main, derniers à passer les portes avant qu'elles ne soient refermées ; et comme ils entraient dans la rue des Lanterniers, toutes les cloches retentirent, solennelles, dans les tours. Des lumières surgirent à de nombreuses fenêtres ; et des logements et casernes où les hommes d'armes étaient cantonnés le long des murs, montait le son de chansons.

« Au revoir pour cette fois, dit Bergil. Transmets mes salutations à mon père, et remercie-le pour la compagnie qu'il m'a envoyée. Reviens bientôt, je t'en prie. Je voudrais presque qu'il n'y ait pas de guerre ; on aurait passé de bons moments. On aurait pu aller au Lossarnach, rendre visite à mon aïeul : il fait bon là-bas au printemps, les bois et les champs sont remplis de fleurs. Mais on aura peut-être encore l'occasion d'y aller ensemble. Ils ne battront jamais notre Seigneur, et mon père est très brave. Bon vent et reviens ! »

Ils se séparèrent, et Pippin se dépêcha de regagner la citadelle. Le chemin lui parut long ; il se mit à avoir chaud, et faim, et la nuit sombre tombait rapidement. Pas une seule étoile ne perçait le ciel. Il était en retard pour le repas principal au mess, où Beregond l'accueillit avec joie : il le fit asseoir à côté de lui et demanda des nouvelles de son fils. Le repas terminé, Pippin resta un moment mais prit bientôt congé, car une étrange noirceur pesait sur lui ; et il était, à présent, très désireux de revoir Gandalf.

« Pourrez-vous retrouver votre chemin ? lui demanda Beregond à la porte de la petite salle, du côté nord de la citadelle, où ils s'étaient assis. Il fait nuit noire, d'autant plus qu'on a donné ordre de voiler les lumières dans la Cité, et de n'en pas laisser filtrer hors des murs. Et j'ai eu vent d'un autre ordre qui vous touche : vous serez appelé tôt demain matin devant le seigneur Denethor. J'ai peur que vous ne soyez pas affecté à la Troisième Compagnie. Il est tout de même permis d'espérer que nous nous revoyions. Adieu, et dormez en paix ! »

Il faisait noir dans le logement, sauf pour une petite

lanterne posée sur la table. Gandalf ne s'y trouvait pas, et l'humeur de Pippin s'assombrit davantage encore. Il grimpa sur le banc et voulut jeter un coup d'œil par l'une des fenêtres ; mais c'était comme de regarder dans une mer d'encre. Il redescendit, ferma le volet et alla se coucher. Il resta quelque temps étendu, guettant les sons d'un éventuel retour de Gandalf ; puis il sombra dans un sommeil inquiet.

Au cours de la nuit, il fut réveillé par une lueur derrière le rideau de l'alcôve, et il vit que Gandalf était rentré et qu'il arpentait la pièce. Il y avait des bougies sur la table et des rouleaux de parchemin. Le magicien soupira, puis il l'entendit murmurer : « Quand donc Faramir reviendra-t-il ? »

« Bonsoir ! dit Pippin, écartant le rideau et sortant la tête. Je pensais que vous m'aviez complètement oublié. Je suis content de vous voir rentré. La journée a été longue. »

« Mais la nuit sera trop courte, dit Gandalf. Je suis revenu ici, car il me faut un peu de tranquillité, seul avec moi-même. Vous feriez mieux de dormir – dans un lit, pendant que vous le pouvez. Au lever du jour, je vous conduirai à nouveau devant le seigneur Denethor. Non. Pas au lever du jour, mais quand vous serez appelé. L'Obscurité a commencé. Il n'y aura pas d'aube. »

2
Le passage
de la Compagnie Grise

Gandalf était parti, et le battement des sabots de Scadufax s'était perdu dans la nuit quand Merry revint auprès d'Aragorn. Il n'emportait qu'un léger ballot, car il avait perdu toutes ses affaires à Parth Galen, et il n'avait plus que quelques petites choses utiles trouvées parmi les décombres d'Isengard. Hasufel était déjà sellé. Legolas et Gimli se tenaient non loin avec leur monture.

« Ainsi, la Compagnie est réduite au nombre de quatre. Nous continuerons ensemble. Mais nous n'irons pas seuls, comme je l'envisageais. Le roi a résolu de partir tout de suite. Depuis la venue de l'ombre ailée, il souhaite regagner les collines sous le couvert de la nuit. »

« Et ensuite ? » demanda Legolas.

« Je ne saurais dire pour le moment, répondit Aragorn. Le roi, pour sa part, ira au rassemblement prévu à Edoras dans quatre jours. Et il y apprendra, je crois, des nouvelles de la guerre, et les Cavaliers du Rohan descendront jusqu'à Minas Tirith. Quant à moi, et à tous ceux qui voudront me suivre... »

« Moi, pour commencer ! » s'écria Legolas. « Et Gimli aussi ! » renchérit le Nain.

« Enfin, pour ce qui me concerne, dit Aragorn, tout est

sombre devant moi. Je dois aussi descendre à Minas Tirith, mais je ne vois pas encore la route. L'heure approche, une heure depuis longtemps préparée. »

« Ne m'abandonnez pas ! dit Merry. Je n'ai pas été bien utile jusqu'ici ; mais je ne veux pas qu'on me laisse de côté, comme un bagage à réclamer quand tout sera fini. Je ne pense pas que les Cavaliers voudront s'embarrasser de moi, à présent. Même si le roi a dit que je devrais m'asseoir à ses côtés quand il rentrerait à la maison, pour tout lui raconter au sujet du Comté. »

« Oui, dit Aragorn, et votre route doit continuer auprès de lui, je crois, Merry. Mais ne comptez pas trouver la joie au bout. Il faudra longtemps, j'en ai peur, avant que Théoden ne s'asseye de nouveau en paix à Meduseld. Maints espoirs se flétriront en ce rude printemps. »

Bientôt, tous furent prêts au départ : vingt-quatre chevaux, avec Gimli assis derrière Legolas et Merry devant Aragorn. Quelques instants plus tard, ils filaient à travers la nuit. Ils venaient de passer les tertres des Gués de l'Isen lorsqu'un Cavalier remonta vers eux de l'arrière de la file.

« Monseigneur, dit-il au roi, il y a derrière nous des hommes à cheval. J'avais bien cru les entendre en passant les gués. Maintenant, nous en sommes sûrs. Ils nous rattrapent – ils vont à toute bride. »

Théoden ordonna aussitôt une halte. Les Cavaliers firent volte-face et saisirent leurs lances. Aragorn mit pied à terre et fit descendre Merry, puis, l'épée au clair, il se tint auprès de l'étrier du roi. Éomer et son écuyer se portèrent à l'arrière-garde. Merry se sentit plus que jamais inutile et encombrant, et il se demanda ce qu'il ferait si un combat devait éclater. Si la maigre escorte du roi était prise au piège et décimée, il pourrait toujours s'échapper dans les ténèbres… seul dans les grandes prairies du Rohan, sans aucune idée d'où il se trouvait dans cette immensité ? « Pas mieux ! » se dit-il. Il tira son épée et serra sa ceinture.

La lune, près de sombrer, était obscurcie par un grand nuage voguant devant elle ; mais soudain, elle retrouva sa pleine clarté. Tous entendirent alors le son des sabots, et au même moment ils aperçurent des formes sombres qui approchaient rapidement sur le chemin venant des gués. Le clair de lune étincelait par moments à la pointe de leurs lances. Il était difficile de juger combien ils étaient ; en tout cas, ils n'étaient pas moins nombreux que l'escorte du roi.

Quand ils furent à une cinquantaine de pas, Éomer appela d'une voix forte : « Halte-là ! Halte-là ! Qui chevauche au Rohan ? »

Les poursuivants arrêtèrent soudain leurs coursiers. Un silence s'ensuivit ; et l'on put voir, dans le clair de lune, un cavalier descendre de selle et marcher lentement vers eux. Sa main luisit d'un éclat blanc lorsqu'il la tint levée, paume en avant, en signe de paix ; mais les gardes du roi saisirent leurs armes. Parvenu à dix pas, l'homme s'arrêta. Il était grand, telle une ombre noire et haute. Sa voix claire retentit alors.

« Au Rohan ? Au Rohan, avez-vous dit ? C'est une parole heureuse. Nous cherchons ce pays en toute hâte depuis des milles et des milles. »

« Vous l'avez trouvé, dit Éomer. Vous y êtes entrés en passant les gués qui se trouvent là-bas. Mais c'est le royaume de Théoden le Roi. Nul n'en parcourt les chemins sans sa permission. Qui êtes-vous ? Et d'où vous vient cette hâte ? »

« Je suis Halbarad Dúnadan, Coureur du Nord, cria l'homme. Nous cherchons un certain Aragorn fils d'Arathorn, et nous avons ouï dire qu'il était au Rohan. »

« Et vous l'avez trouvé aussi ! » s'écria Aragorn. Confiant ses rênes à Merry, il courut vers le nouveau venu et lui donna l'accolade. « Halbarad ! dit-il. De toutes les joies, celle-ci est la plus inattendue ! »

Merry poussa un soupir de soulagement. Il avait cru qu'il s'agissait d'un dernier tour de Saruman cherchant à assaillir le roi alors qu'il n'était entouré que de quelques hommes ; mais il semblait qu'aucun d'entre eux n'aurait à mourir pour défendre Théoden, du moins pas pour l'instant. Il remit son épée au fourreau.

« Tout va bien, dit Aragorn en se tournant vers eux. Ce sont des parents à moi, venus du lointain pays où j'habitais. Mais pourquoi ils sont venus, et combien ils sont, Halbarad pourra nous le dire. »

« J'en ai trente avec moi, dit Halbarad. Ce sont ceux-là des nôtres qu'on a pu rassembler en hâte ; mais les frères Elladan et Elrohir ont chevauché avec nous, désireux d'aller au combat. Nous sommes venus aussi vite que possible, sitôt que nous avons reçu votre appel. »

« Mais je ne vous ai pas appelés, dit Aragorn, sauf de mes vœux. Mes pensées se sont souvent tournées vers vous, ce soir plus qu'à tout autre moment ; quoi qu'il en soit, je ne vous ai pas convoqués. Mais allons ! Toutes ces questions doivent attendre. Vous nous trouvez dans une périlleuse chevauchée, et il faut faire vite. Accompagnez-nous, si le roi veut bien le permettre. »

Ces nouvelles ne manquèrent pas de réjouir Théoden. « Cela m'agrée ! dit le roi. S'ils vous ressemblent un tant soit peu, monseigneur Aragorn, trente chevaliers de cette trempe seront une aide qui ne saurait se mesurer en nombre de têtes. »

Alors les Cavaliers se remirent en route, et Aragorn chevaucha quelque temps avec les Dúnedain. Et lorsqu'ils eurent échangé des nouvelles du Nord et du Sud, Elrohir lui dit :

« Je vous transmets les paroles de mon père : *Les jours sont comptés. Si tu as grand'hâte, souviens-toi des Chemins des Morts.* »

« Mes jours ont toujours paru trop courts pour l'accomplissement de mon désir, répondit Aragorn. Mais ma hâte sera certes grande le jour où je suivrai cette voie. »

« Nous verrons cela bientôt, dit Elrohir. Mais ne parlons plus de ces choses tant que nous serons à découvert ! »

Et Aragorn dit à Halbarad : « Qu'avez-vous là, parent ? » Car il vit qu'au lieu d'une lance, il portait un long bâton, comme la hampe d'un étendard ; mais elle était étroitement enroulée dans un linge noir serré de plusieurs lanières.

« Je vous apporte un présent de la Dame de Fendeval, répondit Halbarad. Elle l'a fabriqué en secret, et longue fut sa confection. Mais elle vous envoie aussi un message : *Les jours sont maintenant comptés. Ou notre espoir vient, ou la fin de tout espoir. Je t'envoie donc ce que j'ai préparé pour toi. Bon vent, Pierre-elfe !* »

Et Aragorn dit : « Maintenant, je sais ce que vous avez là. Portez-le pour moi encore quelque temps ! » Et il se retourna pour regarder au loin, vers le Nord, sous les grandes étoiles ; puis il se tut et ne parla plus de toute cette nuit-là.

La nuit était vieille et l'Est grisonnait quand ils débouchèrent enfin de la Combe de la Gorge et regagnèrent la Ferté-au-Cor. Ils avaient prévu de s'y arrêter un court moment pour se reposer et prendre conseil.

Merry dormit jusqu'à ce que Legolas et Gimli viennent le réveiller. « La Soleil est haute, dit Legolas. Tous les autres sont debout et affairés. Allons, maître Flemmard, venez contempler ce lieu pendant que vous en avez le loisir ! »

« Une bataille s'est déroulée ici il y a trois nuits, dit Gimli ; et ici même, Legolas et moi nous sommes adonnés à un jeu que je n'ai remporté que par un seul orque. Venez voir où cela s'est passé ! Et il y a des cavernes, Merry, des cavernes enchanteresses ! Irons-nous les visiter, tu crois, Legolas ? »

« Non ! Il n'y a pas le temps, trancha l'Elfe. Ne romps pas l'enchantement par trop de hâte ! J'ai donné ma parole de revenir ici avec toi, le jour où la paix et la liberté seront rétablies. Mais il est maintenant près de midi, et à cette heure-là nous mangeons ; puis nous devrons repartir, ai-je entendu dire. »

Merry se leva en bâillant. Ces quelques heures de sommeil ne lui avaient pas suffi, bien au contraire ; il était fatigué et plutôt maussade. Pippin lui manquait, et il avait le sentiment de n'être qu'un fardeau, alors que tout était mis en œuvre pour la bonne conduite d'une affaire qu'il ne comprenait pas entièrement. « Où est Aragorn ? » demanda-t-il.

« Dans une chambre haute de la Ferté, dit Legolas. Il n'a pas dormi, je crois, ni pris aucun repos. Il est monté là-haut il y a quelques heures, disant qu'il devait réfléchir, et seul son parent Halbarad l'a accompagné ; mais un souci pèse sur lui, ou quelque sombre doute. »

« Ce sont d'étranges personnages, ces nouveaux venus, dit Gimli. Des hommes vaillants et dignes – les Cavaliers du Rohan semblent presque des gamins à côté d'eux ; car ils sont sévères de traits, burinés comme d'antiques rochers pour la plupart, à l'instar d'Aragorn ; et ils sont silencieux. »

« Mais comme Aragorn, ils sont courtois lorsqu'ils brisent le silence, dit Legolas. Et as-tu remarqué les frères Elladan et Elrohir ? Leur vêtement est moins sombre que celui des autres, et ils ont la beauté héroïque que l'on prête aux seigneurs des Elfes – ce qui n'a rien d'étonnant chez les fils d'Elrond de Fendeval. »

« Pourquoi sont-ils venus ? L'avez-vous entendu dire ? » demanda Merry. S'étant habillé, il jeta sa cape grise sur ses épaules ; alors, tous trois sortirent et se dirigèrent vers la porte détruite de la Ferté.

« Ils ont répondu à l'appel qui leur était lancé, comme vous avez pu l'entendre, dit Gimli. Un message est venu à Fendeval, dit-on : *Aragorn a besoin des siens. Que les Dúnedain aillent jusqu'à lui au Rohan !* Quant à la provenance de ce message, ils ne savent plus quoi penser. Je dirais qu'il venait de Gandalf. »

« Non, de Galadriel, dit Legolas. N'a-t-elle pas évoqué, par le truchement de Gandalf, la chevauchée de la Compagnie Grise venue du Nord ? »

« Oui, très juste, dit Gimli. La Dame du Bois ! Elle a lu les désirs de maints cœurs. Dis-moi, pourquoi n'avons-nous souhaité la venue de quelques-uns des nôtres, Legolas ? »

L'Elfe, debout devant la porte, tourna ses yeux clairs loin au nord et à l'est, et son beau visage se troubla. « Je ne crois pas qu'il en viendrait aucun, répondit-il. Ils n'ont nul besoin d'aller à la guerre ; la guerre est déjà en marche sur leurs propres terres. »

Les trois compagnons marchèrent quelque temps ensemble, évoquant tel ou tel moment de la bataille ; et, descendant des portes en ruine, ils passèrent les tertres des morts au combat, dressés dans l'herbe en bordure de la route, jusqu'au Fossé de Helm donnant vue sur l'intérieur de la Combe. Le Mont de la Mort s'y trouvait déjà, haute éminence noire et pierreuse, et toutes les traces et les empreintes du grand piétinement des Huorns se voyaient clairement dans l'herbe. Les Dunlandais, ainsi que maints hommes en garnison à la Ferté, étaient à l'œuvre aux abords du Fossé ou dans les champs et au-delà, autour des murs ravagés ; pourtant, tout semblait étrangement calme : une vallée éprouvée, contrainte au repos après la tempête. Bientôt, ils firent demi-tour et se rendirent au repas de midi dans la grand-salle de la Ferté.

Le roi s'y trouvait déjà et, à leur entrée, il fit immédiatement appeler Merry et installer un siège pour lui à ses côtés. « Ce n'est pas ce que j'aurais voulu, dit Théoden ; car cet endroit n'est guère comparable à ma belle demeure à Edoras. Et votre ami est parti, qui aurait dû être des nôtres. Mais ce pourrait être long avant que nous nous asseyions, vous et moi, à la table d'honneur de Meduseld ; il n'y aura pas le temps de festoyer quand bientôt j'y retournerai. Mais allons ! Mangez et buvez, à présent, et conversons pendant que nous en avons l'occasion. Ensuite, vous chevaucherez à mes côtés. »

« Le permettrez-vous ? répondit Merry, étonné et ravi.

Ce serait formidable ! » Jamais il n'avait éprouvé autant de gratitude pour une parole bienveillante. « Je crains d'être toujours dans vos jambes, balbutia-t-il ; mais j'aimerais bien pouvoir me rendre utile, vous savez. »

« Je n'en doute point, dit le roi. Je vous ai fait apprêter un bon poney de montagne. Il vous portera aussi vite qu'un cheval par les chemins que nous prendrons. Car je quitterai la Ferté par les chemins de montagne, non par la plaine, pour arriver ainsi à Edoras en passant par Dunhart, où m'attend la dame Éowyn. Vous serez mon écuyer, si le cœur vous en dit. Garde-t-on ici, Éomer, quelque attirail de guerre qui pourrait servir à mon page ? »

« Cet endroit ne dispose pas de grands arsenaux, sire, répondit Éomer. Nous pourrions trouver un casque léger qui lui convienne ; mais nous n'avons ni mailles ni épée pour quelqu'un de sa stature. »

« Je possède une épée, dit Merry, descendant de son siège, et sortant sa petite lame brillante de son fourreau noir. Soudain rempli d'amour pour ce vieillard, il mit un genou à terre, lui prit la main et la baisa. « Puis-je déposer l'épée de Meriadoc du Comté sur votre giron, Théoden Roi ? demanda-t-il avec chaleur. Recevez mon service, si vous le voulez bien ! »

« C'est avec grand plaisir que je l'accepte », dit le roi ; et, posant ses longues mains ridées sur les boucles brunes du hobbit, il le bénit. « Relève-toi, à présent, Meriadoc, écuyer du Rohan de la maison de Meduseld ! poursuivit-il. Reprends ton épée et porte-la à bonne fortune ! »

« Vous serez pour moi comme un père », dit Merry.

« Pour une brève période », répondit Théoden.

Ils parlèrent alors en mangeant et, peu de temps après, Éomer reprit la parole. «Ce sera bientôt l'heure prévue pour notre départ, sire, dit-il. Dois-je ordonner que l'on fasse sonner les cors? Mais où est donc Aragorn? Sa place est vide et il n'a pas mangé.»

«Nous nous apprêterons au départ, dit Théoden; mais que l'on fasse savoir au seigneur Aragorn que l'heure est proche.»

Le roi et sa garde, avec Merry à son côté, descendirent par la porte de la Ferté jusqu'au lieu de rassemblement des Cavaliers sur la pelouse. Maints d'entre eux étaient déjà en selle. La compagnie serait fort nombreuse; car le roi ne laissait qu'une petite garnison à la Ferté, les autres étant conviés au ralliement à Edoras. De fait, mille lances étaient déjà parties à la nuit; mais il y en aurait cinq cents autres pour chevaucher avec le roi, des hommes des vaux et des prairies de l'Ouestfolde, pour la plupart.

Les Coureurs, silencieux, se tenaient quelque peu à l'écart en une compagnie ordonnée, portant arcs, épées et lances. Ils étaient vêtus de capes gris foncé, et leurs capuchons couvraient alors casques et têtes. Leurs chevaux étaient forts et avaient fière allure, malgré leur poil rude; et l'un d'eux était sans cavalier, celui d'Aragorn, que l'on avait amené du Nord: il répondait au nom de Roheryn. Nul reflet d'or ni de pierreries, nul ornement ne se voyait dans toute leur sellerie, ou sur leurs harnais; pas plus que leurs cavaliers ne portaient d'insigne ou d'emblème, sinon à l'épaule gauche, où leurs capes étaient agrafées par une broche d'argent en forme d'étoile rayonnée.

Le roi enfourcha sa monture, Snawmana, et Merry se tint auprès de lui sur son poney: lui se nommait Stybba. Éomer passa bientôt les portes avec Aragorn à ses côtés, et Halbarad portant sa longue hampe emmaillotée de noir, ainsi que deux hommes de haute stature, ni jeunes ni vieux. Ils étaient si semblables, les dignes fils d'Elrond, que peu de gens arrivaient à les distinguer : les cheveux sombres, les yeux gris, leur visage d'une beauté elfique, tous deux revêtus de brillantes mailles sous des capes de gris-argent. Derrière eux venaient Legolas et Gimli. Mais Merry n'avait d'yeux que pour Aragorn, tant le changement qu'il percevait en lui était frappant ; comme si, en l'espace d'une nuit, le poids de nombreuses années était tombé sur son front. Ses traits étaient sombres, son visage cendreux et las.

« Je suis grandement troublé, sire, dit-il en se tenant à l'étrier du roi. J'ai entendu d'étranges paroles, et j'entrevois au loin de nouveaux périls. J'ai longuement cheminé en pensée, et je crains de devoir changer mes desseins. Dites-moi, Théoden, vous partez à l'instant pour Dunhart : dans combien de temps y serez-vous ? »

« Il est maintenant une bonne heure après midi, dit Éomer. Nous devrions arriver au Fort dans trois jours avant la nuit tombée. La pleine lune sera alors vieille de deux jours, et le rassemblement ordonné par le roi se tiendra le lendemain. Il est impossible de faire plus vite si les forces du Rohan doivent être ralliées. »

Aragorn marqua une pause avant de répondre. « Trois jours, murmura-t-il, et le rassemblement ne fera que commencer. Mais je vois qu'il ne peut désormais être hâté. » Il releva la tête, et on eût dit qu'il avait pris une décision ; son visage devint moins soucieux. « Dans ce cas, sire, une nouvelle résolution s'impose, pour moi-même et pour les miens, avec votre permission. Nous devons suivre notre propre route, sans plus nous cacher. Finie, pour moi, la clandestinité. Je chevaucherai dans l'Est par la voie la plus rapide, et je prendrai les Chemins des Morts. »

« Les Chemins des Morts ! s'exclama Théoden, tremblant. Pourquoi en parler ? » Éomer se retourna et dévisagea Aragorn, et Merry eut l'impression de voir pâlir les Cavaliers qui étaient assez proches pour entendre. « S'il est vrai que ces chemins existent, dit Théoden, leur entrée est à Dunhart ; mais elle est interdite aux vivants. »

« Hélas ! Aragorn, mon ami ! dit Éomer. J'avais espéré que nous irions ensemble à la guerre ; mais si vous cherchez les Chemins des Morts, l'heure est venue de nous séparer, et il y a peu de chances que nous nous revoyions jamais sous le Soleil. »

« Je prendrai néanmoins cette route, dit Aragorn. Mais je vous dis ceci, Éomer : nous pourrions bien nous retrouver sur le champ de bataille, toutes les armées du Mordor dussent-elles se dresser entre nous. »

« Vous ferez comme vous l'entendrez, monseigneur Aragorn, dit Théoden. Peut-être est-ce là votre destin : fouler d'étranges routes que d'autres n'osent emprunter. Cette séparation m'afflige, et ma force s'en trouve affaiblie ; mais je dois suivre à présent les chemins de montagne sans plus m'attarder. Adieu ! »

« Adieu, sire ! dit Aragorn. Allez au-devant d'un grand renom ! Adieu, Merry ! Je vous laisse en de bonnes mains, meilleures que nous ne l'espérions en pourchassant les orques jusqu'à Fangorn. Legolas et Gimli poursuivront la chasse avec moi, je l'espère ; mais nous ne vous oublierons pas. »

« Au revoir ! » dit Merry. Il ne trouva rien d'autre à dire. Il se sentait très petit, perdu, démoralisé par toutes ces sombres allusions. La bonne humeur inextinguible de Pippin lui manquait plus que jamais. Les Cavaliers étaient prêts, et leurs chevaux donnaient des signes d'impatience ; lui-même ne demandait qu'à lever le camp.

Théoden s'adressa bientôt à Éomer, et il leva une main et cria d'une voix forte ; et sur son cri, les Cavaliers se mirent en branle. Ils franchirent le Fossé et descendirent dans la Combe, prenant résolument vers l'est afin de rejoindre une piste qui longeait le bord des collines sur un mille ou deux, puis bifurquait au sud et disparaissait dans les montagnes. Aragorn se mit en selle et chevaucha jusqu'au bord du Fossé, d'où il observa leur longue descente dans la Combe. Puis il se tourna vers Halbarad.

« Je vois partir trois hommes que j'aime, le plus petit non le moins, dit-il. Il ne sait pas vers quelle fin il s'achemine ; mais s'il le savait, il irait quand même. »

« Ce sont des gens de petite stature mais de très grande valeur que ceux du Comté, dit Halbarad. Ils n'ont pas idée de notre long labeur pour la sécurité de leurs frontières, mais je ne leur en tiens pas rigueur. »

« Et voici que nos destins sont liés, dit Aragorn. Mais ici, hélas ! il faut nous séparer. Allons, je dois manger un peu, puis il nous faudra nous aussi partir sans tarder. Venez, Legolas, Gimli ! J'ai à vous parler, pendant que je déjeune. »

Ils regagnèrent ensemble la Ferté ; mais une fois attablé dans la grand-salle, Aragorn resta quelque temps silencieux, et les autres attendirent. « Allons ! dit enfin Legolas. Parlez, soulagez votre cœur et libérez-vous de l'ombre ! Qu'est-il arrivé depuis l'aube grise qui nous a vus revenir dans ce sinistre endroit ? »

« Une lutte, pour moi, encore plus sinistre que la bataille de la Ferté-au-Cor, répondit Aragorn. J'ai regardé dans la Pierre d'Orthanc, mes amis. »

« Vous avez regardé dans cette maudite pierre de sorcellerie ! » s'exclama Gimli. La crainte et l'étonnement se lisaient sur ses traits. « Avez-vous dit quoi que ce soit à… lui ? Même Gandalf redoutait cette confrontation. »

« Vous oubliez à qui vous parlez, dit sévèrement Aragorn, et ses yeux étincelèrent. Que craignez-vous que je lui dise ? N'ai-je pas ouvertement proclamé mon titre devant les portes d'Edoras ? Non, Gimli », dit-il d'une voix adoucie. Et la sévérité quitta son visage, et ils virent un homme aguerri aux peines de maintes nuits sans sommeil. « Non, mes amis, je suis le maître légitime de la Pierre, et j'avais non seulement le droit mais aussi la force de m'en servir, du moins le pensais-je. Le droit m'était acquis. La force… me fut tout juste suffisante. »

Il respira profondément. « La lutte a été rude, et j'en ressens encore la fatigue. Je ne lui ai adressé aucune parole, et j'ai fini par lui arracher la Pierre pour l'assujettir à ma volonté. Cela seul, il aura peine à le souffrir. Et il m'a vu. Oui, maître Gimli, il m'a vu, mais sous un autre aspect que celui que vous me connaissez. Si cela lui sert, j'aurai mal fait. Mais je ne le crois pas. Le fait de savoir que j'existe et que je parcours la terre lui a porté un dur coup, m'est avis ; car jusqu'à présent, il l'ignorait. Les yeux à Orthanc n'ont pas vu à travers l'armure de Théoden ; mais Sauron n'a pas oublié Isildur et l'épée d'Elendil. Or, à l'heure de ses grands desseins, l'héritier d'Isildur et l'Épée lui sont révélés ; car je lui ai montré la lame reforgée. Il n'est pas encore si puissant que rien ne puisse lui faire peur ; non, le doute le ronge sans cesse. »

« Mais son empire n'en est pas moins grand, dit Gimli ; et maintenant, il se dépêchera de frapper. »

« Le coup précipité s'égare souvent, dit Aragorn. Il faut presser notre Ennemi sans plus attendre qu'il se décide.

Voyez-vous, mes amis, après m'être rendu maître de la Pierre, j'ai appris bien des choses. J'ai vu une grave menace qui doit bientôt surprendre le Gondor par le Sud, et qui détournera une grande partie de la force qui défend Minas Tirith. Si elle n'est pas rapidement contrée, j'estime que la Cité sera perdue d'ici dix jours. »

« Sa perte est donc certaine, dit Gimli. Car quelle aide pouvons-nous envoyer là-bas, et comment pourrait-elle y parvenir à temps ? »

« Je ne puis envoyer aucune aide ; je dois donc m'y rendre moi-même, dit Aragorn. Mais il n'est qu'une route à travers les montagnes qui puisse m'amener aux régions côtières avant que tout soit perdu. Ce sont les Chemins des Morts. »

« Les Chemins des Morts ! dit Gimli. Ce nom est de sinistre augure ; et il ne plaît guère aux Hommes du Rohan, à ce que je constate. Les vivants peuvent-ils suivre une telle route sans y laisser leur vie ? Et même si vous la passiez, que pourrait un si petit nombre contre les assauts du Mordor ? »

« Les vivants n'ont jamais pris cette route depuis la venue des Rohirrim, dit Aragorn, car elle leur est fermée. Mais en cette heure funeste, l'héritier d'Isildur peut l'emprunter, s'il l'ose. Écoutez ! Voici les paroles que m'ont transmises les fils d'Elrond de leur père à Fendeval, le plus grand de tous les maîtres en tradition : *Mandez à Aragorn de se rappeler les mots du voyant, et les Chemins des Morts.* »

« Et que sont donc les mots du voyant ? » demanda Legolas.

« Ainsi parla Malbeth le Voyant au temps d'Arvedui, dernier roi de Fornost », dit Aragorn :

> *Partout sur le pays s'étend une ombre longue,*
> *tendant vers l'occident ses ailes ténébreuses.*

On tremble dans la Tour ; sur les tombeaux des rois
le destin se dirige. Et les Morts se remuent ;
car l'heure est arrivée pour le peuple parjure :
à la Pierre d'Erech ils seront réunis
et entendront le cri du cor dans les collines.
Qui les appellera, sonnera leur sortie
du crépuscule gris, à ces gens oubliés ?
L'héritier de celui à qui ils ont juré.
Du Nord il descendra dans sa nécessité :
il passera la Porte et les Chemins des Morts.

« Une voie obscure à n'en pas douter, dit Gimli, mais non moins obscure que me semblent ces vers. »

« Si vous voulez mieux les comprendre, alors je vous prie de m'accompagner, dit Aragorn ; car c'est la voie que j'entends suivre. Je n'y vais pas de gaieté de cœur ; seule la nécessité m'y contraint. Ainsi, je ne voudrais pas que vous me suiviez, sinon de votre propre chef, car il vous en coûtera beaucoup de peine et de peur, et peut-être davantage. »

« Je vous suivrai même sur les Chemins des Morts, qu'importe la fin à laquelle ils conduisent », dit Gimli.

« Je viendrai aussi, dit Legolas, car je ne crains pas les Morts. »

« J'espère que le peuple oublié n'aura pas oublié comment se battre, dit Gimli ; sinon, je ne vois pas pourquoi nous les dérangerions. »

« Nous le saurons assez vite, si jamais nous parvenons à Erech, dit Aragorn. Mais leur serment brisé était de combattre Sauron : ils devront donc se battre s'ils désirent l'acquitter. Car à Erech se dresse encore une pierre noire apportée de Númenor, dit-on, par Isildur ; et Isildur la plaça sur une colline, et là, au commencement du Gondor, le Roi des Montagnes lui jura allégeance. Et quand Sauron reparut et qu'il revint en force, Isildur appela les Hommes des Montagnes à tenir leur serment; mais ils se parjurèrent, car ils avaient rendu un culte à Sauron durant les Années Sombres.

« Lors Isildur dit à leur roi : "Tu seras le dernier de vos rois. Et si l'Ouest devait l'emporter sur ton Maître Noir, j'appellerai sur toi et sur les tiens cette malédiction : de ne trouver jamais aucun repos, que votre serment ne soit accompli. Car cette guerre traversera les années sans nombre, et vous serez de nouveau appelés avant la fin." Et ils fuirent devant la colère d'Isildur et n'osèrent se battre aux côtés de Sauron; et ils se cachèrent dans des replis secrets des montagnes et n'eurent plus commerce avec les autres hommes, et ils dépérirent lentement dans les collines incultes. Et la terreur des Morts sans Sommeil plane sur la Colline d'Erech et sur tous les lieux qu'ils hantaient autrefois. Mais telle est la voie que je dois suivre, puisqu'il n'est personne pour m'aider chez les vivants. »

Il se leva. « Venez! s'écria-t-il, tirant son épée; et sa lame étincela dans la pénombre de la Ferté. À la Pierre d'Erech! Je cherche les Chemins des Morts. Que ceux qui le veulent me suivent! »

Legolas et Gimli ne répondirent pas, mais ils se levèrent et sortirent avec Aragorn. Sur la pelouse attendaient, silencieux et immobiles, les Coureurs encapuchonnés. Legolas et Gimli remontèrent. Aragorn bondit sur Roheryn. Puis Halbarad éleva un grand cor qui résonna dans la Gorge de Helm; et alors ils s'élancèrent, dévalant la Combe en un bruit de tonnerre, sous les regards interdits des hommes restés dans la Ferté et le Fossé.

Et cependant que Théoden cheminait dans les collines, la Compagnie Grise fila à travers les plaines et parvint à Edoras dès le lendemain après-midi; elle ne s'y arrêta qu'un court moment avant de s'engager dans la vallée, et gagna ainsi Dunhart à la tombée de la nuit.

La dame Éowyn les accueillit, et elle se réjouit de leur venue; car c'était la première fois qu'elle voyait des hommes de la stature des Dúnedain et des beaux fils d'Elrond; mais ses regards étaient surtout pour Aragorn. Et lorsqu'ils soupèrent avec elle, ils se parlèrent, et elle sut tout ce qui s'était passé depuis le départ de Théoden, dont elle n'avait encore reçu que des échos hâtifs; et lorsqu'elle entendit parler de la bataille de la Gorge de Helm et du massacre de leurs ennemis, et de la charge de Théoden et de ses chevaliers, ses yeux étincelèrent.

Mais elle dit enfin: «Messires, vous êtes fatigués, et vous irez trouver vos lits et tout le confort qu'il est possible d'offrir dans la hâte. Demain, nous aurons mieux à vous proposer.»

Mais Aragorn dit: «Non, madame, ne vous dérangez pas pour nous! Si nous pouvons dormir ici et rompre notre jeûne au matin, ce sera assez. Car ma mission est des plus urgentes, et il nous faudra partir aux premières lueurs.»

Elle lui sourit et dit: «Dans ce cas, je vous remercie d'avoir fait un si long détour pour donner des nouvelles à Éowyn et venir lui parler dans son exil.»

«Nul homme ne verrait là une perte de temps, répondit Aragorn; mais je n'aurais pu venir ici, madame, si la route que je dois prendre ne me conduisait à Dunhart.»

Et elle répondit comme si ces mots la contrariaient: «Eh bien, seigneur, vous faites fausse route; car le Val de

Hart ne donne aucun accès à l'est ou au sud, et vous feriez mieux de retourner par où vous êtes venu. »

« Non, madame, dit-il, je ne fais pas fausse route ; car j'ai marché dans ce pays avant que vous naissiez pour l'embellir. Il est une route hors de cette vallée, et je vais la prendre. Demain, je chevaucherai par les Chemins des Morts. »

Alors elle le regarda comme dévastée, et elle blêmit ; et pendant un long moment, elle ne dit plus rien, et tous restèrent silencieux. « Mais Aragorn, dit-elle enfin, votre mission est-elle donc de chercher la mort ? Car c'est tout ce que vous trouverez sur cette route. Ils ne tolèrent pas le passage des vivants. »

« Ils le toléreront peut-être dans mon cas, dit Aragorn ; quoi qu'il en soit, je vais m'y hasarder. Aucune autre route n'est propice. »

« Mais c'est de la folie, dit-elle. Car voici des hommes de prouesses et de renom que vous devriez conduire non dans les ombres, mais à la guerre, où l'on a besoin d'hommes. Je vous supplie d'attendre mon frère et de partir avec lui ; car tous nos cœurs seront alors en joie, et notre espoir pourra revivre. »

« Ce n'est pas de la folie, madame, répondit-il ; car je prends la route qui a été choisie. Mais ceux qui me suivent le font de leur propre chef ; et s'ils désirent aujourd'hui attendre, et partir avec les Rohirrim, ils sont libres de le faire. Or moi, je prendrai les Chemins des Morts, seul s'il le faut. »

Alors, ils se turent et mangèrent en silence ; mais les yeux de la Dame ne quittaient plus le visage d'Aragorn, et les autres purent voir le profond tourment qui l'agitait. Enfin, ils se levèrent pour prendre congé d'elle et, l'ayant remerciée de sa prévenance, partirent se reposer.

Mais comme Aragorn arrivait à la case où il devait loger avec Legolas et Gimli, déjà passés à l'intérieur, la dame Éowyn vint à lui et l'appela. Se retournant, il l'aperçut, telle une lueur dans la nuit, car elle était vêtue de blanc ; mais ses yeux flamboyaient.

« Aragorn, lui dit-elle, pourquoi vous engager sur cette route mortelle ? »

« Parce qu'il le faut, répondit-il. C'est la seule chose qui me permette d'espérer pouvoir jouer mon rôle dans la guerre contre Sauron. Je ne choisis pas exprès les chemins du péril, Éowyn. Si je devais aller là où mon cœur réside, c'est dans le Nord que j'irais, dans la belle vallée de Fendeval. »

Elle resta un moment interdite, comme pour méditer le sens de ces mots. Puis, soudain, elle posa la main sur son bras. « Vous êtes ferme et résolu, lui dit-elle, ces qualités qui assurent la gloire aux hommes. » Elle marqua une pause. « Seigneur, reprit-elle, si vous devez partir, laissez-moi chevaucher à votre suite. Je n'en puis plus d'être terrée dans les collines ; je veux affronter le danger et tenter la fortune des armes. »

« Votre devoir est auprès des vôtres », répondit-il.

« Trop souvent m'a-t-on parlé de devoir, s'écria-t-elle. Pourtant, ne suis-je pas de la Maison d'Eorl, une fille guerrière et non une garde-malade ? J'ai assez veillé sur les pas vacillants d'un vieillard. Puisqu'ils ne vacillent plus, semble-t-il, ne puis-je maintenant vivre ma vie comme je l'entends ? »

« Rares sont ceux qui y parviennent en tout honneur, répondit-il. Mais quant à vous, madame, n'avez-vous pas accepté de gouverner le peuple jusqu'au retour du seigneur ? Si vous n'aviez pas été choisie, quelque maréchal ou capitaine l'aurait été à votre place, et il ne pourrait simplement abandonner sa charge, qu'elle lui pèse ou non. »

« Serai-je toujours choisie ? dit-elle avec amertume. Serai-je toujours laissée derrière quand les Cavaliers partiront, pour garder la maison pendant qu'ils se couvrent de gloire, et veiller à ce que le repas et le lit soient prêts à leur retour ? »

« Un jour viendra bientôt, peut-être, où nul ne rentrera, dit-il. Alors, il y aura besoin de courage sans gloire, car nul ne se souviendra des exploits accomplis dans l'ultime défense de vos foyers. Mais ces exploits n'auront pas été moins vaillants pour être restés sans éloges. »

Et elle répondit : « Tout cela revient à dire : vous êtes une femme, et votre place est à la maison. Mais quand les hommes seront morts au combat, dans l'honneur, vous pourrez brûler avec elle, car les hommes n'auront plus besoin d'un toit. Mais je suis de la Maison d'Eorl, et non une femme servante. Je puis monter à cheval, je sais manier l'épée ; et je ne crains ni la souffrance, ni la mort. »

« Que craignez-vous donc, madame ? » demanda-t-il.

« Une cage, dit-elle. Vivre derrière des barreaux, jusqu'à ce que l'habitude et la vieillesse s'en accommodent, et que l'espoir d'accomplir de hauts faits soit au-delà de tout souvenir et de toute envie. »

« Vous me conseilliez pourtant de ne pas tenter la route que j'ai choisie, parce qu'elle est périlleuse. »

« Un conseil n'est jamais rien que cela, lui dit-elle. Or, je ne vous conseille pas de fuir le danger, mais d'aller où votre épée s'attirera gloire et triomphe. Je ne veux pas voir une chose que j'estime haute et excellente gaspillée sans raison. »

« Moi non plus, madame, dit-il. C'est pourquoi je vous dis : restez ! Car vous n'avez rien à faire dans le Sud. »

« Ceux qui vont avec toi non plus, fit-elle soudain. Ils y vont, simplement, parce qu'ils ne veulent se séparer de toi – parce qu'ils t'aiment. » Puis elle se détourna et disparut dans la nuit.

Les premières lueurs avaient gagné le ciel, mais le soleil n'avait pas encore franchi les hautes crêtes de l'Est, quand Aragorn se prépara au départ. Toute sa compagnie était en selle, et il s'apprêtait à monter, quand la dame Éowyn arriva pour leur faire ses adieux. Elle était vêtue comme un Cavalier et portait une épée à la ceinture. Elle tenait une coupe, et, la portant à ses lèvres, elle but une gorgée, leur souhaitant bonne route ; puis elle tendit la coupe à Aragorn, qui but à son tour, et il dit : « Adieu, Dame du Rohan ! Je bois au bonheur de votre Maison, et au vôtre, et à celui de tout votre peuple. Dites à votre frère : au-delà des ombres, peut-être, nous nous retrouverons ! »

Alors Gimli et Legolas, restés tout près, crurent la voir pleurer ; et chez une femme aussi fière et forte, ces pleurs semblaient d'autant plus affligeants. Mais elle dit : « Aragorn, iras-tu donc ? »

« Oui, j'irai », répondit-il.

« Acceptes-tu, dans ce cas, que je chevauche avec cette compagnie, comme je l'ai demandé ? »

« Je ne puis l'accepter, madame, lui dit-il. Car il me faudrait pour cela la permission du roi, ainsi que celle de votre frère ; et ils ne reviendront pas avant demain. Or je compte maintenant chaque heure, et même chaque minute. Adieu ! »

Alors, elle tomba à genoux et le supplia : « Je t'en prie ! »

« Non, madame », dit Aragorn ; et prenant sa main, il

l'aida à se relever. Puis il lui baisa la main, et il monta en selle d'un bond et partit sans tourner la tête ; et seuls ceux qui étaient proches de lui et qui le connaissaient bien virent la douleur qu'il portait.

Mais Éowyn se tint comme une statue de pierre, les poings serrés sur les flancs, et elle les regarda s'éloigner et disparaître dans les ombres du noir Dwimorberg, la Montagne Hantée, où s'ouvrait la Porte des Morts. Quand ils furent perdus de vue, elle se détourna, et, trébuchant comme une aveugle, elle regagna son logis. Mais aucun des siens ne fut témoin de cette séparation, car la peur les gardait cachés, et ils ne voulurent pas sortir avant que le jour fût levé et les imprudents étrangers, partis.

Et d'aucuns dirent : « Ce sont des esprits elfes. Qu'ils retournent à leur place, dans les endroits sombres, et qu'ils y restent. Les jours sont déjà assez néfastes. »

La lumière était encore grise tandis qu'ils chevauchaient, car le soleil demeurait sous les crêtes noires de la Montagne Hantée devant eux. Une grande crainte pesait déjà sur eux lorsqu'ils passèrent les rangs de pierres anciennes conduisant au Dimholt. Là, dans la pénombre d'arbres noirs que Legolas lui-même eut peine à endurer, ils parvinrent à un renfoncement au pied de la montagne devant lequel se dressait, au beau milieu du chemin, une unique pierre levée, haute et imposante, tel un doigt menaçant.

« Mon sang se glace dans mes veines », dit Gimli ; mais personne ne répondit, et le son de sa voix retomba sans vie sur les aiguilles de sapin humides répandues à ses pieds. Les chevaux refusèrent de contourner la sinistre pierre, et leurs cavaliers durent mettre pied à terre pour les conduire. Ainsi, ils finirent par arriver au creux du vallon, où se dressait une haute paroi rocheuse ; et dans cette paroi s'ouvrait la Porte Sombre, béante, comme la bouche de la nuit. Des signes et des figures, effacés et impossibles à lire, étaient gravés au-dessus de sa large voussure, et la peur en émanait telle une vapeur grise.

La Compagnie s'arrêta, et il n'y avait pas un cœur parmi eux qui ne tremblât, sauf peut-être celui de Legolas du peuple des Elfes, pour qui les fantômes des Hommes n'inspirent aucune terreur.

« Cette porte est mauvaise, dit Halbarad, et ma mort se trouve au-delà. J'oserai la franchir tout de même ; mais aucune bête ne voudra entrer. »

« Nous devons pourtant y entrer, et par conséquent les chevaux le devront aussi, dit Aragorn. Car les lieues sont nombreuses au-delà de ces ténèbres, si jamais nous les traversons ; et chaque heure perdue dans le Sud rapprochera le triomphe de Sauron. Suivez-moi ! »

Aragorn ouvrit alors la marche, et sa volonté était telle, en cette heure fatidique, que tous les Dúnedain et leurs chevaux le suivirent. Car les chevaux des Coureurs avaient tant d'amour pour leurs cavaliers qu'ils étaient prêts à affronter la terreur de la Porte, tant que leurs maîtres seraient eux-mêmes assez solides pour les guider. Mais Arod, le coursier du Rohan, refusa d'avancer, et il tremblait et suait d'une angoisse qui faisait peine à voir. Alors Legolas posa les mains sur ses yeux, et il lui chanta des mots qui bruirent doucement dans la pénombre, et la bête finit par se laisser emmener. Et voilà que Gimli le Nain se tenait seul devant la Porte.

Ses genoux tremblaient, et il pestait contre lui-même.

« En voilà une chose inouïe ! dit-il. Un Elfe qui entre sous terre là où un Nain n'ose pas ! » Sur ce, il s'engouffra à l'intérieur. Mais sitôt qu'il passa le seuil, il lui parut traîner des jambes de plomb ; et une cécité lui voila les yeux, même à lui, Gimli fils de Glóin, qui avait marché sans frémir en maints endroits des profondeurs du monde.

Aragorn avait apporté des torches de Dunhart, et il en tenait une devant lui pour éclairer la voie. Elladan en portait une autre à l'arrière, et Gimli, titubant derrière, faisait tout pour le rattraper. Il ne voyait rien d'autre que la faible lueur des torches ; mais quand la Compagnie s'arrêtait, il lui semblait être entouré d'une multitude de voix chuchotantes, et les mots murmurés n'étaient en aucune langue qu'il eût jamais entendue auparavant.

Rien ne les assaillait ni ne s'opposait à leur passage ; pourtant, la peur grandissait toujours plus chez le Nain à mesure qu'il avançait – surtout, parce qu'il savait qu'il ne pouvait plus faire demi-tour : toutes les issues derrière lui étaient investies par une armée invisible qui les suivait dans le noir.

Le temps passa, un temps indéfinissable – jusqu'au moment où Gimli se trouva devant un spectacle dont il devait toujours abhorrer le souvenir. La voie était large, pour autant qu'il pût en juger ; mais la Compagnie déboucha soudainement dans un grand espace vide, et les murs s'effacèrent de part et d'autre. La peur l'envahit à tel point qu'il pouvait à peine marcher. Puis quelque chose étincela devant eux sur la gauche, au milieu des ténèbres, tandis qu'Aragorn approchait sa torche. Celui-ci s'arrêta pour aller voir ce dont il s'agissait.

« N'éprouve-t-il aucune peur ? marmonna le Nain. Dans toute autre caverne, Gimli fils de Glóin eût été le premier à courir vers le reflet d'or. Mais pas ici ! Qu'il reste où il est ! »

Néanmoins, il s'approcha, et il vit Aragorn s'agenouiller tandis qu'Elladan élevait les deux torches. Devant lui se trouvaient les ossements d'un homme de grande stature. Il avait été vêtu de mailles, et tout son harnais était encore intact ; car l'air de la caverne était extrêmement sec, et son haubert était doré. Sa ceinture était d'or et de grenats, et un heaume aux riches parures d'or recouvrait son crâne gisant face contre terre. Il était tombé près du mur au fond de la grotte, comme ils le voyaient à présent ; et il y avait devant lui une porte de pierre fermée à double tour : les os de ses doigts tentaient encore d'en agripper les fentes. Une épée reposait près de lui, ébréchée et en morceaux, comme s'il avait voulu fendre le roc dans son ultime désespoir.

Aragorn ne le toucha pas, mais après l'avoir observé un moment en silence, il se leva et soupira. « Jamais les fleurs de *simbelmynë* ne viendront à pousser ici, jusqu'à la fin des temps, murmura-t-il. Neuf tertres et sept autres sont aujourd'hui recouverts d'herbe, et durant toutes ces longues années, il est resté étendu à la porte qu'il ne réussissait pas à ouvrir. Où peut-elle mener ? Pourquoi voulait-il la franchir ? Personne ne le saura jamais !

« Car telle n'est pas ma mission ! cria-t-il, se retournant et s'adressant aux ténèbres chuchotantes qui les suivaient. Gardez vos trésors et vos secrets cachés dans les Années Maudites ! La hâte est notre seul besoin. Laissez-nous passer, et puis venez ! Je vous donne rendez-vous à la Pierre d'Erech ! »

Il n'y eut aucune réponse, sinon un silence absolu, plus effrayant que les murmures précédents ; puis un vent froid s'engouffra dans la caverne et fit vaciller les torches, qui s'éteignirent, et ne purent être rallumées. Des moments qui suivirent, une ou plusieurs heures, Gimli ne se rappela pas grand-chose. Les autres allèrent de l'avant, mais lui restait à la remorque, poursuivi par une horreur tâtonnante qui semblait toujours sur le point de le saisir ; et une rumeur hantait ses pas, comme l'ombre d'un nombreux piétinement. Il se traîna avec peine jusqu'au moment où, réduit à ramper comme une bête, il se sentit incapable de tenir plus longtemps : soit il trouvait une issue qui lui permettrait de s'échapper, soit il battait follement en retraite, à la rencontre de la peur qui le suivait.

Soudain il entendit un tintement d'eau, un son dur et clair comme une pierre qui tombe dans un rêve d'ombres noires. La lumière crût, et voici ! la Compagnie franchit une autre porte en forme de voûte, large et haute, au travers de laquelle un petit ruisseau s'écoulait en bordure du chemin ; au-delà, une route dévalait en pente raide entre deux à-pics nettement découpés sur le ciel, loin au-dessus de leurs têtes. Cette faille était si profonde et si étroite que le ciel était sombre, et de petites étoiles y scintillaient. Pourtant, comme Gimli devait l'apprendre par la suite, il restait encore deux heures avant la fin du jour, le même qui les avait vus partir de Dunhart ; même si, pour ce qu'il en savait, ce crépuscule pouvait être celui d'une autre année, voire d'un autre monde.

Alors la Compagnie se remit en selle, et Gimli retrouva Legolas. Ils allaient à la file ; le soir tombait dans un bleu profond, et toujours la peur les poursuivait. Legolas, se retournant pour parler à Gimli, jeta un regard en arrière, et le Nain vit une lueur dans les yeux clairs de l'Elfe. Derrière eux venait Elladan, dernier de la Compagnie, mais non de ceux qui avaient pris le chemin descendant.

«Les Morts nous suivent, dit Legolas. Je vois des formes d'Hommes et de chevaux, et de pâles étendards comme des lambeaux de nuages, et des lances comme des arbres serrés, l'hiver, par une nuit de brouillard. Les Morts nous suivent.»

«Oui, les Morts viennent derrière nous. Ils ont été appelés», dit Elladan.

La Compagnie finit par quitter le ravin, aussi subitement que s'ils étaient sortis par la fente d'un mur; et voici qu'ils se tenaient sur les hauteurs d'une grande vallée, et le ruisseau qu'ils suivaient descendait par de nombreuses chutes en bruissant d'une voix froide.

«Où diantre sommes-nous en Terre du Milieu?» s'exclama Gimli; et Elladan répondit: «Nous sommes descendus de la source du Morthond, le long fleuve glacial qui finit par trouver la mer là où elle baigne les murs de Dol Amroth. Vous n'aurez pas à demander d'où il tient son nom: la Sourcenoire, dit-on chez les Hommes.»

Le Val de Morthond formait une grande anse autour des à-pics à la face sud des montagnes. Ses pentes abruptes étaient couvertes d'herbe; mais tout était gris à ce moment, car le soleil avait disparu, et des lumières clignotaient dans les demeures des Hommes, loin en contrebas. La vallée était riche et ses habitants, nombreux.

Alors, sans se retourner, Aragorn cria d'une voix forte afin que tous puissent entendre: «Amis, oubliez toute lassitude ! Allez, allez à toute bride ! Il faut gagner la Pierre d'Erech avant que ce jour passe, et le chemin est encore long. » Ainsi, sans un regard en arrière, ils traversèrent les champs de montagne jusqu'à un pont qui enjambait les eaux grandissantes du torrent, trouvant alors une route qui descendait dans les terres.

Les lumières s'éteignaient dans les maisons et les hameaux à leur approche ; les portes se fermaient, et les gens au-dehors hurlaient de terreur et se sauvaient comme des bêtes traquées. Le même cri s'élevait chaque fois dans la nuit tombante : « Le Roi des Morts ! Le Roi des Morts est sur nous ! »

Des cloches carillonnaient au fond de la vallée, et tous fuyaient devant Aragorn ; mais les cavaliers de la Compagnie Grise filaient comme des chasseurs dans leur hâte, et bientôt, leurs chevaux trébuchèrent de fatigue. C'est ainsi que, juste avant minuit, et dans des ténèbres aussi noires que les cavernes des montagnes, ils atteignirent enfin la Colline d'Erech.

Longtemps la terreur des Morts avait plané sur cette colline et sur les prés désolés alentour. Car au sommet se dressait une pierre noire et ronde, tel un globe immense, aussi grande qu'un homme, bien qu'à moitié enterrée. Elle ne semblait pas de ce monde, comme si elle était tombée du ciel, et certains le croyaient ; mais ceux qui entretenaient le savoir de l'Occidentale soutenaient que cette pierre avait été sauvée de la ruine de Númenor, et placée là par Isildur quand il avait accosté. Aucun des gens de la vallée n'osait s'en approcher ni ne voulait demeurer près d'elle ; car on disait que c'était un lieu de rendez-vous des Hommes de l'Ombre qui s'y rassemblaient aux jours de peur, se massant autour de la Pierre et chuchotant entre eux.

La Compagnie trouva cette Pierre dans la nuit noire et s'y arrêta. Elrohir tendit alors un cor d'argent à Aragorn, qui le fit retentir; et ceux qui se tenaient là eurent l'impression que d'autres cors lui répondaient, comme un lointain écho venu de profondes cavernes. Nul autre son ne vint à leurs oreilles; mais ils sentaient qu'une grande armée s'assemblait autour de la colline qu'ils occupaient; et un vent froid descendit des montagnes, tel un souffle fantomatique. Mais Aragorn mit pied à terre et, debout près de la Pierre, il cria d'une voix puissante :

« Parjures, pourquoi êtes-vous ici ? »

Et une voix monta dans la nuit et lui répondit, lointaine :

« Pour accomplir notre serment et trouver la paix. »

Puis Aragorn dit : « L'heure est enfin venue. Je vais maintenant à Pelargir-sur-Anduin, et vous allez me suivre. Et quand tout le pays sera lavé des serviteurs de Sauron, je tiendrai votre serment pour accompli, et vous trouverez la paix et serez libres de partir pour toujours. Car je suis Elessar, l'héritier d'Isildur du Gondor. »

Et ce disant, il pria Halbarad de déployer le grand étendard qu'il avait apporté; et voyez! celui-ci était noir, et s'il portait quelque emblème, les ténèbres ne le dévoilèrent pas. Puis ce fut le silence, et il n'y eut plus un chuchotement ni un soupir de toute cette longue nuit. La Compagnie bivouaqua près de la Pierre, mais les hommes dormirent peu, par crainte des Ombres qui les cernaient de toutes parts.

Mais quand l'aube vint, froide et pâle, Aragorn se secoua aussitôt, et il mena alors la Compagnie dans le voyage le plus précipité et le plus harassant qu'aucun d'entre eux, lui seul excepté, avait jamais connu; et seule sa volonté les maintint en selle. Nuls autres Hommes n'auraient pu l'endurer, nuls autres mortels que les Dúnedain du Nord, et avec eux Gimli le Nain et Legolas du peuple des Elfes.

Ils passèrent le Col de Tarlang et entrèrent au Lamedon ; l'Armée Ombreuse se pressait derrière eux, la peur les devançait ; puis ils gagnèrent Calembel-sur-Ciril, et le soleil se coucha en sang au-delà de Pinnath Gelin, loin dans l'Ouest, derrière eux. La région et les gués de la Ciril étaient déserts, car de nombreux hommes étaient partis à la guerre ; et les autres, à la rumeur de la venue du Roi des Morts, avaient trouvé refuge dans les collines. Mais le lendemain, l'aube ne vint pas, et la Compagnie Grise passa dans les ténèbres de l'Orage du Mordor et hors de la vue des mortels ; mais les Morts la suivaient.

3

Le rassemblement du Rohan

Toutes les routes convergeaient à présent vers l'Est pour faire face à la guerre et à l'assaut de l'Ombre. Et tandis même que Pippin se tenait à la Grande Porte de la Cité pour voir entrer le Prince de Dol Amroth avec ses étendards, le Roi du Rohan descendait du haut des collines.

Le jour baissait. Les Cavaliers, sous les derniers rayons du soleil, jetaient de longues ombres pointues qui les précédaient. L'obscurité s'était déjà glissée sous les sapinières murmurantes qui couvraient les flancs escarpés des montagnes. À la fin du jour, le roi allait d'un pas ralenti. Devant lui, le chemin contournait un grand épaulement de rocher nu et plongeait dans la pénombre, parmi les doux soupirs des arbres. Ils descendaient, encore et encore, en un long et sinueux cortège. Enfin parvenus au fond de la gorge, ils virent que le soir était tombé dans les creux. Le soleil avait disparu. Le crépuscule enveloppait les chutes d'eau.

Toute cette journée, loin en contrebas, un ruisseau bondissant était descendu du haut col derrière eux, frayant son lit étroit entre deux parois recouvertes de pins ; à présent, il coulait sous une arche de pierre et débouchait dans une vallée plus large. Les Cavaliers le suivirent, et soudain, le Val de Hart se trouva devant eux, empli de la rumeur des eaux du soir. Là, la blanche Snawburna, rejointe par le ruisseau de montagne, fumait et moussait sur les pierres dans sa course précipitée vers Edoras et les vertes collines au-dessus de la plaine. Loin à droite, au fond de la vaste combe, l'impérieux Starkhorn se dressait sur ses larges éperons enveloppés de nuages ; mais son sommet déchiqueté, drapé de neiges éternelles, rayonnait loin au-dessus du monde, ombré de bleu à l'orient, taché de rouge par le couchant.

Merry contempla d'un œil émerveillé tout cet étrange pays, à propos duquel il avait entendu bien des contes sur le long chemin. C'était un monde sans ciel, où son regard, à travers des gouffres d'air sombre et indécis, ne voyait que des pentes qui grimpaient et grimpaient, de grands murs de pierre derrière d'autres murs, et d'inquiétants à-pics couronnés de brouillard. Il se tint un moment dans un demi-rêve, prêtant l'oreille au murmure de l'eau et au soupir des arbres noirs, au craquement de la pierre, et au silence, vaste et attentif, qui guettait derrière tous les sons. Il aimait les montagnes, ou du moins, il avait aimé les voir poindre à la lisière des histoires venues de très loin ; mais à présent, il ployait sous le poids insoutenable de la Terre du Milieu. Il aurait voulu se soustraire à son immensité dans une pièce tranquille au coin du feu.

Il était très las, car, s'ils avaient chevauché lentement, ils ne s'étaient guère reposés. Heure après heure, durant près de trois pénibles jours, il s'était trimballé de haut en bas par des défilés de montagne, à travers de longues vallées et par-delà de nombreux cours d'eau. Parfois, quand la route était plus large, il avait chevauché au côté du roi, sans s'aviser que bien des Cavaliers souriaient de les voir ensemble : le hobbit sur son petit poney gris et broussailleux, et le Roi du Rohan sur son grand cheval blanc. Il avait alors pu s'entretenir avec Théoden, lui racontant son pays et les faits et gestes des gens du Comté, ou écoutant à son tour des récits de la Marche et de ses héros de jadis. Mais la plupart du temps, surtout en cette dernière journée, Merry avait chevauché seul juste après le roi, sans rien dire, mais tentant de comprendre le parler lent et sonore du Rohan dont, derrière lui, les hommes usaient. Il lui semblait que cette langue comptait bien des mots qu'il connaissait, quoique plus richement et fortement accentués que dans le Comté ; mais il ne parvenait pas à en saisir le sens. Parfois, la voix claire d'un cavalier s'élevait en un chant émouvant, et Merry sentait son cœur bondir dans sa poitrine, même s'il ne comprenait pas les paroles.

Il ne s'en était pas moins senti seul, et jamais autant qu'à ce moment-là, avec le déclin du jour. Il se demandait où Pippin avait abouti dans tout cet étrange univers ; et ce qu'allaient devenir Aragorn, Legolas et Gimli. Puis soudain, comme un froid qui le saisit au cœur, il pensa à Frodo et à Sam. « Je suis en train de les oublier ! se dit-il d'un ton de reproche. Pourtant, ils ont la mission la plus importante de nous tous. Et je suis venu pour les aider ; mais ils doivent être à des centaines de milles d'ici, à présent, s'ils sont encore en vie. » Il frissonna.

« Le Val de Hart, enfin ! dit Éomer. Notre voyage touche à son terme. » Ils s'arrêtèrent. Au sortir de l'étroite gorge, les chemins plongeaient abruptement. Seul un aperçu de la grande vallée se voyait, comme par une fenêtre exiguë, dans le crépuscule au-dessous. Une petite lumière clignotait, solitaire, au bord du cours d'eau.

« Ce voyage est terminé, peut-être, dit Théoden, mais

il me reste encore une longue route à faire. La lune était pleine il y a deux nuits, et au matin je dois me rendre à Edoras pour le rassemblement de la Marche. »

« Mais si vous faites ce que je vous conseille, dit Éomer à voix basse, vous reviendrez ici ensuite jusqu'à la fin de la guerre, qu'elle soit gagnée ou perdue. »

Théoden sourit. « Non, mon fils, car j'ai envie de t'appeler ainsi : ne ramène pas à mes vieilles oreilles les doux murmures de Langue de Serpent ! » Redressant les épaules, il se tourna vers le long cortège de ses hommes perdu dans la pénombre derrière lui. « On dirait que de longues années ont passé en quelques jours depuis que j'ai chevauché dans l'Ouest ; mais jamais plus je ne m'appuierai sur un bâton. Si la guerre est perdue, à quoi bon me cacher dans les collines ? Et si elle est gagnée, quelle perte sera-ce pour les miens, même si je tombe, épuisant mes dernières forces ? Mais laissons cela pour l'instant. Cette nuit, je reposerai au Fort de Dunhart. Reste pour nous au moins un dernier soir de paix. Poursuivons notre route ! »

À la tombée de la nuit, ils descendirent dans la vallée. La Snawburna coulait ici contre ses pentes occidentales, et la route les mena bientôt à un gué où les eaux peu profondes bruissaient vivement sur les pierres. Ce gué était surveillé. À l'approche du roi, de nombreux hommes jaillirent d'entre les ombres des rochers ; et lorsqu'ils le virent, ils s'écrièrent avec allégresse : « Théoden Roi ! Théoden Roi ! Le Roi de la Marche est de retour ! »

L'un d'eux fit alors retentir une longue sonnerie de cor. Ses échos emplirent la vallée. D'autres cors lui répondirent, et des lumières apparurent de l'autre côté de la rivière.

Puis, loin au-dessus de leurs têtes, s'éleva soudain un grand chœur de trompettes : venu, semblait-il, de quelque endroit creux, il claironnait ses notes d'une seule voix, qui roulait et se heurtait contre les murs de pierre.

Ainsi le Roi de la Marche revint victorieux de l'Ouest, à Dunhart, au pied des Montagnes Blanches. Là, il trouva déjà assemblé tout le restant des forces de son peuple ; car sitôt qu'ils eurent vent de sa venue, les capitaines chevauchèrent à sa rencontre au gué, portant des messages de Gandalf. Dúnhere, chef des habitants du Val de Hart, était à leur tête.

« Il y a trois jours à l'aube, sire, dit-il, Scadufax arriva comme un vent d'ouest à Edoras, et Gandalf réjouit nos cœurs avec la nouvelle de votre victoire. Mais il nous dit aussi votre consigne de hâter le rassemblement des Cavaliers. C'est alors que vint l'Ombre ailée. »

« L'Ombre ailée ? dit Théoden. Nous la vîmes aussi, mais c'était en pleine nuit, avant que Gandalf ne nous quitte. »

« Cela se peut, sire, répondit Dúnhere. Mais la même, ou une autre semblable à elle, une ténèbre volante en forme d'oiseau monstrueux, passa au-dessus d'Edoras ce matin-là, et tous les hommes furent saisis de peur. Car elle plongea sur Meduseld, et comme elle s'abaissait presque jusqu'au pignon, il y eut un cri qui nous glaça le cœur. C'est alors que Gandalf nous conseilla de ne pas nous assembler dans les champs, mais de vous rencontrer ici dans la vallée au pied des montagnes. Et il nous pria de ne plus allumer de lampes ni de feux, en dehors du strict nécessaire. Nous avons agi selon ses vœux. Il a parlé avec beaucoup d'autorité. C'est là, nous l'espérons, ce que vous auriez souhaité. On n'a pas vu au Val de Hart le moindre signe de ces choses maléfiques. »

«Tant mieux, dit Théoden. Je vais maintenant me rendre au Fort; et avant de me reposer, j'y rencontrerai les maréchaux et capitaines. Qu'ils viennent à moi aussitôt que possible!»

De là, la route partait droit vers l'est, coupant à travers la vallée qui, à cet endroit, ne pouvait faire plus d'un demi-mille de large. Des prés d'herbes folles s'étendaient tout autour, gris dans la nuit tombante; mais devant lui, sur l'autre versant, Merry apercevait un mur d'aspect renfrogné, dernier prolongement des grandes racines du Starkhorn fendu par la rivière au cours des âges passés.

Sur tous les espaces plats, il y avait un grand concours d'hommes. Certains s'étaient massés au bord de la route afin de saluer, à grands cris de joie, le roi et ses cavaliers à leur retour de l'Ouest; mais derrière eux s'étendaient au loin, en rangs ordonnés, une multitude de tentes et de cases, des rangées de chevaux au piquet, de grandes réserves d'armes, ainsi que des tas de lances hérissés, comme de jeunes arbres plantés en bosquets. Toute cette vaste assemblée se fondait peu à peu dans l'ombre; pourtant, malgré le froid nocturne qui soufflait des hauteurs, aucune lanterne ne brillait, aucun feu n'était allumé. Des guetteurs allaient et venaient, enveloppés dans de lourdes capes.

Merry se demandait combien de Cavaliers il y avait là. Il ne pouvait le deviner dans l'obscurité grandissante, mais c'était assurément une grande armée, forte de plusieurs milliers d'hommes. Comme il regardait de côté et d'autre, la suite du roi parvint sous le haut escarpement qui enfermait la vallée du côté est; là, le chemin se mit à grimper brusquement et Merry leva des yeux étonnés. Il se trouvait sur une route comme il n'en avait jamais vu, un grand ouvrage fait de main d'homme, dans les années au-delà de la mémoire des chants. Elle montait en lacets, repliée comme un serpent, forant son chemin dans la paroi qu'elle sillonnait de long en large, raide comme un escalier. Des chevaux pouvaient y monter, et des chariots y être hissés; mais aucun ennemi ne pouvait venir de ce côté, sinon par les airs, si elle était défendue d'en haut. À chaque tournant, il y avait de grandes pierres levées, sculptées à la ressemblance de géants, lourds et mal bâtis, assis les jambes croisées et les bras repliés sur leur panse rebondie. Certaines d'entre elles, victimes de l'injure des ans, avaient perdu tous leurs traits, hormis les sombres cavités de leurs yeux qui dévisageaient encore les passants d'un air mélancolique. Les Cavaliers les regardèrent à peine. Ils les appelaient les Hommes-pouques, et ils n'y faisaient guère attention : ces êtres ne recelaient plus aucun pouvoir, ni aucune terreur; mais Merry les observa avec un sentiment d'émerveillement et presque de pitié, tandis que leurs mornes figures se dessinaient, une à une, dans le crépuscule.

Au bout d'un moment, il regarda en arrière et s'aperçut qu'il était déjà à quelques centaines de pieds au-dessus de la vallée, bien qu'il pût encore voir, loin en bas, la ligne sinueuse des Cavaliers franchissant le gué et défilant le long de la route vers leurs cantonnements. Seuls le roi et sa garde montaient jusqu'au Fort.

Enfin, la compagnie du roi se trouva tout à coup devant un précipice; alors la route du Fort passa dans une coupure entre deux murs rocheux, gravissant une courte pente avant de déboucher sur un vaste plateau. Firienfeld était le nom de ce champ verdoyant d'herbe et de bruyère, juché au-dessus du grand encaissement de la Snawburna, blotti dans le giron des montagnes environnantes : le Starkhorn au sud, au nord la masse découpée de l'Írensaga, et entre eux deux, face aux cavaliers, le mur sinistre et noir du Dwimorberg, la Montagne Hantée surgie de hautes pentes couvertes de sombres pins. Divisant le plateau en deux, une double rangée de pierres levées, mais non travaillées, s'enfonçait dans le crépuscule et disparaissait parmi les arbres. Ceux qui osaient s'aventurer sur cette route parvenaient bientôt aux ténèbres du Dimholt sous le Dwimorberg, au menaçant pilier de pierre, et à l'ombre béante de la porte interdite.

Tel était Dunhart le noir, ouvrage d'un peuple oublié de longtemps. Son nom était perdu, et nulle chanson ni légende n'en préservait le souvenir. La vocation originelle du lieu – ville, temple secret ou tombeau de rois – n'était connue de personne au Rohan. Des hommes avaient œuvré ici durant les Années Sombres, avant même qu'un premier navire touchât les rivages de l'ouest, ou que naquît le Gondor des Dúnedain ; à présent, ils avaient disparu, et seuls demeuraient les vieux Hommes-pouques encore assis aux tournants de la route.

Merry observa les rangs de pierres levées : elles étaient usées et noircies ; tantôt fléchies, tantôt tombées, tantôt fendues voire brisées : on eût dit de vieilles dents avides. Il se demanda ce qu'elles pouvaient être, et il espérait que le roi n'allait pas les suivre dans l'obscurité au-delà. Puis il vit que des tentes et des cases étaient massées de chaque côté de la voie ; mais elles n'étaient pas installées près des arbres : elles semblaient plutôt blotties loin d'eux, vers le bord du précipice. La plupart se trouvaient à droite, où le Firienfeld était plus large ; sur la gauche était établi un plus petit campement, au milieu duquel se dressait un haut pavillon. Un cavalier parut alors de ce côté ; il vint à leur rencontre, et ils se détournèrent de la route.

Quand il le vit de plus près, Merry s'aperçut que le cavalier était une femme aux longs cheveux tressés qui luisaient dans le crépuscule ; mais elle portait un casque, des habits de guerrier jusqu'à la taille, et elle était ceinte d'une épée.

« Salut, Seigneur de la Marche ! cria-t-elle. Mon cœur se réjouit de vous voir de retour. »

« Et toi, Éowyn, dit Théoden, tout va bien pour toi ? »

« Tout est au mieux », répondit-elle ; mais Merry eut l'impression que sa voix la trahissait, et il aurait cru qu'elle venait de pleurer, si la chose n'avait pas été impensable pour une femme aussi sévère de traits. « Tout est au mieux. Ce fut une route pénible pour nos gens, soudain arrachés à leurs foyers. Il y eut de dures paroles, car il y a longtemps que la guerre ne nous avait chassés des vertes prairies ; mais point de mauvaises actions. Tout est en ordre, à présent, comme vous le voyez. Et votre logement est prêt ; car j'ai appris toutes les nouvelles vous concernant, y compris l'heure de votre venue. »

« Aragorn est donc passé ici, dit Éomer. Est-il encore là ? »

« Non, il est parti », dit Éowyn, se détournant, et regardant vers les montagnes qui enténébraient l'Est et le Sud.

« Où est-il allé ? » demanda Éomer.

« Je l'ignore, répondit-elle. Il est venu le soir et s'en est allé hier matin, avant que le Soleil ne fût à la cime des montagnes. Il est parti. »

« Tu es chagrinée, ma fille. Que s'est-il passé ? Dis-moi, a-t-il évoqué cette route ? » Il désigna les longues rangées de pierres marchant dans la nuit, vers le Dwimorberg. « Les Chemins des Morts ? »

«Oui, sire, dit Éowyn. Et il est passé dans l'ombre dont nul n'est jamais revenu. Je n'ai pu l'en dissuader. Il est parti. »

«Nos chemins sont donc séparés, dit Éomer. Il est perdu. Nous devrons chevaucher sans lui, et notre espoir s'amenuise. »

Sans un autre mot, ils passèrent lentement à travers la lande rase et les herbages de montagne, jusqu'au pavillon du roi. Là, Merry constata que l'on avait tout préparé et que lui-même n'était pas oublié. Une petite tente avait été dressée pour lui près du logement du roi ; et il y resta assis, seul, pendant que les hommes allaient et venaient pour voir le roi et tenir conseil avec lui. La nuit s'épaissit, et les cimes à demi entrevues des montagnes de l'ouest se couronnèrent d'étoiles, mais l'Est était sombre et vide. Les rangs de pierres disparurent lentement à la vue, mais au-delà planait encore, plus noire que les ténèbres, l'ombre à la fois vaste et ramassée du Dwimorberg.

«Les Chemins des Morts, murmura-t-il pour lui-même. Les Chemins des Morts ? Qu'est-ce que tout cela signifie ? Ils m'ont tous abandonné, maintenant. Ils sont tous partis pour un destin funeste : Gandalf et Pippin à la guerre dans l'Est, Sam et Frodo au Mordor, et l'Arpenteur, et Legolas et Gimli, sur les Chemins des Morts. Mais mon tour viendra assez vite, je suppose. Je me demande de quoi ils parlent tous, et ce que le roi entend faire. Car je n'ai pas le choix : je vais où il va, à présent. »

Au milieu de ces sombres pensées, il se rappela soudain qu'il avait très faim, et il se leva pour aller voir si quelqu'un d'autre avait la même idée que lui dans ce camp si étrange. Mais à cet instant précis, une trompette sonna et un homme vint le chercher, lui, l'écuyer de Théoden, pour servir à la table du roi.

Au centre du pavillon, se trouvait un petit espace fermé par des tentures brodées, au sol garni de peaux ; là, autour d'une petite table, Théoden était assis avec Éomer et Éowyn, ainsi que Dúnhere, seigneur du Val de Hart. Merry se tint auprès du tabouret du roi et le servit ; mais bientôt le vieillard, sortant de profondes réflexions, se tourna vers lui et sourit.

« Allons, maître Meriadoc ! lui dit-il. Vous ne resterez pas debout. Vous serez assis à côté de moi tant que nous serons sur mes propres terres, et m'allégerez le cœur avec vos contes. »

Une place à main gauche du roi fut ménagée pour le hobbit, mais personne ne lui demanda de conte. En fait, ils parlèrent peu, et tous mangèrent et burent la plupart du temps en silence, jusqu'à ce que Merry, rassemblant son courage, se décidât enfin à poser la question qui le tourmentait.

« Par deux fois maintenant, sire, ai-je entendu parler des Chemins des Morts, commença-t-il. Que sont-ils ? Et l'Arpenteur – je veux dire, le seigneur Aragorn –, où est-il parti ? »

Le roi soupira, mais personne ne répondit. Enfin, Éomer prit la parole. « Nous l'ignorons, et nos cœurs sont lourds, dit-il. Mais pour ce qui est des Chemins des Morts, vous en avez vous-même franchi les premiers pas. Non, ce ne sont pas des paroles de mauvais augure ! La route que nous avons suivie est celle qui conduit à la Porte, là-bas, dans le Dimholt. Mais nul ne sait ce qui se trouve au-delà. »

« Nul ne le sait, dit Théoden ; mais les légendes anciennes, rarement évoquées de nos jours, en disent quelque chose. S'il y a du vrai dans ces anciens contes, transmis de père en fils dans la Maison d'Eorl, la porte sous le Dwimorberg mène à une voie secrète qui passe sous les montagnes vers une fin oubliée. Mais nul n'a osé y pénétrer pour en découvrir les secrets, depuis le jour où Baldor, fils de Brego, passa la Porte et ne fut jamais plus revu parmi les hommes. C'est en vidant la corne au festin donné par Brego pour la consécration de Meduseld, alors nouvellement construite, qu'il prononça un vœu irréfléchi ; et jamais il n'accéda au haut siège dont il était l'héritier.

« On dit que les Hommes Morts issus des Années Sombres gardent la voie, et que leurs salles cachées sont interdites aux vivants ; mais il arrive qu'on les voie eux-mêmes sortir par la porte et descendre la route des pierres comme des ombres. Alors, les gens du Val de Hart bâclent leurs portes et couvrent leurs fenêtres, et ils tremblent. Mais les Morts ne sortent que rarement, et seulement quand les jours sont inquiets et funestes. »

« On dit pourtant au Val, commença Éowyn à voix basse, que les nuits sans lune des jours récents ont vu passer une grande armée du plus étrange appareil. Personne ne savait d'où elle venait, mais elle a pris la route des pierres et a disparu dans la montagne, comme si elle y avait rendez-vous. »

« Dans ce cas, pourquoi Aragorn est-il allé de ce côté ? demanda Merry. Vous ne voyez rien qui puisse l'expliquer ? »

« À moins qu'il ne vous ait confié en ami des choses que nous n'avons pas entendues, répondit Éomer, personne au royaume des vivants ne peut maintenant dire quel est son dessein. »

« Il m'a paru beaucoup changé depuis notre première rencontre dans la demeure du roi, dit Éowyn : plus sombre, plus vieux. Je l'ai trouvé dans une humeur noire, comme quelqu'un que les Morts appellent. »

« Peut-être a-t-il été appelé, dit Théoden ; et mon cœur me dit que je ne le reverrai jamais. Mais c'est un homme royal et de haute destinée. Et console-toi en ceci, ma fille, puisque tu sembles avoir besoin de réconfort dans ta peine pour cet hôte. Il est dit que, quand les Eorlingas descendirent du Nord et remontèrent la Snawburna à la recherche de refuges sûrs, Brego et son fils Baldor gravirent l'Escalier du Fort et arrivèrent ainsi à la Porte. Sur le seuil était assis un homme, vieux comme les monts ; autrefois grand et noble, il paraissait flétri comme une vieille pierre. En vérité, ils crurent d'abord à une pierre, car il ne bougea point et ne dit mot, jusqu'à ce qu'ils voulussent le contourner pour entrer. Alors s'éleva sa voix, comme sortie de terre, et à leur stupéfaction elle parla dans la langue de l'Ouest : *La voie est close.*

« Lors ils s'arrêtèrent et le regardèrent, et ils surent qu'il vivait encore ; mais son regard ne les suivait pas. *La voie est close,* répéta la voix. *Elle fut ouverte par ceux qui sont Morts, et les Morts la gardent, jusqu'au moment venu. La voie est close.*

« *Et quand donc viendra-t-il ?* demanda Baldor. Mais il ne reçut jamais aucune réponse. Car le vieillard mourut alors et tomba face contre terre ; et des anciens habitants des montagnes, nos gens ne surent jamais rien d'autre. Il se peut toutefois que l'heure présagée soit enfin venue et qu'Aragorn soit autorisé à passer. »

« Mais comment pourrait-on savoir si l'heure est venue ou non, sinon en risquant la Porte ? dit Éomer. Et je n'irais pas par là, toutes les armées du Mordor dussent-elles se dresser devant moi, fussé-je seul et sans autre refuge. Pourquoi faut-il qu'un homme au si grand cœur soit pris d'une humeur noire à l'heure de la nécessité ? Le monde ne compte-t-il pas assez d'horreurs sans qu'il soit besoin d'aller les déterrer ? La guerre est à nos portes. »

Il s'arrêta, car des bruits montaient à l'extérieur : un homme criant le nom de Théoden, et le qui-vive des sentinelles.

Vint alors le capitaine de la Garde, écartant le rideau. « Il y a ici un homme, sire, dit-il, une estafette du Gondor. Il demande à venir devant vous sur-le-champ. »

« Qu'il vienne ! » dit Théoden.

Un homme de grande stature s'avança, et Merry étouffa un cri : pendant un instant, il crut que Boromir était revenu à la vie et marchait parmi eux. Puis il vit qu'il n'en était rien : le nouveau venu était un étranger, mais si semblable à Boromir qu'il aurait pu être un frère, grand, les yeux gris, la tête haute. Il était vêtu à la manière d'un cavalier, portant une cotte de mailles fines sous sa cape vert foncé ; le devant de son casque était orné d'une petite étoile argent. Il avait à la main une unique flèche, aux pennes noires et aux barbelures d'acier, mais la pointe était peinte en rouge.

Il mit un genou à terre et présenta la flèche à Théoden. « Je vous salue, Seigneur des Rohirrim, ami du Gondor ! dit-il. Hirgon me nommé-je, estafette de Denethor, qui vous apporte cet emblème de guerre. Le Gondor est aux abois. Souvent les Rohirrim nous ont aidés, mais cette fois, le seigneur Denethor requiert toute votre force et votre diligence, sans quoi le Gondor tombera pour de bon. »

« La Flèche Rouge ! » dit Théoden, la prenant, comme une convocation depuis longtemps attendue, mais non moins terrible quand elle vient. Sa main tremblait. « La Flèche Rouge n'a pas été vue dans la Marche de toutes mes années ! En sommes-nous donc arrivés là ? Et quelle idée le seigneur Denethor se fait-il de ma force et de ma diligence ? »

« Vous le savez mieux que quiconque, sire, dit Hirgon. Mais il se pourrait que Minas Tirith soit encerclée avant peu, et à moins que vous n'ayez la force de mettre fin au siège de nombreuses forces, le seigneur Denethor me prie de vous dire que, selon son estimation, la vaillante armée des Rohirrim se porterait mieux au-dedans de ses murs qu'au-dehors. »

« Il n'est pourtant pas sans savoir que nous préférons combattre à cheval et en terrain ouvert, et nous sommes un peuple dispersé, aussi faut-il du temps pour assembler nos Cavaliers. N'est-il pas vrai, Hirgon, que le Seigneur de Minas Tirith en sait plus qu'il ne le laisse entendre ? Car nous sommes déjà en guerre, comme vous l'avez sans doute constaté, et vous ne nous trouvez pas entièrement pris de court. Gandalf le Gris est venu parmi nous, et nous sommes en plein rassemblement pour la bataille dans l'Est. »

« Ce que le seigneur Denethor peut savoir ou deviner de ces choses, je ne puis vous le dire, répondit Hirgon. Mais l'heure est certes grave pour nous. Mon seigneur ne vous commande en rien ; il vous implore seulement, vous prie de vous rappeler les anciennes amitiés, les serments prononcés il y a longtemps ; et de faire, pour votre propre bien, tout ce qui est en votre pouvoir. On apprend que de nombreux rois sont partis de l'Est pour servir le Mordor. Du Nord jusqu'au champ de Dagorlad, il y a des escarmouches et des rumeurs de guerre. Dans le Sud, les Haradrim sont en mouvement, et toutes nos régions côtières sont en état d'alerte, de sorte qu'elles n'enverront que peu d'aide. Hâtez-vous ! Car c'est devant les murs de Minas Tirith que se jouera la destinée de notre époque, et si le flot n'y est pas endigué, il envahira toutes les belles prairies du Rohan ; et même ce Fort au milieu des collines ne sera plus un refuge. »

« De bien sombres nouvelles, dit Théoden, mais qui ne me surprennent pas toutes. Dites toutefois à Denethor que nous l'aiderions quand même, le Rohan fût-il exempt de menace. Reste que nous avons essuyé de lourdes pertes en combattant Saruman le traître, et qu'il nous faut encore penser à nos frontières au nord et à l'est, comme les nouvelles de Denethor en font foi. Le Seigneur Sombre semble exercer une telle puissance, à présent, qu'il pourrait bien nous contenir devant la Cité, tout en frappant un grand coup de l'autre côté du Fleuve, au-delà de la Porte des Rois.

« Mais l'heure n'est pas aux conseils de prudence. Nous viendrons. Le ralliement est prévu pour demain. Quand tout sera ordonné, nous partirons. J'aurais pu envoyer dix mille lances sur la plaine au grand désarroi de vos adversaires. Elles seront moins nombreuses, à présent, je le crains ; car je ne permettrai pas que mes forteresses soient indéfendues. Mais six mille au moins chevaucheront à ma suite. Car vous direz à Denethor qu'en ces circonstances, le Roi de la Marche se rendra en personne au pays de Gondor, bien qu'il puisse n'en jamais revenir. Mais la route est longue jusque là-bas, et ceux qui en verront la fin, hommes ou bêtes, devront avoir encore la force de se battre. Il pourrait falloir une semaine à compter de demain matin, pour que vous entendiez le cri des Fils d'Eorl descendant du Nord. »

« Une semaine ! s'exclama Hirgon. S'il le faut, il le faut. Mais quand sept jours auront passé, vous ne trouverez probablement que des murs en ruine, à moins que se présentent d'autres secours inattendus. Vous pourriez à tout le moins assombrir le festin des Orques et des Hommes Bistrés dans la Tour Blanche. »

« Nous ferons au moins cela, dit Théoden. Mais je reviens moi-même du champ de bataille et d'un long voyage, et je dois pour l'instant me reposer. Restez ici cette nuit. Vous verrez ainsi le rassemblement du Rohan avant de rentrer, plus heureux pour l'avoir vu, et plus vite pour avoir dormi. Le matin est de meilleur conseil, et la nuit retourne bien des pensées. »

Sur ce, le roi se leva, et tous l'imitèrent. « Allez vous reposer, maintenant, dit-il, et dormez bien. Quant à vous, maître Meriadoc, vous pouvez disposer pour la nuit. Mais préparez-vous à mon appel sitôt que le soleil se lèvera. »

« Je serai prêt, dit Merry, même si vous me demandez de vous suivre sur les Chemins des Morts. »

« Ne faites pas de présages ! dit le roi. Car d'autres routes pourraient avoir ce nom. Mais je n'ai pas dit que je vous demanderais de me suivre où que ce soit. Bonne nuit ! »

« Ce n'est pas vrai qu'ils vont me laisser ici pour me réclamer à leur retour ! dit Merry. Je ne me laisserai pas faire, pas question. » Et toujours se répétant la même chose, il finit par s'endormir sous sa tente.

Il fut réveillé par un homme qui le secouait. «Debout, debout, maître Holbytla!» lui criait-il; sur quoi Merry, tiré d'un profond rêve, se redressa brusquement. Il faisait encore très noir, pensa-t-il.

«Qu'est-ce qu'il y a?» demanda le hobbit.

«Le roi vous réclame.»

«Mais le Soleil n'est pas encore levé», dit Merry.

«Non, et il ne se lèvera pas aujourd'hui, maître Holbytla. Ni plus jamais, à ce qu'on pourrait croire sous ce nuage noir. Mais même si le Soleil nous est enlevé, le temps ne s'arrête pas. Faites vite!»

Merry enfila des vêtements à la hâte et regarda à l'extérieur. Le monde s'était assombri. L'air même paraissait brunâtre, toutes choses alentour étaient grises ou noires, et dénuées d'ombre; une grande immobilité régnait. On ne distinguait aucune forme de nuage, sinon loin à l'ouest, où les doigts tâtonnants des grandes ténèbres continuaient d'avancer, laissant filtrer un peu de lumière. Un lourd plafond pesait au-dessus de lui, sombre et uniforme, et la lumière semblait s'amenuiser plutôt que croître.

Merry vit que des gens s'étaient assemblés, levant la tête et murmurant; tous leurs visages étaient gris et mornes, et certains avaient peur. Le cœur serré, il se rendit auprès du roi. Hirgon, l'envoyé du Gondor, y était avant lui, et voici qu'un autre homme l'accompagnait, semblable à lui et pareillement vêtu, mais plus petit et plus large. Il parlait au roi quand Merry entra.

«Cette chose vient du Mordor, sire, dit-il. Elle a commencé hier, au coucher du soleil. Des collines de l'Estfolde aux confins de votre royaume, je l'ai vue se lever et envahir le ciel, et toute la nuit, comme je chevauchais, elle me suivait, dévorant les étoiles. Ce nuage immense s'étend à présent sur toutes les terres d'ici aux Montagnes de l'Ombre ; et il s'épaissit. La guerre a déjà commencé. »

Le roi demeura un moment silencieux. Puis il parla. « Ainsi, nous y voilà enfin, dit-il : la grande bataille de notre temps, où bien des choses périront. Mais au moins, il n'est plus besoin de se cacher. Nous irons en droite ligne, à découvert, avec toute la célérité possible. Le rassemblement se fera sur-le-champ et ne souffrira aucun retardataire. Avez-vous de grandes réserves à Minas Tirith ? Car s'il nous faut aller en toute hâte, nous devrons alléger la charge, avec tout juste ce qu'il faudra de nourriture et d'eau pour nous rendre à la bataille. »

« Nous avons de très grandes réserves, préparées de longue date, répondit Hirgon. Allégez votre fardeau, et venez aussi vite que vous le pourrez ! »

« Fais venir les hérauts, dans ce cas, Éomer, dit Théoden. Que les Cavaliers soient rassemblés ! »

Éomer sortit, et les trompettes sonnèrent bientôt à travers le Fort. Bon nombre leur répondirent d'en bas ; mais leurs voix n'étaient plus aussi claires et braves qu'elles avaient paru à Merry la veille. Elles semblaient sourdes et criardes dans l'air lourd, beuglant de façon sinistre.

Le roi se tourna vers Merry. « Je pars en guerre, maître Meriadoc, dit-il. D'ici peu, je prendrai la route. Je vous libère de mon service, mais non de mon amitié. Vous resterez ici et, si vous le désirez, vous servirez la dame Éowyn qui dirigera le peuple à ma place. »

« Mais, mais… sire, balbutia Merry, je vous ai offert mon

épée. Je ne veux pas être séparé de vous de cette façon, Théoden Roi. Et puisque tous mes amis s'en sont allés à la bataille, j'aurais honte de rester. »

« Mais nous irons sur de grands coursiers, dit Théoden ; et si grand que soit votre courage, vous ne pouvez monter de pareilles bêtes. »

« Eh bien, attachez-moi sur le dos de l'une d'elles, ou laissez-moi m'accrocher à un étrier, ou je ne sais trop, dit Merry. C'est une longue route à courir ; mais je courrai si je ne peux monter, dussé-je user mes pieds jusqu'à la cheville et arriver des semaines trop tard. »

Théoden sourit. « Au lieu de cela, je vous prendrais avec moi sur Snawmana, dit-il. Mais vous m'accompagnerez au moins jusqu'à Edoras pour contempler Meduseld ; car c'est là que je m'en vais. Stybba pourra vous porter jusque-là : la grande course ne commencera pas avant que nous atteignions les plaines. »

Éowyn se leva alors. « Allons, Meriadoc ! dit-elle. Je vais vous montrer l'attirail que j'ai préparé pour vous. » Ils sortirent ensemble. « La seule demande qu'Aragorn m'ait faite, dit Éowyn tandis qu'ils passaient parmi les tentes, c'est que vous soyez armé pour la guerre. J'ai fait ce que j'ai pu pour l'exaucer. Car mon cœur me dit que ces choses vous seront utiles avant la fin. »

Elle conduisit alors Merry à une case au milieu des logements de la garde du roi ; là, un armurier vint la trouver et lui apporta un petit casque, un bouclier rond et d'autres effets.

« Nous n'avons pas de mailles qui vous conviennent, dit Éowyn, ni le temps de confectionner un tel haubert ; mais voici un justaucorps de cuir résistant, ainsi qu'une ceinture et un couteau. Vous avez déjà une épée. »

Merry s'inclina, et la dame lui montra le bouclier, semblable à celui qu'on avait offert à Gimli : il portait l'emblème du cheval blanc. « Prenez toutes ces choses, dit-elle, et portez-les à bonne fortune ! Et maintenant, adieu, maître Meriadoc ! Mais il se pourrait que nous nous revoyions, vous et moi. »

Ainsi, dans une obscurité grandissante, le Roi de la Marche était sur le point de conduire tous ses Cavaliers sur la route de l'Est. Les cœurs étaient lourds, et ils étaient nombreux à trembler sous la menace de l'ombre. Mais c'étaient des gens de courage, fidèles à leur seigneur, et les pleurs et les murmures étaient peu nombreux, même dans le camp du Fort où demeuraient les exilés d'Edoras, femmes, enfants et vieillards. Un destin funeste planait sur leurs vies, mais ils l'affrontaient en silence.

Deux rapides heures étaient passées, et voici que le roi prenait place sur son cheval blanc, clair dans le demi-jour. Il paraissait grand et fier, malgré les cheveux de neige qui flottaient sous son haut casque ; et bon nombre s'émerveillèrent de le voir, droit et sans peur, et ils reprirent courage.

Là, sur le grand espace plat au bord de la rivière tumultueuse, étaient réunis en diverses compagnies près de cinq mille cinq cents Cavaliers armés de pied en cap, ainsi que plusieurs centaines d'hommes sur des chevaux supplémentaires légèrement chargés. Une unique trompette sonna. Le roi leva une main et, en silence, l'ost de la Marche se mit en branle. Allaient en tête une douzaine d'hommes de la maison du roi, Cavaliers de renom. Venait ensuite le roi avec Éomer à sa droite. Il avait fait ses adieux à Éowyn sur les hauteurs du Fort, et ce souvenir le poignait ; mais ses pensées étaient maintenant tournées vers la route qui l'attendait. Merry chevauchait après lui sur le dos de Stybba avec les estafettes du Gondor, et derrière eux venaient encore douze cavaliers de la maison du roi. Ils passèrent les longues rangées d'hommes qui attendaient, sombres et impassibles. Mais quand ils furent presque au bout de la file, l'un d'eux leva la tête et fixa sur le hobbit un regard pénétrant. Un tout jeune homme, pensa Merry en lui retournant son regard, moins grand et plus svelte que la plupart. Il perçut l'étincelle de ses yeux gris et clairs ; puis il frissonna, car soudain il comprit que c'était le visage d'un désespéré, partant en quête de la mort.

Ils descendirent la route grise, suivant la Snawburna qui bruissait sur ses pierres, et traversant les hameaux de Sous-le-Hart et de Hautebourne, où de nombreuses femmes regardaient d'un air triste derrière des portes sombres ; et ainsi commença, sans cor ni harpe, ni musique de voix d'hommes, la grande chevauchée dans l'Est que les chants du Rohan devaient célébrer par la suite durant de longues générations.

> De l'ombre de Dunhart descendit au matin
> suivi de ses féaux le fils du roi Thengel :
> il vint à Edoras, à ces antiques halles
> des maîtres de la Marche environnées de brume,
> sur leurs montants dorés, un manteau de ténèbres.
> Alors fit ses adieux à tout son peuple franc,
> et à l'âtre et au trône, et aux lieux consacrés
> qui longtemps l'avaient vu régner dans la lumière.
> Au loin s'en fut le roi, derrière lui la peur
> et le destin devant. Sa féauté maintint ;
> tous les serments jurés jusqu'au dernier les tint.

Cinq jours et cinq nuitées sur les chemins de l'Est
tous les Eorlingas Théoden entraîna,
le Folde traversant, Fenmark et Firienholt,
en Terre de Soleil mena six mille lances
au matin de Mundburg sous le Mindolluin,
murs des rois d'outre-mer au royaume du Sud
entourés d'ennemis, tout encerclés de flammes.
Le destin les poussait. Les ténèbres les prirent,
cheval et cavalier ; la rumeur des sabots
sombra dans le silence : ainsi chantent les chantres.

De fait, la pénombre était encore plus grande quand le roi vint à Edoras, bien qu'il fût seulement midi. Il ne s'y arrêta qu'un court moment, mais grossit son armée d'une soixantaine de Cavaliers qui n'avaient pu se rallier à temps. Ayant déjeuné et s'apprêtant à repartir, il dit adieu à son écuyer avec des mots bienveillants. Mais Merry ne voulut pas se séparer de lui, et il le supplia une dernière fois.

« Ce voyage n'est pas fait pour Stybba, comme je vous l'ai dit, insista Théoden. Nous nous battrons dans les champs du Gondor, et que feriez-vous dans pareille bataille, maître Meriadoc, tout écuyer que vous soyez, plus grand de cœur que de stature ? »

« Qui sait ? dit Merry. Mais, sire, pourquoi m'avoir pris comme écuyer, sinon pour rester à vos côtés ? Et je ne veux pas que les chansons disent seulement de moi que j'étais toujours laissé derrière ! »

« Je vous ai pris sous mon aile pour votre protection, répondit Théoden ; et aussi pour que vous vous pliiez à ma volonté. Aucun de mes Cavaliers ne peut vous prendre comme fardeau. Si la bataille avait lieu à mes portes, peut-être auriez-vous votre place dans les chants des ménestrels ;

mais il y a cent lieues et deux, d'ici à Mundburg où Denethor est maître. Je n'en dirai pas plus. »

Merry salua et s'en fut la mort dans l'âme, mais il resta à observer les rangs des Cavaliers. Déjà, les compagnies s'apprêtaient au départ : des hommes ajustaient des sangles, vérifiaient leurs selles, caressaient leurs chevaux ; d'autres levaient des regards inquiets vers le ciel bas. Un Cavalier s'approcha en catimini et parla doucement à l'oreille du hobbit.

« *Où la volonté ne manque pas, une voie s'ouvre*, dit-on dans ce pays, chuchota-t-il ; moi aussi, je le constate. » Merry leva la tête et vit que c'était le jeune Cavalier qu'il avait remarqué au matin. « Où va le Seigneur de la Marche, vous désirez aussi aller : je le vois sur votre visage. »

« Vous voyez juste », dit Merry.

« Vous viendrez donc avec moi, poursuivit le Cavalier. Je vous ferai asseoir devant moi, sous mon manteau, jusqu'à ce que les prairies nous entourent et que l'obscurité nous enveloppe. Une telle bonne volonté ne se refuse pas. Ne parlez plus aux hommes, et venez ! »

« Merci mille fois ! dit Merry. Merci, monsieur, même si je ne vous connais pas. »

« Non ? fit doucement le Cavalier. Dans ce cas, appelez-moi Dernhelm. »

C'est ainsi qu'au moment du départ, Meriadoc le hobbit était assis devant Dernhelm ; et Windfola, son grand coursier gris, ne s'inquiétait pas du fardeau, car Dernhelm était plus léger que bien d'autres, quoique souple et bien bâti.

Ils partirent donc en direction de l'ombre. Douze lieues à l'est d'Edoras, dans les bosquets de saules où la Snawburna rejoignait l'Entévière, ils campèrent pour la nuit. Puis ils traversèrent le Folde ; puis le Fenmark, où de grandes forêts de chênes poussaient à la lisière des collines sur leur droite, dans l'ombre du Halifirien aux frontières du Gondor ; tandis que, sur leur gauche, les brumes s'étendaient au loin sur les marécages aux bouches de l'Entévière. Et chemin faisant, des rumeurs de guerre leur parvenaient du Nord. Des hommes isolés, fuyant au hasard, disaient que leurs frontières orientales étaient assaillies, que des armées d'Orques marchaient sur le Wold du Rohan.

« En avant ! En avant ! cria Éomer. Il est trop tard pour nous détourner. Les marécages de l'Entévière devront protéger notre flanc. Seule la hâte nous sauvera. En avant ! »

Le roi Théoden quitta alors son propre royaume, et la route s'étira, mille après mille, et les collines défilèrent : le Calenhad, le Min-Rimmon, l'Erelas, le Nardol. Mais les feux d'alarme ne brûlaient plus. Tout le pays était gris et d'un silence de mort ; l'ombre ne cessait de croître devant eux, et l'espoir fléchit dans tous les cœurs.

4
Le siège du Gondor

Pippin fut réveillé par Gandalf. Leur chambre était éclairée de bougies, car seul un faible crépuscule entrait par les fenêtres; l'air était lourd comme à la venue d'un orage.

« Quelle heure est-il? » demanda Pippin, bâillant.

« Passé la deuxième heure, dit Gandalf. Il est temps de vous lever et de vous rendre présentable. Vous êtes convoqué devant le Seigneur de la Cité pour prendre connaissance de vos nouvelles fonctions. »

« Est-ce qu'il s'occupe du petit déjeuner? »

« Non! Je vous l'ai fourni : c'est tout ce que vous aurez d'ici midi. Les vivres sont maintenant distribués au compte-gouttes. »

Pippin regarda d'un air dépité le petit pain rond et la plaquette de beurre bien insuffisante (se dit-il) posés sur la table à son intention, à côté d'un gobelet de lait trop clair. « Pourquoi m'avoir amené ici? » demanda-t-il.

« Vous le savez très bien, dit Gandalf. Pour vous tenir loin des mauvais coups; et si vous n'êtes pas content d'y être, il n'y a qu'à vous rappeler que vous l'avez cherché. » Pippin se tut.

Bientôt, il marchait de nouveau avec Gandalf le long du froid corridor menant à la porte de la Salle de la Tour. Denethor y était assis dans la pénombre grise, comme une vieille et patiente araignée, pensa Pippin ; il semblait n'avoir pas bougé depuis la veille. Il fit signe à Gandalf de s'asseoir, mais Pippin resta debout un moment sans qu'on lui prêtât attention. Enfin, le vieillard se tourna vers lui :

« Eh bien, maître Peregrin. J'espère que la journée d'hier vous aura été profitable, et agréable ? Encore que la table ne soit pas aussi bien garnie chez nous que vous pourriez le souhaiter, je le crains. »

Pippin eut la désagréable impression que tout ce qu'il pouvait dire ou faire venait à l'attention du Seigneur de la Cité, et que même ses pensées lui étaient connues en grande partie. Il ne répondit pas.

« Que comptez-vous faire à mon service ? »

« Je croyais que vous me diriez ce que vous attendez de moi, sire. »

« Je vous le dirai quand je saurai à quoi vous vous entendez, répondit Denethor. Mais peut-être le saurai-je plus vite si je vous garde auprès de moi. L'écuyer de ma chambre a demandé congé pour rejoindre la garnison extérieure, aussi le remplacerez-vous pour un temps. Vous me servirez à boire et à manger, vous porterez mes messages et vous me parlerez, si la guerre et ses délibérations me laissent quelque loisir. Savez-vous chanter ? »

« Oui, dit Pippin. Oui, enfin, assez bien pour les gens de mon pays. Mais nous n'avons pas de chansons qui conviennent aux grandes salles et aux jours malheureux, seigneur. Nous chantons rarement des choses plus terribles que le vent ou la pluie. Et la plupart de mes chansons parlent de choses qui nous font rire ; ou du manger et du boire, naturellement. »

« Et en quoi ces chansons ne conviendraient-elles pas à mes salles, ou à des jours comme ceux-ci ? Nous qui vivons depuis longtemps sous la menace de l'Ombre, nous aimerions sans doute à entendre les échos d'un pays qu'elle n'a jamais troublé. Ainsi, nous pourrions nous dire que notre veille n'a pas été vaine, à défaut de remerciements. »

Pippin sentit son cœur se serrer. Il n'était guère enchanté à l'idée d'entonner un air du Comté devant le Seigneur de Minas Tirith, certainement pas les airs comiques qui lui étaient les plus familiers ; ils étaient bien trop… enfin, trop rustiques pour la circonstance. On lui épargna toutefois cette épreuve pour le moment. Il ne reçut pas ordre de chanter. Denethor se tourna plutôt vers Gandalf, qu'il interrogea sur les Rohirrim, sur leur politique et sur les vues d'Éomer, le neveu du roi. Pippin s'étonna de voir à quel point le Seigneur était au fait des spécificités d'un peuple étranger, d'autant plus, se dit-il, que Denethor ne devait pas avoir quitté le royaume depuis bon nombre d'années.

Denethor fit bientôt signe à Pippin et le congédia de nouveau pour quelque temps. « Rendez-vous aux armureries de la Citadelle, dit-il, et procurez-vous l'équipement et la livrée de la Tour. Ils vous y attendent, commandés pour vous hier. Revenez quand vous serez vêtu ! »

Le Seigneur ne mentait pas ; et Pippin se trouva bientôt affublé d'étranges habits, tout de noir et argent. Il avait un petit haubert, aux mailles d'acier, sans doute, mais d'un noir de jais ; et un casque haut de forme avec de petites ailes de corbeau déployées de chaque côté, et une étoile argent sertie au milieu du bandeau. Par-dessus les mailles venait un surcot noir, mais sur la poitrine, l'emblème de l'Arbre était brodé de fil d'argent. Ses vieux vêtements furent pliés et rangés, mais on lui permit de garder la cape grise de la Lórien, à condition de ne pas la porter quand il était de service. Ainsi, sans s'en douter, il avait tout l'air d'un *Ernil i Pheriannath*, le Prince des Demi-Hommes que les gens avaient vu en lui ; mais il ne se sentait pas à l'aise. Et la pénombre commençait à jouer sur son humeur.

Toute cette journée fut sombre et morne. De l'aube sans soleil jusqu'au soir, l'ombre pesante ne cessa de se faire plus dense, et tous les cœurs de la Cité étaient oppressés. Loin en haut, un grand nuage venu du Pays Noir s'étendait lentement vers l'ouest, dévorant la lumière, porté par le vent de la guerre ; mais l'air au-dessous était d'un calme fébrile, comme si toute la Vallée de l'Anduin redoutait l'assaut d'un orage dévastateur.

Autour de la onzième heure, enfin libéré de ses obligations pour quelque temps, Pippin alla en quête de nourriture et de boisson pour se remonter le cœur et rendre son service plus supportable. Il retrouva Beregond dans les mess ; celui-ci rentrait tout juste d'une expédition au-delà du Pelennor, jusqu'aux Tours de Garde sur la Chaussée. Ensemble, ils allèrent se promener sur les remparts, car Pippin se sentait prisonnier à l'intérieur : même les hauts plafonds de la citadelle l'étouffaient. Ils s'assirent de nouveau côte à côte, devant l'embrasure regardant sur l'est où ils avaient mangé et discuté la veille.

C'était l'heure du couchant, mais le manteau de ténèbres s'étendait à présent loin dans l'Ouest, et ce ne fut qu'au moment de sombrer dans la Mer que le Soleil reparut pour jeter un dernier rayon d'adieu avant la nuit, le même que vit Frodo à la Croisée des Routes, éclairant le front du roi déchu. Mais sur les champs du Pelennor, dans l'ombre du Mindolluin, ne vint aucun rayon : ils étaient bruns et mornes.

Pippin eut l'impression qu'il y avait déjà des années qu'il s'était assis là, à l'époque à demi oubliée où il était encore un hobbit, un voyageur au cœur léger que les périls rencontrés n'avaient jamais vraiment touché. Mais voilà qu'il était devenu un petit soldat dans une cité devant un grand assaut, vêtu à la manière de la Tour de Garde, fière mais sombre.

En d'autres temps et d'autres lieux, Pippin se fût sans doute réjoui de son nouveau costume ; mais il savait cette fois que ce n'était pas un jeu : il était réellement au service d'un maître aussi sévère qu'autoritaire, et il courait un grave danger. Le haubert était encombrant, et le casque pesait sur son crâne. Il s'était défait de sa cape, jetée sur le banc à côté de lui. Il détourna son regard fatigué des champs assombris avec un bâillement, puis il soupira.

« Vous êtes las de cette journée ? » demanda Beregond.

« Oui, très, répondit Pippin : épuisé d'attendre et de rester oisif. J'ai dû faire le pied de grue à la porte de la chambre de mon maître durant de longues heures, pendant qu'il débattait avec Gandalf, le Prince, et d'autres grands personnages. Et je n'ai pas l'habitude, maître Beregond, de servir le ventre vide pendant que d'autres mangent. C'est une dure épreuve pour un hobbit que celle-là. Vous direz sans doute que je devrais m'en faire honneur. Mais à quoi bon pareil honneur ? À quoi bon manger ou boire, en fait, sous cette ombre envahissante ? Pour quoi faire ? On dirait que l'air est comme une épaisse fumée brune ! Avez-vous souvent des nuages comme ceux-ci quand le vent souffle de l'Est ? »

« Non, dit Beregond, cela n'a rien d'une intempérie de la nature. C'est un artifice de Sa malignité ; une concoction de fumée de la Montagne du Feu, envoyée pour assombrir nos cœurs et nos conseils. Et elle y réussit, à l'évidence. Je voudrais bien voir rentrer le seigneur Faramir. Lui ne serait pas décontenancé. Mais maintenant, qui sait s'il reviendra jamais de ce côté du Fleuve, échappant à l'Obscurité ? »

« C'est vrai, dit Pippin, Gandalf s'inquiète aussi. Il était déçu, je crois, de ne pas trouver Faramir ici. Et lui-même, où est-il passé ? Il a quitté le conseil du Seigneur avant le repas de midi, et il ne semblait pas de très bonne humeur non plus, ai-je pensé. Il a peut-être un mauvais pressentiment. »

Mais tandis qu'ils parlaient, ils furent soudain frappés de mutisme, figés, eût-on dit, comme des pierres attentives. Pippin se recroquevilla, les mains sur les oreilles ; mais Beregond, qui se trouvait à regarder du haut des remparts en s'interrogeant sur Faramir, demeura cloué sur place, écarquillant des yeux stupéfiés. Pippin reconnut le cri effrayant qu'il venait d'entendre, celui-là même qu'il avait entendu longtemps auparavant dans la Marêche du Comté ; mais il avait gagné en puissance et en haine, perçant le cœur comme un désespoir contagieux.

Enfin, Beregond parla avec effort. « Ils sont là ! dit-il. Prenez courage et regardez ! Il y a des choses terribles là en bas. »

Hésitant, Pippin monta sur le banc et regarda par-dessus le mur. Le Pelennor se déployait devant lui, sombre et indistinct, jusqu'à la ligne à peine devinée du Grand Fleuve. Mais, tournoyant sous lui à mi-hauteur, telles des ombres de nuit surgies avant l'heure, il vit cinq horribles formes d'oiseaux, pareilles à des charognards mais plus grandes que des aigles, cruelles comme la mort, tantôt plongeant tout près des murs, presque à portée de tir, tantôt tourbillonnant au loin.

« Des Cavaliers Noirs ! murmura Pippin. Des Cavaliers Noirs des airs ! Mais regardez, Beregond ! s'écria-t-il. Ils cherchent quelque chose, assurément ? Voyez comme ils tournent et plongent, toujours vers cet endroit, là-bas ! Et voyez-vous ces choses qui bougent au sol ? Des points sombres. Oui, des hommes à cheval : quatre ou cinq. Ah ! je ne peux pas voir ça ! Gandalf ! Gandalf, sauvez-nous ! »

Un autre long cri strident s'éleva et retomba, et Pippin se jeta de nouveau derrière le mur, haletant comme un animal traqué. Il entendit, faible et lointaine à travers ce cri perçant, une sonnerie une trompette qui monta des terres et s'acheva sur une longue note aiguë.

« Faramir ! Le seigneur Faramir ! C'est son appel ! s'écria Beregond. Cœur vaillant ! Mais comment faire pour atteindre la Porte, si ces oiseaux démoniaques ont d'autres armes que la peur ? Mais voyez ! Ils tiennent bon. Ils vont atteindre la Porte. Non ! les chevaux s'emballent. Regardez ! les cavaliers sont jetés bas ; ils courent à pied. Non, l'un d'eux est toujours en selle, mais il revient vers les autres. C'est sans doute le Capitaine : il maîtrise aussi bien les bêtes que les hommes. Ah ! voilà une de ces créatures immondes qui plonge sur lui. À l'aide ! à l'aide ! Personne n'ira-t-il à son secours ? Faramir ! »

Sur ce, Beregond partit d'un bond et courut à travers la

pénombre. Honteux de sa frayeur, alors que Beregond de la Garde songeait d'abord au capitaine qu'il aimait, Pippin se releva et regarda au-dehors. À ce moment, il vit jaillir du Nord un éclair blanc et argent, comme une petite étoile descendue dans le crépuscule des champs. Vive comme une flèche, elle grandissait en avançant, convergeant rapidement avec les quatre hommes fuyant vers la Porte. On eût dit qu'un halo de lumière l'environnait, que les ombres pesantes reculaient devant elle ; et comme elle s'approchait, il crut entendre, tel un écho entre les murs, une grande voix qui appelait.

« Gandalf ! s'écria-t-il. Gandalf ! Il apparaît toujours quand tout est au plus noir. Va ! Va, Cavalier Blanc ! Gandalf, Gandalf ! » cria-t-il avec ferveur, comme le spectateur d'une grande course exhortant un coureur pourtant bien au-delà de tout encouragement.

Mais les ombres tournoyantes s'étaient avisées de la présence du nouvel arrivant. L'une d'elles fonça vers lui ; mais Pippin crut le voir lever une main, et un trait de lumière blanche jaillit vers le ciel. Le Nazgûl poussa un long cri plaintif et vira soudainement ; puis les autres vacillèrent et, s'élevant en de vives spirales, ils filèrent à l'est et disparurent dans le bas nuage noir ; tandis que, sur les champs du Pelennor, les ténèbres parurent s'estomper un moment.

Sous le regard de Pippin, l'homme à cheval et le Cavalier Blanc se rejoignirent et s'arrêtèrent, attendant les autres qui venaient à pied. Des hommes de la Cité coururent alors à leur rencontre ; et tous passèrent bientôt hors de vue sous les murs extérieurs, sans doute en train de franchir la Porte. Devinant qu'ils monteraient aussitôt à la Tour pour voir l'Intendant, Pippin se rendit en toute hâte à l'entrée de la Citadelle. Là, il fut rejoint par de nombreux autres qui, comme lui, avaient observé la scène du haut des murs.

Avant peu, une clameur retentit dans les rues qui grimpaient des cercles extérieurs, une effusion de cris et de hourras où s'entendaient les noms de Faramir et de Mithrandir. Pippin entrevit bientôt des torches et, devant un grand attroupement, deux cavaliers au pas : l'un était en blanc mais ne brillait plus, pâle dans le crépuscule, comme si son éclat était épuisé ou voilé ; l'autre était sombre, et il courbait la tête. Ils mirent pied à terre ; et pendant que des palefreniers s'occupaient de Scadufax et de l'autre monture, ils allèrent trouver la sentinelle à la porte : Gandalf d'un pas décidé, sa cape grise rejetée en arrière, un feu couvant encore dans ses yeux ; l'autre, tout en vert, lentement, vacillant un peu, comme un homme éreinté ou blessé.

Comme ils arrivaient sous la lanterne de la voûte d'entrée, Pippin se pressa en avant et, apercevant le pâle visage de Faramir, il retint son souffle. C'était celui d'un homme qui, après une grande peur ou un profond tourment, a retrouvé son calme et la maîtrise de soi. Grave et fier, il s'arrêta un moment pour s'adresser au garde ; et Pippin, l'observant, put voir à quel point il ressemblait à Boromir – que Pippin avait aimé d'emblée, admirant sa grandeur, sa manière à la fois seigneuriale et bienveillante. Mais voici que, pour Faramir, il conçut tout à coup un sentiment étrange qu'il n'avait jamais éprouvé avant. Il y avait chez lui un air de haute noblesse, comme celui qu'Aragorn montrait parfois – moins haute, peut-être, mais en même temps plus proche et moins ineffable : un Roi des Hommes né à une époque ultérieure, mais touché par la sagesse et la tristesse du Peuple Aîné. Il comprit pourquoi Beregond avait prononcé son nom avec amour. C'était un capitaine que les hommes suivraient sans conteste, que lui-même serait prêt à suivre, même dans l'ombre des ailes noires.

« Faramir ! cria-t-il avec les autres. Faramir ! » Et Faramir, percevant son étrange petite voix parmi la clameur des hommes, se retourna et baissa sur lui des yeux pleins d'étonnement.

« D'où sortez-vous ? demanda-t-il. Un demi-homme, vêtu dans la livrée de la Tour ! Mais d'où… ? »

Alors Gandalf s'avança pour lui parler. « Il est venu avec moi du pays des Demi-Hommes, dit-il. Il est venu avec moi. Mais ne nous attardons pas ici. Il y a fort à dire et à faire, et vous êtes fatigué. Il va nous accompagner. En fait, il n'a pas le choix, car à moins qu'il n'oublie ses nouveaux devoirs plus facilement que moi, il doit retrouver son maître dans l'heure. Allons, Pippin, suivez-nous ! »

Ainsi, ils gagnèrent enfin la chambre privée du Seigneur de la Cité, où de profonds fauteuils étaient disposés autour d'un brasero de charbon de bois. Du vin fut servi ; et Pippin, presque invisible derrière le fauteuil de Denethor, sentait à peine sa fatigue, tant son oreille était attentive à tout ce qui se disait.

Quand Faramir eut pris du pain blanc et bu une gorgée de vin, il s'assit dans un fauteuil bas à main gauche de son père. De l'autre côté, un peu en retrait, Gandalf occupait un fauteuil de bois sculpté ; et au début, il semblait dormir. Car Faramir ne parla tout d'abord que de la mission qui lui avait été confiée dix jours auparavant, donnant des nouvelles de l'Ithilien et des mouvements de l'Ennemi et de ses alliés ; et il raconta l'échauffourée qui avait eu lieu sur la route et où les hommes du Harad et leur grande bête avaient été anéantis. C'étaient les propos d'un capitaine rapportant à son maître, comme souvent par le passé, les détails d'une guerre frontalière devenue inutile et insignifiante, sans gloire aucune.

Puis Faramir se tourna tout à coup vers Pippin. « Mais nous en venons maintenant à d'étranges affaires, dit-il. Car ce n'est pas le premier demi-homme que je vois sortir des légendes septentrionales et s'aventurer dans les Terres du Sud. »

À ces mots, Gandalf se redressa, agrippant les bras de son fauteuil ; mais il ne dit mot et, d'un regard, contint l'exclamation qui venait aux lèvres de Pippin. Denethor, les observant, eut un hochement de tête, comme pour signifier qu'il avait lu bien des choses sans qu'aucune parole ne fût prononcée. Lentement, devant un auditoire silencieux et pétrifié, Faramir raconta son histoire. La plupart du temps, son regard était fixé sur Gandalf, mais ses yeux s'égaraient parfois sur la personne du hobbit, comme pour rafraîchir le souvenir que d'autres lui avaient laissé.

Comme il racontait l'histoire de sa rencontre avec Frodo et son serviteur et des événements de Henneth Annûn, Pippin se rendit compte que les mains de Gandalf tremblaient, crispées sur le bois sculpté. Elles paraissaient blanches et fort vieilles à présent ; et en les regardant, soudain, avec un frisson d'épouvante, Pippin sut que Gandalf, Gandalf lui-même était secoué, même apeuré. L'air de la pièce était lourd et suffocant. Quand Faramir en vint à sa séparation d'avec les voyageurs et à leur décision d'aller à Cirith Ungol, sa voix se réduisit à un murmure, et il soupira, secouant la tête. Puis Gandalf sauta sur pied.

« Cirith Ungol ? Le Val de Morgul ? fit-il. Quel jour, Faramir, quel jour ? À quand remonte cette séparation ? Quand devaient-ils atteindre cette vallée maudite ? »

« Je les ai quittés il y a deux jours dans la matinée, dit Faramir. Quinze lieues séparent cet endroit de la vallée de la Morgulduin, en allant droit au sud ; et cela les aurait amenés à cinq lieues à l'ouest de la Tour maudite. En faisant au plus vite, ils n'ont pu l'atteindre avant aujourd'hui, et peut-être n'y sont-ils pas encore. Je vois bien ce que vous craignez. Mais la venue de l'obscurité n'est pas le fait de leur entreprise. Elle est venue hier au soir, et tout l'Ithilien était dans l'ombre la nuit dernière. Pour moi, il est clair que l'Ennemi avait prévu de nous assaillir de longue date, et qu'il avait choisi son heure avant même que les voyageurs aient quitté ma protection. »

Gandalf se mit à arpenter la pièce. « Avant-hier au matin, soit près de trois jours de voyage ! À quelle distance se trouve l'endroit où vous vous êtes quittés ? »

« À quelque vingt-cinq lieues à vol d'oiseau, répondit Faramir. Mais je ne pouvais pas venir plus vite. Hier soir, j'étais à Cair Andros, la longue île qui nous sert de défense en amont sur le Fleuve ; nous y gardons des chevaux sur la rive occidentale. Quand je vis monter l'obscurité, je sus qu'il fallait faire vite, alors je chevauchai avec trois autres pour qui je disposais de montures. J'envoyai le reste de ma compagnie au sud, afin de renforcer la garnison aux gués d'Osgiliath. J'espère n'avoir pas mal fait ? » Il se tourna vers son père.

« Mal fait ? » s'écria Denethor ; et soudain, ses yeux étincelèrent. « Pourquoi cette question ? Ces hommes étaient sous ton commandement. Ou veux-tu que je juge de chacun de tes actes ? Tu t'abaisses beaucoup en ma présence ;

mais il y a longtemps que tu ne t'es détourné de ton chemin pour suivre mon conseil. Vois, tu as parlé avec adresse, comme toujours ; mais moi, ne t'ai-je pas vu tâter Mithrandir du regard, pour voir si tu parlais bien ou trop ? Il y a longtemps qu'il a ton cœur dans sa manche.

« Mon fils, ton père est âgé, mais non point gâteux. Je puis voir et entendre comme je l'ai toujours fait ; et peu de choses échappent désormais à ma vue, de ce que tu n'as dit qu'à moitié ou n'as pas voulu dire. Je connais la réponse à bien des énigmes. Hélas, hélas pour Boromir ! »

« Si ce que j'ai fait vous déplaît, à vous mon père, dit posément Faramir, j'aurais voulu connaître votre avis avant que le poids d'un jugement aussi lourd ne tombe sur mes épaules. »

« Cela eût-il changé quelque chose ? répondit Dene-thor. Je gage que tu aurais agi exactement de la même manière. Tu ne désires jamais qu'être vu comme un noble et généreux seigneur, doux et bienveillant, comme un roi d'autrefois. Cela peut bien convenir à un homme de haute lignée, s'il règne en maître et en paix. Mais à l'heure des grands désespoirs, trop de douceur peut signi-fier la mort. »

« Eh bien, soit », dit Faramir.

« Soit ! s'écria Denethor. Mais pas seulement la vôtre, seigneur Faramir ; la mort aussi de votre père, et celle de tous vos gens, qu'il est de votre devoir de protéger, main-tenant que Boromir n'est plus. »

« Souhaitez-vous donc, reprit Faramir, que nos destins aient été échangés ? »

« Certes, c'est là mon souhait, répondit Denethor. Car Boromir était loyal envers moi, et non l'élève d'un magicien. Il se serait souvenu du malheur de son père et n'aurait pas bêtement refusé ce que la fortune lui offrait. Il m'aurait rapporté un fabuleux présent. »

Faramir perdit un instant sa retenue. « Je vous prierais, cher père, de vous rappeler pourquoi ce fut moi et non lui qui partis en Ithilien. Votre conseil a prévalu au moins une fois, il n'y a guère. C'est le Seigneur de la Cité qui confia cette mission à mon frère. »

« Ne remue pas l'amertume dans la coupe que je me suis moi-même versée, dit Denethor. Ne l'ai-je pas sentie sur ma langue soir après soir, pressentant que la lie me serait encore plus nocive ? Ce qu'à présent je constate. Ah ! s'il avait pu en être autrement ! Si cette chose était venue à moi ! »

« Consolez-vous ! dit Gandalf. En aucun cas Boromir ne vous l'aurait apportée. Il est mort, et d'une mort honorable ; puisse-t-il dormir en paix ! Mais vous vous bercez d'illusions. Il aurait tendu la main pour se saisir de cette chose et, la prenant, il serait tombé. Il l'aurait gardée pour lui-même, et à son retour, vous n'auriez pas reconnu votre fils. »

La figure de Denethor se crispa, dure et froide. « Vous avez trouvé Boromir moins docile à votre main, n'est-ce pas ? dit-il doucement. Mais moi qui suis son père, je dis qu'il me l'aurait apportée. Vous êtes peut-être sage, Mithrandir, mais malgré vos subtilités, vous n'avez pas toute la sagesse du monde. Des conseils peuvent être trouvés qui ne doivent ni aux intrigues des magiciens ni à la hâte des fous. Je possède en la matière plus d'érudition et de sagesse que vous ne le supposez. »

« Et quelle est donc cette sagesse ? » dit Gandalf.

« Suffisante pour savoir qu'il y a deux folies à éviter. Se servir de cette chose est dangereux. À l'heure actuelle, l'envoyer tout droit chez l'Ennemi, entre les mains d'un demi-homme sans intelligence, comme vous l'avez fait, vous et mon indigne de fils, cela est folie. »

« Et le seigneur Denethor, lui, qu'aurait-il fait ? »

« Ni l'un ni l'autre. Mais il n'eût très certainement pas, pour aucune raison, mis cet objet en hasard, au-delà de toute espérance hormis celle d'un fou, et risquant notre ruine entière, si l'Ennemi devait recouvrer ce qu'il a perdu. Non, il aurait fallu le garder, caché, caché dans les ténèbres des profondeurs. Ne pas s'en servir, dis-je, sinon en tout dernier recours, mais le mettre hors de son atteinte, sauf par une victoire de sa part, si définitive que la suite des choses ne nous inquiéterait pas, puisque nous serions morts. »

« Vous pensez, monseigneur, comme à votre habitude, au Gondor seulement, dit Gandalf. Or il y a d'autres hommes et d'autres vies, et des temps encore à venir. Et pour moi, j'ai même pitié de ses esclaves. »

« Et où donc les autres hommes chercheront-ils de l'aide, si le Gondor tombe ? répondit Denethor. Si j'avais aujourd'hui cet objet au tréfonds de cette citadelle, nous ne serions pas à trembler de peur dans cette obscurité, à craindre le pire ; et nos conseils ne seraient aucunement troublés. Si vous me croyez incapable de surmonter l'épreuve, c'est que vous ne me connaissez pas encore. »

« Qu'importe, dit Gandalf, je ne puis vous faire confiance. S'il en était autrement, j'aurais pu envoyer ici cette chose et m'épargner bien des tourments, à moi et à d'autres. Et plus je vous écoute, moins je vous fais confiance, pas plus qu'à Boromir. Non, retenez votre courroux ! Je ne me fais pas confiance non plus, sur ce point, et j'ai refusé cet objet alors qu'il m'était librement offert. Vous êtes fort, Denethor, et encore capable de vous dominer à certains égards ; mais si vous aviez reçu cet objet, il aurait eu raison de vous. Serait-il enseveli sous les racines du Mindolluin qu'il ne cesserait de vous consumer, à mesure que l'obscurité nous gagne et que surviennent les malheurs près de s'abattre sur nous. »

Pendant un instant, les yeux de Denethor s'enflammèrent encore face à Gandalf, et Pippin sentit une fois de plus la tension entre leurs deux volontés ; mais cette fois, il crut presque voir des lames tirées d'un œil à l'autre, qui se croisaient et étincelaient. Pippin se mit à trembler, craignant quelque funeste dénouement. Mais soudain, Denethor se détendit et retrouva sa froideur. Il haussa les épaules.

« Si j'avais ! Si vous aviez ! fit-il. Pourquoi tant de palabres ? Il est parti dans l'Ombre, et seul le temps nous dira quel destin l'attend, lui et nous. Il n'y aura pas long à attendre. Entre-temps, que tous ceux qui combattent l'Ennemi à leur façon soient unis, qu'ils gardent espoir tant qu'ils le peuvent, et par-delà l'espoir, le courage de mourir libres. » Il se tourna vers Faramir. « Que te semble de la garnison à Osgiliath ? »

« Plutôt faible, dit Faramir. J'ai envoyé la compagnie d'Ithilien en renfort, comme je le disais. »

« Trop peu, je gage, dit Denethor. C'est là que tombera le premier coup. Ils auront besoin d'un vaillant capitaine. »

« Là et en bien d'autres endroits, dit Faramir, puis il soupira. Hélas pour mon frère, que j'aimais aussi ! » Il se leva. « Puis-je me retirer, père ? » Et ce disant, il vacilla, s'appuyant sur le fauteuil de l'Intendant.

« Tu es fatigué, à ce que je vois, dit Denethor. Tu es venu de loin et en toute hâte, sous des ombres maléfiques qui ont envahi les airs, me dit-on. »

« Ne parlons pas de cela ! » dit Faramir.

« Soit, dit Denethor. Va et repose-toi comme tu le peux. Demain sera plus sévère encore. »

Tous prirent alors congé du Seigneur de la Cité, et ils allèrent se reposer pendant qu'ils le pouvaient encore. Dehors, sous la noirceur d'un ciel sans étoile, Gandalf et Pippin regagnèrent leur logement, le hobbit portant une petite torche. Ils ne prononcèrent aucune parole avant de se trouver derrière des portes closes. Alors, Pippin saisit la main de Gandalf.

« Dites-moi, y a-t-il de l'espoir ? demanda-t-il. Pour Frodo, je veux dire ; enfin, surtout pour lui. »

Gandalf posa sa main sur la tête du hobbit. « Il n'y en a jamais eu beaucoup, répondit-il. Seulement l'espoir d'un fou, comme on vient de me le dire. Et quand j'ai entendu le nom de Cirith Ungol… » Il s'interrompit, allant à la fenêtre, comme si ses yeux pouvaient percer la nuit de l'Est. « Cirith Ungol ! murmura-t-il. Pourquoi ce chemin, je me le demande ! » Il se retourna. « Tout à l'heure, en entendant cela, le cœur a failli me manquer, Pippin. Mais à vrai dire, les nouvelles de Faramir me redonnent un certain espoir. Car il semble évident que notre Ennemi a enfin déclenché la guerre, qu'il a bougé pendant que Frodo allait encore librement. Maintenant et pour bien des jours, son œil se dirigera de côté et d'autre, en dehors de son propre pays. Néanmoins, Pippin, je sens d'ici sa hâte et sa peur. Il s'est mis en branle plus tôt qu'il ne l'escomptait. Quelque chose s'est produit qui l'aura contraint à l'action. »

Gandalf s'arrêta et parut réfléchir. « Peut-être, marmonna-t-il. Oui, même votre bêtise a pu aider, mon garçon. Attendez voir : il y a cinq jours environ, il aura découvert que Saruman était renversé et que la Pierre était entre nos mains. Et alors ? Nous ne pouvions en tirer grand-chose, ni le faire à son insu. Ah ! Je me demande. Aragorn ? Son heure approche. Et il est fort intérieurement, Pippin, d'une grande fermeté : hardi, déterminé, capable de suivre sa propre voie et de courir de grands risques au besoin. C'est peut-être cela. Il s'est peut-être servi de la Pierre et montré à l'Ennemi, cherchant à le défier dans ce dessein même. Je me le demande. Enfin, nous ne connaîtrons pas la réponse avant l'arrivée des Cavaliers du Rohan, s'ils n'arrivent pas trop tard. Des jours funestes nous attendent. Au repos, pendant que nous le pouvons ! »

« Mais… », fit Pippin.

« Mais quoi ? demanda Gandalf. Je ne permettrai qu'un seul *mais*, ce soir. »

« Gollum, dit Pippin. Comment diable se fait-il qu'ils se promènent avec *lui*, qu'ils aillent jusqu'à le suivre ? Et j'ai bien vu que Faramir n'aimait pas plus que vous l'endroit où il les menait. Que se passe-t-il donc ? »

« Je ne puis vous répondre pour l'instant, dit Gandalf. Mais mon cœur me disait que Frodo et Gollum se rencontreraient avant la fin. Pour le bien ou pour le mal. Mais de Cirith Ungol, je ne parlerai pas ce soir. La traîtrise, voilà ce que je crains : la traîtrise de cette misérable créature. Mais les choses sont telles qu'elles sont. Rappelons-nous qu'un traître peut se trahir lui-même et causer un bienfait qu'il n'avait pas cherché. Cela arrive. Bonne nuit ! »

Le jour se leva dans un crépuscule brun, et le cœur des hommes, ragaillardi un temps par le retour de Faramir, retomba. On ne revit pas les Ombres ailées ce jour-là, mais de temps à autre, loin au-dessus de la cité, venait un faible cri, et la plupart restaient saisis comme d'une peur passagère, tandis que les moins intrépides pleuraient et tremblaient.

Et voilà que Faramir était reparti. « Ils ne lui laissent aucun repos, murmuraient certains. Le Seigneur exige trop de son fils, et maintenant, il doit accomplir le devoir des deux : le sien, et celui du fils qui ne reviendra pas. » Et les hommes regardaient sans cesse vers le nord, et demandaient : « Où sont les Cavaliers du Rohan ? »

Faramir, en vérité, n'était pas parti de son propre chef. Mais le Seigneur de la Cité était maître de son Conseil ; et ce jour-là, il n'était aucunement d'humeur à s'incliner devant autrui. Le Conseil s'était réuni tôt en matinée. Tous les capitaines avaient jugé qu'en raison de la menace du Sud, leur effectif était trop faible pour autoriser quelque action militaire de leur part, à moins que les Cavaliers du Rohan ne se décident enfin à leur prêter main-forte. Entre-temps, il s'agissait d'assurer la défense des murs et d'attendre.

« Il n'empêche, dit Denethor, que les ouvrages extérieurs ne doivent pas être abandonnés à la légère, notamment le Rammas édifié avec tant de peine. Et l'Ennemi doit payer chèrement la traversée du Fleuve. Il ne peut le faire, en force suffisante pour attaquer la Cité, ni au nord de Cair Andros à cause des marais, ni au sud, vers le Lebennin, de par la largeur des eaux : il lui faudrait pour cela de nombreuses embarcations. C'est à Osgiliath qu'il mettra tout son poids, comme auparavant, quand Boromir lui a refusé le passage. »

« Il ne s'agissait que d'un essai, dit Faramir. Aujourd'hui, nous pourrions lui causer dix fois nos pertes dans la conquête de ce passage et regretter tout de même l'échange. Car il lui coûterait moins de perdre une armée qu'à nous de perdre une compagnie. Et la retraite de ces hommes déployés au loin sera périlleuse, s'il gagne le passage en force. »

« Et qu'en est-il de Cair Andros ? dit le Prince. Il faudra tenir l'île aussi, si Osgiliath est défendue. N'oublions pas le danger sur notre flanc gauche. Peut-être les Rohirrim viendront-ils, peut-être que non. Mais Faramir nous a parlé des forces qui ne cessent d'affluer à la Porte Noire. Plus d'une armée pourrait en sortir, et tenter plus d'un passage à la fois. »

« La guerre ne va pas sans d'énormes risques, dit Denethor. Cair Andros a sa garnison, et on ne peut, pour le moment, y envoyer d'autres troupes. Mais je ne céderai pas le Fleuve ni le Pelennor sans une lutte acharnée – pas s'il est ici un capitaine qui ait encore le courage d'obéir à son seigneur. »

Alors, tous restèrent silencieux. Mais Faramir répondit enfin : « Je ne m'oppose pas à votre volonté, ô mon père. Puisque Boromir vous a été dérobé, j'irai et je ferai de mon mieux à sa place – si vous me l'ordonnez. »

« Je te l'ordonne », dit Denethor.

« Alors, adieu ! dit Faramir. Mais si je devais revenir, ayez meilleure opinion de moi ! »

« Tout dépend de la manière de ton retour », dit Denethor.

Ce fut Gandalf qui, le dernier, parla à Faramir avant son départ vers l'est. « N'allez pas sacrifier votre vie inconsidérément ou par amertume, lui dit-il. On aura besoin de vous ici, à d'autres fins que la guerre. Votre père vous aime, Faramir, et il s'en souviendra avant la fin. Adieu ! »

Ainsi le seigneur Faramir était de nouveau parti, entouré de tous ceux qui avaient consenti à le suivre ou qui n'étaient pas indispensables. Sur les murs, d'aucuns regardaient à travers la pénombre vers la ville en ruine, se demandant ce qui s'y passait, car on ne pouvait rien distinguer. Et d'autres, comme avant, regardaient au nord en comptant les lieues qui les séparaient de Théoden au Rohan. « Viendra-t-il ? Se souviendra-t-il de notre alliance ? » dirent-ils.

« Oui, il viendra, répondit Gandalf, même s'il devait arriver trop tard. Mais réfléchissez ! Dans le meilleur des cas, la Flèche Rouge ne peut lui être parvenue il y a plus de deux jours ; et les milles sont longs depuis Edoras. »

Il faisait de nouveau nuit quand la nouvelle arriva. Un homme revint des gués en hâte, disant qu'une armée était sortie de Minas Morgul et marchait déjà sur Osgiliath ; puis des régiments du Sud étaient venus grossir ses rangs, des Haradrim, grands et cruels. « Et nous avons appris, poursuivit le messager, que le Noir Capitaine est de nouveau à leur tête : la peur qu'il inspire l'a devancé au-delà du Fleuve. »

Ainsi s'acheva, sur ces mots de funeste augure, le troisième jour depuis l'arrivée de Pippin à Minas Tirith. Peu d'hommes se reposèrent, car l'espoir était mince que Faramir, même lui, pût tenir longtemps les gués.

Le lendemain, bien que l'obscurité fût à son comble et ne grandît pas davantage, elle pesait plus lourdement que jamais sur le cœur des hommes, et une grande peur les tenaillait. D'autres mauvaises nouvelles ne tardèrent pas à arriver. L'Ennemi avait gagné le passage de l'Anduin. Faramir se repliait sur les murs du Pelennor, ralliant ses hommes aux Forts de la Chaussée ; mais ses adversaires étaient dix fois plus nombreux.

« S'il parvient à se replier sur le Pelennor, ses ennemis seront sur ses talons, dit le messager. Ils ont payé chèrement le passage des eaux, mais pas autant que nous l'espérions. Le plan a été bien conçu, nous le voyons : voilà un bon moment qu'ils s'affairaient secrètement à construire une multitude de radeaux et de péniches à Osgiliath Est. Ils ont traversé dans un grand fourmillement. Mais c'est le Noir Capitaine qui nous tient en échec. Rares sont les hommes capables d'endurer la seule rumeur de sa venue. Ses propres serviteurs tremblent devant lui, et se donneraient la mort s'il le leur ordonnait. »

« Dans ce cas, ma présence sera plus utile là-bas », dit Gandalf ; et il s'en fut aussitôt à cheval, son éclat blanc ayant tôt fait de disparaître à la vue. Et durant toute cette nuit, Pippin, seul et incapable de dormir, se tint sur le rempart, tournant ses regards vers l'est.

Les cloches du matin, dérisoires dans les ténèbres persistantes, venaient à peine de retentir lorsqu'il vit monter au loin des flammes, d'un bout à l'autre des espaces sombres où s'élevaient les murs du Pelennor. Les guetteurs crièrent haut et fort, et tous prirent les armes dans la Cité. À présent, un éclair rouge venait de temps à autre, tandis que de sourds grondements montaient un à un dans l'air lourd.

« Ils ont pris le mur ! criaient les hommes. Ils le font sauter pour ouvrir des brèches. Ils arrivent ! »

« Où est Faramir ? s'écria Beregond d'une voix consternée. Ne me dites pas qu'il est tombé ! »

Gandalf revint avec les premières nouvelles. Il parut en

milieu de matinée avec une poignée de cavaliers, escortant une file de charrettes. Elles étaient remplies de blessés : tous ceux qui avaient pu être sauvés de la ruine des Forts de la Chaussée. Dès son arrivée, il se rendit auprès de Denethor. Le Seigneur de la Cité s'était retiré avec Pippin dans une chambre haute au-dessus de la Salle de la Tour Blanche ; et par les fenêtres sombres, au nord, au sud et à l'est, il regardait de ses yeux noirs, comme pour percer les ombres du destin qui le cernaient tel un anneau. Il scrutait le Nord le plus souvent, s'arrêtant parfois pour écouter, comme si son oreille avait pu entendre, par le truchement d'un art ancien, le tonnerre des sabots au loin sur la plaine.

« Faramir est-il rentré ? » demanda-t-il.

« Non, dit Gandalf. Mais il était encore vivant quand je suis parti. Néanmoins, il est déterminé à rester auprès de l'arrière-garde, de crainte que la retraite sur le Pelennor ne tourne à la débandade. Il pourrait réussir à maintenir les rangs assez longtemps, mais j'en doute. Il est devant un trop puissant adversaire. Car il est venu, celui que je redoutais. »

« Pas… le Seigneur Sombre ? » s'écria Pippin, oubliant, dans son épouvante, la place qui était sienne.

Denethor eut un rire amer. « Non, pas encore, maître Peregrin ! S'il vient, ce sera uniquement pour triompher de moi quand tout sera conquis. En attendant, il laisse les autres lui servir d'armes. Tous les grands seigneurs font de même, maître Demi-Homme, s'ils sont sages. Pourquoi, sinon, resterais-je dans ma tour à réfléchir, à observer et à attendre, dépensant même mes fils ? Car je puis encore manier le glaive. »

Il se leva, rejetant sa longue cape noire derrière lui ; et voici ! il apparut alors vêtu de mailles, et ceint d'une épée longue à grande poignée, dans un fourreau noir et argent. « Ainsi je vais et ainsi je dors, voici maintenant de nombreuses années, dit-il, de crainte que la vieillesse me donne un corps mou et timoré. »

« Toujours est-il que sous la direction du Seigneur de Barad-dûr, le plus redoutable de ses capitaines s'est déjà rendu maître de vos murs extérieurs, dit Gandalf. Roi d'Angmar au temps jadis, Sorcier, Spectre de l'Anneau, Seigneur des Nazgûl, fléau de terreur à la main de Sauron, ombre de désespoir. »

« Eh bien, Mithrandir, vous aviez donc un adversaire à votre mesure, dit Denethor. Pour ma part, je sais depuis longtemps qui est le grand capitaine des armées de la Tour Sombre. Est-ce là tout ce que vous êtes revenu me dire ? Ou serait-ce que vous vous êtes retiré parce que vous n'êtes pas de taille ? »

Pippin trembla, craignant que Gandalf n'eût été piqué au vif, mais sa peur était infondée. « C'est bien possible, répondit Gandalf à mi-voix. Mais notre duel est encore à venir. Et si l'on en croit les mots de la tradition, il ne tombera pas par la main d'un homme, et le sort qui l'attend est caché à la vue des Sages. Quoi qu'il en soit, le Capitaine du Désespoir ne s'est pas encore porté en avant. Il s'en tient plutôt à la sagesse que vous évoquiez, restant sur les arrières, et menant ses esclaves dans une terreur folle devant lui.

« Non, si je suis revenu, c'est pour sauver les blessés qui peuvent encore être guéris ; car le Rammas est partout défoncé, et l'armée de Morgul fera bientôt irruption en maints endroits. Et surtout, je suis venu vous dire ceci. Bientôt, on se battra dans les champs. Il faut préparer une sortie. Qu'on envoie des hommes montés. Notre bref espoir réside en eux, car il n'est qu'une chose dont l'ennemi paraît encore assez dépourvu : il a fort peu de cavaliers. »

« Ce qui est aussi notre cas. L'armée du Rohan ne pourrait arriver à un moment plus opportun », dit Denethor.

« D'autres risquent d'arriver avant cela, dit Gandalf. Des fugitifs de Cair Andros nous ont déjà rejoints. L'île est tombée. Une autre armée est sortie par la Porte Noire et a franchi le Fleuve par le nord-est. »

« D'aucuns vous ont accusé, Mithrandir, de prendre plaisir à dispenser les mauvaises nouvelles, dit Denethor, mais pour moi, ces choses n'ont plus rien de nouveau : elles m'étaient connues dès hier au soir. Quant à une éventuelle sortie, j'y avais déjà réfléchi. Descendons. »

Les heures passèrent. Enfin, les guetteurs des murs aperçurent la retraite des compagnies extérieures. De petites bandes de guerriers épuisés, souvent blessés, arrivèrent d'abord en grand désarroi ; certains couraient éperdus comme s'ils étaient poursuivis. À l'est, des flammes dansaient au lointain et semblaient s'étendre par endroits sur la plaine. Des maisons et des granges brûlaient. Puis, à maints endroits, de petites rivières de feu se mirent à affluer, sinuant dans la pénombre, convergeant vers la ligne dessinée par la large route qui menait de la Porte aux ruines d'Osgiliath.

« L'ennemi, murmurait-on. Le mur est renversé. Les voilà qui se déversent à travers les brèches ! Et ils portent des torches, on dirait. Où sont nos hommes ? »

Le soir devait bientôt tomber d'après l'heure, et la lumière était si faible que même les plus clairvoyants, sur les murs de la Citadelle, ne discernaient pas grand-chose au milieu des champs, sinon les incendies qui ne cessaient de se multiplier et les traînées de feu qui se faisaient plus longues et plus rapides. Enfin, à moins d'un mille de la Cité, une masse d'hommes plus ordonnée se présenta à la vue : ils marchaient et ne couraient pas, toujours en rangs serrés.

Les guetteurs retinrent leur souffle. «Faramir doit être du nombre, dirent-ils. Il maîtrise hommes et bêtes. Il va s'en tirer.»

À présent, le gros de la retraite ne devait pas être à plus de deux furlongs. Au fond, dans la pénombre, un petit groupe de cavaliers arriva au galop : c'était tout ce qui restait de l'arrière-garde. Ils se retournèrent une fois de plus, aux abois, faisant face aux traînées de feu qui approchaient. Puis soudain s'éleva une clameur féroce. Des cavaliers ennemis surgirent en trombe. Les traînées de feu devinrent d'impétueux torrents : des Orques, rang sur rang, portant des brandons, et de sauvages Sudrons aux bannières rouges et aux cris barbares, montant à l'assaut, les débordant. Et du ciel charbonneux fondirent les ombres ailées avec un cri perçant, les Nazgûl plongeant sur leurs victimes.

La retraite se changea en déroute. Déjà, les hommes se séparaient, fuyant éperdus, jetant leurs armes, criant de terreur, tombant au sol.

Une trompette retentit alors dans la Citadelle, et Denethor ordonna enfin la sortie. Serrés dans l'ombre de la Porte et à l'extérieur des hauts murs, ils avaient attendu son signal : des hommes montés, tous ceux qui restaient dans la Cité. Ils s'élancèrent à présent, se formèrent, prirent le galop et chargèrent avec un grand cri. Et des remparts, un autre s'éleva en réponse ; car sur les premiers rangs étaient les chevaliers-cygnes de Dol Amroth avec, à leur tête, le Prince et sa bannière bleue.

« Amroth pour le Gondor ! s'écrièrent-ils. Amroth au secours de Faramir ! »

Comme la foudre, ils s'abattirent sur l'ennemi de part et d'autre de la retraite ; mais un cavalier les dépassa tous, vif comme le vent sur l'herbe : Scadufax le portait, son éclat blanc révélé une fois de plus, tandis que de sa main levée, une lumière jaillissait.

Les Nazgûl lâchèrent un cri aigu et s'éloignèrent, car leur Capitaine n'était pas encore venu défier l'éclat blanc de son adversaire. Les armées du Mordor, resserrées autour de leur proie, prises à l'improviste dans leur folle cavalcade, se dispersèrent alors comme des étincelles dans un grand coup de vent. Un élan d'acclamations souleva les compagnies extérieures, qui se retournèrent contre leurs poursuivants. Les traqueurs devinrent les traqués. La retraite devint un assaut. Le champ de bataille fut bientôt jonché d'orques et d'hommes terrassés, et les effluves de leurs torches fumantes, partout jetées au sol, s'élevèrent en de noirs tourbillons. La cavalerie poursuivit son avancée.

Mais Denethor ne leur permit pas d'aller loin. Certes, l'ennemi était contenu, et repoussé pour le moment, mais de grandes forces continuaient d'affluer de l'Est. La trompette retentit de nouveau, sonnant la retraite. La cavalerie du Gondor fit halte. Derrière son écran, les compagnies extérieures se reformèrent. Leurs hommes revenaient à présent d'un pas soutenu. Enfin aux portes de la Cité, ils y entrèrent la tête haute ; et la tête haute, les gens de la Cité les contemplèrent, criant leurs louanges, mais les cœurs étaient inquiets. Car les compagnies paraissaient réduites de beaucoup ; Faramir avait perdu le tiers de ses hommes. Et lui, où était-il ?

Il fut le dernier de tous. Ses hommes entrèrent. Puis

les chevaliers montés, et la bannière de Dol Amroth, et enfin le Prince lui-même. Et dans ses bras, devant lui sur sa monture, il portait le corps de son parent, Faramir fils de Denethor, trouvé sur le champ de bataille.

« Faramir ! Faramir ! » crièrent les hommes, pleurant dans les rues. Mais il ne répondit pas, et on le porta jusqu'à son père, le long de la sinueuse route qui montait à la Citadelle. Alors même que les Nazgûl se dérobaient devant l'assaut du Cavalier Blanc, avait volé un trait mortel ; et Faramir, cherchant à repousser un cavalier, un champion du Harad, avait été terrassé. Seule la charge de Dol Amroth l'avait sauvé des sanglantes épées du Sud qui l'auraient taillé gisant au sol.

Le prince Imrahil porta Faramir à la Tour Blanche, et il dit : « Votre fils est revenu, seigneur, après de hauts faits d'armes », et il raconta tout ce qu'il avait vu. Mais Denethor se leva, contempla le visage de son fils et resta silencieux. Puis il leur ordonna de préparer un lit dans la pièce, d'y allonger Faramir et de quitter les lieux. Mais lui-même monta seul à la chambre secrète sous le pinacle de la Tour ; et nombre de ceux qui levèrent les yeux dans cette direction virent alors une pâle lumière qui jetait des reflets changeants à travers les fenêtres étroites ; mais au bout d'un moment, elle clignota et s'éteignit. Et lorsque Denethor redescendit, il alla trouver Faramir et s'assit à son chevet sans dire un mot ; mais le visage du Seigneur était gris, plus sépulcral que celui de son fils.

Ainsi, la Cité était enfin assiégée, cernée par un anneau d'ennemis. Le Rammas était en ruine, et tout le Pelennor abandonné à l'adversaire. Les dernières nouvelles de l'extérieur vinrent de fuyards qui arrivèrent par la route du Nord avant la fermeture de la Porte. C'était tout ce qui restait de la garnison postée à l'endroit où la route de l'Anórien et du Rohan entrait dans les terres avoisinantes de la Cité. Leur chef était Ingold, celui-là même qui avait laissé entrer Gandalf et Pippin moins de cinq jours auparavant, alors que le soleil se levait encore et que l'espoir renaissait au matin.

«Nous n'avons aucune nouvelle des Rohirrim, dit-il. Le Rohan ne viendra plus, maintenant. Ou s'il vient, il ne nous sera d'aucun secours. La nouvelle armée dont nous avions eu vent est arrivée avant eux, après avoir traversé le Fleuve à Andros, dit-on. C'est une force redoutable : il y a des bataillons d'Orques de l'Œil, et d'innombrables compagnies d'Hommes, des guerriers d'étrange sorte que nous n'avions jamais vus avant. Ils ne sont pas grands, mais larges d'épaules, la mine sombre, barbus comme des nains, et ils manient de grandes haches. Ils viennent d'un pays de sauvages, probablement, quelque part dans l'immensité de l'Est. Ils tiennent la route du Nord; et maints d'entre eux ont pénétré en Anórien. Les Rohirrim ne pourront passer.»

La Porte fut refermée. Toute la nuit, les guetteurs des murs entendirent la rumeur de l'ennemi rôdant à l'extérieur, brûlant arbres et champs, s'acharnant sur tout homme qu'ils trouvaient, mort ou vif, au-dehors. Dans l'obscurité, ils ne pouvaient deviner combien avaient déjà traversé le Fleuve; mais quand le matin, ou l'ombre d'un matin, se faufila sur la plaine, on vit que même les peurs nocturnes n'avaient guère exagéré la réalité. La plaine était noire de leurs compagnies en marche, et, aussi loin qu'on pût voir dans la sombreur du jour apparaissaient, tout autour de la cité assiégée, telle une immonde excroissance fongueuse, de vastes regroupements de tentes, noires ou rouge sombre.

Les orques creusaient et creusaient, telles des fourmis, de profondes tranchées formant d'immenses anneaux concentriques, tout juste hors de portée des archers; et à mesure qu'elles étaient excavées, chacune d'elles se remplissait de feu, sans qu'on pût voir par quel artifice ou sorcellerie ces feux étaient allumés ou alimentés. Ce travail se poursuivit toute la journée sous les regards impuissants des hommes de Minas Tirith. Et dès qu'une partie était achevée, on voyait s'approcher de grands chariots; et de nouvelles compagnies de l'ennemi ne tardaient pas à installer, chacune derrière la protection d'une tranchée, d'énormes engins destinés au lancement de projectiles. Aucun engin sur les murs de la Cité n'était assez gros pour porter aussi loin ou empêcher les travaux.

Les hommes en rirent au début, ne craignant pas beaucoup ces machines. Car le maître mur de la Cité était très haut et fabuleusement épais, bâti avant que le pouvoir et le savoir-faire de Númenor subissent le déclin de l'exil; et sa face extérieure était semblable à la Tour d'Orthanc, dure, sombre et lisse, invulnérable à l'acier ou au feu: indestructible, sinon par quelque convulsion capable d'ébranler le fondement même de ses assises.

« Non, disaient-ils, nul n'entrera ici, pas même l'Innommable, dût-il venir en personne, tant que nous vivrons. » Mais d'autres répondaient: « Tant que nous vivrons? Pour combien de temps? Il possède une arme qui a eu raison de maintes forteresses depuis le commencement du monde. La faim. Les routes sont coupées. Le Rohan ne viendra pas. »

Mais les engins ne gaspillèrent pas leurs tirs contre ce

mur inexpugnable. Ce n'était pas un chef orque, ni un quelconque brigand qui dirigeait l'assaut contre le plus grand adversaire du Mordor. Une puissance et un esprit maléfiques le guidaient. Aussitôt en place, parmi les hurlements et les grincements de cordes et de treuils, les grandes catapultes se mirent à tirer à une hauteur prodigieuse, si bien que les projectiles volaient au-dessus des remparts et retombaient avec fracas dans le premier cercle de la Cité ; et nombre d'entre eux, par quelque artifice secret, s'enflammaient en vol avant de s'écraser dans la ville.

Il y eut bientôt un grand danger d'incendie derrière le mur, et tous ceux qui étaient à disposition s'affairèrent à contenir les flammes qui surgissaient en maints endroits. Et parmi les gros bolides, tomba ensuite une autre grêle, moins dévastatrice mais autrement horrible. Partout dans les rues et les passages derrière la Porte, elles s'abattaient, comme de petites boules rondes qui ne brûlaient pas. Mais quand les hommes accouraient pour voir ce dont il s'agissait, ils s'écriaient ou bien pleuraient. Car l'ennemi jetait dans la Cité les têtes de tous ceux qui étaient tombés à Osgiliath, ou sur le Rammas, ou dans les champs. Elles étaient sinistres à voir, car certaines avaient été écrasées, rendues informes ou cruellement tailladées, mais beaucoup d'autres présentaient encore des traits reconnaissables, qui semblaient faire état d'une mort douloureuse ; et chacune était marquée de l'odieux insigne de l'Œil sans Paupière. Mais toutes défigurées et aviles qu'elles étaient, il arrivait souvent qu'un homme pût revoir le visage de quelqu'un qu'il avait connu, qui avait fièrement marché en armes, ou labouré les champs, ou était rentré, un jour de vacances, des vertes vallées des collines.

Les hommes brandissaient vainement le poing devant

les adversaires impitoyables qui s'entassaient devant la Porte. Ceux-ci n'avaient que faire des malédictions, et ils ne comprenaient pas la langue des hommes de l'Ouest, criant de leurs voix éraillées comme des bêtes et des charognards. Mais il ne resta bientôt plus grand monde à Minas Tirith pour s'élever contre les armées du Mordor. Car le Seigneur de la Tour Sombre avait encore une autre arme, plus rapide que la faim : la terreur et le désespoir.

Les Nazgûl revinrent. Leur Sombre Seigneur se levait et déployait toute sa puissance ; partant leurs voix, n'étant que l'expression de sa volonté et de sa malveillance, étaient empreintes de maléfice et d'horreur. Ils tournoyaient incessamment au-dessus de la Cité, comme des vautours criant après la chair des malheureux. S'ils restaient hors de vue, et hors de portée de tir, ils étaient toujours présents, et leurs voix mortelles déchiraient l'air. Elles devenaient toujours plus effroyables, non pas moins, à chaque nouveau cri ; et bientôt, les plus courageux se jetaient au sol quand la menace cachée les survolait ; ou bien ils restaient debout, laissant tomber leurs armes de leurs mains inertes, cependant que le noir engouffrait leur esprit ; et ils ne pensaient plus à la guerre, mais seulement à se cacher, à ramper, et à mourir.

Toute cette funeste journée, Faramir resta étendu dans la chambre de la Tour Blanche, perdu dans une fièvre délirante – mourant, dit un homme, et ce mot se répandit bientôt partout sur les murs et dans les rues. Et son père restait assis à son chevet et ne disait mot, mais se contentait d'observer, sans plus aucunement se soucier de la défense.

Pippin n'avait jamais connu d'heures aussi sombres, pas

même entre les griffes des Uruk-hai. Il s'en tint au devoir qui lui incombait d'attendre les ordres du Seigneur ; et pour attendre, il attendit, presque oublié, debout à la porte de la chambre laissée dans l'ombre, maîtrisant ses propres craintes du mieux qu'il le pouvait. Et de sa place, il lui semblait que Denethor vieillissait à vue d'œil, comme si quelque chose avait eu raison de sa volonté orgueilleuse et de son esprit implacable. Peut-être était-ce le deuil, peut-être le remords. Il vit couler des larmes sur ce visage naguère impassible, des larmes plus insoutenables que le courroux.

« Ne pleurez pas, seigneur, balbutia-t-il. Peut-être qu'il se remettra. Avez-vous demandé à Gandalf ? »

« Ne me consolez pas avec un magicien ! dit Denethor. L'espoir de ce fou s'est éteint. L'Ennemi l'a trouvé, et son pouvoir grandit ; nos pensées mêmes lui sont exposées, et tous nos faits et gestes amènent notre ruine.

« J'ai envoyé mon fils, sans remerciement ni bénédiction, au-devant d'un péril inutile, et le voilà qui gît avec du poison dans les veines. Non, non, quoi qu'il advienne désormais à la guerre, ma lignée se meurt aussi : même la Maison des Intendants viendra à s'éteindre. Les derniers vestiges des Rois des Hommes seront gouvernés par des médiocrités, condamnés à rôder dans les collines jusqu'à ce que tous soient débusqués. »

Des hommes accoururent, criant à la porte, réclamant le Seigneur de la Cité. « Non, je ne descendrai pas, répondit celui-ci. Je dois rester auprès de mon fils. Il pourrait encore parler avant la fin. Mais elle est proche. Suivez qui vous voudrez, même le Fou Gris, bien que son espoir soit réduit à néant. Ici je reste. »

Ce fut donc Gandalf qui assuma le commandement de la dernière défense de la Cité du Gondor. Sa seule présence, où qu'il allât, redonnait du cœur aux hommes et chassait le souvenir des ombres ailées. Inlassablement, à grandes foulées, il allait de la Citadelle à la Porte, du nord au sud le long du mur; et le Prince de Dol Amroth l'accompagnait dans sa brillante armure. Car lui et ses chevaliers se tenaient encore comme des seigneurs de franche lignée númenóréenne. «Il semble que les contes anciens ont du vrai, chuchotait-on en les voyant : ces hommes ont du sang elfique dans les veines, car il fut un temps où les gens de Nimrodel vivaient dans leur pays.» Et l'un d'eux de chanter dans la pénombre quelques vers du Lai de Nimrodel, ou d'autres chansons de la Vallée de l'Anduin des années disparues.

Et pourtant – dès qu'ils repartaient, les ombres se resserraient autour des hommes, leur cœur se glaçait, et la valeur du Gondor tombait en cendres. Ainsi, un demi-jour de peur laissa lentement place aux ténèbres d'une nuit sans espoir. Des feux ravageaient le premier cercle de la Cité sans pouvoir être maîtrisés, et, à bien des endroits, la garnison du mur extérieur était déjà coupée de toute retraite. Ceux qui demeuraient fidèles au poste étaient d'ailleurs fort peu nombreux : la plupart avaient fui au-delà de la deuxième porte.

Loin du front, on avait rapidement jeté des ponts sur le Fleuve, et tout au long de la journée, les troupes et le matériel de guerre n'avaient cessé de se déverser sur l'autre rive. Enfin, à la minuit, l'assaut fut lâché. L'avant-garde franchit les tranchées de feu par maints sentiers tortueux que l'on avait laissés entre elles. L'ennemi, indifférent aux pertes encourues et encore massé en troupeaux, s'avança à portée de tir des archers du mur. Mais il restait trop peu d'entre eux en vérité pour causer d'importants ravages, encore que la lueur des feux eût révélé de nombreuses cibles à des archers de premier plan comme il s'en trouvait autrefois au Gondor. Alors, voyant que la valeur de la Cité faisait déjà défaut, l'invisible Capitaine déploya toute sa force. Lentement, les grandes tours de siège construites à Osgiliath se mirent en branle à travers les ténèbres.

De nouveaux messagers se présentèrent à la chambre de la Tour Blanche, et Pippin les laissa entrer, car ils se montraient pressants. Denethor, toujours concentré sur le visage de Faramir, détourna lentement la tête et les regarda en silence.

« Le premier cercle de la Cité est en flammes, seigneur, dirent-ils. Quels sont vos ordres ? Vous êtes toujours notre Seigneur et Intendant. Tous ne veulent pas suivre Mithrandir. Les hommes fuient et laissent nos murs sans défense. »

« Pourquoi ? Pourquoi ces imbéciles fuient-ils ? dit Denethor. Autant brûler plus tôt que tard, car brûler il nous faut. Retournez à votre feu de joie ! Moi ? J'irai maintenant à mon bûcher. Mon bûcher ! Point de tombeau pour Denethor et Faramir. Point de tombeau ! À d'autres le lent et long sommeil de mort embaumée. Nous brûlerons comme les rois païens, devant qu'un premier navire ne vînt ici de l'Ouest. L'Ouest a échoué. Retournez brûler ! »

Sans répondre ni saluer, les messagers tournèrent les talons et s'enfuirent.

Alors Denethor se leva, lâchant la main fiévreuse de Faramir qu'il avait tenue dans la sienne. « Il brûle, il brûle déjà, dit-il tristement. La demeure de son esprit s'écroule. » Et, s'avançant doucement vers Pippin, il abaissa son regard vers lui.

« Adieu ! dit-il. Adieu, Peregrin fils de Paladin ! Votre service aura été bref ; maintenant, il tire à sa fin. Je vous dispense du peu qui reste à faire. Partez, maintenant : allez mourir comme bon vous semblera. Et avec qui vous voudrez, même cet ami dont la folie vous a livré à cette mort. Allez quérir mes serviteurs et partez. Adieu ! »

« Je refuse de vous dire adieu, monseigneur », dit Pippin, s'agenouillant. Puis soudain, retrouvant sa manière de hobbit, il se leva et regarda le vieil homme dans les yeux. « Je prendrai congé de vous, messire, dit-il ; car je désire vivement voir Gandalf, je l'avoue. Mais il n'a rien d'un fou ; et je ne songerai pas à mourir avant que lui ne désespère de vivre. Je ne souhaite pas pour autant être libéré, ni de ma parole, ni du service qui me lie à vous, tant que vous vivrez. Et s'ils viennent à investir la Citadelle, j'espère être ici à vos côtés, et peut-être mériter les armes que vous m'avez données. »

« Comme vous voudrez, maître Demi-Homme, dit Denethor. Mais ma vie est brisée. Faites venir mes serviteurs ! » Il se tourna de nouveau vers Faramir.

Pippin le quitta et fit venir les serviteurs, qui accoururent : six hommes de la maison, beaux et forts ; pourtant, ils tremblaient d'être appelés. Mais Denethor leur demanda calmement de mettre des couvertures chaudes sur le lit de Faramir et de le soulever. Ce qu'ils firent ; et ils le portèrent hors de la chambre. Ils marchaient lentement, de manière à troubler le repos du malade aussi peu que possible, et Denethor, à présent courbé sur un bâton, les suivait ; Pippin fermait la marche.

Ils sortirent de la Tour Blanche tel un cortège funèbre sous la grande obscurité et le nuage flottant, que des éclairs d'un rouge terne éclairaient par en dessous. Ils traversèrent lentement la grande cour ; et sur un mot de Denethor, ils s'arrêtèrent près de l'Arbre Desséché.

Tout était silencieux, hormis la rumeur de guerre dans la Cité en contrebas ; et les gouttes d'eau s'entendaient, tombant des branches mortes et tintant tristement dans l'eau sombre. Puis ils passèrent la porte de la Citadelle sous le regard ahuri et consterné de la sentinelle en faction. Tournant vers l'ouest, ils arrivèrent enfin à un portail dans le mur arrière du sixième cercle. Cette porte se nommait Fen Hollen, car elle était toujours fermée, sauf lors de funérailles, et seul le Seigneur de la Cité pouvait la franchir, hormis ceux qui portaient l'insigne des tombeaux et qui s'occupaient des demeures des morts. Au-delà, un chemin sinueux descendait en lacets vers l'étroite corniche où se trouvaient, dans l'ombre des escarpements du Mindolluin, les demeures des Rois morts et de leurs Intendants.

Un portier était assis dans un petit pavillon à l'entrée, et il s'avança d'un air craintif, une lanterne à la main. Sur l'ordre du Seigneur, il leur ouvrit la porte, laquelle pivota en silence pour les laisser passer ; et ils entrèrent, prenant la lanterne de la main du portier. Il faisait sombre sur la route escarpée, entre les murs anciens et les balustrades à colonnettes que laissait entrevoir le faisceau de la lampe oscillant de part et d'autre. Leurs pas lents résonnaient sur les pavés tandis qu'ils descendaient, toujours plus bas, jusqu'à la Rue Silencieuse, Rath Dínen, entre les dômes pâles et les salles vides et les images sculptées d'hommes depuis longtemps partis; et ils entrèrent dans la Maison des Intendants et y déposèrent leur fardeau.

Pippin, regardant alentour d'un air inquiet, vit qu'il se trouvait dans une vaste chambre voûtée – drapée, eût-on dit, dans les ombres immenses que jetait la petite lanterne sur ses murs enveloppés de deuil. Plusieurs rangées de tables sculptées dans le marbre s'offraient obscurément à la vue; et sur chacune d'elles était couchée une forme endormie, les bras repliés, la tête reposant sur la pierre. Mais l'une des tables tout près était large et nue. Sur un geste de Denethor, ils y étendirent Faramir et son père, côte à côte, sous une unique couverture; après quoi ils se tinrent auprès d'eux, courbant la tête, tels des veilleurs autour d'un lit de mort. Denethor parla alors à voix basse.

«Nous attendrons ici, dit-il. Mais n'appelez pas les embaumeurs. Apportez-nous du bois prêt à brûler, placez-le tout alentour et en dessous; puis versez-y de l'huile. Et à mon commandement, jetez-y une torche. Faites ce que je vous ordonne et ne me parlez plus. Adieu!»

«Avec votre permission, seigneur!» s'écria Pippin, et il se retourna et s'enfuit, épouvanté, de la chambre mortuaire. «Pauvre Faramir! pensa-t-il. Je dois trouver Gandalf. Pauvre Faramir! Sans doute qu'il a bien plus besoin d'un remède que de larmes. Oh! où trouver Gandalf? En plein cœur de l'action probablement; et il n'aura pas de temps à consacrer aux mourants ni aux fous.»

À la porte, il se tourna vers l'un des serviteurs qui étaient restés pour la surveiller. «Votre maître n'a pas toute sa tête, dit-il. Prenez votre temps! N'apportez aucun feu ici tant que Faramir sera en vie ! Ne faites rien avant que Gandalf ne vienne ! »

« Qui est le maître de Minas Tirith ? répondit l'homme. Le seigneur Denethor ou l'Errant Gris ? »

« L'Errant Gris ou personne, on dirait bien », dit Pippin, et il remonta le chemin en lacets du plus vite qu'il le put, passa sous le regard ahuri du portier, sortit, puis gagna l'entrée de la Citadelle. La sentinelle le héla au passage et il reconnut la voix de Beregond.

« Où allez-vous comme ça, maître Peregrin ? » cria-t-il.

« Trouver Mithrandir », répondit Pippin.

« Les commissions du Seigneur sont urgentes, et je ne voudrais en aucun cas les entraver, dit Beregond ; mais dites-moi vite, si vous le pouvez : que se passe-t-il là-bas ? Où mon Seigneur est-il allé ? Je viens d'arriver à mon poste, mais j'ai entendu dire qu'il s'est rendu à la Porte Close et que des hommes transportaient Faramir devant lui. »

« Oui, dit Pippin, à la Rue Silencieuse. »

Beregond baissa la tête pour mieux cacher ses pleurs. « On disait qu'il était mourant, soupira-t-il, et maintenant il est mort. »

« Non, dit Pippin, pas encore. Et sa mort peut encore être évitée, selon moi. Mais, Beregond, le Seigneur de la Cité est tombé avant la prise de sa cité. Il cherche la mort et est dangereux. » Pippin lui rapporta brièvement les paroles et les actes étranges de Denethor. « Je dois trouver Gandalf au plus vite. »

« Dans ce cas, il vous faut descendre à la bataille. »

« Je sais. Le Seigneur m'a donné la permission de m'absenter. Mais faites quelque chose, Beregond, si vous le pouvez, pour empêcher qu'un drame ne se produise. »

« Le Seigneur ne permet pas à ceux qui portent le noir

et argent de quitter leur poste sous aucun motif, sauf sur son commandement. »

« Eh bien, il vous faudra choisir entre vos ordres et la vie de Faramir, dit Pippin. Et pour vos ordres, je pense que vous avez affaire à un fou, non à un seigneur. Je dois y aller. Je vais revenir, si je peux. »

Il dévala le long des rues vers les cercles extérieurs. Des hommes le croisaient en chemin, fuyant l'incendie, et certains remarquaient sa livrée et se retournaient pour l'appeler, mais il ne fit pas attention à eux. Enfin, il passa la Deuxième Porte, au-delà de laquelle de grands feux jaillissaient entre les maisons. Pourtant, tout était étrangement silencieux. Aucun bruit, ni clameur ni fracas d'armes ne montait à ses oreilles. Puis soudain, il y eut un cri affreux, suivi d'une terrible secousse : un choc sourd et profond qui résonna dans la Cité. Luttant contre une bouffée de peur et d'horreur dont la violence le mit presque à genoux, Pippin tourna un coin et déboucha sur la grande place derrière la Porte de la Cité. Il s'arrêta net. Il avait trouvé Gandalf ; mais il recula d'effroi et se tapit dans l'ombre.

Depuis la minuit, le grand assaut s'était poursuivi. Les tambours roulaient. Du nord comme du sud, les compagnies ennemies déferlaient et se pressaient contre les murs. De grandes bêtes venaient également, telles des maisons ambulantes à la lueur vacillante des flammes : les *mûmakil* du Harad tirant parmi les rangs et au milieu des feux d'énormes tours et engins. Mais ce qu'elles faisaient, et combien risquaient d'être abattues, leur Capitaine ne semblait guère s'en soucier ; il comptait seulement éprouver la force de la défense, et tenir les hommes du Gondor occupés à de nombreux endroits. Car c'était sur la Porte qu'il appliquerait son plus grand poids. Si forte fût-elle, de fer et d'acier, flanquée de tours et de bastions de pierre irréductible, c'était pourtant la clef, le point faible de toute cette haute et impénétrable muraille.

Les tambours roulèrent de plus belle. Les flammes montèrent. De lourds engins s'avancèrent sur le champ de bataille; et au milieu était un énorme bélier, gros comme un arbre de cent pieds, qui se balançait sur de grandes chaînes. Longue avait été sa mise en œuvre dans les sombres forges du Mordor, et sa hideuse tête, fondue d'acier noir, était à l'image d'un loup altéré de sang; des sorts de ruine y étaient apposés. Ils l'avaient nommé Grond, en souvenir du Marteau des Enfers du temps jadis. De grandes bêtes le tiraient, des orques l'entouraient, et des trolls des montagnes venaient derrière lui pour le faire jouer.

Mais autour de la Porte, la résistance était encore vive : là, les chevaliers de Dol Amroth et les plus hardis de la garnison tenaient tête à l'assaillant. Les tirs et les flèches tombaient dru; les tours de siège se renversaient ou flambaient soudain comme des torches. Et tout le long des murs de part et d'autre de la Porte, le sol était couvert de débris et d'une multitude de cadavres; mais toujours poussé par la même folie, l'ennemi continuait d'affluer.

Grond rampa en avant. Aucune flamme ne prenait sur son revêtement; et s'il arrivait que l'une ou l'autre des grandes bêtes devînt folle et se mît à écraser les innombrables orques qui la gardaient, leurs corps étaient simplement balayés de son chemin, et d'autres les remplaçaient.

Les tambours roulèrent furieusement. Sur les amas de cadavres parut une forme hideuse : un grand cavalier portant une cape et un capuchon noirs. Lentement il s'avança, piétinant les morts, sans plus craindre aucun trait. Puis il s'arrêta et brandit une longue et pâle épée. À cet instant, une grande peur envahit tous ceux qui étaient là, défenseurs ou ennemis ; les mains des hommes retombèrent sur leurs flancs, et nul arc ne chanta. Tout resta figé un moment.

Grond rampa en avant. Les tambours roulèrent avec fracas. D'un terrible élan, Grond s'avança, projeté par des mains géantes. Il parvint à la Porte. La heurta. Un grand grondement traversa la Cité comme le tonnerre parmi les nuages. Mais les portes de fer et les jambages d'acier soutinrent le choc.

Le Noir Capitaine se dressa alors sur ses étriers et cria d'une voix terrible, prononçant en quelque langue oubliée des mots de puissance et d'épouvante à fendre et le cœur et la pierre.

Par trois fois, il cria. Par trois fois, le grand bélier s'abattit. Et soudain, au dernier coup, la Porte du Gondor se brisa. Comme frappée par un sort fulminant, elle vola en éclats : il y eut un éclair saisissant, et les fragments se renversèrent sur le sol.

Vint le Seigneur des Nazgûl. Il engouffra la vue, haute forme noire devant les feux de la bataille, tel un nuage de désespoir. Vint le Seigneur des Nazgûl, sous le portail qu'aucun ennemi n'avait encore franchi, et tous fuirent devant lui.

Tous sauf un. Là attendait, silencieux et immobile au milieu de la place devant la Porte, Gandalf monté sur Scadufax : Scadufax, seul des chevaux libres de la terre capable d'endurer l'horreur, impassible, inébranlable, telles les images gravées de Rath Dínen.

« Vous ne pouvez entrer ici, dit Gandalf, et l'ombre

immense s'arrêta. Retournez à l'abîme préparé pour vous ! Demi-tour ! Sombrez dans le néant qui vous attend, vous et votre Maître. Partez ! »

Le Cavalier Noir rejeta son capuchon, et voici ! il portait une couronne royale ; mais elle ne reposait sur aucun crâne visible. Les feux luisaient, rouges, entre celle-ci et les vastes épaules enveloppées de noir. D'une bouche invisible jaillit un rire macabre.

« Vieux fou ! dit-il. Vieux fou ! Ceci est mon heure. Ne reconnais-tu pas la Mort quand tu la vois ? Meurs, à présent, et fi de tes malédictions ! » Sur quoi, il leva son épée, et des flammes coururent le long de la lame.

Gandalf ne bougea pas. Mais à cet instant, quelque part dans une cour au fond de la Cité, un coq chanta. Clair et perçant fut son cri, insoucieux de la guerre et de toute sorcellerie, accueillant seulement le matin qui, loin au-dessus des ombres de mort, venait avec l'aurore dans le ciel.

Et, comme en réponse, jaillit au lointain une autre note. Des cors, des cors, encore des cors. Leurs échos sonnaient faiblement contre les flancs du sombre Mindolluin. De grands cors du Nord criant à pleine voix. Le Rohan arrivait enfin.

5

La chevauchée des Rohirrim

Il faisait noir et Merry, étendu sur le sol et emmitouflé dans une couverture, ne voyait strictement rien. Il n'y avait pas un souffle d'air ni de vent, mais, tout autour de lui, les arbres invisibles soupiraient doucement dans la nuit. Il leva la tête. Alors, il l'entendit de nouveau : un faible son de tambours dans les collines boisées et les épaulements de montagne. Leur battement cessait tout à coup et reprenait en un autre endroit, tantôt proche, tantôt lointain. Il se demandait si les guetteurs l'avaient entendu.

Il ne pouvait les voir, mais il se savait entouré des compagnies des Rohirrim. Il sentait l'odeur des chevaux dans le noir, et il les entendait remuer et trépigner doucement sur le sol couvert d'aiguilles. L'ost bivouaquait dans les pinèdes blotties autour de l'Eilenach, la haute colline du feu d'alarme dressée sur les longues crêtes de la Forêt de Drúadan au bord de la grand-route en Anórien de l'Est.

Tout fatigué qu'il était, Merry ne pouvait dormir. Il venait de chevaucher quatre jours d'affilée, et son cœur n'avait cessé de s'alourdir à mesure que la pénombre s'était épaissie. Il commençait à se demander pourquoi il avait tant insisté pour être du voyage, alors qu'il avait eu toutes les excuses, même l'injonction de son seigneur, pour ne pas venir. Il se demandait en outre si le vieux Roi savait qu'il lui avait désobéi, et s'il était fâché. Peut-être pas. Il semblait y avoir une sorte d'arrangement entre Dernhelm et Elfhelm, le Maréchal qui dirigeaient leur *éored*. Lui et tous ses hommes faisaient comme si Merry n'était pas là, et ils feignaient de ne pas entendre quand il parlait. Il aurait pu tout aussi bien n'être qu'un ballot de plus aux côtés de Dernhelm. Et celui-ci n'était d'aucun réconfort : il ne parlait jamais à personne. Merry se sentait seul, indésirable, et insignifiant. Ils vivaient des moments inquiets, et l'ost était en péril. Ils étaient à moins d'un jour de chevauchée des murs de Minas Tirith autour des terres avoisinantes. Des éclaireurs avaient été dépêchés. Certains n'avaient pas été revus. D'autres, revenus en hâte, avaient rapporté que la route était tenue en force contre eux. Une armée ennemie y avait son campement, à trois milles à l'ouest de l'Amon Dîn, et un détachement d'hommes poussait même plus loin sur la route et ne devait pas être à plus de trois lieues. Des orques rôdaient dans les bois et dans les collines en bordure du chemin. Le roi et Éomer tenaient conseil pendant les veilles de la nuit.

Merry aurait voulu quelqu'un à qui parler, et il se mit à penser à Pippin. Mais cela ne fit qu'empirer son insomnie. Pauvre Pippin, enfermé dans la grande cité de pierre, seul et effrayé. Merry aurait voulu être un grand Cavalier comme Éomer, pouvoir sonner du cor ou quelque chose comme cela, et galoper à sa rescousse. Il se redressa sur son séant, prêtant l'oreille aux tambours qui s'étaient remis à battre, plus proches cette fois. Il ne tarda pas à entendre des murmures de voix, et il vit que des lanternes à demi voilées défilaient entre les arbres. Des hommes allaient près de lui à pas hésitants dans l'obscurité.

Une haute silhouette s'approcha et buta contre lui, maudissant les racines d'arbres. Il reconnut la voix d'Elfhelm le Maréchal.

« Je ne suis pas une racine, monsieur, dit-il, ni un sac, mais un hobbit meurtri. La moindre des choses pour vous racheter serait de me dire ce qui se trame. »

« Il y a vous qui tendez vos fils par cette sombreur du diable ! répondit Elfhelm. Mais mon seigneur demande que nous nous tenions prêts : un mouvement soudain pourrait être ordonné. »

« Est-ce donc l'ennemi qui vient ? demanda anxieusement Merry. Ces tambours que nous entendons ? J'ai cru que je me faisais des idées, car personne d'autre ne semblait y prêter attention. »

« Non, non, dit Elfhelm, l'ennemi est sur la route, pas dans les collines. Ce sont les Wasas que vous entendez, les Hommes Sauvages des Bois : c'est ainsi qu'ils se parlent de loin. Ils hantent encore la Forêt de Drúadan, dit-on. Vestiges d'une autre époque, ils vivent par petits groupes et en secret, farouches comme des bêtes. Ils ne vont point à la guerre, ni pour le Gondor ni pour la Marche ; mais voilà qu'ils sont troublés par l'obscurité et par la venue des orques : ils craignent un retour des Années Sombres, ce qui semble assez près d'arriver. Encore heureux qu'ils ne soient pas après nous ; car ils usent de flèches empoisonnées, dit-on, et leur connaissance de la forêt est sans égale. Mais ils ont offert leurs services au roi Théoden. L'un de leurs chefs de tribu doit justement être conduit devant lui. Voyez là-bas ces lumières qui s'éloignent. C'est tout ce que j'ai entendu dire. Et maintenant, je dois répondre aux ordres de mon seigneur. Faites vos bagages, monsieur le Sac ! » Il s'évanouit dans les ombres.

Merry n'aimait guère ces histoires de sauvages et de flèches empoisonnées, mais il sentait en dehors de cela une grande peur qui pesait sur lui. Il n'en pouvait plus d'attendre. Il mourait d'envie de savoir ce qui allait se passer. Il se leva et se faufila bientôt à la poursuite de la dernière lanterne, avant qu'elle disparût parmi les arbres.

Il ne tarda pas à arriver à une trouée où une petite tente avait été dressée pour le roi, sous un grand arbre. Une grosse lanterne couverte par le haut était suspendue à une branche et jetait en dessous un pâle cercle de lumière. Théoden et Éomer étaient assis là, et devant eux, sur le sol, était accroupie une forme étrange et trapue, un homme, racorni comme une vieille pierre, les poils de sa pauvre barbe tombant comme de la mousse sèche d'un menton bulbeux. Il était court de jambes et fort en bras, épais et ramassé, avec pour seul vêtement une ceinture d'herbe passée à la taille. Merry avait le sentiment de l'avoir déjà vu quelque part ; et il se rappela soudain Dunhart et ses Hommes-pouques. Voilà qu'une de ces vieilles statues avait repris vie ; ou peut-être avait-il sous les yeux, par-delà les années sans nombre, un descendant direct de ceux que les sculpteurs d'autrefois avaient pris pour modèles.

Merry s'approcha furtivement, arrivant au milieu d'un silence ; puis l'Homme Sauvage prit la parole, en réponse à une question, semblait-il. Sa voix était profonde et gutturale, mais à la surprise de Merry, il usait du parler commun, quoique de manière hésitante, et des mots barbares ponctuaient son discours.

« Non, père des Hommes à Cheval, fit-il, nous pas combattre. Chasser seulement. Tuer *gorgûn* dans les bois, haïr les orques. Vous aussi détester *gorgûn*. Nous, aider comme on peut. Hommes Sauvages avoir longues oreilles et longs yeux ; connaître tous les chemins. Hommes Sauvages vivre ici avant Maisons de Pierre ; avant les Grands Hommes être venus de l'Eau. »

« Mais c'est de combattants que nous avons besoin, dit Éomer. Comment vous et vos semblables allez-vous nous aider ? »

« Apporter nouvelles, répondit l'Homme Sauvage. Nous regarder du haut des collines. Nous grimper haute montagne et regarder en bas. Cité de Pierre enfermée. Feu brûle là-bas dehors ; dedans aussi, maintenant. Vous aller là-bas ? Alors vous faire vite. Mais *gorgûn* et hommes loin de ce côté – il agita un court bras plissé en direction de l'est –, assis sur route des chevaux. Très nombreux, plus que Hommes à Cheval. »

« Comment le savez-vous ? » dit Éomer.

La figure aplatie et les yeux sombres du vieillard ne trahirent aucune expression ; mais sa voix se chargea de mécontentement. « Hommes Sauvages sont sauvages, libres, mais pas des enfants, répondit-il. Moi être grand chef, Ghân-buri-Ghân. Moi compter bien des choses : étoiles dans le ciel, feuilles sur les arbres, hommes dans le noir. Vous avoir vingt vingtaines comptées cinq et dix fois. Eux avoir plus. Grande bataille, et qui gagner ? Et beaucoup d'autres plus loin, autour des murs des Maisons de Pierre. »

« Hélas ! il ne dit que trop vrai, dit Théoden. Et nos éclaireurs rapportent qu'ils ont ouvert des tranchées et dressé des pieux en travers de la route. Impossible de les balayer d'un soudain assaut. »

« Nous sommes pourtant dans la plus grande hâte, dit Éomer. Mundburg est en flammes ! »

« Laissez finir Ghân-buri-Ghân ! dit l'Homme Sauvage. Lui connaître plus d'une route. Lui guider vous par route sans fossés, sans *gorgûn*, seulement Hommes Sauvages et bêtes. Beaucoup de chemins avoir été faits quand gens des Maisons de Pierre étaient plus forts. Eux découper collines comme chasseurs découper chair des bêtes. Hommes Sauvages penser qu'ils mangent pierres comme nourriture. Eux traverser Drúadan jusqu'au Rimmon avec grands chariots. Eux plus venir, maintenant. Route oubliée, mais pas par Hommes Sauvages. Par-dessus la colline et derrière la colline, route encore cachée sous l'herbe et les arbres, là derrière le Rimmon, et jusqu'au Dîn, avant de rejoindre route des Hommes à Cheval. Hommes Sauvages vous montrer cette route. Puis vous tuer *gorgûn* et chasser mauvaise nuit avec fer brillant, et Hommes Sauvages retourner dormir dans les bois sauvages. »

Éomer et le roi s'entretinrent alors dans leur propre langue. Enfin, Théoden se tourna vers l'Homme Sauvage. « Nous acceptons votre offre, dit-il. Car si nous laissons derrière nous une armée invaincue, quelle importance ? Si la Cité de Pierre tombe, il n'y aura pour nous aucun retour. Si elle est sauvée, l'armée orque sera alors coupée des autres. Si vous êtes loyal, Ghân-buri-Ghân, nous aurons pour vous une riche récompense, et vous aurez pour toujours l'amitié de la Marche. »

« Hommes morts pas être amis des hommes vivants, et pas donner de cadeaux, dit l'Homme Sauvage. Mais si vous vivre après Obscurité, vous laisser Hommes Sauvages tranquilles dans les bois sans plus les chasser comme des bêtes. Ghân-buri-Ghân pas vous conduire dans un piège. Lui aller avec père des Hommes à Cheval, et si lui vous conduire mal, vous le tuer. »

« Soit ! » dit Théoden.

« Combien de temps nous faudra-t-il pour contourner l'ennemi et revenir à la route ? demanda Éomer. Il faudra avancer au pas, si vous nous guidez ; et je ne doute pas que la voie soit étroite. »

« Hommes Sauvages vont vite à pied, dit Ghân. Voie assez large pour quatre chevaux, là-bas dans Vallée des Fardiers – il agita la main vers le sud –, mais étroite au début et à la fin. Homme Sauvage pouvoir marcher d'ici au Dîn entre lever du soleil et midi. »

« Il faut donc prévoir au moins sept heures pour les premiers rangs, dit Éomer, et plutôt une dizaine d'heures pour le reste. Des imprévus pourraient nous ralentir, et si l'ost s'étire tout le long du chemin, il faudra du temps pour le remettre en ordre quand nous sortirons des collines. Quelle heure est-il maintenant ? »

« Qui sait ? dit Théoden. Tout est nuit, à présent. »

« Tout être sombre, mais tout pas être nuit, dit Ghân. Quand Soleil monte, nous la sentir, même quand elle cachée. Déjà, elle grimper les montagnes de l'Est. Jour en train de s'ouvrir dans les champs du ciel. »

« Dans ce cas, il faut partir aussitôt que possible, dit Éomer. Même là, nous ne pouvons espérer venir en aide au Gondor aujourd'hui. »

Merry ne voulut pas rester pour en entendre davantage ; il s'éloigna à pas de loup, afin d'être prêt quand viendrait l'ordre du départ. Ce serait la dernière marche avant la bataille. Il n'avait pas le sentiment que beaucoup y survivraient. Mais il songea à Pippin et aux flammes à Minas Tirith, et il ravala sa propre crainte.

Tout se passa au mieux cette journée-là, et ils ne virent ni n'entendirent rien qui leur laissât croire que l'ennemi les attendait en embuscade. Les Hommes Sauvages avaient déployé un écran de chasseurs attentifs, en sorte qu'aucun espion ou orque errant ne s'avise de leurs mouvements dans les collines. Le ciel se fit plus sombre que jamais à mesure qu'ils approchaient de la cité assiégée, et les Cavaliers se succédèrent en de longues files, comme des ombres noires d'hommes et de chevaux. Chaque compagnie avait pour guide un homme sauvage des bois ; mais le vieux Ghân marchait auprès du roi. Le départ avait été plus lent que prévu, car les Cavaliers, contraints de descendre pour conduire leur cheval, avaient mis du temps à franchir les crêtes densément boisées derrière leur campement pour gagner les pentes cachées de la Vallée des Fardiers. De fait, l'après-midi était fort avancé quand la tête du cortège arriva à de vastes fourrés gris s'étendant au-delà des flancs est de l'Amon Dîn, masquant une large brèche dans la rangée de collines qui, du Nardol au Dîn, couraient à l'est et à l'ouest. Désormais oubliée, la route charretière avait longtemps suivi cette brèche pour rejoindre la route principale de la Cité à travers l'Anórien ; mais depuis maintes générations d'hommes, les arbres se l'étaient appropriée, et elle avait disparu, défoncée et ensevelie sous les feuilles des années innombrables. Les fourrés offraient toutefois aux Cavaliers une dernière chance de dissimulation avant le combat ouvert ; car au-delà s'étendaient la route et les plaines de l'Anduin, tandis qu'à l'est et au sud ne se trouvaient que des pentes nues et rocailleuses, où les collines tourmentées se rassemblaient et s'amoncelaient, bastion après bastion, pour former la grande masse du Mindolluin et de ses épaulements.

La compagnie de tête reçut ordre de s'arrêter, et à mesure que les suivantes se rangeaient derrière elle, sortant du goulet de la Vallée des Fardiers, elles se dispersèrent vers des lieux de bivouac sous les arbres gris. Le roi appela ses capitaines au conseil. Éomer envoya des reconnaissances pour éclairer la route ; mais le vieux Ghân secoua la tête.

« Inutile d'envoyer Hommes à Cheval, dit-il. Hommes Sauvages avoir déjà vu tout ce qu'on peut voir dans l'air mauvais. Eux bientôt venir ici et parler avec moi. »

Les capitaines vinrent auprès du roi ; et, sortant du couvert des arbres avec méfiance, l'on vit arriver d'autres formes pouques, si semblables au vieux Ghân que Merry avait peine à les différencier. Elles s'adressèrent à Ghân en une langue étrangement gutturale.

Peu de temps après, Ghân se tourna vers le roi. « Hommes Sauvages dire beaucoup de choses, commença-t-il. D'abord, prendre garde ! Encore beaucoup d'hommes au campement passé le Dîn, à une heure de marche par là. » Il agita le bras en direction de l'ouest, vers la croupe noire du feu d'alarme. « Mais pas un seul être aperçu d'ici aux nouveaux murs des Gens de la Pierre. Là, très nombreux et très occupés. Murs couchés, maintenant : brisés par *gorgûn* avec tonnerre de terre et massues de fer noir. Eux pas méfiants, pas regarder autour d'eux. Eux penser que leurs amis surveillent toutes les routes ! » Ce disant, le vieux Ghân laissa échapper un curieux bruit de déglutition, et on eût dit qu'il riait.

« Bonnes nouvelles ! s'écria Éomer. Même dans cette pénombre, l'espoir entreluit de nouveau. Les artifices de notre Ennemi souvent nous servent malgré lui. Ces ténèbres maudites ont été pour nous un manteau. Et voici que, dans leur ardeur à détruire le Gondor et à l'abattre pierre par pierre, ses orques ont fait disparaître ma plus grande crainte. L'ennemi aurait pu tenir longtemps le mur extérieur contre nous. Maintenant, la voie est libre – si toutefois nous y parvenons. »

« Encore une fois, je vous remercie, Ghân-buri-Ghân de la forêt, dit Théoden. Que la bonne fortune vous accompagne, pour vos nouvelles et vos conseils ! »

« Tuer *gorgûn*! Tuer les orques ! Aucune autre parole faire plaisir aux Hommes Sauvages, répondit Ghân. Chasser mauvais air et obscurité avec fer brillant ! »

« Nous sommes venus de loin pour accomplir cela, dit le roi, et nous le tenterons. Mais seul demain nous dira ce à quoi nous réussirons. »

Ghân-buri-Ghân s'accroupit, et il toucha le sol de son front bossué en signe d'adieu. Puis il se leva, prêt à s'en aller. Mais soudain, il leva le nez en l'air comme une créature des bois qu'un air étrange aurait surpris. Une lueur parut dans ses yeux.

« Vent change ! » s'écria-t-il ; et là-dessus, presque en un clin d'œil, lui et ses semblables disparurent dans les ténèbres, et aucun Cavalier du Rohan ne devait plus jamais les revoir. Peu de temps après, loin à l'est, les faibles tambours parlèrent de nouveau. Mais nul ne craignait que les Hommes Sauvages fussent déloyaux, aussi étrange et disgracieuse que fût leur apparence.

« Nous n'avons plus besoin d'aucun guide, dit Elfhelm ; car il en est parmi nous qui ont chevauché jusqu'à Mundburg en temps de paix. Moi-même pour commencer. Quand nous arriverons à la route, elle virera au sud, et il y aura encore sept lieues avant d'atteindre le mur autour des terres avoisinantes. Pour une bonne partie du chemin, il y a beaucoup d'herbe des deux côtés de la route. Les estafettes du

Gondor disaient prendre là-bas leur plus vive allure. Nous pourrons y chevaucher rapidement et sans grande rumeur. »

« Et puisque nous déchaînerons un grand courroux qui demandera toutes nos forces, je propose que nous nous reposions dès à présent et que nous repartions de nuit, de manière à prendre les champs d'assaut quand demain sera aussi clair qu'il pourra l'être, ou quand notre seigneur en donnera le signal. »

Le roi signifia son assentiment, et les capitaines se retirèrent. Mais Elfhelm ne tarda pas à revenir. « Les éclaireurs n'ont rien vu au-delà du Bois Gris, sire, dit-il, sauf deux hommes : deux hommes morts et deux chevaux morts. »

« Et alors ? fit Éomer. Qu'en disent-ils ? »

« Ceci, seigneur : que c'étaient des estafettes du Gondor ; et Hirgon était peut-être l'un d'eux. Du moins, sa main tenait encore la Flèche Rouge, mais on lui avait tranché la tête. En outre, les signes semblent montrer qu'ils fuyaient *vers l'ouest* quand ils sont tombés. De ce que j'en comprends, ils ont vu que l'ennemi avait déjà pris l'enceinte, ou qu'il l'assaillait, au moment de rentrer chez eux – et ce devait être il y a deux nuits, s'ils se sont arrêtés aux postes pour prendre des chevaux frais comme ils en ont l'habitude. Ne pouvant gagner la Cité, ils s'en sont retournés. »

« Hélas ! dit Théoden. Denethor n'aura donc jamais eu vent de notre chevauchée ; sans doute désespère-t-il de notre venue. »

« *Nécessité ne saurait attendre, mais mieux vaut tard que jamais*, dit Éomer. Et ce vieux dicton pourrait bientôt se vérifier, maintenant plus que toute autre fois, depuis que les hommes sont doués de parole. »

Il faisait nuit. L'ost du Rohan se mouvait en silence de part et d'autre de la route. Celle-ci, contournant le pied du Mindolluin, tournait maintenant au sud. Au loin, presque droit devant, une lueur rouge empourprait le ciel noir, et les flancs de la haute montagne se dessinaient sombrement sur l'arrière-fond. Ils approchaient du Rammas autour du Pelennor ; mais le jour n'était pas encore levé.

Le roi chevauchait au milieu de la compagnie de tête, entouré des hommes de sa maison. L'*éored* d'Elfhelm venait ensuite ; et Merry remarqua alors que Dernhelm avait quitté sa place, qu'à la faveur des ténèbres il ne cessait de gagner du terrain, de sorte qu'avant peu il chevauchait tout juste derrière la garde du roi. Puis l'on s'arrêta. Devant lui, Merry entendit des voix qui parlaient doucement. Des éclaireurs étaient revenus après s'être aventurés en vue de la muraille. Ils s'adressaient au roi.

« Il y a de grands feux, sire, dit l'un. La Cité est toute entourée de flammes, et les champs fourmillent d'adversaires. Mais tous semblent s'être portés à l'assaut. Pour autant que nous puissions voir, il en reste très peu sur l'enceinte, et ils ne font attention à rien, occupés à détruire. »

« Vous rappelez-vous les paroles de l'Homme Sauvage, sire ? dit un autre. Je vis sur les hautes plaines du Wold en temps de paix : Wídfara est mon nom, et à moi aussi, l'air apporte des messages. Déjà, le vent tourne. Il vient un souffle du Sud ; et avec lui, l'air piquant de la mer, aussi faible soit-il. Le matin apporte du nouveau. L'aube poindra au-dessus des vapeurs quand vous passerez le mur. »

« Si tu dis vrai, Wídfara, puisses-tu vivre au-delà de ce jour pour des années bénies ! » dit Théoden. Se tournant vers les hommes de sa maison qui se tenaient à portée, il parla alors d'une voix claire, si bien que les cavaliers de la première *éored* furent nombreux à l'entendre :

«L'heure est venue, Cavaliers de la Marche, fils d'Eorl ! L'ennemi et le feu sont devant vous, et vos foyers loin derrière. Et bien que vous combattiez sur un sol étranger, la gloire que vous y récolterez sera à jamais vôtre. Des serments vous avez jurés : remplissez-les maintenant, envers seigneur, patrie et pacte d'amitié ! »

La lance sonna sur l'écu.

«Éomer, mon fils ! Tu dirigeras la première *éored*, dit Théoden ; et elle ira au centre derrière la bannière du roi. Elfhelm, conduis ta compagnie à droite quand nous passerons le mur. Et Grimbold mènera la sienne à gauche. Que les autres compagnies suivent ces trois qui mèneront, comme faire se pourra. Frappez où que l'ennemi décide de s'assembler. Ce sont là les seuls plans qui puissent se faire, car nous ignorons ce qui se passe sur le terrain. En avant, maintenant ; et ne craignez point de ténèbres ! »

La compagnie de tête prit l'allure la plus rapide qu'elle put, car il faisait toujours aussi noir, quel que fût le changement pressenti par Wídfara. Merry était ballotté derrière Dernhelm, s'accrochant de la main gauche, et s'affairant de l'autre à dégager son épée du fourreau. Les paroles du vieux roi lui revenaient à l'esprit, cuisantes de vérité : *Que feriez-vous dans une telle bataille, Meriadoc ?* «Seulement ceci, se dit-il : encombrer un cavalier, espérer au mieux rester sur mon siège, et éviter d'être piétiné à mort dans la cavalcade ! »

Ils n'étaient pas à plus d'une lieue des ruines de l'enceinte extérieure. Ils y parvinrent bientôt ; trop tôt pour Merry. Des cris sauvages éclatèrent, et quelques-uns croisèrent le fer, mais ce fut bref. Les orques restés près des murs étaient peu nombreux et, pris à l'improviste, ils furent rapidement chassés ou abattus. Aux ruines de la porte nord du Rammas, le roi fit de nouveau halte. La première *éored* se massa derrière lui et de part et d'autre sur ses flancs. Dernhelm restait auprès du roi, bien que la compagnie d'Elfhelm fût loin à droite. Les hommes de Grimbold passèrent sur le côté jusqu'à une large brèche ouverte dans le mur, un peu plus à l'est.

Merry regarda par-dessus l'épaule de Dernhelm. Au loin, à une dizaine de milles ou plus, se voyait un grand incendie, mais les Cavaliers en étaient séparés par des barrières de flammes dressées en un vaste croissant, à moins d'une lieue de distance au point le plus rapproché. Il ne discernait guère autre chose sur la sombre plaine, et il ne percevait encore aucun signe de l'aurore, ni aucune trace de vent, changé ou non.

L'ost du Rohan entra alors en silence dans la plaine du Gondor, et elle s'y déversa, lentement mais sûrement, comme la marée à travers une digue que l'on croyait étanche. Or, l'esprit et la volonté du Noir Capitaine étaient entièrement tournés vers la cité chancelante, et pour lors, nul n'était venu l'avertir d'une quelconque faille dans ses desseins.

Quelque temps après, le roi mena ses hommes un peu à l'est, de façon à passer entre les feux du siège et les champs au pourtour. Ils ne rencontraient toujours pas d'opposition, et Théoden ne donnait toujours aucun signal. Puis il s'arrêta une fois de plus. La Cité était proche, à présent. Une odeur d'incendie était dans l'air et une véritable ombre de mort. Les chevaux étaient inquiets. Mais le roi demeurait assis, immobile, sur le dos de Snawmana; et il contempla l'agonie de Minas Tirith, comme soudain frappé d'angoisse, ou encore de terreur. Il parut rapetisser sous le poids de la vieillesse. Merry, pour sa part, sentit l'horreur et le doute s'appesantir sur lui. Son cœur battait au ralenti. Le temps paraissait suspendu, incertain. Ils arrivaient trop tard! Trop tard était pire que jamais! Théoden allait peut-être flancher, courber sa vieille tête, faire demi-tour et se faufiler jusque dans les collines.

Puis tout à coup, Merry le sentit enfin, sans doute possible : un changement. Un vent soufflait sur son visage! Une lumière commençait à poindre. Loin, très loin, les nuages apparaissaient comme des formes grises et indistinctes, s'élevant, flottant à la dérive : le matin luisait au-delà, devant eux.

Mais à ce moment-là, il y eut un éclair saisissant, comme si la foudre était sortie de terre au pied de la Cité. Pendant une seconde, elle se dressa vivement en noir et blanc, sa plus haute tour comme une aiguille coruscante; et tandis que l'obscurité retombait, un grand *boum* roula vers eux à travers les champs.

À ce bruit, la forme voûtée du roi se redressa tout à coup : il parut de nouveau grand et fier; et, debout sur ses étriers, il cria d'une voix forte, plus claire qu'aucune voix de mortel jamais entendue par tous ceux qui étaient là :

Debout, debout, Cavaliers de Théoden!
C'est l'heure du courroux : fureur et massacre!
la lance soit secouée, l'écu fracassé,
jour d'épée, jour de rouge, avant le jour levé!
Au galop! Au galop! Tous au Gondor!

Sur ce, il saisit un grand cor de la main de Guthláf, son porte-étendard, et il y souffla avec une telle force que la corne se rompit. Et tous les cors de l'ost furent aussitôt levés en une puissante musique ; et la sonnerie des cors du Rohan en cette heure fut comme un orage sur la plaine et un tonnerre dans les montagnes.

Au galop ! Au galop ! Tous au Gondor !

Soudain, le roi héla son cheval, et Snawmana s'élança. Derrière lui flottait son étendard, cheval blanc en champ de vert, mais il le distançait. Après lui, venaient les chevaliers de sa maison dans un bruit de tonnerre, mais toujours il restait en tête. Éomer était des leurs, et sur son casque, la queue-de-cheval s'agitait, blanche, au vent de sa course, et les devanciers de la première *éored* rugissaient tel un flot écumant à l'approche des côtes ; mais Théoden ne pouvait être rattrapé. Un instinct de mort l'emportait, ou la furie guerrière de ses pères coulait tel un feu nouveau dans ses veines, et Snawmana le portait comme un dieu des temps anciens, pareil à Oromë le Grand à la bataille des Valar, quand le monde était jeune. Son bouclier d'or fut découvert, et voyez ! il rutilait telle une image du Soleil, et l'herbe flamboyait de vert autour des pieds blancs de son coursier. Car le matin s'était levé, le matin et un vent de la mer ; et l'obscurité recula, et les troupes du Mordor gémirent, et la terreur les prit, et elles s'enfuirent, et moururent, et les sabots du courroux les piétinèrent. Et tous les hommes du Rohan, dès lors, éclatèrent en chants, et ils chantaient en tuant, car la joie du combat les soulevait ; et la rumeur de leur chant, terrible et belle, se répandit jusque dans la Cité.

6

La bataille des Champs du Pelennor

Mais ce n'était ni un chef orque, ni un quelconque brigand qui menait l'assaut contre le Gondor. Les ténèbres se dissipaient trop tôt, avant la date arrêtée par son Maître : la fortune le trahissait tout à coup et le monde se retournait contre lui ; la victoire lui échappait alors même qu'il tendait la main pour la saisir. Mais son bras était long. Il commandait toujours, investi de pouvoirs considérables. Roi, Spectre de l'Anneau, Seigneur des Nazgûl, il disposait d'un vaste arsenal. Il s'en fut de la Porte et disparut.

Théoden Roi de la Marche avait atteint la route conduisant de la Porte au Fleuve, et il se tourna vers la Cité qui se trouvait alors à moins d'un mille. Il ralentit un peu l'allure en quête de nouveaux adversaires, et ses chevaliers s'assemblèrent autour de lui ; Dernhelm était du nombre. Devant eux, plus près des murs, les hommes d'Elfhelm allaient parmi les engins de siège, taillant, massacrant, poussant leurs ennemis dans les tranchées de feu. Presque toute la moitié nord du Pelennor était sous leur emprise : les campements brûlaient, les orques fuyaient vers le Fleuve comme des troupes d'animaux sauvages ; et les Rohirrim allaient et venaient à loisir. Mais ils n'avaient pas encore brisé le siège, ni conquis la Porte. Leurs ennemis y étaient en nombre, et sur l'autre moitié de la plaine attendaient des armées encore invaincues. Au sud, de l'autre côté de la route, se trouvait le gros des forces des Haradrim, leur cavalerie réunie sous la bannière de leur chef. Celui-ci regarda au loin ; et dans la lumière grandissante, il vit l'étendard du roi, fort avancé sur le champ de bataille et sans grande protection autour. Alors, dans sa colère rouge, il cria d'une voix forte et, déployant sa bannière, un serpent noir sur fond écarlate, il se rua à l'encontre du cheval blanc et vert avec un grand concours d'hommes ; et l'éclat des cimeterres des Sudrons sortant du fourreau fut comme un scintillement d'étoiles.

Théoden eut alors conscience de lui et, refusant d'attendre l'assaut, il cria à Snawmana et chargea son ennemi en manière d'accueil. Le choc de leur rencontre fut certes grand. Mais la furie blanche des Hommes du Nord était la plus ardente ; et d'une plus grande adresse était leur chevalerie aux longues lances cruelles. Moins nombreux, ils fendirent néanmoins les rangs des Sudrons comme un éclair dans la forêt. Sur la multitude fondit Théoden fils de Thengel, et sa lance vola en éclats lorsqu'il démonta leur chef. Son épée jaillit du fourreau ; piquant des éperons, il courut sus à l'étendard, faucha la hampe et le porteur, et le serpent noir tomba. Alors, tous ceux de cette cavalerie qui n'étaient pas encore tombés firent demi-tour et s'enfuirent.

Mais voici ! au zénith de la gloire du roi, son bouclier d'or s'assombrit soudain. La nouvelle aurore se voila dans le ciel. L'obscurité tomba autour de lui. Les chevaux se cabrèrent et hennirent. Les hommes, jetés à bas de la selle, se traînaient sur le sol.

« À moi ! À moi ! s'écria Théoden. Debout, Eorlingas ! Ne craignez point de ténèbres ! » Mais Snawmana, éperdu de terreur, se dressa au plus haut, luttant contre l'air ; et poussant un grand cri, il s'écrasa sur le flanc, transpercé d'une flèche noire. Le roi tomba sous lui.

La grande ombre descendit comme un nuage. Et voyez ! c'était une créature ailée : plus grande que tout autre oiseau, si tant est qu'elle en fût un, et elle était nue, et ni penne ni plume ne portait, et ses vastes ailes étaient comme des palmures de cuir entre des doigts cornus ; et elle puait. Peut-être était-ce une créature d'un monde plus ancien, rejeton d'une espèce oubliée qui, nichant dans de froides montagnes sous la Lune, avait outrepassé son époque et engendré en son aire immonde cette ultime et improbable progéniture, tout inclinée au mal. Et le Seigneur Sombre l'avait emmenée et nourrie de chairs innommables, jusqu'à ce qu'elle surpassât toute autre créature volante ; et il l'avait offerte à son serviteur en guise de coursier. Or elle descendit sur eux, repliant ses ailes digitées avec un croassement, puis elle se posa sur le corps de Snawmana, enfonçant ses serres et recourbant son long cou dénudé.

Sur son dos se tenait une forme enveloppée de noir, vaste et menaçante. Elle portait une couronne d'acier, mais entre le cercle et le manteau ne se voyait rien d'autre qu'un sinistre reflet d'yeux : le Seigneur des Nazgûl. Il avait repris les airs, appelant son coursier avant que le ciel ne s'ouvrît ; et voilà qu'il était revenu, semant la ruine, opposant à l'espérance le désespoir, à la victoire, la mort. Il brandissait une grande masse d'armes noire.

Mais Théoden n'était pas livré entièrement à son sort.

Les chevaliers de sa maison gisaient morts autour de lui ou, dominés par la folie de leurs coursiers, se trouvaient emportés au loin. Mais l'un d'eux était encore sur pied : Dernhelm le jeune, loyal en dépit de toute peur ; et il pleurait, car il aimait son seigneur comme un père. Tout au long de la charge, Merry s'était tenu derrière lui sans éprouver rien de fâcheux, jusqu'à la venue de l'Ombre ; alors Windfola, dans son épouvante, les avait jetés bas, et courait éperdu sur la plaine. Merry rampait à quatre pattes comme une bête égarée, et son horreur était telle qu'il ne voyait plus. Il eut envie de vomir.

« Serviteur du roi ! Serviteur du roi ! l'implorait son cœur. Tu dois rester près de lui. "Vous serez pour moi comme un père", as-tu dit. » Mais sa volonté ne répondait pas, et son corps tremblait. Il n'osait pas ouvrir les yeux ni relever la tête.

C'est alors que, des ténèbres de son esprit, il crut entendre parler Dernhelm ; mais sa voix lui semblait étrange, à présent, et lui rappelait une autre voix qu'il avait connue.

« Arrière, vil dwimmerlaik, seigneur de la charogne ! Laisse les morts en paix ! »

Une voix froide répondit : « Ne t'interpose pas entre le Nazgûl et sa proie ! Ou il ne te tuera pas à ton tour : il t'emmènera aux maisons de lamentation, au-delà de toutes ténèbres, où ta chair sera dévorée, et ton esprit desséché mis à nu devant l'Œil sans Paupière. »

Une lame résonna, sortant du fourreau. « Fais ce que tu veux ; mais je ferai tout pour l'entraver, si je peux. »

« M'entraver, moi ? Pauvre fou. Aucun homme vivant ne le peut ! »

Merry perçut alors, de tous les sons entendus en cette heure, le plus étrange. Il semblait que Dernhelm riait, et sa voix claire était comme un tintement d'acier. « Je suis en vie, mais non un homme ! Tu as devant toi une femme. Je suis Éowyn, fille d'Éomund. Tu te dresses entre moi et mon seigneur et parent. Va-t'en, si tu n'es pas immortel ! Car, vivant ou mort-vivant, je te frapperai si tu le touches. »

La créature ailée cria après elle, mais le Spectre de l'Anneau ne fit aucune réponse, et il se tint silencieux, comme soudain assailli d'un doute. Pendant un instant, la plus totale stupéfaction eut raison de la peur de Merry. Il ouvrit les yeux et constata que sa vue n'était plus obscurcie. La grande créature était ramassée à quelques pas de lui ; tout semblait noir autour d'elle, et le Seigneur des Nazgûl se dressait au-dessus, telle une ombre de désespoir. Un peu à gauche, leur faisant face, se tenait celle qu'il avait appelée Dernhelm. Mais le heaume du secret était tombé de son front, et sa claire chevelure, délivrée de ses liens, versait un chatoiement d'or pâle sur ses épaules. Ses yeux d'un gris de mer étaient durs et implacables, pourtant des larmes coulaient sur sa joue. Une épée luisait dans sa main, et son bouclier était levé contre l'horreur, l'horreur des yeux de son ennemi.

C'était Éowyn et en même temps Dernhelm. Car Merry revit en un éclair le visage qu'il avait remarqué au départ de Dunhart : le visage d'un désespéré, partant en quête de la mort. Son cœur s'emplit de pitié, d'émerveillement aussi ; et soudain s'éveilla en lui le lent courage de son espèce. Il serra le poing. Elle ne devait pas mourir, si belle, si désespérée ! Du moins elle ne mourrait pas seule, sans assistance.

La face de leur ennemi n'était pas tournée vers lui, mais il osait à peine bouger, craignant que le regard mortel ne se portât sur lui. Lentement, lentement il se traîna sur le côté ; mais le Noir Capitaine, son doute et sa malveillance tout entiers dirigés vers la femme devant lui, ne fit pas plus attention à lui qu'à un ver rampant dans la boue.

Soudain, la grande créature battit de ses horribles ailes, qui dégagèrent un vent fétide. D'un bond, elle s'éleva de nouveau dans l'air et, avec un cri strident, se jeta sur Éowyn à grands coups de bec et de serres.

Mais toujours Éowyn restait impassible : fille des Rohirrim, enfant des rois, mince comme un fil d'épée, belle mais terrible. Elle porta un rapide coup, sûr et mortel. Sa lame trancha le cou tendu, et la tête tomba comme une pierre. D'un bond elle recula, tandis que l'immense forme périclitait, ses vastes ailes déployées, s'écrasant sur la terre ; et lors de sa chute, l'ombre passa. Une lumière descendit sur Éowyn, et ses cheveux brillèrent dans le soleil levant.

Au milieu du naufrage se dressa le Cavalier Noir, haut et menaçant, bien au-dessus d'elle. Avec un hurlement de haine qui brûlait les oreilles comme du venin, il abattit sa masse. Le bouclier d'Éowyn vola en éclats, et son bras fut brisé ; elle tomba à genoux. Comme un nuage, il fondit sur elle, et ses yeux étincelèrent ; il leva sa masse pour tuer.

Mais soudain, lui aussi tomba en avant avec un cri d'atroce douleur, et son coup dévia de sa cible, se fichant dans le sol. L'épée de Merry l'avait frappé par-derrière, déchirant le manteau noir, et, montant sous le haubert, avait percé le tendon derrière son puissant genou.

« Éowyn ! Éowyn ! » cria Merry. Alors, chancelante, elle se releva avec peine et, de ses dernières forces, elle plongea son épée entre la couronne et le manteau tandis que les grandes épaules se penchaient sur elle. La lame jeta des étincelles et se brisa en maints fragments. La couronne roula sur le sol avec un bruit métallique. Éowyn tomba en avant sur la dépouille de son adversaire. Mais voici !

manteau et haubert étaient vides. Ils gisaient sur le sol en une masse informe, chiffonnés et lacérés ; et un cri monta dans l'air frémissant, bientôt réduit à une plainte aiguë, emportée par le vent : une voix maigre et désincarnée qui, noyée, s'éteignit, pour ne plus jamais être entendue au cours de cet âge du monde.

Et voilà que se tenait Meriadoc au milieu des tués, cillant comme un hibou à la lumière du jour, car les larmes l'aveuglaient ; et comme à travers la brume, ses yeux se posèrent sur le beau visage d'Éowyn, gisante et immobile ; et il contempla la figure du roi tombé en pleine gloire. Car Snawmana s'était de nouveau retourné dans son agonie, s'enlevant de son maître ; mais il ne fut pas moins sa perte.

Merry se pencha alors et souleva sa main pour la baiser ; et voici ! Théoden ouvrit les paupières, et ses yeux étaient clairs, et il parla d'une voix douce quoique laborieuse.

« Adieu, maître Holbytla ! dit-il. Mon corps est brisé. Je vais rejoindre mes pères. Et même en leur auguste compagnie, je n'aurai pas honte, à présent. J'ai terrassé le serpent noir. Un matin gris, un jour de grâce et un glorieux couchant ! »

Merry, incapable de parler, fondit de nouveau en larmes. « Pardonnez-moi, sire, dit-il enfin, si j'ai enfreint votre commandement sans rien faire pour votre service, sinon pleurer notre séparation. »

Le vieux roi sourit. « Ne vous tourmentez pas ! Tout est pardonné. Un grand cœur ne se refuse pas. Vivez désormais dans la joie ; et quand vous vous assiérez tranquillement avec votre pipe, pensez à moi ! Car jamais je ne vais m'asseoir avec vous à Meduseld, à présent, comme je vous l'avais promis, pour discuter de la science des herbes. » Il ferma les yeux, et Merry s'inclina près de lui. Le roi reprit au bout d'un moment. « Où est Éomer ? Car mes yeux s'assombrissent, et j'aimerais le voir avant que de partir. Il doit hériter de ma couronne. Et je voudrais mander à Éowyn. Elle… elle ne voulait pas que je la laisse, et maintenant, je ne la reverrai plus, fille bien-aimée, plus chère qu'à un père. »

« Sire, sire, commença Merry d'une voix entrecoupée, elle est… » ; mais une vive clameur s'éleva à cet instant : des cors et des trompettes retentirent de toutes parts. Merry regarda autour de lui : il avait oublié la guerre, et tout le reste du monde ; et des heures semblaient s'être écoulées depuis que le roi avait chevauché à sa perte, bien qu'en vérité cela ne fît qu'un court moment. Mais il vit alors qu'ils risquaient d'être pris au milieu de la grande bataille qui allait bientôt s'engager.

De nouvelles forces de l'ennemi se pressaient sur la route venant du Fleuve, les légions de Morgul faisaient volte-face et se détournaient des murs, et les hommes de pied du Harad venaient des champs du sud avec un peloton de cavalerie à leur tête, tandis que se dressaient derrière eux les énormes dos des *mûmakil*, surmontés de tours de guerre. Mais au nord, Éomer et son blanc cimier menaient le grand front des Rohirrim, qu'il avait de nouveau rassemblé et ordonné, tandis que la Cité se vidait de tous ses hommes ; et le cygne d'argent de Dol Amroth était à l'avant-garde, repoussant l'ennemi de la Porte.

La pensée traversa l'esprit de Merry : « Où est Gandalf ? N'est-il pas ici ? N'aurait-il pu sauver le roi et Éowyn ? » Mais Éomer arriva sur ces entrefaites, avec ceux des chevaliers de la maison qui n'étaient pas morts et qui, entre-temps, avaient maîtrisé leurs chevaux. Ils posèrent des yeux stupéfaits sur la carcasse de l'horrible bête qui gisait là ; et leurs coursiers ne voulurent pas s'approcher. Mais Éomer sauta à bas de sa selle, et la peine et la consternation le submergèrent lorsqu'il s'avança au côté du roi et se tint là en silence.

Puis l'un des chevaliers saisit la bannière de la main de Guthláf, le porte-étendard qui gisait mort, et il la souleva. Théoden ouvrit lentement les yeux. Apercevant la bannière, il fit signe de la remettre à Éomer.

« Salut, Roi de la Marche ! dit-il. Va maintenant à la victoire ! Fais mes adieux à Éowyn ! » Et il mourut ainsi, sans savoir qu'Éowyn gisait auprès de lui. Et ceux qui étaient là pleurèrent, criant : « Théoden Roi ! Théoden Roi ! »

Mais Éomer leur dit :

> N'épuisez pas vos pleurs pour le puissant défunt :
> sa fin fut des plus dignes. Sur son tertre levé,
> les femmes pleureront. Mais pour l'heure, à la guerre !

Mais lui-même pleurait en déclamant. « Que ses chevaliers demeurent ici, dit-il, et qu'ils emportent son corps dans l'honneur et le retirent du champ de bataille, afin qu'il ne soit piétiné ! Oui, et tous les autres de sa garde qui gisent ici. » Et il regarda les tués, se rappelant leurs noms. Et soudain, il vit sa sœur Éowyn étendue là, et il la reconnut. Il resta bouche bée, comme un homme saisi au milieu d'un cri, transpercé d'une flèche au cœur ; son visage prit une pâleur mortelle, et une colère froide monta en lui, si bien qu'il perdit un moment la parole. Une humeur noire s'empara de lui.

« Éowyn ! Éowyn ! cria-t-il enfin. Éowyn, que fais-tu ici ? Quelle folie ou maléfice est-ce là ? La mort, la mort, la mort ! La mort nous prenne tous ! »

Alors, sans tenir conseil ni attendre l'approche des hommes de la Cité, il piqua des deux et se lança à la tête du grand ost, sonnant du cor, appelant à l'assaut. Sa voix claire traversa la plaine, exhortant : « À la mort ! Courez, courez à la ruine et à la fin du monde ! »

Et sur ce, l'armée se mit en branle. Mais les Rohirrim ne chantaient plus. À *la mort !* criaient-ils d'une seule voix, terrible et forte ; et d'un irrésistible élan, telle une grande marée, leur cavalerie passa en trombe autour du roi tombé et s'en fut, tonnant vers le sud.

Et Meriadoc le hobbit demeurait là, cillant au travers de ses larmes, et nul ne lui parlait ; en fait, personne ne semblait se soucier de lui. Il essuya ses larmes et se baissa, ramassant le bouclier vert qu'Éowyn lui avait offert, et il le passa derrière son épaule. Puis il chercha l'épée qui était tombée de sa main ; car au moment de frapper, son bras s'était engourdi, de sorte qu'à présent il ne pouvait plus se servir que de sa main gauche. Et voyez ! son arme gisait au sol, mais la lame fumait comme une branche sèche jetée au feu ; et comme il regardait, elle se tordit et s'émietta et fut consumée.

Ainsi finit l'épée des Coteaux des Tertres, ouvrage de l'Occidentale. Mais il eût été heureux de connaître sa destinée, celui qui l'avait patiemment forgée au temps jadis dans le Royaume du Nord, quand les Dúnedain étaient jeunes, eux dont l'ennemi premier était le terrible royaume d'Angmar et son roi-sorcier. Aucune autre lame, fût-elle en de plus puissantes mains, ne lui eût infligé une aussi cuisante blessure, fendant les chairs mortes-vivantes, rompant le charme qui soudait ses tendons invisibles à sa volonté.

Des hommes soulevèrent alors le roi et, ayant jeté des manteaux sur des tronçons de lances, ils le portèrent vers la Cité sur ce brancard de fortune ; et d'autres prirent doucement Éowyn et l'emmenèrent après lui. Mais les hommes de la maison du roi ne pouvaient encore être soustraits du champ de bataille ; car sept de ses chevaliers étaient tombés là, et leur chef Déorwine était du nombre. Aussi les étendirent-ils loin de leurs ennemis et de l'horrible bête, et ils plantèrent des lances autour d'eux. Et plus tard, quand tout fut terminé, des hommes revinrent sur les lieux et y allumèrent un grand brasier, et ils brûlèrent la carcasse de la bête ; mais pour Snawmana, ils creusèrent une tombe et érigèrent une pierre sur laquelle était gravé, dans les langues du Gondor et de la Marche :

FIDÈLE SERVITEUR FUNESTE AU CAVALIER :
LE PRESTE SNAWMANA, POULAIN DE PIEDLÉGER.

L'herbe poussa, longue et verte, sur le Moncelet de Snawmana, mais la terre où fut brûlée la bête resta à jamais noire et nue.

Merry, d'un pas lent et triste, marchait à présent aux côtés des porteurs, sans plus tenir aucun compte de la bataille. Il était las et endolori, et ses membres tremblaient comme sous l'effet du froid. Une grosse pluie était montée depuis la Mer : toutes choses semblaient pleurer Théoden et Éowyn, noyant les flammes de la Cité sous un déluge de larmes grises. À travers une brume, il vit bientôt approcher l'avant-garde des hommes du Gondor. Imrahil,

Prince de Dol Amroth, serra la bride à son cheval et s'arrêta auprès d'eux.

« Quel fardeau portez-vous, Hommes du Rohan ? » cria-t-il.

« Théoden Roi, répondirent-ils. Il est mort. Mais Éomer Roi est parti au front : lui dont le cimier blanc s'agite dans la brise. »

Alors le prince descendit de cheval, et il s'agenouilla près du brancard pour faire honneur au roi et à son grand assaut ; et il pleura. Et, se relevant, il posa les yeux sur Éowyn et resta stupéfait. « Voilà assurément une femme ? dit-il. Les femmes des Rohirrim sont-elles venues elles aussi nous prêter main-forte ? »

« Non pas ! dirent-ils ; une seule est venue. C'est la dame Éowyn, sœur d'Éomer ; nous n'en savions rien avant cette heure, et nous le regrettons amèrement. »

Alors le prince, voyant sa beauté, bien que son visage fût pâle et froid, lui prit la main comme il se baissait pour la regarder de plus près. « Hommes du Rohan ! s'écria-t-il. N'est-il parmi vous aucun mage guérisseur ? Elle est blessée – peut-être mortellement, mais j'estime qu'elle vit encore. » Et il tint devant les lèvres froides le brassard qu'il portait, et voici ! un nuage de buée se déposa sur le métal bruni, à peine visible.

« Il faut faire vite », dit-il, et il dépêcha l'un des siens dans la Cité pour y chercher de l'aide. Mais lui, s'inclinant devant les tombés, leur dit adieu ; et de retour en selle, il s'en fut à la bataille.

Or, le combat devenait furieux sur les champs du Pelennor ; dans l'air montaient le fracas des armes, la clameur

196

des hommes et le hennissement des chevaux. Des cors sonnaient, des trompettes claironnaient, parmi les beuglements des *mûmakil* entraînés dans l'assaut. Au sud de la Cité, les hommes de pied du Gondor avançaient contre les légions de Morgul encore massées contre les murs. Mais la cavalerie se porta vers l'est au secours d'Éomer : Húrin le Grand, Gardien des Clefs, et le Seigneur du Lossarnach, et Hirluin des Collines Vertes, et Imrahil le Beau entouré de tous ses chevaliers.

Cette aide n'arrivait pas trop tôt pour les Rohirrim ; car la fortune s'était retournée contre Éomer, et sa furie l'avait trahi. La violence de sa charge avait entièrement balayé le front ennemi, et de grandes pointes de Cavaliers avaient pénétré les rangs des Sudrons, surprenant les hommes montés et conduisant les fantassins à leur perte. Mais partout où il y avait des *mûmakil*, les chevaux refusaient d'aller, renâclant et se dérobant ; et les grands monstres restaient invaincus, telles des tours de défense autour desquelles les Haradrim pouvaient se rallier. Et si les Rohirrim, au commencement de l'assaut, étaient trois fois moins nombreux que les seuls Sudrons, leur situation fut bientôt pire ; car de nouvelles forces se mirent à affluer en provenance d'Osgiliath. Là, tenues en réserve pour la mise à sac de la Cité et la profanation du Gondor, elles avaient attendu l'appel de leur Capitaine. Celui-ci n'était plus ; mais Gothmog, le lieutenant de Morgul, avait décidé de les jeter dans la mêlée : Orientais armés de haches, Variags du Khand, Sudrons en écarlate ; et de l'Extrême-Harad, des mercenaires noirs, mi-hommes, mi-trolls, aux yeux blanchâtres et à la langue rouge vif. Certains se hâtaient à présent derrière les Rohirrim, d'autres se dirigeaient à l'ouest pour contenir les forces du Gondor et empêcher leur union avec le Rohan.

Mais au moment où le sort des armes tournait à l'encontre du Gondor et faisait vaciller les cœurs, une nouvelle clameur s'éleva dans la Cité ; car c'était le mitan du matin et un fort vent soufflait, et la pluie fuyait vers le nord et le soleil brillait. Dans cet air limpide, les guetteurs des murs virent poindre au loin une nouvelle menace, et leur dernier espoir s'envola.

Car l'Anduin, passé la boucle du Harlond, coulait de telle manière que les gens de la Cité pouvaient le voir s'éloigner sur plusieurs lieues, et les plus clairvoyants apercevoir tout navire le remontant. Et regardant par là, ils s'écrièrent, consternés ; car ils virent se détacher sur le miroir de l'eau une flotte que le vent amenait : des dromons, et des navires de fort tirant d'eau équipés de nombreuses rames, tous gréés de voiles noires gonflées par la brise.

« Les Corsaires d'Umbar ! crièrent-ils. Les Corsaires d'Umbar ! Regardez ! Les Corsaires d'Umbar arrivent ! Le Belfalas est donc pris, l'Ethir aussi, et le Lebennin n'est plus. Les Corsaires sont à nos portes ! C'est le dernier coup du destin ! »

Et d'aucuns, sans en avoir reçu l'ordre, car nul ne se trouvait dans la Cité pour les commander, se ruèrent sur les cloches et firent sonner l'alarme ; tandis que d'autres annonçaient la retraite à grand renfort de trompettes. « Aux murs ! lançaient-ils. Aux murs ! Regagnez la Cité avant que tous soient submergés ! » Mais le vent qui poussait les navires dispersait tous leurs cris.

Les Rohirrim n'avaient en fait aucun besoin d'avertissement ; eux-mêmes ne voyaient que trop bien les voiles noires. Car Éomer n'était plus guère qu'à un mille du Harlond, ses ennemis massés en foule entre lui et le port, tandis que de nouveaux adversaires surgissaient sur ses arrières, le coupant du Prince. Il regarda alors vers le Fleuve, et l'espoir défaillit dans son cœur, et il maudit le vent que d'abord il avait béni. Mais les soldats du Mordor reprirent contenance et, forts d'une soif et d'une fureur nouvelles, ils donnèrent l'assaut à grands cris.

Éomer avait retrouvé son sang-froid et sa présence d'esprit. Il fit sonner les cors pour rallier à sa bannière tous ceux qui pouvaient s'y joindre ; car il pensait dresser un grand mur de boucliers en dernier ressort. Résister, combattre au corps à corps jusqu'à ce que tous soient terrassés, et accomplir sur le Pelennor des exploits dignes d'être chantés, dût-il ne rester personne dans l'Ouest pour se souvenir du dernier Roi de la Marche. Il gagna donc une petite éminence verte et y planta sa bannière, et le Cheval Blanc prit le galop, ondoyant au vent.

> *Par-delà la pénombre et par-delà le doute,*
> *je vis poindre le jour et l'espoir se lever,*
> *chantant sous le soleil et dégainant l'épée.*
> *À la fin de l'espoir je m'en fus chevauchant,*
> *le jour près de faillir et le cœur de me fendre :*
> *À moi, ruine et courroux, à moi le soir sanglant !*

Il proféra ces vers, mais il riait en les prononçant. Car la soif du combat le dominait une fois de plus ; et pour lors il était indemne, et il était jeune, et il était roi, seigneur d'un peuple redoutable. Mais voici que, se riant du désespoir, il contempla de nouveau les navires noirs, et il leva son épée en signe de défi.

Lors ! la surprise le saisit, de même qu'une grande joie ; et il lança son épée en l'air ensoleillé et la rattrapa en chantant. Et tous les yeux suivirent son regard, et voyez !

sur le navire de tête, un grand étendard se déployait, flottant au vent, tandis que la nef entrait au Harlond. Un Arbre Blanc, emblème du Gondor, y fleurissait ; mais il était entouré de Sept Étoiles et surmonté d'une haute couronne : les signes d'Elendil, que nul seigneur n'avait portés depuis un nombre incalculable d'années. Et les étoiles flamboyaient au soleil, car elles avaient été cousues de gemmes par Arwen fille d'Elrond ; et la couronne brillait dans le matin, car elle était faite de mithril et d'or.

Ainsi vint Aragorn fils d'Arathorn, Elessar, l'héritier d'Isildur, par-delà les Chemins des Morts, porté par un vent de la Mer au royaume de Gondor ; et l'exaltation des Rohirrim fut un déluge de rires et un éclair d'épées, et la joie et l'étonnement de la Cité furent un chœur de trompettes et une sonnerie de cloches. Mais les armées du Mordor se trouvèrent plongées dans la confusion, et ce leur semblait une grande sorcellerie que leurs propres navires fussent remplis de troupes ennemies ; et une peur noire les envahit, car ils savaient que le flot du destin s'était retourné contre eux et que leur ruine était proche.

Les chevaliers de Dol Amroth se portèrent vers l'est, refoulant l'ennemi : les hommes-trolls, les Variags et les orques, haïssant la lumière du soleil. Éomer marcha au sud et les hommes fuirent devant lui, pris entre le marteau et l'enclume. Car sur les quais du Harlond, on sautait maintenant à bas des navires, et les hommes chargeaient en tempête vers le nord. Legolas était là, et Gimli armé de sa hache ; Halbarad portant l'étendard, et Elladan et Elrohir avec des étoiles au front ; enfin, les intraitables Dúnedain, Coureurs du Nord, à la tête d'un grand concours de valeureux du Lebennin, du Lamedon et des fiefs du Sud. Mais Aragorn venait en tête avec la Flamme de l'Ouest, Andúril tel un feu renouvelé, Narsil retournée à la forge et tout aussi mortelle qu'autrefois ; et l'Étoile d'Elendil brillait sur son front.

Éomer et Aragorn finirent donc par se rencontrer au milieu du champ de bataille ; et, s'appuyant sur leurs épées, ils s'entreregardèrent et furent heureux.

« Ainsi nous nous retrouvons, quand même les armées du Mordor se dressaient entre nous, dit Aragorn. Ne vous l'avais-je pas dit à la Ferté-au-Cor ? »

« Certes, dit Éomer ; mais l'espoir déçoit souvent, et j'ignorais alors que vous étiez doué de prescience. Mais le secours que l'on n'attendait plus est doublement béni, et jamais il n'y eut de retrouvailles plus joyeuses. » Sur quoi, ils se serrèrent la main. « Ni de plus opportunes, reprit Éomer. Vous n'arrivez pas trop tôt, mon ami. Nos pertes sont grandes et notre peine l'est tout autant. »

« Vengeons-les dans ce cas, avant d'en parler ! » dit Aragorn ; et de retour en selle, ils partirent ensemble à la bataille.

De rudes combats et un long labeur les attendaient encore ; car les Sudrons étaient des hommes hardis et implacables, et durs au désespoir ; et les Orientais, forts et aguerris, ne demandaient aucun quartier. Or donc, un peu partout, devant la grange ou la maison en cendres, sur l'éminence ou sur la butte, contre le mur ou dans les champs, ils continuaient de s'unir et de se rallier, et ils combattirent jusqu'à ce que le jour se mît à décliner.

Puis le Soleil passa enfin derrière le Mindolluin, embrasant le ciel tout entier, de sorte que les montagnes et les collines parurent teintées de sang ; le Fleuve prit la couleur du feu, et l'herbe du Pelennor s'étendait, rouge, dans le crépuscule. Alors prit fin la grande Bataille des champs du Gondor ; et dans toute l'enceinte du Rammas ne resta plus un seul ennemi vivant. Tous avaient été tués, sauf ceux qui avaient fui pour aller mourir ailleurs ou se noyer dans l'écume rouge du Fleuve. Rares sont ceux qui rentrèrent jamais dans l'Est, à Morgul ou au Mordor ; et au pays des Haradrim ne parvint qu'un récit lointain : une rumeur du courroux et de la terreur du Gondor.

Aragorn, Éomer et Imrahil revinrent à cheval vers la Porte de la Cité, recrus au-delà de toute joie ou affliction. Tous trois étaient indemnes, car telle était leur fortune et, à plus forte raison, la puissance et l'adresse de leurs armes : bien peu en vérité avaient osé les affronter ou les regarder en face à l'heure de leur courroux. Mais beaucoup d'autres avaient été blessés, mutilés ou tués sur le champ de bataille. Forlong était tombé sous les haches en combattant, seul et démonté ; et Duilin du Morthond ainsi que son frère avaient été piétinés à mort dans l'assaut contre les *mûmakil*, s'approchant avec leurs archers pour tirer dans l'œil des monstres. Ni Hirluin le beau ne retournerait à Pinnath Gelin, ni Grimbold à Grimslad, ni Halbarad dans les Terres du Nord, l'intraitable Coureur. Nombreux furent les tombés, obscurs ou renommés, soldats ou capitaines ; car ce fut une grande bataille, et aucun récit n'en fit jamais le détail. Ainsi parla, longtemps après, un trouvère du Rohan dans sa chanson des Tertres de Mundburg :

> *On a chanté le cri des cors dans les collines,*
> *la fureur des épées, le flamboiement des lances*
> *au Royaume du Sud. D'une longue foulée*

partirent les coursiers au Pays de la Pierre,
tel le vent au matin. La guerre s'allumait.
Là tomba Théoden, digne fils de Thengel,
à ses halles dorées et ses verts pâturages
dans la plaine du Nord jamais plus ne revint,
lui, grand seigneur de l'ost. Lors Harding et Guthláf,
Dúnhere et Déorwine, aussi le preux Grimbold,
Horn et Herefara, Herubrand et Fastred,
en un pays lointain par les armes périrent :
sous le triste terreau des Tertres de Mundburg,
ils gisent à jamais aux côtés de leurs frères
et compagnons de guerre, les seigneurs du Gondor.
Ni Hirluin le Beau à ses collines vertes,
ni Forlong l'ancien, dans les vallées fleuries
de son pays d'Arnach, jamais plus ne devaient
revenir en triomphe ; ni les deux grands archers,
Derufin, Duilin, aux lacs de leurs demeures,
sombres eaux du Morthond à l'ombre des montagnes.
La mort au matin gris et à la fin du jour
Tous ensemble les prit, les seigneurs et les humbles.
Là ils dorment encore et longtemps vont dormir
sous l'herbe du Gondor, sur les bords du Grand Fleuve.
Gris-argent aujourd'hui, tel un torrent de larmes,
rouge il roulait alors ses lames rugissantes :
une écume de sang dans le soir incendié,
funèbre embrasement au faîte des montagnes ;
rouge était la rosée sous le Rammas Echor.

7

Le bûcher de Denethor

Quand l'ombre noire s'enfuit de la Porte, Gandalf resta
immobile sur sa monture. Mais Pippin se redressa, comme
libéré d'un grand poids; et, prêtant l'oreille au son des
cors, il crut que son cœur allait éclater de joie. Et jamais
plus il n'entendit un cor au loin sans que les larmes lui
montent aux yeux. Mais soudain, se rappelant son urgente
commission, il se précipita en avant. Gandalf se pencha
pour glisser un mot à Scadufax : il s'apprêtait à passer la
Porte.

« Gandalf, Gandalf ! » cria Pippin, et Scadufax s'arrêta.

« Que faites-vous ici ? demanda Gandalf. N'est-il pas
interdit aux porteurs du noir et argent de quitter la Citadelle, sauf si leur seigneur l'autorise ? »

« Il l'a fait, dit Pippin. Il m'a congédié. Mais j'ai peur.
Quelque chose d'horrible risque d'arriver. Je crois que le
Seigneur a perdu la raison. Je crains qu'il ne veuille se tuer,
et Faramir avec lui. Pouvez-vous faire quelque chose ? »

Gandalf regarda au travers de la Porte béante : déjà,
la rumeur du combat montait dans les champs. Il serra le
poing. « Je dois m'en aller, répondit-il. Le Cavalier Noir
est parmi nous, et il est bien près de nous détruire. Je n'ai
pas le temps. »

« Mais Faramir ! s'écria Pippin. Il n'est pas mort, et ils vont le brûler vif si personne ne fait rien pour les arrêter. »

« Le brûler vif ? dit Gandalf. Qu'est-ce que c'est que cette histoire ? Parlez, vite ! »

« Denethor s'est rendu aux Tombeaux, dit Pippin ; il a emmené Faramir, et il dit que nous allons tous brûler, qu'il ne veut pas attendre, et ils doivent préparer un bûcher et le brûler dessus, et Faramir aussi. Il a envoyé des hommes chercher du bois et de l'huile. Et je l'ai dit à Beregond, mais je crains qu'il n'ose pas quitter son poste : il est de garde. Mais qu'est-ce qu'il peut faire de toute façon ? » Pippin déballa ainsi toute son histoire, levant le bras et posant une main tremblotante sur le genou de Gandalf. « Pauvre Faramir, vous ne pouvez pas le sauver ? »

« Peut-être, répondit Gandalf. Mais si je le fais, d'autres mourront, j'en ai peur. Enfin, je dois bien y aller, puisqu'il n'y a personne d'autre pour lui venir en aide. Mais il en ressortira de grands malheurs. Même au cœur de notre place forte, l'Ennemi a le pouvoir de nous frapper ; car c'est sa volonté qui est à l'œuvre. »

S'étant décidé, il ne perdit pas de temps. Il souleva Pippin, l'installa devant lui et, d'une seule parole, retourna Scadufax. Ses sabots retentirent à travers les rues escarpées de Minas Tirith, tandis que s'enflait derrière eux la rumeur de la guerre. Partout, les hommes secouaient la peur et le désespoir, empoignaient leurs armes, criaient à leurs voisins : « Le Rohan est arrivé ! » Les capitaines exhortaient, les compagnies se rassemblaient ; bon nombre descendaient déjà vers la Porte.

Ils rencontrèrent le prince Imrahil, qui les interpella : « Où donc allez-vous, Mithrandir ? Les Rohirrim se battent dans les champs du Gondor ! Il nous faut rassembler toutes les forces disponibles. »

« Vous aurez besoin de chaque homme et plus encore, dit Gandalf. Faites au plus vite. Je viendrai aussitôt que possible. Mais je dois me rendre de toute urgence auprès du seigneur Denethor. Prenez le commandement en son absence ! »

Ils passèrent leur chemin ; et comme ils approchaient des hauteurs et de la Citadelle, ils sentirent le vent souffler sur leur visage et virent au loin la lueur du matin, une lumière croissante dans le ciel du sud. Mais elle leur redonna peu d'espoir, car ils se demandaient quel malheur les attendait et craignaient d'arriver trop tard.

« Les ténèbres passent, dit Gandalf, mais elles pèsent encore lourdement sur cette Cité. »

Aux portes de la Citadelle, ils ne trouvèrent aucun garde. « Beregond y est donc allé », dit Pippin avec une note d'espoir dans la voix. Ils se détournèrent et se hâtèrent le long du chemin conduisant à la Porte Close. Elle était béante, et le portier gisait devant. Il était mort, et sa clef avait été volée.

« C'est la main de l'Ennemi ! dit Gandalf. Il n'est rien qui lui plaise davantage : l'ami en guerre contre l'ami, les loyautés divisées dans la confusion des cœurs. » Il mit alors pied à terre et pria Scadufax de retourner à l'écurie. « Car mon bon ami, lui dit-il, il y a longtemps que nous aurions dû gagner les champs, toi et moi ; mais d'autres affaires me retiennent. Reviens vite si je t'appelle ! »

Ils passèrent la Porte et descendirent par l'abrupte route en lacets. Il faisait de plus en plus clair, et les hautes colonnes et les figures sculptées défilaient lentement de part et d'autre de la voie, pareilles à des fantômes.

Soudain le silence fut rompu, et ils entendirent des cris et des tintements de lames venus d'en bas : des sons jamais entendus dans les lieux sacrés depuis l'érection de la Cité. Parvenus enfin à Rath Dínen, ils se hâtèrent vers la Maison des Intendants, dressée sous son vaste dôme dans le crépuscule du matin.

« Cessez ! Cessez ! cria Gandalf, s'élançant vers le perron de pierre. Cessez cette folie ! »

Car les serviteurs de Denethor étaient debout dans l'escalier, épées et torches à la main, mais Beregond se tenait seul sous le porche, vêtu du noir et argent de la Garde ; et il leur barrait l'entrée. Deux d'entre eux étaient déjà tombés sous son glaive, souillant les lieux saints de leur sang ; et les autres le maudissaient, le qualifiant de hors-la-loi et de traître à son maître.

Au moment où Gandalf et Pippin accouraient, ils entendirent la voix de Denethor, criant de l'intérieur de la maison des morts : « Vite, vite ! Faites ce que je vous ordonne ! Tuez-moi ce renégat ! Ou devrai-je le faire moi-même ? » Sur ce, la porte que Beregond retenait de sa main gauche s'ouvrit brusquement, et voici que se tenait derrière lui le Seigneur de la Cité, grand et terrible ; une flamme brûlait dans son regard, et il tenait une épée nue.

Mais Gandalf s'élança dans les marches, et les hommes s'écartèrent et se couvrirent les yeux ; car sa venue était comme une lumière blanche surgie dans un endroit sombre, et il était en grand courroux. Il leva une main et, dans l'instant même, l'épée de Denethor s'arracha de sa poigne, jaillit en l'air et retomba derrière lui parmi les ombres de la salle ; et Denethor recula devant Gandalf à la façon d'un homme ébahi.

« Qu'est-ce que ceci, monseigneur ? dit le magicien.

Les vivants n'ont rien à faire dans les demeures des morts. Et pourquoi des hommes se battent-ils ici au Sanctuaire, quand la guerre sévit déjà devant la Porte ? Notre Ennemi se serait-il insinué jusqu'à Rath Dínen ? »

« Depuis quand le Seigneur du Gondor doit-il te rendre des comptes ? répondit Denethor. Ou ne puis-je même plus commander mes propres serviteurs ? »

« Vous pouvez, dit Gandalf. Mais d'autres peuvent contester votre volonté, lorsqu'elle succombe à la folie et au mal. Où est votre fils, Faramir ? »

« Il gît céans, dit Denethor ; il brûle, il brûle déjà. Ils ont logé un feu dans sa chair. Mais tout brûlera bientôt. L'Ouest a échoué. Un grand brasier conquerra tout, et ce sera la fin de tout. Des cendres ! s'écria-t-il. Des cendres et de la fumée, emportées au vent ! »

Alors Gandalf, voyant la folie qui le prenait, craignant qu'il n'eût déjà commis un terrible forfait, se pressa en avant, suivi de Beregond et de Pippin, et Denethor recula jusqu'à la table à l'intérieur. Mais Faramir s'y trouvait encore, toujours dans un rêve fiévreux, étendu sur la pierre. De hautes piles de bois se trouvaient sous la table et partout autour, le tout arrosé d'huile, même les vêtements de Faramir et les couvertures ; mais aucune flamme n'avait encore été portée au combustible. Gandalf révéla alors toute la force cachée en lui, même si l'éclat de sa puissance restait voilé sous son manteau gris. Il sauta sur les fagots, souleva le malade avec légèreté ; puis il redescendit d'un bond et se dirigea vers la porte. Mais alors, Faramir gémit, et il appela son père dans son rêve.

Denethor tressaillit comme un homme sortant d'une transe, et la flamme mourut dans son regard ; il se mit à pleurer et dit : « Ne m'enlevez pas mon fils ! Il m'appelle. »

« Il appelle, mais vous ne pouvez venir à lui pour l'instant. Car il doit chercher la guérison au seuil de la mort, et peut-être ne point la trouver. Tandis que votre rôle est d'aller au combat pour votre Cité, où la mort vous attend peut-être. Cela, vous le savez dans votre cœur. »

« Il ne se réveillera plus, dit Denethor. Le combat est vain. Pourquoi souhaiterions-nous vivre encore ? Pourquoi n'irions-nous pas à la mort, côte à côte ? »

« Vous n'avez pas autorité, Intendant du Gondor, pour décider de l'heure de votre mort, répondit Gandalf. Et seuls les rois païens, sous la domination du Pouvoir Noir, agissaient de la sorte, mettant fin à leurs jours par orgueil et désespoir, assassinant leurs proches afin d'adoucir leur propre mort. » Il passa alors la porte et, enlevant Faramir de cette maison de mort, il le déposa sur le brancard qui avait servi à l'amener, et que l'on avait laissé sous le porche. Denethor le suivit, et il se tint là tremblant, posant un regard attendri sur le visage de son fils. Alors, tandis que tous assistaient, silencieux et immobile, aux affres du Seigneur, sa volonté parut soudain fléchir.

« Allons ! dit Gandalf. Les gens ont besoin de nous. Vous pourriez faire encore beaucoup. »

Mais à ces mots, Denethor éclata de rire. Il se redressa, de nouveau grand et fier, et se précipita vers la table pour y prendre l'oreiller où sa tête avait reposé. Revenu à la porte, il retira la taie, et voici ! il avait entre ses mains un *palantír*. Et tandis qu'il le soulevait, les spectateurs crurent voir son globe s'illuminer comme d'un feu intérieur ; et le visage émacié du Seigneur parut éclairé d'un feu vermillon, taillé dans la pierre dure, découpé d'ombres noires, noble, fier et redoutable. Ses yeux étincelèrent.

« Orgueil et désespoir ! s'exclama-t-il. Crois-tu que les

yeux de la Tour Blanche étaient aveugles ? Non, j'ai vu plus de choses que tu n'en peux savoir, Fou Gris. Car ton espoir n'est qu'ignorance. Va donc t'acharner à guérir ! Va combattre à la guerre ! Vanité que tout cela. Pour un temps, pour un jour, tu pourrais triompher sur le champ de bataille. Mais contre la Puissance qui se lève à présent, il n'est point de victoire. Vers cette Cité ne s'est encore tendu qu'un seul de ses doigts. Tout l'Est est en mouvement. Et à l'heure même où je te parle, le vent de ton espoir te trahit, portant sur l'Anduin une flotte aux voiles noires. L'Ouest a échoué. Il est temps de partir pour tous ceux qui ne veulent être esclaves. »

« Avec de tels conseils, la victoire de l'Ennemi est certes assurée », dit Gandalf.

« Eh bien, continue d'espérer ! fit Denethor avec un rire. N'en suis-je pas venu à te connaître, Mithrandir ? Tu espères gouverner à ma place, t'immiscer derrière tous les trônes, au nord, au sud et à l'ouest. J'ai percé à jour ta pensée et ses politiques. N'ai-je pu constater que ce demi-homme a reçu ordre de garder le silence ? Que tu l'as amené ici pour servir d'espion dans ma propre chambre ? Et pourtant, j'ai appris de nos discussions les noms et les desseins de tous tes compagnons. Ainsi donc ! De la main gauche, tu voudrais user de moi un temps comme bouclier contre le Mordor, et de la droite, introduire ce Coureur du Nord pour me supplanter !

« Mais je te le dis, Gandalf Mithrandir, je ne serai pas ton instrument ! Je suis Intendant de la Maison d'Anárion. Je ne céderai pas ma place pour devenir le vieux chambellan d'un parvenu. Même si sa revendication m'était démontrée, il n'est issu néanmoins que de la lignée d'Isildur. Je ne m'inclinerai pas devant tel personnage, dernier d'une maison délabrée, dépouillée depuis bien longtemps de toute grandeur ou dignité. »

« Que souhaiteriez-vous, dit Gandalf, si votre volonté pouvait prévaloir ? »

« Je voudrais que les choses fussent comme elles ont été tous les jours de ma vie, répondit Denethor, et du temps de mes ancêtres venus avant moi : régner sur cette Cité en paix, et laisser mon fauteuil à un fils qui me suivrait, et qui serait son propre maître, non l'élève d'un magicien. Mais si le sort me refuse cela, je préfère n'avoir *rien* : ni vie diminuée, ni amour divisé, ni honneur abaissé. »

« Je ne vois pas en quoi serait diminué l'amour ou l'honneur voué à un Intendant qui renoncerait fidèlement à sa charge, dit Gandalf. En tout cas, vous ne priverez pas votre fils de son choix tandis que sa mort reste incertaine. »

À ces mots, les yeux de Denethor s'enflammèrent de nouveau ; et prenant la Pierre sous son bras, il tira un couteau et s'avança vers le brancard. Mais Beregond bondit et se précipita devant Faramir.

« Eh bien ! s'écria Denethor. Tu avais déjà volé une part de l'amour de mon fils. Maintenant, tu voles aussi les cœurs de mes chevaliers, qui à leur tour me privent entièrement de mon fils. Mais en ceci au moins, tu ne défieras pas ma volonté – décider de ma propre fin.

« Venez çà ! cria-t-il à ses serviteurs. Venez, si vous n'êtes pas tous félons ! » Deux d'entre eux accoururent au sommet des marches. Des mains du premier, il saisit brusquement une torche et s'engouffra à l'intérieur. Avant que Gandalf ne pût l'en empêcher, il jeta le brandon parmi le combustible, qui aussitôt pétilla et s'embrasa avec un grondement.

Lors Denethor sauta sur la table et il s'y tint debout, drapé de flammes et de fumée ; et il prit le bâton de son intendance qui gisait à ses pieds et le brisa sur son genou. Ayant jeté les morceaux au feu, il se pencha et s'étendit sur la table, serrant le *palantír* à deux mains contre sa poitrine. Et l'on dit que dès lors, quiconque regarda dans cette Pierre, à moins d'avoir la volonté pour l'orienter vers d'autres desseins, n'y vit jamais que deux vieilles mains consumées par les flammes.

Gandalf, dans son horreur et son affliction, détourna la tête et referma la porte. Il se tint un moment silencieux sur le seuil, plongé dans quelque réflexion ; les spectateurs pouvaient entendre le grondement avide du feu à l'intérieur. Alors, Denethor poussa un grand cri ; puis il ne parla plus, et il ne fut jamais revu d'aucun mortel.

« Ainsi finit Denethor, fils d'Ecthelion », dit Gandalf. Puis il se tourna vers Beregond et les serviteurs du Seigneur qui se tenaient là, atterrés. « Et ainsi s'achèvent les jours du Gondor que vous avez connu ; pour le bien ou pour le mal, ils sont terminés. De terribles actes ont été commis ici ; mais fasse que toute inimitié soit écartée entre vous, car c'est le fait de l'Ennemi, et elle sert sa volonté. Vous vous êtes pris dans un filet de devoirs contraires que vous n'avez pas tissé. Mais songez, vous autres féaux serviteurs, aveugles dans votre obédience, que n'eût été la trahison de Beregond, Faramir, Capitaine de la Tour Blanche, serait brûlé lui aussi, à présent.

« Portez vos camarades tombés hors de cet endroit funeste. Nous, nous emmènerons Faramir, Intendant du Gondor, dans un lieu où il pourra dormir en paix, ou mourir, si son destin est tel. »

Gandalf et Beregond emportèrent alors le brancard vers les Maisons de Guérison, et Pippin les suivit, la tête basse.

Mais les hommes du Seigneur restèrent comme pétrifiés devant la demeure mortuaire ; et tandis que Gandalf arrivait au bout de Rath Dínen, un grand bruit s'éleva. Regardant en arrière, ils virent le dôme de la maison se fissurer et de la fumée en sortir ; puis, avec un grondement et un fracas de pierre, il s'écroula en un tourbillon d'étincelles ; mais les flammes encore vives continuaient de danser et de trembloter parmi les ruines. Les serviteurs s'enfuirent alors, terrifiés, et coururent rejoindre Gandalf.

Ils finirent par regagner la Porte de l'Intendant, et Beregond regarda le portier d'un air douloureux. « Cet acte me sera toujours odieux, dit-il ; mais j'étais dans une folle hâte, et plutôt que de m'écouter, il a tiré l'épée contre moi. » Il sortit la clef qu'il avait ravie au mort, referma la porte et tourna la serrure. « Il faudrait la remettre au seigneur Faramir », dit-il.

« Le Prince de Dol Amroth a pris le commandement en l'absence du Seigneur, dit Gandalf, mais comme il n'est pas ici, je dois prendre cette décision sur moi. Je vous demanderais de conserver précieusement cette clef, jusqu'à ce que les choses soient remises en ordre. »

Ils passèrent enfin dans les hauts cercles de la Cité et suivirent, à la lumière du matin, le chemin des Maisons de Guérison ; et c'étaient de belles demeures construites à l'écart pour le soin des personnes gravement malades, mais elles devaient à présent accueillir et soigner les blessés et les mourants. Elles se trouvaient non loin de la Porte de la Citadelle, contre le rempart sud du sixième cercle, et elles étaient entourées d'un jardin et d'une pelouse plantée d'arbres, seul endroit semblable dans la Cité. Là demeuraient les quelques femmes qui avaient eu la permission de rester à Minas Tirith, étant au service des guérisseurs ou elles-mêmes versées dans cet art.

Mais au moment où Gandalf et ses compagnons arrivaient avec le brancard à l'entrée principale des Maisons, ils entendirent un grand cri qui semblait monter du champ de bataille devant la Porte : une plainte aiguë et perçante qui, s'élevant dans le ciel, passa, et mourut au vent. Ce cri était si horrible que, pendant un instant, tous restèrent figés sur place ; mais lorsqu'il se fut éteint, leur cœur se gonfla d'un espoir comme ils n'en avaient pas connu depuis que les ténèbres étaient venues de l'Est ; et il leur sembla que la lumière s'éclaircissait et que le soleil perçait les nuages.

Mais le visage de Gandalf était grave et triste, et, priant Beregond et Pippin de transporter Faramir à l'intérieur des Maisons, il monta au sommet des murs tout proches ; et là, comme une image gravée en blanc, il se tint dans le soleil nouveau et regarda au loin. Et de la vue dont il était doué, il vit là-bas tout ce qui s'était passé ; et quand Éomer quitta la tête de son armée pour se tenir auprès des siens, tombés sur le champ de bataille, il soupira, ramena sa cape autour de ses épaules, et s'en fut des remparts. Et Beregond et Pippin, sortant des Maisons, le trouvèrent debout devant la porte, plongé dans ses réflexions.

Ils le regardèrent et, pendant quelque temps, le magicien resta silencieux. Enfin, il se décida à parler. « Mes amis, dit-il, et vous tous, gens de cette cité et des Terres de l'Ouest ! Il vient de se passer des choses d'une grande tristesse, mais aussi d'un grand éclat. Allons-nous pleurer ou nous réjouir ? Contre tout espoir, le Capitaine de nos ennemis a été défait, et vous avez entendu l'écho de son dernier tourment. Mais il n'est pas disparu sans nous causer un grand malheur et une perte immense. J'aurais pu les éviter, n'eût été la folie de Denethor. L'emprise de notre Ennemi est devenue si grande ! Hélas ! mais je vois maintenant par quel moyen sa volonté a pu s'introduire au cœur même de la Cité.

« Les Intendants ont cru que ce secret n'était connu que d'eux-mêmes ; mais j'ai deviné il y a longtemps qu'une des Sept Pierres de Vision au moins était conservée ici, dans la Tour Blanche. Du temps de sa sagesse, Denethor, conscient de ses limites, n'aurait jamais osé s'en servir pour défier Sauron. Mais la sagesse lui a fait défaut ; et je crains que, devant le péril grandissant de son royaume, il n'ait regardé dans la Pierre et qu'elle ne l'ait floué : bien trop souvent, ai-je raison de croire, depuis que Boromir est parti. Un homme de sa stature ne pouvait être soumis à la volonté du Pouvoir Noir ; n'empêche qu'il voyait seulement ce que ce Pouvoir souhaitait lui montrer. Nul doute que les renseignements ainsi obtenus lui ont souvent été utiles ; mais la vision de la toute-puissance du Mordor qui s'offrait à sa vue alimentait son désespoir, jusqu'à lui faire perdre l'esprit. »

« Maintenant je comprends ce qui m'avait paru si étrange ! dit Pippin, et ce souvenir le fit frissonner. Le Seigneur avait quitté la pièce où Faramir était étendu ; et ce n'est qu'à son retour que je l'ai trouvé changé. Vieux et brisé, je me suis dit. »

« Peu après que Faramir eut été emmené dans la Tour, beaucoup d'entre nous ont vu une étrange lueur s'échapper des plus hautes fenêtres, dit Beregond. Mais nous l'avions aperçue avant, et le bruit a longtemps couru dans la Cité, disant que le Seigneur montait parfois à sa chambre haute pour lutter en pensée avec son Ennemi. »

« Hélas ! j'ai donc deviné juste, dit Gandalf. Voilà comment la volonté de Sauron est entrée à Minas Tirith ; et voilà pourquoi j'ai été retenu ici. Et ici je devrai rester, car d'autres seront bientôt sous ma charge, en plus de Faramir.

« Il me faut à présent descendre à la rencontre de ceux qui viennent à nous. J'ai vu, sur le champ de bataille, un spectacle qui m'a beaucoup affligé ; et d'autres malheurs pourraient encore survenir. Suivez-moi, Pippin ! Quant à vous, Beregond, vous feriez mieux de rentrer à la Citadelle et de raconter au chef de la Garde ce qui s'est passé. Il sera de son devoir, j'en ai peur, de vous relever de vos fonctions ; mais dites-lui que, si je puis lui donner conseil, le mieux serait de vous envoyer aux Maisons de Guérison, au chevet de votre capitaine, afin que vous puissiez le protéger et le servir, et être à ses côtés quand il se réveillera – s'il se réveille un jour. Car, grâce à vous, il a été sauvé du feu. Maintenant, partez ! Je reviendrai bientôt. »

Sur ce, il se détourna et descendit avec Pippin dans la Cité. Et comme ils se hâtaient vers les cercles inférieurs, le vent amena une pluie grise, et tous les feux baissèrent, et une grande fumée s'éleva devant eux.

8

Les Maisons de Guérison

Une brume de larmes et de fatigue voilait les yeux de Merry, tandis qu'ils approchaient des décombres de la Porte de Minas Tirith. Il ne prêtait guère attention à la dévastation et au massacre qui les entouraient. Du feu, de la fumée et des relents montaient dans l'air ; car de nombreux engins avaient été brûlés ou précipités dans les tranchées de feu, ainsi que bon nombre des tués, tandis que gisaient çà et là les carcasses des grands monstres des Sudrons, à demi brûlés, lapidés, ou encore abattus d'une flèche dans l'œil par les vaillants archers du Morthond. La pluie soudaine avait cessé pour le moment, et le soleil perçait le ciel ; mais toute la cité inférieure restait enveloppée dans la vapeur noire des feux agonisants.

Déjà, des hommes s'employaient à ouvrir un passage à travers les débris de la bataille ; et certains, venus de la Porte, apportaient maintenant des civières. Éowyn fut soigneusement déposée sur des coussins moelleux ; mais le corps du roi fut recouvert d'un grand drap d'or : des hommes portaient autour de lui des torches dont la flamme, pâle dans le soleil, papillonnait au vent.

Théoden et Éowyn entrèrent ainsi dans la Cité du Gondor, et tous ceux qui les virent se découvrirent et s'inclinèrent; mais ils passèrent à travers les cendres et la fumée du cercle incendié et poursuivirent leur ascension le long des rues de pierre. La montée parut une éternité aux yeux de Merry, une marche insensée à travers un rêve odieux qui n'en finissait plus, tendant vers quelque sombre fin insaisissable par la mémoire.

Peu à peu, la lumière des torches devant lui vacilla et s'éteignit; il marchait dans les ténèbres, et il se dit : « Ce tunnel mène à un tombeau; nous y demeurerons pour toujours. » Mais soudain, une voix vivante s'immisça dans son rêve.

« Ah, Merry! Heureusement, je te retrouve! »

Il leva la tête, et la brume qui troublait son regard se dissipa quelque peu. Pippin était là! Ils se trouvaient face à face au milieu d'une étroite rue, et, sauf pour eux-mêmes, elle était vide. Il se frotta les yeux.

« Où est le roi? demanda-t-il. Et Éowyn? » Alors il trébucha, et il s'assit sur le pas d'une porte et recommença à pleurer.

« Ils sont montés à la Citadelle, dit Pippin. Je crois que tu as dû t'endormir sur tes jambes et prendre un mauvais tournant. Quand nous avons vu que tu n'étais pas avec eux, Gandalf m'a envoyé à ta recherche. Mon pauvre vieux! Je suis si content de te revoir! Mais tu es épuisé, et je ne te fatiguerai pas avec mes questions. Dis-moi tout de même : as-tu mal? Es-tu blessé? »

« Non, dit Merry. Enfin, non, je ne pense pas. Mais je ne peux plus me servir de mon bras droit, Pippin, pas depuis que je l'ai frappé. Et mon épée est tombée en cendres comme un morceau de bois. »

Pippin le dévisagea d'un air anxieux. « Eh bien, tu ferais mieux de venir avec moi aussi vite que tu le peux, dit-il. J'aimerais pouvoir te porter. Tu n'es plus en état de marcher. Ils n'auraient pas dû te laisser marcher du tout; mais tu dois leur pardonner. Il s'est passé tant de choses horribles dans la Cité, Merry, qu'il est facile de ne pas remarquer un pauvre hobbit rentrant tout seul de la bataille. »

« Il est parfois bon de passer inaperçu, dit Merry. C'est ce qui m'est arrivé tout à l'heure quand… non, non, je ne peux pas en parler. Aide-moi, Pippin ! Tout redevient sombre, et mon bras est si froid. »

« Appuie-toi sur moi, mon gars ! dit Pippin. Allons, Merry ! Un pied à la fois. Ce n'est pas loin. »

« Vas-tu m'enterrer ? » demanda Merry.

« Certes non ! » dit Pippin, affectant la bonne humeur ; mais son cœur était lourd de crainte et de pitié. « Non, nous allons aux Maisons de Guérison. »

Ils quittèrent la ruelle, emprisonnée entre de hautes maisons et le mur extérieur du quatrième cercle, et regagnèrent la grand-rue menant à la Citadelle, qu'ils gravirent pas à pas. Merry vacillait et marmonnait comme un somnambule.

« On n'y arrivera jamais, pensa Pippin. N'y a-t-il personne pour m'aider ? Je ne peux pas le laisser ici. » Mais à sa surprise, un garçon vint en courant derrière lui ; et comme il les dépassait, Pippin reconnut Bergil fils de Beregond.

« Hé, Bergil ! appela-t-il. Où vas-tu ? Content de te retrouver sain et sauf ! »

« Je fais des commissions pour les Guérisseurs, dit Bergil. Je ne peux pas rester. »

« Non ! dit Pippin. Mais dis-leur que j'ai ici un hobbit malade, un *perian*, tu vois, rescapé de la bataille. Je ne pense pas pouvoir le faire marcher jusqu'en haut. Si Mithrandir est là-bas, il sera content de ton message. » Bergil repartit en courant.

« Je ferais mieux d'attendre ici », se dit Pippin. Il laissa lentement glisser Merry sur le pavement, dans un carré de soleil ; puis s'assit à côté de lui, posant la tête de son compagnon dans son giron. Il lui tâta doucement le corps et les membres, et il prit sa main dans la sienne. Elle lui parut glaciale.

Il ne fallut pas longtemps avant que Gandalf vînt lui-même à leur recherche. Il se pencha sur Merry et lui caressa le front ; puis il le souleva avec délicatesse. « Il aurait dû être porté avec honneur dans cette cité, dit-il. Il m'a bien rendu ma confiance ; car si Elrond n'avait pas cédé à ma prière, aucun de vous deux ne serait venu, et le malheur de cette journée eût été beaucoup plus grand. » Il soupira. « Mais me voilà avec un autre malade sur les bras, pendant que le sort de la bataille se décide. »

Ainsi, Faramir, Éowyn et Meriadoc trouvèrent enfin un lit dans les Maisons de Guérison ; et ils y furent bien soignés. Car bien que tous les savoirs fussent alors déchus de leur plénitude d'autrefois, la médecine du Gondor n'en demeurait pas moins savante, apte à guérir les maux et les blessures, et toutes les affections auxquelles les mortels étaient sujets, à l'est de la Mer. Toutes, hormis la vieillesse. À cela, ils n'avaient encore trouvé aucun remède ; et de fait, la longévité des Gondoriens ne dépassait guère plus désormais celle des autres hommes, et ceux d'entre eux qui passaient la centaine avec quelque vigueur se faisaient rares, sauf dans les maisons de plus pur lignage. Mais à présent, leur science et leur art leur faisaient défaut ; car nombre d'entre eux souffraient d'un mal qui ne pouvait se guérir ; et ils appelaient cela l'Ombre Noire, car ce mal venait des Nazgûl. Et ceux qui en étaient atteints s'abî-maient lentement dans un rêve toujours plus profond, bientôt livrés au silence et à un froid mortel, et enfin à la mort. Et aux yeux de ceux qui les soignaient, il semblait que ce mal pesait lourdement sur le Demi-Homme et la Dame du Rohan. Mais alors que la matinée tirait à sa fin, les malades parlaient encore par moments, murmurant dans leurs rêves; et les veilleurs écoutaient tout ce qu'ils disaient, espérant découvrir quelque chose qui les aiderait à comprendre leurs maux. Mais bientôt, ils commencèrent à succomber aux ténèbres, et à mesure que le soleil passait à l'ouest, une ombre grise s'étendit sur leur visage. Faramir, lui, brûlait d'une fièvre qui refusait de s'apaiser.

Gandalf allait de l'un à l'autre, plein de sollicitude, et les veilleurs lui rapportaient la moindre des paroles enten-dues. Ainsi les heures passèrent, tandis qu'au-dehors la grande bataille se poursuivait, faite d'espoirs changeants et d'étranges nouvelles; et Gandalf ne sortait toujours pas mais continuait d'attendre, jusqu'à ce qu'enfin le couchant empourprât le ciel tout entier, et que sa lueur tombât au travers des fenêtres sur les traits grisâtres des malades. Alors, il sembla que cette lueur redonnait un peu de couleur à leurs visages, comme s'ils revenaient à la santé; mais ce n'était qu'un semblant d'espoir.

Puis une vieille femme, Ioreth, la doyenne des servantes de cette maison, contemplant le beau visage de Faramir, laissa couler ses larmes, car tous les gens du peuple l'ai-maient. Et elle dit : « Hélas ! s'il devait mourir. Plût au ciel que le Gondor ait encore des rois, comme au temps jadis, à ce qu'on dit ! Car il est dit dans la tradition ancienne : *Les mains du roi sont celles d'un guérisseur.* À cela seulement pouvait-on reconnaître le roi légitime. »

Et Gandalf, qui se tenait tout près, dit : « Les hommes pourraient se rappeler longtemps vos paroles, Ioreth ! Car elles sont porteuses d'espoir. Il se pourrait en effet qu'un roi soit revenu au Gondor... ou n'avez-vous pas entendu les étranges nouvelles parvenues dans la Cité ? »

« J'ai été trop occupée ici et là pour m'arrêter aux cris et aux clameurs, répondit-elle. Tout ce que j'espère, c'est que ces diables d'assassins ne viendront pas troubler les malades jusque dans cette Maison. »

Alors Gandalf sortit en hâte. Déjà, l'incendie du ciel s'éteignait, les collines fumantes s'estompaient, tandis que le soir d'un gris de cendre se répandait sur les champs.

Or, comme le soleil baissait, Aragorn, Éomer et Imrahil se dirigeaient vers la Cité, entourés de leurs chevaliers et capitaines ; et quand ils furent devant la Porte, Aragorn dit :

« Voyez le Soleil qui se couche dans un grand incendie ! C'est le signe que bien des choses ont péri ou se sont achevées, et celui d'un changement dans les fortunes du monde. Mais cette Cité et ce royaume ont été la charge des Intendants pendant maintes longues années, et je crains, en y entrant sans être invité, de semer le doute et la discorde, ce qu'il faut éviter tant que durera cette guerre. Je n'entrerai pas et ne réclamerai rien avant que nous sachions qui prévaudra, de nous ou du Mordor. On dressera mes tentes sur le champ de bataille, où j'attendrai d'être accueilli par le Seigneur de la Cité. »

Mais Éomer dit : « Vous avez déjà hissé la bannière des Rois et dévoilé les emblèmes de la Maison d'Elendil. Souffrirez-vous qu'ils soient contestés ? »

« Non, dit Aragorn. Mais j'estime que le temps n'est pas

mûr ; et je ne veux de querelle d'aucune sorte, sauf avec l'Ennemi et ses serviteurs. »

Et le prince Imrahil dit : « Voilà de sages paroles, seigneur, si un parent du seigneur Denethor peut se permettre de vous conseiller en cette matière. Il est fier et résolu, mais il est âgé ; et son humeur est plus qu'étrange depuis que son fils a été blessé. Mais je ne voudrais pas vous voir attendre comme un mendiant à la porte. »

« Non pas un mendiant, dit Aragorn. Dites plutôt un capitaine des Coureurs, si peu accoutumés aux cités et aux maisons de pierre. » Et il ordonna que sa bannière soit repliée ; et il se défit de l'Étoile du Royaume du Nord, la confiant à la garde des fils d'Elrond.

Le prince Imrahil et Éomer du Rohan prirent alors congé de lui, et, traversant la Cité et le tumulte du peuple, ils montèrent à la Citadelle ; et ils gagnèrent la Salle de la Tour à la recherche de l'Intendant. Mais ils trouvèrent son fauteuil vide ; et devant l'estrade gisait Théoden Roi de la Marche sur un lit de parade, et douze torches se dressaient autour, ainsi que douze gardes, des chevaliers, tant du Rohan que du Gondor. Et les tentures de son lit étaient de vert et de blanc, mais un grand drap d'or le recouvrait jusqu'au torse, sur lequel était posée son épée nue, et son bouclier était à ses pieds. À la lueur des flambeaux, sa chevelure blanche miroitait comme la bruine d'une fontaine au soleil, mais son visage était beau et jeune, bien que s'y reflétât une paix inaccessible à la jeunesse ; et on eût dit qu'il dormait.

Quand ils eurent observé un moment de silence auprès du roi, Imrahil dit : « Où est l'Intendant ? Et Mithrandir, où est-il ? »

Et l'un des gardes répondit : « L'Intendant du Gondor est aux Maisons de Guérison. »

Mais Éomer dit : « Où est la dame Éowyn, ma sœur ? Car assurément, sa place est aux côtés du roi, et autant d'honneur lui est dû. Où l'ont-ils mise ? »

Et Imrahil dit : « Mais la dame Éowyn vivait encore quand elle fut transportée ici. Ne le saviez-vous pas ? »

Alors, un espoir inattendu surgit si soudainement dans le cœur d'Éomer, et du même coup la morsure du souci et d'une crainte ravivée, qu'il ne dit plus un mot, mais se retourna et quitta la salle d'un pas vif ; et le Prince le suivit. Au-dehors, le soir était tombé, et de nombreuses étoiles étaient dans le ciel. Gandalf arrivait à pied avec un compagnon enveloppé dans un manteau gris ; et ils le rencontrèrent devant les portes des Maisons de Guérison. Et ils saluèrent Gandalf et dirent : « Nous cherchons l'Intendant, et on nous apprend qu'il est dans cette Maison. Aurait-il été blessé ? Et la dame Éowyn, où est-elle ? »

Et Gandalf répondit : « Elle gît céans et n'est pas morte, mais elle est mourante. Quant au seigneur Faramir, il a reçu un trait de l'ennemi, comme vous le savez, mais c'est lui l'Intendant, désormais ; car Denethor a quitté ce monde, et sa maison est en cendres. » Et le récit que leur fit Gandalf les laissa profondément chagrinés et stupéfaits.

Mais Imrahil dit : « Ainsi, point d'allégresse dans la victoire, mais une victoire au goût amer, si en un jour le Gondor et le Rohan sont tous deux dépossédés de leur seigneur. Éomer dirige les Rohirrim. Qui dirigera la Cité entre-temps ? N'est-il pas temps de mander le seigneur Aragorn ? »

Et l'homme au manteau prit la parole et dit : « Il est venu. » Et comme il s'avançait à la lumière de la lanterne près de la porte, ils virent que c'était Aragorn, revêtu de la cape grise de Lórien par-dessus son haubert, et sans autre insigne que la pierre verte de Galadriel. « Je suis venu parce que Gandalf m'a prié de venir, dit-il. Pour l'heure, cependant, je reste le Capitaine des Dúnedain de l'Arnor ; et le Seigneur de Dol Amroth gouvernera la Cité jusqu'à ce que Faramir se réveille. Mais mon conseil est que tous s'en remettent à l'autorité de Gandalf dans les jours qui suivront, et dans nos rapports avec l'Ennemi. » Et tous se mirent d'accord là-dessus.

Puis Gandalf dit : « Ne restons pas à la porte, car le temps presse. Entrons ! Puisque la venue d'Aragorn est désormais le seul espoir pour les malades dans cette Maison. Ainsi parla Ioreth, sage matrone du Gondor : *Les mains du roi sont celles d'un guérisseur ; à cela pourra-t-on reconnaître le roi légitime.* »

Aragorn entra le premier et les autres suivirent. Deux gardes se tenaient à la porte dans la livrée de la Citadelle : l'un était grand, mais l'autre avait à peine la taille d'un garçon ; et sitôt qu'il les vit, il s'écria de joie et de surprise.

« L'Arpenteur ! Comme c'est merveilleux ! Me croirez-vous, j'ai su que c'était vous dans les navires noirs. Mais tout le monde criait que c'étaient les corsaires, sans vouloir m'écouter. Comment avez-vous fait ? »

Aragorn rit, et il prit le hobbit par la main. « Heureuse rencontre, certes ! dit-il. Mais il n'y a pas le temps pour les récits de voyageurs. »

Lors Imrahil dit à Éomer : « En use-t-on ainsi avec nos rois ? Mais peut-être prendra-t-il la couronne sous un autre nom ! »

Et Aragorn, l'entendant, se retourna et dit : « Précisément, car dans la langue haute de jadis, je suis *Elessar*, la Pierre-elfe, et *Envinyatar*, le Renouveleur » ; et il souleva de sa poitrine la pierre verte qui y reposait. « Mais ma maison sera celle de l'Arpenteur, si jamais elle voit le jour. Dans la langue haute, cela ne sonnera pas si mal, et je serai *Telcontar* comme tous ceux issus de ma personne. »

Sur ce, ils passèrent à l'intérieur ; et tandis qu'ils se dirigeaient vers les chambres où étaient soignés les malades, Gandalf raconta les exploits d'Éowyn et de Meriadoc. « Car, dit-il, je suis resté longtemps à leur chevet, et au début, ils parlaient beaucoup dans leurs rêves, avant de sombrer dans ces ténèbres mortelles. Il m'est aussi donné de voir bien des choses de loin. »

Aragorn alla d'abord au chevet de Faramir, puis d'Éowyn, et enfin de Merry. Après avoir étudié le visage des malades et constaté leurs maux, il soupira. « Il me faudra ici employer tout le pouvoir et l'habileté dont je suis doué, dit-il. Ah ! si seulement Elrond était ici ; car c'est l'aîné de toute notre race, et il détient le plus grand pouvoir. »

Et Éomer, le voyant en même temps triste et las, lui dit : « Assurément, vous devriez d'abord vous reposer, ou du moins prendre quelque nourriture ? »

Mais Aragorn répondit : « Non ; car pour ces trois-là, et pour Faramir surtout, il ne reste que très peu de temps. Il faut agir sans tarder. »

Il appela alors Ioreth et lui demanda : « Vous avez provision des herbes guérisseuses, ici dans cette Maison ? »

« Oui, seigneur, répondit-elle ; mais pas pour tous ceux qui en auront besoin, si vous voulez mon avis. Mais pour sûr, je ne vois pas où nous pourrions en trouver davantage ; car toutes choses viennent à manquer en ces jours affreux, avec tous les feux et les incendies, et les garçons de courses qui se font rares, et toutes nos routes qui sont bloquées. Ma foi, on ne compte plus les jours depuis qu'un seul voiturier du Lossarnach s'est présenté au marché ! Mais dans cette Maison, on fait ce qu'on peut avec ce qu'on a, comme votre seigneurie ne peut manquer de le savoir. »

« Je jugerai de cela quand j'aurai vu, dit Aragorn. Mais autre chose manque, le temps pour parler. Avez-vous ici de l'*athelas* ? »

« Pour sûr, je n'en sais rien, seigneur, répondit-elle ; du moins pas sous ce nom-là. Je vais aller demander au maître herboriste : il connaît tous les noms anciens. »

« Elle se nomme également *feuille au roi*, dit Aragorn ; peut-être la connaissez-vous sous ce nom, car c'est ainsi qu'on l'appelle de nos jours dans les campagnes. »

« Oh, je vois ! dit Ioreth. Eh bien, si vous l'aviez dit d'entrée, j'aurais pu renseigner votre seigneurie. Non, nous n'en avons pas, pour sûr. Ma foi, je n'ai jamais entendu dire qu'elle eût une quelconque vertu ; en fait, je disais souvent à mes sœurs quand nous en trouvions dans les bois : "Feuille au roi, que je disais, c'est-y pas étrange comme nom ; je me demande pourquoi c'est ainsi qu'on l'appelle, car si j'étais roi, j'aurais des plantes plus éclatantes dans mon jardin." Mais elle a une douce odeur quand on l'écrase, n'est-il pas vrai ? Douce n'est pas le mot : saine serait plus juste, peut-être. »

« Saine, précisément, dit Aragorn. Et maintenant, ma chère dame, si vous aimez le seigneur Faramir, courez aussi vite que votre langue et trouvez-moi de la feuille au roi, s'il y en a une seule dans la Cité. »

« Et sinon, dit Gandalf, je chevaucherai au Lossarnach, prenant Ioreth derrière moi, et elle me conduira dans les bois, mais pas chez ses sœurs. Et Scadufax lui enseignera la hâte. »

Ioreth partie, Aragorn pria les autres femmes de faire chauffer de l'eau. Puis il serra la main de Faramir dans la sienne, et il posa son autre main sur le front du malade, trempé de sueur. Mais Faramir ne bougea pas et ne fit aucun signe : il semblait à peine respirer.

« Il est presque à bout, dit Aragorn en se tournant vers Gandalf. Mais cela ne vient pas de la blessure. Voyez ! elle se cicatrise. S'il avait été atteint de quelque trait des Nazgûl, comme vous l'avez cru, il serait mort dans la nuit. Cette blessure a dû lui être infligée par une flèche des Sudrons, je suppose. Qui l'a retirée ? L'a-t-on gardée ? »

« C'est moi qui l'ai fait, dit Imrahil, et j'ai étanché le sang. Mais je ne l'ai pas conservée, car nous avions beaucoup à faire. C'était, si mes souvenirs sont bons, une flèche exactement semblable à celles qu'utilisent les Sudrons. Mais j'ai cru qu'elle venait des Ombres d'en haut, sans quoi sa blessure et son mal étaient incompréhensibles ; car la blessure n'est pas profonde, ni vitale. Comment donc l'expliquez-vous ? »

« La fatigue, la peine causée par l'humeur de son père, une blessure et, par-dessus tout, le Souffle Noir, dit Aragorn. C'est un homme d'une volonté implacable, car il avait déjà côtoyé l'Ombre de très près, avant même de chevaucher à la défense des murs extérieurs. Les ténèbres ont dû le gagner peu à peu alors qu'il se battait, tentant de conserver son avant-poste. Ah ! si seulement j'étais arrivé plus tôt ! »

Le maître herboriste entra sur ces entrefaites. « Votre seigneurie a demandé de la *feuille au roi*, comme disent les ruraux, dit-il ; *athelas* dans la langue noble ou, pour qui s'entend un peu au valinoréen… »

« C'est mon cas, dit Aragorn, et peu m'importe que vous disiez *asëa aranion* ou *feuille au roi*, pourvu que vous en ayez. »

« Je vous demande pardon, seigneur ! dit l'homme. Je vois que vous êtes maître en tradition, non un simple capitaine de guerre. Mais hélas ! messire, cette chose n'est pas conservée dans les Maisons de Guérison, où seules sont soignées les personnes grièvement blessées ou malades. Car nous ne lui connaissons aucune vertu, sinon celle de rafraîchir un air vicié, ou d'écarter quelque lourdeur passagère. À moins, bien sûr, que vous n'attachiez de l'importance aux poésies de l'ancien temps, que les femmes comme notre chère Ioreth répètent encore sans comprendre.

> *Quand vient le souffle noir,*
> *que croît l'ombre de mort,*
> *que toute lumière passe,*
> *viens* athelas *! viens* athelas *!*
> *Vie pour ceux qui se meurent*
> *dans la main du roi guérisseur.*

« De la rimaille, je le crains, corrompue dans les mémoires de bonne femme. Je vous laisse juge de sa signification, si tant est qu'il y en ait une. Mais les vieilles gens se servent encore d'infusions de cette herbe contre les maux de tête. »

« Eh bien, au nom du roi, trouvez-moi un vieillard de moindre érudition et de plus grande sagesse qui en garde dans sa maison ! » s'écria Gandalf.

Aragorn s'agenouilla alors auprès de Faramir et posa une main sur son front; et les observateurs sentirent qu'une formidable lutte était en train de se jouer. Car le visage d'Aragorn devint gris de fatigue; et de loin en loin, il appelait le nom de Faramir, mais ses appels se faisaient toujours plus faibles à leur ouïe, comme si Aragorn lui-même s'éloignait d'eux, marchant dans quelque vallée lointaine et ténébreuse, appelant une âme égarée.

Enfin, Bergil arriva en courant avec six feuilles enveloppées dans un linge. « De la feuille au roi, m'sieur, dit-il; mais pas très fraîche, j'en ai peur. Elle a dû être cueillie il y a deux semaines au moins. J'espère qu'elle servira à quelque chose, m'sieur ? » Puis, regardant Faramir, il fondit en larmes.

Mais Aragorn sourit. « Elle servira, dit-il. Le pire est derrière nous, maintenant. Reste ici et console-toi ! » Il prit alors deux feuilles, qu'il déposa dans ses mains, puis il souffla dessus et les écrasa; et d'emblée, une fraîcheur vivifiante embauma toute la pièce, comme si l'air même s'éveillait et picotait, pétillant de joie. Alors, il jeta les feuilles dans les bols d'eau fumante qu'on lui avait apportés, et tous les cœurs aussitôt s'apaisèrent. Car le parfum qui vint à chacun était comme le souvenir de matins humides de rosée et gorgés de soleil, dans un pays où la beauté printanière du monde n'est elle-même qu'un souvenir fugitif. Mais Aragorn se leva comme revigoré, et ses yeux souriaient tandis qu'il tenait l'un des bols devant le visage de Faramir, tout enveloppé de rêves.

« Eh bien ! Qui l'eût cru ? dit Ioreth à une femme qui se tenait à côté d'elle. Cette plante est moins méchante que je ne le pensais. Ça me rappelle les roses d'Imloth Melui, quand j'étais fille, et aucun roi ne pourrait demander mieux. »

Soudain, Faramir remua et ouvrit les yeux. Il vit alors Aragorn qui était penché sur lui ; et une lueur de récognition et d'amour s'alluma dans son regard, et il parla doucement. « Monseigneur, vous m'avez appelé. Je viens. Que demande le roi ? »

« Cessez de marcher parmi les ombres. Réveillez-vous ! dit Aragorn. Vous êtes las. Reposez-vous un peu, prenez quelque nourriture, et soyez prêt quand je reviendrai. »

« Je le serai, seigneur, dit Faramir. Car qui voudrait rester couché, alors que le roi est de retour ? »

« Au revoir, donc, et à bientôt ! dit Aragorn. Je dois aller à d'autres qui ont besoin de moi. » Et il quitta la chambre avec Gandalf et Imrahil ; mais Beregond et son fils restèrent à son chevet, incapables de contenir leur joie. Sortant derrière Gandalf et refermant la porte, Pippin entendit Ioreth s'exclamer :

« Le roi ! As-tu entendu cela ? Les mains d'un guérisseur, c'est bien ce que je disais. » Et la nouvelle ne tarda pas à se répandre hors de la Maison, disant que le roi était bel et bien parmi eux, et qu'après avoir livré la guerre il apportait la guérison ; et le bruit courut à travers la Cité.

Mais Aragorn vint auprès d'Éowyn et dit : « Il y a ici une blessure grave et un coup violent. Le bras cassé n'aurait pu être mieux soigné, et il guérira avec le temps, si elle a encore la force de vivre. C'est le bras qui portait l'écu qui est blessé ; mais le plus grand mal vient du bras qui tenait l'épée. Il paraît sans vie, à présent, même s'il est indemne.

« Hélas ! Car elle fut confrontée à un adversaire au-delà de ce que pouvaient endurer son corps et son esprit. Et ceux qui s'avisent de tourner leur arme contre pareil ennemi devront être plus durs que l'acier, si le choc seul ne suffit pas à les anéantir. C'est un destin funeste qui la plaça sur son chemin. Car c'est une belle et jeune femme, la plus belle d'une maison de reines. Et pourtant, je ne sais trop comment parler d'elle. Quand je la vis pour la première fois et que je perçus sa tristesse, j'eus l'impression d'être devant une fleur blanche, fière et droite, gracieuse comme le lis ; mais je la savais dure, comme l'acier ouvré par les forgerons elfes. Ou était-ce, peut-être, un gel qui en avait glacé la sève, et se tenait-elle ainsi, douce-amère, encore belle à voir, mais souffrante, près de s'étioler et de mourir ? Son mal ne date pas d'aujourd'hui, bien au contraire, n'est-il pas vrai, Éomer ? »

« Je m'étonne que vous me posiez la question, seigneur, répondit-il. Car si je vous juge sans blâme en cette affaire comme en toute autre, je ne sache pas qu'Éowyn ma sœur ait été frappée d'aucun gel, avant d'avoir posé les yeux sur vous. Le souci et la peur, tels étaient ses maux, qu'elle partageait avec moi, à l'époque de Langue de Serpent et de l'ensorcellement du roi ; et elle veillait sur lui dans une peur croissante. Mais rien qui pût la conduire à cette extrémité ! »

« Mon bon ami, dit Gandalf, vous aviez vos chevaux, vos faits d'armes et vos vastes prairies ; mais elle, née dans le corps d'une femme, avait une force d'âme et de caractère au moins égale à la vôtre. Elle dut pourtant s'astreindre à servir un vieillard, qu'elle aimait comme un père, et le voir sombrer dans un gâtisme aussi vil que déshonorant ; et ce rôle lui paraissait encore plus ignoble que celui du bâton sur lequel il s'appuyait.

« Croyez-vous que Langue de Serpent n'ait eu de poison que pour les oreilles de Théoden ? *Vieux gâteux ! Qu'est-ce que la maison d'Eorl sinon une grange couverte de chaume où des bandits trinquent dans le relent, pendant que leur marmaille se roule sur le sol parmi leurs chiens ?* N'avez-vous pas déjà entendu ces mots ? Saruman les a prononcés, le maître de Langue de Serpent. Même si je ne doute pas que l'élève, de retour chez lui, en ait enrobé la substance dans des termes plus roués. Monseigneur, si l'amour de votre sœur à votre égard, et sa volonté encore attachée au devoir ne lui avaient cousu les lèvres, vous auriez pu entendre ces mêmes mots s'en échapper. Mais qui sait ce qu'elle confiait aux ténèbres, seule, pendant les longues veilles de la nuit, quand toute sa vie semblait s'étriquer, et les murs de sa retraite se refermer sur elle, tel un clapier réservé à quelque bête sauvage ? »

Alors Éomer resta silencieux, et il contempla sa sœur, comme s'il était à reconsidérer tous les jours de leur vie passée ensemble. Mais Aragorn dit : « J'ai vu aussi ce que vous avez vu, Éomer. Peu de chagrins, parmi les infortunes de ce monde, peuvent semer autant d'amertume et de honte dans le cœur d'un homme, que celui d'être aimé par une femme aussi valeureuse et belle sans pouvoir rendre son amour. La pitié et la tristesse n'ont cessé de me suivre, depuis que je la laissai au désespoir à Dunhart pour m'engager sur les Chemins des Morts ; et aucune peur sur cette route ne fut aussi présente que la crainte de ce qui pouvait lui arriver. Mais croyez-moi, Éomer, quand je vous dis qu'elle vous aime d'un amour plus vrai que celui qu'elle me porte ; car elle vous aime et vous connaît, alors qu'elle n'aime en moi qu'une ombre et une idée : une promesse de gloire et de hauts faits, et de terres loin des champs du Rohan.

« J'ai, peut-être, le pouvoir de guérir son corps et de la rappeler du sein de la vallée ténébreuse. Mais à quoi elle s'éveillera, à l'espoir, à l'oubli ou au désespoir, je ne puis le dire. Et si c'est au désespoir, alors elle mourra, à moins que vienne une autre guérison que je ne puis lui apporter. Hélas ! car ses exploits l'ont portée au rang des plus grandes reines. »

Alors, Aragorn se pencha sur elle et scruta son visage, et celui-ci était en vérité d'un blanc de lis, d'un froid de givre et d'une dureté de pierre, telle une image gravée. Mais Aragorn se courba et lui baisa le front, et il l'appela doucement, disant :

« Éowyn fille d'Éomund, réveillez-vous ! Car votre ennemi est mort ! »

Elle ne remua pas, mais sa respiration se fit plus ample, de sorte que sa poitrine s'élevait et retombait sous le drap de lin blanc. Aragorn écrasa deux nouvelles feuilles d'*athelas* et les jeta dans l'eau fumante ; et il lui baigna le front de cette eau, ainsi que le bras droit, lequel gisait, froid et inerte, sur le couvre-lit.

Peut-être Aragorn détenait-il en vérité un pouvoir de l'Occidentale désormais oublié, ou peut-être étaient-ce seulement ses paroles à l'endroit de la dame Éowyn qui agissaient sur eux ; mais tandis que la douce influence de l'herbe se répandait dans la pièce, il sembla aux spectateurs qu'un vent pénétrant soufflait par la fenêtre, et qu'il n'avait pas d'odeur : c'était un air tout à fait frais, et pur, et jeune, comme si aucun être vivant ne l'avait encore respiré, un air neuf venu du sommet de montagnes neigeuses sous un dôme d'étoiles, ou de rivages argentés au loin, baignés par une mer d'écume.

« Réveillez-vous, Éowyn, Dame du Rohan ! répéta Aragorn ;

et il prit sa main droite dans la sienne et la sentit reprendre chaleur et vie. Réveillez-vous ! L'ombre est partie et toutes ténèbres sont lavées ! » Alors, il plaça la main de la jeune femme dans celle d'Éomer et s'éloigna. « Appelez-la ! », dit-il, et il passa silencieusement hors de la chambre.

« Éowyn, Éowyn ! » cria Éomer au milieu de ses larmes. Mais elle ouvrit les yeux et dit : « Éomer ! Quelle est cette joie ? Car ils disaient que tu étais mort. Non, non, ce n'étaient que les voix sombres dans mon rêve. Combien de temps ai-je rêvé ? »

« Pas longtemps, chère sœur, dit Éomer. Mais n'y pense plus ! »

« Je ressens une étrange fatigue, dit-elle. Je dois me reposer un peu. Mais dis-moi, qu'en est-il du Seigneur de la Marche ? Hélas ! Ne me dis pas que c'était un rêve cela aussi ; car je sais bien que non. Il est mort comme il l'avait pressenti. »

« Il est mort, dit Éomer, mais il m'a prié de dire adieu à Éowyn, fille bien-aimée, plus chère qu'à un père. Il repose en grand honneur dans la Citadelle du Gondor. »

« Voilà qui est affligeant, dit-elle. Mais c'est aussi un bien, plus grand que tout ce que j'osai espérer lors des jours sombres, quand l'honneur de la Maison d'Eorl semblait déchu en deçà d'une cabane de berger. Et qu'en est-il de l'écuyer du roi, le Demi-Homme ? Éomer, tu en feras un chevalier du Riddermark, car il est vaillant ! »

« Il repose non loin dans cette Maison, et je vais aller le voir, dit Gandalf. Éomer restera ici un moment. Mais oubliez les malheurs et la guerre jusqu'à ce vous soyez tout à fait guérie. C'est une grande joie de vous voir renaître à la santé et à l'espoir, une si vaillante dame ! »

« À la santé ? dit Éowyn. Cela se peut. Du moins, tant qu'il y aura un Cavalier tombé pour me laisser une selle vide, et des faits d'armes à accomplir. Mais à l'espoir ? Je ne sais pas. »

Gandalf et Pippin arrivèrent à la chambre de Merry, et ils trouvèrent Aragorn debout à côté du lit. « Pauvre vieux ! » s'écria Pippin, et il courut à son chevet ; car il lui semblait que Merry avait encore plus mauvaise mine, que son visage était plombé de gris, comme sous le poids de nombreuses années de chagrin ; et une peur le saisit tout à coup, car il crut que Merry allait mourir.

« Ne craignez rien, dit Aragorn. Je suis venu à temps, et je l'ai rappelé à nous. Il est fatigué, à présent, et en peine, et il a reçu une blessure comme celle de la dame Éowyn en osant frapper cet ennemi mortel. Mais ces maux peuvent s'amender, car c'est une âme courageuse et pleine de gaieté. Il n'oubliera pas sa peine ; mais plutôt que d'assombrir son cœur, elle lui apprendra la sagesse. »

Alors, Aragorn posa une main sur la tête de Merry, et, la passant doucement à travers ses boucles brunes, il effleura ses paupières et l'appela par son nom. Et quand l'odeur d'*athelas* envahit la pièce, comme une senteur de vergers, et un parfum de bruyère sous le soleil plein d'abeilles, Merry s'éveilla tout à coup et dit :

« J'ai faim. Quelle heure est-il ? »

« Celle du souper est passée, en tout cas, dit Pippin ; mais je pense pouvoir t'apporter quelque chose, s'ils me le permettent. »

« Assurément oui, dit Gandalf. Et toute autre chose que ce Cavalier du Rohan pourrait désirer, pour peu qu'elle soit trouvable à Minas Tirith, où son nom est tenu en honneur. »

«Bien! dit Merry. Alors j'aimerais d'abord souper, et ensuite une pipe.» À ces mots, son visage s'assombrit. «Non, pas de pipe. Je crois que je ne fumerai plus jamais.»

«Pourquoi donc?» demanda Pippin.

«Eh bien…, répondit lentement Merry. Il est mort. Tout me revient, à présent. Il a dit qu'il était désolé de n'avoir jamais eu la chance de parler avec moi de la science des herbes. Presque la dernière chose qui soit sortie de sa bouche. Je ne pourrai plus jamais fumer sans penser à lui, et à ce jour-là, Pippin, quand il est arrivé à Isengard et qu'il s'est montré si poli.»

«Fumez, dans ce cas, et pensez à lui! dit Aragorn. Car c'était un cœur tendre et un grand roi, fidèle à ses serments; et il s'est levé d'entre les ombres pour une dernière belle matinée. Quoique vos jours à son service aient été brefs, qu'ils demeurent un souvenir heureux et honorable jusqu'à la fin de vos jours.»

Merry sourit. «Eh bien dans ce cas, dit-il, si l'Arpenteur veut bien fournir le nécessaire, je vais fumer et penser à lui. J'avais encore du meilleur cru de Saruman dans mon paquet, mais je veux bien être pendu si je sais ce qu'il est devenu dans la bataille.»

«Maître Meriadoc, dit Aragorn, si vous croyez que j'ai traversé les montagnes et le royaume de Gondor avec feu et épée pour apporter des herbes à un soldat insouciant qui jette toutes ses affaires, vous faites erreur. Si votre paquet n'a pu être trouvé, votre seul recours est d'appeler le maître herboriste de cette Maison. Et quand vous lui aurez signifié l'herbe que vous convoitez, il vous dira qu'il ne lui connaît aucune vertu, mais qu'elle se nomme *herbe de l'Ouest* pour le vulgaire, *galenas* pour le noble, et autrement en d'autres langues plus érudites; et après avoir ajouté quelques vers à demi oubliés qu'il ne comprend pas, il sera au regret de vous informer qu'il n'y en a pas dans la Maison, et vous laissera à méditer sur l'histoire des langues. Et je me dois d'en faire autant. Car je n'ai pas dormi dans un lit comme celui-ci depuis que j'ai quitté Dunhart, ni mangé depuis les ténèbres avant l'aube. »

Merry lui prit la main et la baisa. « Je suis terriblement désolé, dit-il. Partez tout de suite ! Depuis cette fameuse soirée à Brie, nous n'avons fait que vous embêter. Mais c'est dans la manière des gens de mon pays de parler légèrement en pareilles circonstances, et d'en dire moins qu'ils ne pensent. Nous craignons d'en dire trop. Cela nous prive des mots justes quand la plaisanterie n'est pas de rigueur. »

« Je le sais fort bien, ou je ne vous traiterais pas de la même manière, dit Aragorn. Puisse le Comté garder toujours sa fraîche jeunesse ! » Puis il embrassa Merry et sortit, accompagné de Gandalf.

Pippin resta à son chevet. « Y a-t-il jamais eu quelqu'un comme lui ? dit-il. Sauf Gandalf, bien sûr. Je crois qu'ils doivent être parents. Mon pauvre abruti, ton paquet est à côté de ton lit, et tu l'avais sur le dos quand je t'ai rencontré. Il était sous ses yeux tout ce temps, évidemment. Et de toute manière, j'ai ma réserve à moi. Allons, haut les cœurs ! Un peu de Feuille de Fondreaulong. Bourres-en une pendant que je cours chercher à manger. Puis prenons un peu nos aises. Ah là là ! Nous les Touc et les Brandibouc, on ne survit pas longtemps sur les hauteurs. »

« Non, dit Merry. Pas moi. Pas encore, en tout cas. Mais au moins, Pippin, on peut maintenant les voir, et les tenir en honneur. Mieux vaut aimer d'abord ce qu'on est capable d'aimer, je suppose : il faut commencer quelque part et prendre ses racines, et le sol du Comté est profond. Mais il est des choses plus profondes et plus élevées ; et sans elles, pas un grand-père ne pourrait soigner son jardin dans ce qu'il appelle la paix, qu'elles lui soient connues ou non. Je suis content de les connaître un peu. Mais je ne sais pas pourquoi je parle de cette façon. Où est cette feuille ? Et trouve-moi ma pipe, si elle n'est pas cassée. »

Aragorn et Gandalf se rendirent alors auprès du Gardien des Maisons de Guérison, et ils lui recommandèrent de ne pas renvoyer Faramir et Éowyn, mais de leur prodiguer des soins pendant plusieurs jours encore.

« La dame Éowyn, dit Aragorn, voudra bientôt se lever et partir ; mais elle ne le devrait pas, s'il y a moyen de la retenir, avant au moins dix jours. »

« Quant à Faramir, dit Gandalf, il faudra bientôt lui apprendre la mort de son père. Mais le récit complet de la folie de Denethor ne devrait pas lui être conté avant qu'il soit tout à fait guéri, et prêt à assumer ses responsabilités. Veillez à ce que Beregond et le *perian*, qui étaient présents, ne lui en parlent pas pour le moment ! »

« Et l'autre *perian*, Meriadoc, qui est sous ma garde, que dois-je faire de lui ? » demanda le Gardien.

« Il est probable qu'il soit sur pied demain, pour un court moment, dit Aragorn. Laissez-le faire, s'il le désire. Il pourra marcher un peu en compagnie de ses amis. »

« C'est une espèce remarquable, dit le Gardien, hochant la tête. D'une trempe exceptionnelle, ce me semble. »

Une foule nombreuse s'était déjà massée aux portes des Maisons pour voir Aragorn, et elle le suivit ; et quand il eut enfin soupé, des hommes vinrent à lui, le suppliant de guérir un proche ou un ami dont la vie était en péril à cause de quelque mal ou blessure, ou qui était sous l'emprise de l'Ombre Noire. Et Aragorn se leva et sortit, et il fit venir les fils d'Elrond, et ils œuvrèrent jusqu'à tard dans la nuit. Et partout dans la Cité, les gens disaient : « Le Roi est bel et bien revenu. » Et ils le surnommèrent la Pierre-elfe, du fait de la pierre verte qu'il portait ; ainsi il advint que le nom pressenti pour lui à sa naissance lui fut attribué par son propre peuple.

Et quand il ne put œuvrer davantage, il s'enveloppa dans sa cape et se glissa hors de la Cité, et il regagna sa tente juste avant l'aube et dormit pour quelques heures. Et au matin, la bannière de Dol Amroth, nef blanche comme un cygne sur une eau bleue, flottait au sommet de la Tour ; et les hommes, levant la tête, se demandèrent si la venue du Roi n'avait été qu'un rêve.

9

Le dernier débat

Le matin se leva au lendemain de la bataille, beau, avec quelques nuages et un vent qui tournait à l'ouest. Legolas et Gimli se levèrent de bonne heure, et ils demandèrent la permission de monter dans la Cité ; car ils étaient impatients de revoir Merry et Pippin.

« Il est bon de savoir qu'ils sont encore en vie, dit Gimli ; car ils nous ont donné beaucoup de peine lors de la traversée du Rohan, et je ne voudrais pas voir tous ces efforts gaspillés. »

L'Elfe et le Nain entrèrent côte à côte à Minas Tirith, et les gens de la ville s'étonnèrent de voir pareils compagnons marcher ensemble ; car le visage de Legolas était d'une beauté sans égale chez les Hommes, et il chantait une chanson elfe de sa voix claire dans le matin ; mais Gimli allait avec raideur à son côté, caressant sa barbe et regardant autour de lui, les yeux écarquillés.

« Il y a de bons ouvrages de pierre, ici, dit-il en examinant les murs ; mais il y en a également de moins bons, et les rues pourraient être mieux faites. Quand Aragorn recouvrera son bien, je lui offrirai les services des maîtres maçons de la Montagne, et nous ferons de cette ville un objet de fierté. »

« Elle manque de jardins, dit Legolas. Ses maisons sont

sans vie, et il y a ici trop peu de choses qui poussent et se réjouissent. Si Aragorn recouvre son bien, le peuple de la Forêt lui apportera des oiseaux chanteurs et des arbres qui ne meurent point. »

Ils arrivèrent enfin devant le prince Imrahil, et Legolas le regarda et s'inclina ; car c'était là assurément un homme qui avait du sang elfique dans les veines. « Salut à vous, seigneur ! dit-il. Il y a longtemps que les gens de Nimrodel ont quitté les bois de Lórien, mais l'on peut voir encore aujourd'hui que tous n'ont pas quitté le havre d'Amroth pour faire voile vers l'ouest. »

« C'est ce qu'on dit dans la tradition de mon pays, dit le Prince ; mais aucune des belles gens n'a été vue là-bas depuis un nombre incalculable d'années. Et je m'étonne d'en voir une ici en ces temps de malheur et de guerre. Qu'êtes-vous venu chercher ? »

« Je suis l'un des Neuf Compagnons partis d'Imladris avec Mithrandir, dit Legolas ; et avec ce Nain, qui est mon ami, j'ai suivi le seigneur Aragorn. Mais à présent, nous aimerions voir nos amis, Meriadoc et Peregrin, qui sont sous votre garde, nous dit-on. »

« Vous les trouverez aux Maisons de Guérison, et je vous y mènerai », dit Imrahil.

« Il suffira d'envoyer quelqu'un pour nous accompagner, seigneur, dit Legolas. Car Aragorn vous fait parvenir ce message. Il ne souhaite pas être revu dans la Cité pour l'instant. Mais il y a urgence pour que les capitaines se réunissent en conseil, et il vous prie de descendre à ses tentes avec Éomer du Rohan, et ce, dès que possible. Mithrandir s'y trouve déjà. »

« Nous irons », dit Imrahil ; et ils se séparèrent avec des mots courtois.

« Voilà un beau seigneur et un grand meneur d'hommes, dit Legolas. Si le Gondor compte encore de ces gens en ces jours de déclin, sa gloire devait certes être grande au temps de son essor. »

« Et sans doute la bonne maçonnerie est-elle la plus ancienne, et fut-elle édifiée dans la première construction, dit Gimli. Il en va toujours ainsi de ce que les Hommes entreprennent : un gel survient au printemps, ou une flétrissure en été, et ils faillissent à leur promesse. »

« Mais leur semence faillit rarement, dit Legolas. Elle pourrira dans la poussière pour mieux resurgir en des temps et des endroits inattendus. L'œuvre des Hommes continuera au-delà de notre époque, Gimli. »

« Et n'aboutira en fin de compte qu'à des espoirs déçus, je suppose », dit le Nain.

« À cela, les Elfes ne savent pas la réponse », dit Legolas.

Sur ce, le serviteur du Prince arriva pour les accompagner jusqu'aux Maisons de Guérison. Ils trouvèrent leurs amis dans le jardin, et leurs retrouvailles furent des plus joyeuses. Ils se promenèrent et bavardèrent un peu, goûtant pour un court moment la paix et la tranquillité du matin sous le ciel venteux des hauts cercles de la Cité. Puis, quand Merry se fatigua, ils allèrent s'asseoir sur le rempart qui tournait le dos à la pelouse des Maisons de Guérison ; et là, toute la partie sud de l'Anduin miroitait au soleil en s'éloignant, hors de la vue même de Legolas, vers les vastes plaines et les verts horizons du Lebennin et de l'Ithilien du Sud.

Mais pendant que les autres continuaient de parler, Legolas devint silencieux, et il regarda au loin dans le contre-jour; et il vit alors, remontant le Fleuve, des oiseaux de mer au plumage blanc.

« Regardez ! s'écria-t-il. Des mouettes ! Elles volent loin dans les terres, une merveille à mes yeux et un trouble pour mon cœur. Jamais de ma vie je ne les avais vues avant d'arriver à Pelargir ; et je les entendis là-bas crier dans l'air, tandis que nous allions à cheval vers la bataille des navires. Alors je restai coi, oubliant la guerre en Terre du Milieu, car leurs voix plaintives me parlaient de la Mer. La Mer ! Hélas ! Je ne l'ai pas encore contemplée. Mais au plus profond du cœur des miens réside la nostalgie de la mer, qu'il est périlleux de remuer. Hélas ! pour les mouettes. Plus jamais je ne serai en paix, sous le hêtre ou sous l'orme. »

« Ne dis pas cela ! répondit Gimli. Il reste encore une infinité de choses à voir en Terre du Milieu, et de grandes œuvres à accomplir. Mais si toutes les belles gens prennent le chemin des Havres, ce sera un triste monde pour ceux qui sont condamnés à rester. »

« Triste et ennuyeux, et comment ! dit Merry. Il ne faut pas aller aux Havres, Legolas ! Il y aura toujours des gens, grands ou petits, et même quelques nains avisés comme Gimli, qui auront besoin de vous. Du moins, je l'espère. Même si j'ai plutôt l'impression que le pire est encore à venir dans cette guerre. Comme j'aimerais que tout soit fini, et bien fini ! »

« Ne sois pas si sombre ! s'écria Pippin. Le Soleil brille, et nous voilà réunis pour au moins un jour ou deux. Je veux en savoir un peu plus long sur ce qui vous est arrivé. Allons, Gimli ! Cela fait bien une douzaine de fois depuis ce matin que vous évoquez, Legolas et vous, votre étrange voyage avec l'Arpenteur. Mais vous ne m'en avez encore rien dit. »

« Ici le Soleil brille peut-être, répondit Gimli ; mais il y a des souvenirs de cette route que je ne souhaite pas rappeler des ténèbres. Si j'avais su ce qui m'attendait, je crois que pour aucune amitié je ne me serais engagé sur les Chemins des Morts. »

« Les Chemins des Morts ? dit Pippin. J'ai entendu Aragorn mentionner cela, et je me demandais de quoi il parlait. Vous ne voulez pas nous en dire plus ? »

« Pas volontiers, dit Gimli. Car sur cette route, je me suis couvert de honte : Gimli fils de Glóin, qui se croyait plus solide que les Hommes, et plus hardi sous terre qu'aucun Elfe. Mais je n'ai été ni l'un ni l'autre ; et si j'ai pu continuer ma route, c'était par la seule volonté d'Aragorn. »

« Et par amour pour lui, dit Legolas. Car tous ceux qui viennent à le connaître en viennent aussi à l'aimer d'une manière qui lui est propre, même la froide jeune femme des Rohirrim. Le matin était pâle quand nous avons quitté Dunhart, la veille du jour où vous y êtes arrivé, Merry ; et tous étaient pris d'une telle peur que nul ne voulut assister à notre départ, sauf la dame Éowyn qui aujourd'hui est alitée ici dans cette Maison. Cette séparation lui fut une grande peine, et j'ai été peiné d'y assister. »

« Hélas ! mes seules pensées étaient pour moi-même, dit Gimli. Non ! Je ne parlerai pas de ce voyage. »

Il s'enferma dans le silence ; mais Pippin et Merry étaient si avides de nouvelles que Legolas finit par ajouter : « Je vous en dirai assez pour vous apaiser ; car je n'ai pas ressenti l'horreur, pas plus que je n'ai craint les ombres des Hommes, frêles et impuissantes comme elles me paraissaient. »

Il leur parla alors rapidement de la route hantée sous

les montagnes, du sombre rendez-vous à Erech et de la grande chevauchée, longue de quatre-vingts lieues et treize, jusqu'à Pelargir-sur-Anduin. « Quatre jours et quatre nuits, et au cœur d'un cinquième jour avons-nous chevauché depuis la Pierre Noire, dit-il. Et voici ! l'espoir grandit en moi dans les ténèbres du Mordor ; car à la faveur de l'obscurité, l'Armée Ombreuse parut devenir plus forte et plus terrible à voir. J'en vis certains à cheval et d'autres à pied, mais tous allaient pourtant d'un même pas, à vive allure. Ils étaient silencieux, mais dans leurs yeux se voyait une flamme. Ils rejoignirent notre cavalerie dans les hautes terres du Lamedon, nous doublant par le flanc, et ils nous eussent dépassés si Aragorn ne les en avait empêchés.

« Ils se retirèrent à son commandement. "Même les ombres des Hommes se plient à sa volonté, me dis-je. Peut-être finiront-elles par servir ses besoins !"

« Nous chevauchâmes un jour dans la lumière, puis vint le jour sans aube et nous continuâmes, traversant la Ciril et le Ringló ; et le troisième jour, nous arrivâmes à Linhir au-dessus de l'embouchure de la Gilrain. Là, des hommes du Lamedon disputaient les gués à de féroces combattants d'Umbar et du Harad qui avaient remonté la rivière dans des navires. Mais tous, défenseurs et assaillants, abandonnèrent la lutte et s'enfuirent à notre approche, criant que le Roi des Morts était sur eux. Seul Angbor, Seigneur du Lamedon, eut le courage de nous attendre ; et Aragorn le pria de rassembler ses gens et de nous suivre, s'ils l'osaient, quand l'Armée Grise serait passée.

« "À Pelargir, l'Héritier d'Isildur aura besoin de vous", dit-il.

« Ainsi nous franchîmes la Gilrain, chassant les alliés du

Mordor en déroute devant nous ; puis nous nous reposâmes un court moment. Mais Aragorn se dressa bientôt, disant : "Oyez ! Minas Tirith est déjà assaillie. Je crains qu'elle ne tombe avant que nous ne venions à son secours." Nous fûmes donc de nouveau en selle avant la fin de la nuit, et nous poursuivîmes notre route avec toute la rapidité que nos chevaux étaient capables d'endurer, à travers les plaines du Lebennin. »

Legolas s'arrêta et soupira, puis, tournant son regard vers le sud, il se mit à chanter doucement :

> *De la Celos à l'Erui coule l'argent des rivières*
> *Dans les champs verts du Lebennin !*
> *L'herbe y pousse longue et haute. Au vent de la Mer,*
> *Le blanc lis se balance,*
> *Et l'or dodelinant des clochettes du mallos et de l'alfirin*
> *Dans les champs verts du Lebennin,*
> *Au vent de la Mer !*

« Ces champs sont verts dans les chansons de mon peuple ; mais ils étaient sombres alors, des déserts gris dans les ténèbres devant nous. Et à travers les vastes terres, foulant insoucieusement l'herbe et les fleurs, nous pourchassâmes nos adversaires pendant une nuit et un jour, avant d'atteindre le Grand Fleuve, enfin.

« Je songeai alors en mon cœur que nous approchions de la Mer ; car les eaux paraissaient larges dans l'obscurité, et d'innombrables oiseaux de mer criaient sur les rives. Hélas pour la plainte des mouettes ! La Dame ne m'avait-elle pas averti d'y prendre garde ? Et maintenant, je ne puis les oublier. »

« Pour ma part, je n'y fis pas attention, dit Gimli, car nous étions alors à pied d'œuvre : le vrai combat allait s'engager. À Pelargir était amarré le gros de la flotte d'Umbar, une cinquantaine de grands navires et un essaim de plus petits vaisseaux. Bon nombre de fuyards avaient atteint les havres avant nous, amenant leur peur avec eux ; et certains navires avaient appareillé pour descendre le Fleuve ou gagner la rive opposée ; et un grand nombre des plus petites embarcations était en flammes. Mais les Haradrim, maintenant aux abois, firent volte-face, féroces dans leur désespoir ; et ils rirent en nous voyant, car ils formaient encore une grande armée.

« Mais Aragorn fit halte et cria d'une voix forte : "Maintenant, venez ! Par la Pierre Noire, je vous appelle !" Et soudain, l'Armée Ombreuse jusque-là restée en arrière monta enfin telle une marée grise, balayant tout sur son passage. J'entendis des cris étouffés, une faible sonnerie de cors, et un murmure de voix lointaines, très nombreuses : comme l'écho d'une bataille oubliée, il y a longtemps, dans les Années Sombres. De pâles lames furent tirées ; mais je ne saurais dire si elles mordaient encore, car les Morts n'avaient plus besoin d'aucune arme, autre que la peur. Nul ne leur résistait.

« Ils assaillirent tous les bateaux tirés à sec, puis ils passèrent sur l'eau vers ceux qui étaient au mouillage ; et tous les marins furent pris d'une terreur folle et se jetèrent par-dessus bord, sauf les esclaves enchaînés aux rames. Sans peur, nous chargeâmes contre l'ennemi en déroute, dispersant ses soldats comme autant de feuilles mortes, jusqu'à atteindre la rive. Alors, dans chacun des grands navires qui restaient, Aragorn envoya l'un de ses Dúnedain, et ils rassurèrent les captifs qui s'y trouvaient et leur prièrent d'écarter la peur et d'être libres.

« Avant la fin de ce sombre jour, il ne restait aucun

ennemi pour s'opposer à nous : tous s'étaient noyés ou enfuis vers le sud dans l'espoir de rejoindre leur propre pays à pied. Quant à moi, je trouvai étrange et merveilleux que les desseins du Mordor aient été déjoués par ces spectres de peur et de ténèbres. Il fut battu par ses propres armes ! »

« Étrange, oui, dit Legolas. Et quand je vis Aragorn à ce moment, j'imaginai le grand et terrible Seigneur qu'il eût pu devenir de par sa volonté toute-puissante, s'il s'était approprié l'Anneau. Ce n'est pas pour rien que le Mordor le craint. Mais son esprit est plus noble que Sauron ne peut l'envisager ; car n'est-il pas l'un des enfants de Lúthien ? Jamais cette lignée ne s'éteindra, dussent les années s'allonger indéfiniment. »

« De telles prédictions sont au-delà de la vue des Nains, dit Gimli. Mais Aragorn était certes puissant ce jour-là. Voyez ! toute la flotte noire était entre ses mains ; et il prit pour lui le plus grand navire, et il embarqua. Alors, il fit sonner un grand concert de trompettes prises à l'ennemi ; et l'Armée Ombreuse se retira sur la grève. Elle se tint là, en silence, à peine visible, sauf pour un reflet d'yeux où l'on pouvait voir le rougeoiement de l'incendie des navires. Et Aragorn s'adressa aux Hommes Morts d'une voix impérieuse, disant :

« "Entendez les paroles de l'héritier d'Isildur ! Votre serment est accompli. Partez et ne troublez jamais plus les vallées ! Allez trouver votre repos !"

« Là-dessus, le Roi des Morts se tint devant son armée, et il brisa sa lance et la jeta au sol. Puis il s'inclina et nous tourna le dos ; et bien vite, toute l'armée grise se retira et s'évanouit comme une brume chassée par un vent soudain ; et il me sembla être tout juste sorti d'un rêve.

« Cette nuit-là, nous nous reposâmes pendant que

d'autres s'affairaient. Car de nombreux prisonniers furent relâchés, et de nombreux esclaves libérés qui étaient des gens du Gondor pris dans des incursions ; et bientôt il y eut aussi un grand concours d'hommes venus du Lebennin et de l'Ethir, et Angbor du Lamedon avec tous les cavaliers qu'il avait pu rallier. La peur des Morts étant écartée, tous ces hommes étaient venus pour nous prêter main-forte et voir l'Héritier d'Isildur ; car la rumeur de ce nom avait couru comme des flammes dans le noir.

« Et c'est bientôt la fin de notre histoire. Car tout au long de la soirée et de la nuit, on procéda à l'avitaillement et à l'armement de nombreux vaisseaux, et la flotte appareilla le lendemain. Tout cela paraît bien loin, à présent ; pourtant c'était seulement avant-hier au matin, six jours après notre départ de Dunhart. Mais Aragorn était poussé par la crainte d'arriver trop tard.

« "Il y a quarante et deux lieues d'ici aux quais du Harlond, dit-il. Mais nous devons y être demain ou échouer tout à fait."

« Les navires étaient manœuvrés par des hommes libres, à présent, et ceux-ci ramaient avec cœur ; mais nous cheminâmes assez lentement sur le Grand Fleuve, car nous allions à contre-courant, et si les eaux dans le Sud ne sont pas tellement vives, nous n'avions l'aide d'aucun vent. J'aurais eu le cœur bien lourd, malgré notre victoire éclatante aux havres, si Legolas ne s'était pas mis à rire tout à coup.

« "Relève la barbe, fils de Durin ! me dit-il. Car ainsi va l'adage : *Du désespoir souvent l'espoir renaît.*" Mais quel espoir il voyait au loin, il ne voulut pas le dire. La nuit qui vint ne fit qu'épaissir les ténèbres, et nos cœurs s'enflammèrent, car, loin dans le Nord, une lueur rouge couvait sous la nuée, et Aragorn dit : "Minas Tirith brûle."

« Mais à la minuit, on sentit bel et bien l'espoir renaître. Les hommes de mer de l'Ethir, contemplant le Sud, parlaient d'un changement à l'horizon, d'un vent frais venu du large. Bien avant le jour, les navires mâtés hissèrent les voiles, et nous prîmes de la vitesse, jusqu'à ce que l'aube blanchît l'écume à nos proues. Et c'est ainsi que, comme vous le savez, nous arrivâmes à la troisième heure du jour sous un vent favorable et un Soleil renouvelé, et nous déployâmes le grand étendard devant la bataille. Ce fut un grand jour et une heure glorieuse, quoi qu'il advienne. »

« La valeur des hauts faits n'est pas diminuée, quoi qu'il arrive ensuite, dit Legolas. Ce fut une grande prouesse que la chevauchée des Chemins des Morts, et elle le demeurera, dût-il ne rester personne au Gondor pour en chanter la louange dans les jours qui viendront. »

« Et il y a lieu de le craindre, dit Gimli. Car les visages d'Aragorn et de Gandalf sont graves. Je me demande bien quel genre de conseils ils prennent en ce moment, là en bas dans les tentes. Comme Merry, je voudrais que notre victoire signale la fin de la guerre. Mais qu'importe ce qui reste à accomplir, j'espère y prendre part, pour l'honneur de la Montagne Solitaire. »

« Et moi, pour le peuple du Grand Bois, dit Legolas, et pour l'amour du Seigneur de l'Arbre Blanc. »

Sur quoi, les compagnons se turent ; mais ils restèrent assis un moment en ce haut lieu, chacun à ses réflexions, pendant que les Capitaines débattaient.

Quand le prince Imrahil se fut séparé de Legolas et de Gimli, il fit aussitôt appeler Éomer ; et il descendit avec lui hors de la Cité, et ils gagnèrent les tentes d'Aragorn dressées sur le champ de bataille non loin de l'endroit où le roi Théoden était tombé. Là, ils tinrent conseil avec Gandalf et Aragorn, et avec les fils d'Elrond.

« Messeigneurs, dit Gandalf, notez les mots de l'Intendant du Gondor avant sa mort : *Pour un jour, vous pourriez triompher sur les champs du Pelennor, mais contre la Puissance qui s'est maintenant levée, il n'est point de victoire.* Je ne vous engage pas au désespoir, comme lui, mais vous prie d'apprécier la justesse de ces paroles.

« Les Pierres de Vision ne mentent pas : pas même le Seigneur de Barad-dûr ne peut les y contraindre. Sans doute peut-il, par sa volonté, décider de ce que verront les esprits faibles, ou faire en sorte qu'ils se méprennent sur ce qu'ils voient. Néanmoins, soyons sûrs d'une chose : quand Denethor voyait de grandes forces déployées contre lui au Mordor, et d'autres sur le point d'être rassemblées, il voyait ce qui est réellement.

« Notre force aura à peine suffi à repousser le premier assaut d'importance. Le prochain sera plus grand encore. Cette guerre, donc, est sans espoir final, comme Denethor l'avait compris. La victoire ne peut être acquise par les armes, que l'on préfère endurer ici siège après siège, ou marcher au-devant de l'ennemi pour être submergé au-delà du Fleuve. Devant ce choix entre deux maux, la prudence vous inciterait plutôt à consolider les places fortes dont vous disposez, et à y attendre l'ennemi, ce qui vous obtiendrait un bref sursis avant la fin. »

« Ainsi, votre idée est de nous retirer à Minas Tirith, à Dol Amroth ou à Dunhart, et de rester comme des enfants sur des châteaux de sable, pendant que la marée monte ? » fit Imrahil.

« Ce ne serait pas nouveau, dit Gandalf. Avez-vous rien

fait d'autre durant tout le règne de Denethor ? Mais non, tel n'est pas mon conseil ! Je dis que ce serait prudent. Je ne recommande pas la prudence. La victoire, vous disais-je, ne peut être acquise par les armes. J'espère encore la victoire, mais non par les armes. Car dans toute notre ligne de conduite intervient l'Anneau de Pouvoir : fondation de Barad-dûr et espoir de Sauron.

« Pour ce qui est de cet objet, messeigneurs, vous voilà tous assez renseignés pour saisir la précarité de notre situation ; celle de Sauron l'est tout autant. S'il le recouvre, votre valeur est vaine, et son triomphe sera rapide et absolu : si absolu que nul n'en pourra prédire la fin tant que ce monde durera. Si l'Anneau est détruit, il tombera ; et sa chute sera si complète que nul ne pourra envisager qu'il puisse jamais revenir. Car il perdra la plus grande part de la force qui lui était innée à son commencement, et tout ce qui a été fait ou entrepris avec ce pouvoir s'écroulera, et il sera à jamais mutilé, devenant au plus un esprit malveillant qui se dévore dans l'ombre, sans pouvoir croître de nouveau ni reprendre forme. Et un grand mal sera ainsi chassé de ce monde.

« Il existe d'autres maux, qui viendront peut-être ; car Sauron n'est lui-même qu'un serviteur ou un émissaire. Il ne nous appartient pas, cependant, de régler toutes les fortunes du monde, mais de faire ce qui est en nous pour le secours des années où nous sommes placés, d'extirper le mal dans les champs que nous connaissons, afin que ceux qui vivront après aient une terre saine à cultiver. Quel temps ils auront, beau ou mauvais, il ne nous revient pas d'en décider.

« Or Sauron sait tout cela, et il sait que le précieux objet qu'il a perdu a été retrouvé ; mais il ignore encore où il se trouve, du moins l'espérons-nous. Ainsi, un grand doute l'assaille. Car si nous avons trouvé cette chose, il en est parmi nous qui ont la force d'en faire usage. Cela aussi, il le sait. Car n'ai-je pas raison de croire, Aragorn, que vous vous êtes montré à lui dans la Pierre d'Orthanc ? »

« Oui, juste avant de quitter la Ferté-au-Cor, répondit Aragorn. Je jugeai que le temps était mûr, et que la Pierre était venue à moi précisément dans ce dessein. Dix jours s'étaient écoulés depuis que le Porteur de l'Anneau était passé à l'est du Rauros, et il fallait, pensai-je, attirer l'Œil de Sauron hors de son territoire. Nous ne l'avons défié que trop rarement depuis qu'il a regagné sa Tour. N'empêche, si j'avais su la rapidité avec laquelle il déclencherait sa riposte, peut-être aurais-je hésité à me montrer. Il me laissa à peine le temps de venir à votre secours. »

« Mais comment cela ? demanda Éomer. Tout est vain, dites-vous, s'il a l'Anneau. Pourquoi ne trouverait-il pas vain de nous assaillir, si nous l'avons ? »

« Il n'en est pas encore certain, dit Gandalf, et il n'a pas bâti sa puissance en attendant que ses ennemis soient prêts, comme nous l'avons fait. Et même si nous avions l'Anneau, nous ne pourrions apprendre à maîtriser son plein pouvoir en une journée. D'ailleurs, il ne peut servir qu'un maître à la fois, un seul ; et Sauron s'attendra à une période de dissensions avant que l'un des plus puissants d'entre nous se rende maître des autres et les réduise à la soumission. Durant cette période, l'Anneau pourrait l'aider, si Sauron décidait de nous surprendre.

« Il observe. Il voit et entend bien des choses. Ses Nazgûl rôdent toujours. Ils ont survolé ce champ avant le lever du soleil, bien que peu de gens, fatigués ou endormis, s'en soient avisés. Il étudie les signes : l'Épée qui l'a privé de son trésor à nouveau reforgée, le vent de la fortune tournant en notre faveur et l'échec inattendu de son premier assaut, la chute de son grand Capitaine.

« Le doute grandit en lui, alors même que je vous parle. Son Œil est concentré sur nous, quasi aveugle à toute autre chose qui se meut. C'est ainsi qu'il faut le garder. Tout notre espoir est là. Mon conseil est donc celui-ci. Nous n'avons pas l'Anneau. Acte de sagesse ou immense folie, il a été envoyé pour être détruit, afin qu'il ne nous détruise. Sans lui, nous ne pouvons par la force écraser celle de Sauron. Mais nous devons à tout prix détourner son Œil du véritable danger qui le guette. Nous ne pouvons le vaincre par les armes, mais par les armes nous pouvons donner au Porteur de l'Anneau sa seule chance, si ténue soit-elle.

« Aragorn a montré la voie, et il nous faut continuer. Il faut pousser Sauron à jouer son dernier coup de dés. Il faut débusquer la force qu'il tient cachée, afin qu'il vide son territoire. Il faut marcher incontinent à sa rencontre. Il faut être l'appât, ses mâchoires dussent-elles se refermer sur nous. Il saisira cet appât, avec espoir et convoitise ; car dans cet acte de témérité, il croira voir la hardiesse du nouveau Seigneur de l'Anneau, et il dira : "Tiens donc ! il tend le cou trop tôt et trop loin. Qu'il vienne : alors, j'aurai pour lui un piège dont il ne pourra s'échapper. Là, je le détruirai, et ce qu'il a pris dans son insolence m'appartiendra, de nouveau et pour toujours."

« Il faut nous jeter dans ce piège, sciemment, avec courage, mais sans guère d'espoir pour nous-mêmes. Car, messeigneurs, il se pourrait bien que nous disparaissions tout entiers dans une noire bataille loin des terres vivantes ; ainsi, même si Barad-dûr était renversée, nous ne serions plus là pour voir un nouvel âge. Mais c'est là, je crois, notre devoir. Et mieux vaut finir ainsi que de mourir de toute manière – ce qui ne manquera pas d'arriver si nous restons ici : mourir en sachant qu'un nouvel âge ne viendra jamais. »

Ils restèrent un moment silencieux. Enfin, Aragorn prit la parole. « J'ai montré la voie et je vais continuer. Nous arrivons au bord du gouffre, où espoir et désespoir ne font qu'un. Hésiter, c'est tomber. Que nul n'écarte à présent les conseils de Gandalf : ses longs labeurs contre Sauron en viennent à leur ultime épreuve. Sans lui, tout serait depuis longtemps perdu. Pour l'heure, cependant, je ne prétends commander à quiconque. Que les autres choisissent comme ils l'entendent. »

Elrohir dit alors : « Nous sommes venus du Nord dans ce dessein ; et d'Elrond notre père, nous apportions ce même conseil. Nous n'allons pas rebrousser chemin. »

« Quant à moi, dit Éomer, je n'ai guère l'intelligence de ces choses profondes ; mais je n'en ai que faire. Une chose m'est évidente, et elle me suffit : c'est que, autant mon ami Aragorn est venu à mon aide et au secours des miens, autant je l'aiderai s'il m'appelle. J'irai. »

« Pour ma part, dit Imrahil, je considère le seigneur Aragorn comme mon suzerain, qu'il y prétende ou non. Son désir est pour moi un ordre. J'irai aussi. Je dois néanmoins, pour un temps, servir d'Intendant au Gondor, et il m'appartient de songer d'abord à son peuple. Il faut encore avoir égard à la prudence. Car nous devons parer à toute éventualité, au meilleur comme au pire. Or, il se peut que nous triomphions, et le Gondor doit être protégé tant que cet espoir est permis. Je ne voudrais pas, revenant de la victoire, trouver une Cité en ruine et une contrée ravagée derrière nous. Et voici que les Rohirrim nous informent qu'une armée non combattue se trouve encore sur notre flanc nord. »

« C'est vrai, dit Gandalf. Je ne vous conseille pas de laisser la Cité dépourvue d'hommes. Du reste, la force que nous mènerons à l'est ne doit pas permettre une attaque en règle contre le Mordor ; pourvu qu'elle suffise à provoquer le combat. Et elle doit partir très bientôt. Aussi demandé-je aux Capitaines : combien d'hommes pouvons-nous rassembler et mettre en mouvement d'ici deux jours au plus tard ? Des hommes hardis et volontaires, conscients du péril auquel ils s'exposent. »

« Tous sont fatigués, un grand nombre souffrent de blessures légères ou graves, dit Éomer, et nous avons perdu beaucoup de chevaux, ce qui est difficile à compenser. S'il faut partir bientôt, je n'espère même pas en réunir deux mille, sachant qu'il faudra en laisser autant pour la défense de la Cité. »

« Il ne faut pas compter seulement avec ceux qui se sont battus ici, dit Aragorn. Une nouvelle force doit nous parvenir des fiefs du Sud, maintenant que les côtes sont délivrées. Il y a deux jours, à Pelargir, j'ai envoyé quatre mille hommes marcher à travers le Lossarnach : Angbor l'intrépide chevauche à leur tête. Si nous partons d'ici deux jours encore, ils seront à nos portes avant le départ. Et d'autres ont été enjoints de me suivre sur le Fleuve dans toute embarcation à leur disposition. Avec un tel vent, ils ne tarderont pas à arriver : plusieurs navires, en fait, sont déjà parvenus au Harlond. J'estime que nous pourrions partir avec sept mille hommes de cheval et de pied, tout en laissant la Cité mieux défendue qu'elle ne l'était au commencement de l'assaut. »

« La Porte est détruite, dit Imrahil, et où trouver de nos jours le savoir-faire pour la reconstruire et la remettre en place ? »

« À Erebor, au Royaume de Dáin, un tel savoir-faire existe, dit Aragorn ; et si tous nos espoirs ne sont pas réduits à néant, j'enverrai Gimli fils de Glóin, en temps voulu, demander l'aide des artisans de la Montagne. Mais des hommes valent mieux que des portes, et aucune ne résistera à l'Ennemi si nos hommes la désertent. »

Le débat des seigneurs se conclut donc par la résolution suivante : le surlendemain matin, ils prendraient la route avec sept mille hommes, s'ils arrivaient à les trouver ; et la plupart iraient à pied, étant donné les terres hostiles où ils devaient se rendre. Quelque deux mille seraient choisis par Aragorn parmi ceux qu'il avait rassemblés à lui dans le Sud ; mais Imrahil en choisirait trois mille cinq cents, et Éomer, cinq cents des Rohirrim laissés sans monture, mais toujours valeureux à la guerre. Lui-même mènerait à cheval cinq cents de ses meilleurs Cavaliers, et il devait y avoir une autre compagnie de cinq cents chevaux, parmi lesquels iraient les fils d'Elrond, avec les Dúnedain et les chevaliers de Dol Amroth : six mille hommes à pied, en tout et pour tout, et un millier à cheval. Mais le gros de la force des Rohirrim encore capable de combattre, quelque trois mille cavaliers sous le commandement d'Elfhelm, devait tenir la Route de l'Ouest contre l'ennemi resté en Anórien. Et de rapides éclaireurs furent aussitôt envoyés en reconnaissance, au nord et à l'est, vers Osgiliath et la route de Minas Morgul.

Et quand ils eurent recensé leurs forces et considéré les

déplacements à entreprendre et les routes à emprunter, Imrahil eut un soudain éclat de rire.

« C'est là, assurément, s'écria-t-il, la plus grande farce de toute l'histoire du Gondor : qu'avec sept mille hommes, soit à peine ce qu'était l'avant-garde de son armée au temps de sa suprématie, nous partions à l'assaut des montagnes et de la porte infranchissable du Pays Noir ! Comme un enfant qui menacerait un chevalier en armure avec, en guise d'arc, une ficelle tendue sur une tige de saule ! Si le Seigneur Sombre en sait autant que vous le laissez entendre, Mithrandir, ne va-t-il pas sourire plutôt que de nous craindre et, de son petit doigt, nous écraser comme une mouche qui essaierait de le piquer ? »

« Non, il voudra piéger la mouche et lui prendre son dard, dit Gandalf. Et il est parmi nous des noms qui, à eux seuls, valent plus qu'un millier de chevaliers en armure. Non, il ne sourira pas. »

« Nous non plus, dit Aragorn. Si c'est là une farce, elle est trop amère pour que nous en riions. Non, c'est le dernier coup d'un jeu très risqué, et pour l'un ou l'autre des camps, il mettra fin à la partie. » Puis il dégaina Andúril et brandit sa lame étincelante au soleil. « Tu ne rentreras pas au fourreau tant que la dernière bataille ne sera livrée », dit-il.

10

La Porte Noire s'ouvre

Deux jours plus tard, l'armée de l'Ouest était assemblée dans son entier sur le Pelennor. Les troupes d'Orques et d'Orientais étaient ressorties de l'Anórien, mais, harcelées et dispersées par les Rohirrim, elles s'étaient débandées et avaient fui vers Cair Andros sans grande résistance; cette menace écartée, et de nouvelles forces étant venues du Sud, la Cité ne pouvait être mieux garnie. Selon ce que rapportaient les éclaireurs, les chemins de l'est étaient vides d'ennemis jusqu'au Roi Tombé, à la Croisée des Routes. L'Ouest était prêt pour son dernier coup de dés.

Legolas et Gimli chevaucheraient de nouveau ensemble, en compagnie d'Aragorn et de Gandalf, lesquels iraient à l'avant-garde avec les Dúnedain et les fils d'Elrond. Mais Merry, à sa honte, ne serait pas des leurs.

« Vous n'êtes pas en état de faire un tel voyage, dit Aragorn. Mais il n'y a aucune raison d'avoir honte. Si dans cette guerre vous ne faites plus rien, vous aurez déjà gagné beaucoup d'honneur. Peregrin sera là pour représenter les Gens du Comté; et il ne faut pas lui envier sa chance de péril, car bien qu'il ait fait au mieux selon ce que la fortune lui offrait, il lui reste encore à égaler votre exploit. Mais à dire vrai, tous courent à présent le même danger.

Il se pourrait que notre rôle soit de trouver une fin cruelle devant la Porte du Mordor, mais si tel est le cas, vous aurez vous aussi un dernier combat à livrer, ici ou en quelque autre lieu où la marée noire vous surprendra. Adieu ! »

Ainsi, démoralisé, Merry resta à observer le rassemblement de l'armée. Bergil était avec lui, tout aussi abattu, car son père devait marcher à la tête d'une compagnie des Hommes de la Cité : il ne pouvait rejoindre la Garde avant que sa cause ne fût jugée. Pippin irait au sein de cette même compagnie en tant que soldat du Gondor. Merry apercevait non loin sa silhouette, courte mais droite, parmi les hautes formes des guerriers de Minas Tirith.

Enfin, les trompettes retentirent et l'armée se mit en mouvement. Troupe après troupe, compagnie après compagnie, ils tournèrent et partirent vers l'est. Et longtemps après qu'il les eut perdus de vue sur la grand-route menant à la Chaussée, Merry demeura là. Le soleil matinal étincela une dernière fois sur la lance et le heaume puis disparut ; mais Merry restait figé, la tête baissée et le cœur lourd, sans amis, seul au monde. Tous ceux qui lui étaient chers étaient partis dans les ténèbres qui pesaient sur le ciel de l'est ; et dans son cœur ne restait presque plus aucun espoir de les revoir jamais.

Comme ravivée par son humeur noire, la douleur revint à son bras ; il se sentait faible et vieux, et la lumière du soleil paraissait ténue. Le contact de la main de Bergil le sortit de sa torpeur.

« Venez, maître Perian ! dit le garçon. Vous êtes encore souffrant, à ce que je vois. Je vais vous aider à rentrer chez les Guérisseurs. Mais n'ayez pas peur ! Ils vont revenir.

Les Hommes de Minas Tirith ne seront jamais défaits. Et maintenant, ils ont le Seigneur de la Pierre-elfe, et aussi Beregond de la Garde. »

L'armée fut à Osgiliath avant midi. Là, tous les artisans et ouvriers dont la Cité pouvait se passer étaient à l'œuvre. Certains s'occupaient de renforcer les bacs et les pontons construits par l'ennemi, partiellement détruits lors de sa fuite ; certains amassaient du butin et des provisions, tandis que d'autres, sur la rive orientale au-delà du Fleuve, improvisaient des ouvrages de défense sommaires.

L'avant-garde passa alors à travers les ruines du Vieux Gondor, par-delà le large Fleuve et sur le long chemin droit, tracé à la grande époque pour relier la belle Tour du Soleil à la haute Tour de la Lune, devenue Minas Morgul dans sa vallée maudite. À cinq milles au-delà d'Osgiliath, ils s'arrêtèrent, mettant un terme à leur première journée de marche.

Mais les cavaliers poursuivirent leur route et, avant la tombée du jour, ils atteignirent la Croisée des Routes et le grand anneau d'arbres, où régnait un silence absolu. Aucun signe d'ennemi n'avait été vu, nul cri ni appel n'avait-on entendu, nul trait n'avait sifflé d'entre les rochers ou les broussailles ; pourtant, à mesure qu'ils avançaient, ils sentaient que s'accentuait la vigilance des terres. Arbre et pierre, herbe et feuille étaient aux aguets. Les ténèbres avaient été chassées : loin à l'ouest, le couchant baignait la Vallée de l'Anduin, et les cimes blanches des montagnes s'empourpraient dans l'air bleuté ; mais une ombre et une noirceur planaient sur l'Ephel Dúath.

Aragorn posta alors des trompettes dans chacune des

quatre voies qui entraient dans l'anneau d'arbres, et elles sonnèrent une brillante fanfare, et les hérauts crièrent haut et fort : « Les Seigneurs du Gondor sont de retour, et tout ce pays qui leur appartient, ils le reprennent aujourd'hui. » La hideuse tête d'orque surmontant la figure sculptée fut jetée bas et réduite en morceaux, et la tête du vieux roi fut soulevée de terre et remise en place, toujours couronnée de fleurs blanches et dorées ; et l'on s'affaira à gratter et à nettoyer tous les odieux gribouillis laissés sur la pierre par les orques.

Or, au moment du débat, certains avaient conseillé d'assaillir Minas Morgul en premier et de la détruire entièrement, s'ils pouvaient s'en emparer. « Et, avait fait valoir Imrahil, la route qui mène de là au col serait peut-être plus favorable à un assaut contre le Seigneur Sombre, au lieu de sa porte nord. »

Toutefois, Gandalf avait signifié sa vive opposition, à cause du mal qui hantait la vallée, où l'esprit des vivants serait livré à la folie et à l'horreur ; mais aussi à cause des nouvelles apportées par Faramir. Car si le Porteur de l'Anneau avait bel et bien choisi cette voie, ils ne devaient surtout pas attirer l'Œil du Mordor de ce côté. Ainsi, quand le gros de l'armée les rejoignit le lendemain, ils postèrent une garde importante à la Croisée des Routes pour servir de défense, si le Mordor décidait d'envoyer une force par le Col de Morgul ou de faire venir des renforts du Sud. À cet effet, ils choisirent surtout des archers qui connaissaient les chemins de l'Ithilien et qui se cacheraient dans les bois et les pentes aux abords du carrefour. Mais Gandalf et Aragorn chevauchèrent avec l'avant-garde jusqu'à l'entrée du Val de Morgul, d'où ils contemplèrent la cité maléfique.

Elle était sombre et sans vie ; car ses habitants, Orques

et autres bestioles du Mordor, avaient été détruits dans la bataille, et les Nazgûl étaient au loin. L'air de la vallée n'en était pas moins lourd d'angoisse et d'animosité. Ils détruisirent alors l'horrible pont, firent monter des flammes rouges dans les champs méphitiques et se retirèrent.

Le jour suivant, soit le troisième depuis leur départ de Minas Tirith, l'armée entreprit sa marche vers le nord le long de la route. Il fallait compter une centaine de milles de la Croisée des Routes jusqu'à la Morannon par ce chemin, et nul ne savait ce qui pouvait leur arriver avant d'avoir parcouru cette distance. Ils allaient ouvertement mais avec précaution : des éclaireurs montés les précédaient sur la route, mais d'autres, à pied, les flanquaient de part et d'autre, surtout du côté est ; car il y avait là de sombres fourrés, et un pays de ravins éboulés et de crêtes effondrées derrière lequel grimpaient les longues pentes austères de l'Ephel Dúath. Le temps restait au beau, et le vent ne déviait pas de l'ouest, mais rien ne parvenait à lever les noirceurs et les tristes brumes qui s'accrochaient aux Montagnes de l'Ombre ; et derrière elles, par moments, s'élevaient de vastes fumées qui flottaient sur les vents d'en haut.

De temps à autre, Gandalf faisait sonner les trompettes, et les hérauts criaient : « Voici venus les Seigneurs du Gondor ! Que tous quittent ce pays ou se rendent ! » Mais Imrahil dit : « Ne dites pas *les Seigneurs du Gondor*. Dites *le roi Elessar*. Car c'est la vérité, bien qu'il ne soit pas encore monté sur le trône ; et l'Ennemi sera porté à réfléchir davantage, si les hérauts font entendre ce nom. » Trois fois par jour, donc, les hérauts proclamèrent la venue du roi Elessar. Toutefois, le défi resta sans réponse.

Mais bien que leur marche se déroulât dans une apparence de paix, tous les cœurs, du plus élevé au plus humble, étaient abattus, et à chaque mille parcouru vers le nord, un pressentiment de malheur pesait plus lourdement sur eux. Le deuxième jour de marche tirait à sa fin depuis la Croisée des Routes, quand vint une première invitation à la bataille. En effet, une grande force d'Orques et d'Orientais tenta de prendre leurs compagnies de tête dans une embuscade : c'était à l'endroit même où Faramir avait surpris les hommes du Harad, là où la route traversait une profonde entaille dans une avancée des collines de l'est. Mais les Capitaines de l'Ouest ne manquèrent pas d'être avertis par leurs éclaireurs, d'experts traqueurs de Henneth Annûn sous la direction de Mablung ; ainsi, les embusqués furent eux-mêmes pris au piège. Car des hommes montés, après avoir effectué une large boucle vers l'ouest, tombèrent sur le flanc de l'ennemi et sur ses arrières, et tous furent anéantis ou chassés dans les collines à l'est.

Mais cette victoire n'eut pas grand-chose pour remonter les Capitaines. « Ce n'est qu'une feinte, dit Aragorn, et le but était surtout de nous attirer, m'est avis, en nous faisant croire à la faiblesse de notre Ennemi, plutôt que de nous faire grand mal – pour l'instant. » Et dès ce soir-là, les Nazgûl les rejoignirent et suivirent chaque mouvement de l'armée. Pour lors, ils ne volaient qu'en hauteur, hors de la vue de tous sauf de Legolas, mais leur présence était palpable, comme si l'ombre s'épaississait et que le soleil se voilait ; et s'ils s'abstenaient encore de plonger sur leurs adversaires ou d'émettre des cris, la terreur des Spectres de l'Anneau était comme un joug qu'on ne pouvait secouer.

Ainsi passèrent les heures de leur voyage désespéré. Quatre jours s'étaient écoulés depuis la Croisée des Routes, six depuis le départ de Minas Tirith, lorsqu'ils quittèrent enfin les terres vivantes et entrèrent peu à peu dans la désolation semée devant les portes du Col de Cirith Gorgor ; et ils purent discerner les marais et le désert qui s'étendaient au nord et à l'ouest jusqu'aux Emyn Muil. Ces lieux étaient si désolés, et l'horreur qu'ils inspiraient, si profonde, que d'aucuns en perdirent toute contenance et ne purent continuer plus au nord, à pied comme à cheval.

Aragorn les regarda, et ses yeux étaient empreints de pitié mais non de colère ; car c'étaient de jeunes hommes du Rohan, venus du lointain Ouestfolde, ou des cultivateurs du Lossarnach, pour qui le Mordor avait été depuis l'enfance un nom de funeste augure, mais irréel : une légende qui n'avait aucune prise sur leur simple existence ; et ils marchaient à présent dans un rêve affreux devenu réalité, sans pouvoir comprendre cette guerre ni pourquoi le sort les avait conduits à pareille extrémité.

« Partez ! dit Aragorn. Mais n'abandonnez pas toute dignité, et ne courez pas ! Et il est quelque chose que vous pourriez tenter pour vous sauver un peu du déshonneur. Prenez au sud-ouest jusqu'à Cair Andros, et si l'île est encore aux mains d'ennemis, comme je le pense, reprenez-la, si vous le pouvez ; et tenez-la jusqu'au bout pour la défense du Gondor et du Rohan ! »

Alors certains d'entre eux, honteux de la clémence qui leur était montrée, surmontèrent leur crainte et poursuivirent le voyage ; mais les autres se raccrochèrent à ce nouvel espoir, celui d'un acte de bravoure à leur mesure, et ils quittèrent les rangs pour se tourner ailleurs. Ainsi, bon nombre de troupes ayant déjà été laissées à la Croisée des Routes, ce fut avec moins de six mille hommes que les Capitaines de l'Ouest allèrent finalement défier la Porte Noire et la puissance du Mordor.

Ils ralentirent néanmoins l'allure, croyant recevoir à tout moment quelque réponse à leur défi, et ils se regroupèrent, car c'eût été un gaspillage d'hommes que d'envoyer des éclaireurs ou de petits détachements. À la tombée du cinquième jour depuis le Val de Morgul, ils établirent un dernier campement, autour duquel ils allumèrent des feux avec ce qu'ils trouvèrent de bois mort et de bruyère sèche. Ils passèrent la nuit à veiller. Des êtres à demi entrevus marchaient et rôdaient tout autour d'eux, et l'on entendait des hurlements de loups. Le vent était tombé et l'air tout entier semblait immobile. Ils n'y voyaient pas grand-chose, car bien que le ciel fût sans nuages et la lune vieille de quatre jours, des fumées et des vapeurs s'exhalaient du sol, et le croissant blanc était voilé par les brumes du Mordor.

Il commença à faire froid. Au matin, le vent se leva de nouveau, mais il venait à présent du Nord, et bientôt il fraîchit et une bonne brise souffla. Tous les marcheurs nocturnes avaient disparu, et les terres semblaient vides. Au nord, au milieu de fosses nauséabondes, se dressaient les premiers amas de scories, d'éclats de roche et de terre calcinée, vomissure de la vermine du Mordor ; mais au sud, maintenant tout proche, se dessinait le vaste rempart de Cirith Gorgor, avec la Porte Noire en son milieu et les deux Tours des Dents de part et d'autre. Car lors de leur dernière marche, les Capitaines s'étaient détournés de la vieille route qui bifurquait vers l'est, évitant ainsi la menace des collines, et ils approchaient à présent la Morannon par le nord-ouest, tout comme Frodo l'avait fait.

Sous l'arche rébarbative de la Porte Noire, les deux grands battants de fer étaient parfaitement clos. Rien ne se voyait sur le rempart. Tout était silencieux mais attentif. Parvenus à la dernière extrémité de leur folie, ils se tenaient, esseulés, frissonnants, dans la lumière grise du petit matin, devant des tours et des murs contre lesquels leur armée n'avait aucun espoir de conquête, y eût-elle apporté des engins de puissance, et l'Ennemi eût-il seulement la force suffisante pour défendre cette seule porte. Au reste, ils savaient que, tout autour de la Morannon, collines et rochers pullulaient d'ennemis embusqués, et que le sombre défilé qui se trouvait derrière était criblé de trous et de tunnels, véritable fourmilière creusée par des légions de créatures mauvaises. Et comme ils se tenaient là, ils virent tous les Nazgûl rassemblés, planant tels des vautours au-dessus des Tours des Dents; et ils se savaient surveillés. Mais l'Ennemi ne faisait toujours aucun signe.

Ils n'avaient d'autre choix que de tenir leur rôle jusqu'au bout. Aragorn disposa donc ses rangs dans le meilleur ordre possible, et ils furent regroupés sur deux grandes buttes de terre et de pierre explosée que les orques avaient amoncelées durant des années de labeur. Devant eux, vers le Mordor, s'étendait comme une douve un grand cloaque de boue fétide et de mares nauséabondes. Quand tout fut en ordre, les Capitaines chevauchèrent vers la Porte Noire avec une grande escorte de cavaliers, la bannière, et de nombreux hérauts et trompettes. Gandalf, premier héraut de l'armée, était du nombre, et Aragorn avec les fils d'Elrond, Éomer du Rohan, et Imrahil ; et Legolas, Gimli et Peregrin furent priés de les accompagner, afin que chacun des ennemis du Mordor ait pour lui un témoin.

Arrivés à portée de voix de la Morannon, ils déployèrent la bannière et firent sonner leurs trompettes ; et les hérauts s'avancèrent, projetant leur voix par-delà le rempart du Mordor.

« Sortez ! crièrent-ils. Que le Seigneur du Pays Noir s'avance ! Justice sera rendue contre lui. Car il a fait la guerre au Gondor et lui a indûment ravi ses terres. Le Roi du Gondor le somme donc de réparer ses torts et de se retirer, pour toujours. Sortez ! »

Il y eut un long silence, et pas un son ne vint du mur ou de la porte, ni un seul cri de réponse. Mais Sauron avait un plan préétabli, et son idée était de tourmenter ces insectes avant de leur porter le coup de grâce. Ainsi donc, au moment où les Capitaines s'apprêtaient à rebrousser chemin, le silence fut brusquement rompu. Un long roulement de tambours gronda comme le tonnerre dans les montagnes, puis un hurlement de cors qui fit trembler la pierre même et abasourdit les oreilles des hommes. Alors, les battants de la Porte Noire s'ouvrirent avec un fracas métallique, et une ambassade de la Tour Sombre en sortit.

À sa tête venait une forme haute et menaçante, montée sur un cheval noir, à supposer que ce fût un cheval ; car il était hideux, monstrueusement grand, et sa tête, tel un affreux masque, avait l'aspect d'un crâne plutôt que d'une face, et une flamme brûlait dans ses orbites et ses naseaux. Celui qui le montait était tout vêtu de noir, et noir était son heaume altier ; ce n'était pourtant pas un Spectre de l'Anneau, mais un homme bien vivant. C'était le Lieutenant de la Tour de Barad-dûr, et son nom n'est rappelé dans aucun récit; car lui-même l'avait oublié, et il disait : « Je suis la Bouche de Sauron. » On dit néanmoins que c'était un renégat, du peuple de ceux qu'on nomme les Númenóréens Noirs; car ces gens s'étaient établis en Terre du Milieu au temps de la domination de Sauron, et ils le vénéraient, étant épris de savoir maléfique. Et lui s'était mis au service de la Tour Sombre, à la restauration de celle-ci, et sa ruse avait fini par lui gagner la plus haute faveur du Seigneur; il était devenu un grand sorcier et un proche de Sauron, et il était plus cruel qu'aucun orque.

Ce fut lui qui s'avança alors, flanqué d'une maigre soldatesque en harnais noirs, et d'une unique bannière, noire, où l'emblème de l'Œil Mauvais se voyait néanmoins en rouge. Il s'arrêta à quelques pas des Capitaines de l'Ouest, les toisa des pieds à la tête et se mit à rire.

« Y a-t-il quelqu'un dans cette débâcle qui ait autorité pour traiter avec moi ? Ou même l'intelligence pour me comprendre ? Pas toi, en tout cas ! railla-t-il, dévisageant Aragorn avec mépris. Il faut plus pour faire un roi qu'un simple bout de verre elfique, ou un tel ramassis de canailles. Peuh ! N'importe quel brigand des montagnes pourrait s'attirer semblable suite ! »

Aragorn ne fit aucune réponse, mais il saisit le regard de l'autre et le soutint, et ils luttèrent ainsi un moment; mais très vite, bien qu'Aragorn n'eût fait aucun geste ni porté la main à son arme, l'autre fléchit et se déroba, comme sous la menace d'un coup. « Je suis un héraut et un ambassadeur, et je ne souffrirai aucun assaut ! » s'écria-t-il.

« Où ces lois sont observées, dit Gandalf, la coutume veut aussi que les ambassadeurs fassent preuve de moins d'insolence. Mais nul ne vous a menacé. Vous n'avez rien à craindre de nous tant que vous n'aurez pas conclu votre mission. Mais quand ce sera fait, à moins que votre maître n'ait acquis une nouvelle sagesse, vous, et tous ses serviteurs, courrez un grave danger. »

« Tiens donc ! fit le Messager. Ainsi tu es le porte-parole, vieille barbe grise ? N'avons-nous pas eu vent de toi par secousses, et de tes errances, toujours à ourdir des complots et des magouilles en te tenant à distance ? Mais cette fois, maître Gandalf, tu t'es montré le nez d'un peu trop près, et tu verras ce qu'il advient de ceux qui tendent leurs stupides toiles aux pieds de Sauron le Grand. J'ai ici des signes que l'on m'a prié de te montrer – à toi spécialement, si tu osais venir. » Il appela l'un de ses gardes, qui lui apporta un paquet enveloppé de linges noirs.

Le Messager retira ceux-ci, sur quoi, à la stupéfaction et au grand désarroi de tous les Capitaines, il éleva d'abord la courte-épée ayant appartenu à Sam, puis une cape grise munie d'une broche elfique et, enfin, la cotte de mailles de mithril que Frodo avait portée, entrevue sous ses vêtements en loques. Des ténèbres envahirent leur regard, et il leur sembla durant un instant de silence que le monde était en suspens ; mais leur cœur était mort et leur espoir défait. Pippin, debout derrière le prince Imrahil, se jeta en avant avec un cri de douleur.

« Silence ! » dit Gandalf avec sévérité, le repoussant ; mais le Messager eut un rire éhonté.

« Ainsi, vous trimballez encore un de ces lutins ! s'écria-t-il. Je ne vois pas quelle utilité vous leur trouvez ; mais de les envoyer au Mordor comme espions, cela dépasse même votre folie habituelle. Je le remercie tout de même, car il est clair que ce marmot tout au moins a déjà vu ces signes, et il serait futile de les renier. »

« Je n'ai aucune intention de les renier, dit Gandalf. En

vérité, je les connais tous ainsi que leur histoire ; et malgré tout votre mépris, infâme Bouche de Sauron, vous ne pouvez en dire autant. Mais pourquoi les apporter ici ? »

« Cotte de mailles naine, cape elfique, lame de l'Ouest déchu, et espion du petit pays de rats qu'on nomme Comté – non, faites-moi grâce ! nous le connaissons bien –, voilà tous les signes d'une conspiration. Maintenant, celui qui portait ces objets, peut-être était-ce une créature dont la disparition ne vous chagrinerait pas, mais peut-être que si : un ami cher, hein ? Si tel est le cas, prenez vite conseil avec le peu de jugement qu'il vous reste. Car Sauron n'aime pas les espions, et son sort repose désormais sur votre choix. »

Nul ne répondit ; mais lui, lisant la peur sur leurs visages livides et l'horreur dans leurs yeux, rit derechef, car son persiflage lui semblait faire mouche. « Bien, bien ! dit-il. Il vous était cher, à ce que je vois. Ou serait-ce que vous ne vouliez pas voir sa mission échouer ? Eh bien, c'est un échec. Il devra maintenant endurer le long tourment des années, aussi lent et pénible que le permettent les artifices de la Grande Tour ; et jamais il ne sera relâché, sauf peut-être quand il sera changé et brisé, afin qu'il vienne à vous, que vous puissiez voir ce que vous avez fait. Cela sera sûrement, à moins que vous accédiez aux conditions de mon Seigneur. »

« Nommez-les », dit Gandalf avec fermeté ; mais ceux qui se tenaient auprès de lui virent l'angoisse sur son visage, et on eût dit alors un vieil homme rapetissé, démoli, finalement vaincu. Ils ne doutaient pas qu'il accepterait.

« Ses conditions sont les suivantes, dit le Messager – et il sourit en les dévisageant à tour de rôle. La canaille du Gondor et ses alliés abusés se retireront immédiatement au-delà de l'Anduin, après avoir prêté serment de ne plus jamais assaillir Sauron par les armes, manifestes ou bien secrètes. Toutes les terres à l'est de l'Anduin seront à Sauron pour toujours, et à lui seul. Celles à l'ouest de l'Anduin, jusqu'aux Montagnes de Brume et à la Brèche du Rohan, seront tributaires du Mordor, et leurs habitants ne pourront porter les armes, mais seront libres de gouverner leurs propres affaires. Ils aideront néanmoins à reconstruire Isengard, qu'ils ont lâchement détruit ; cette place appartiendra à Sauron, et son lieutenant y prendra résidence : non pas Saruman, mais quelqu'un de plus digne de confiance. »

Regardant dans les yeux du Messager, ils devinèrent sa pensée. Lui-même serait ce lieutenant, et tous les débris de l'Ouest passeraient sous sa domination ; il serait leur tyran, et eux, ses esclaves.

Mais Gandalf dit : « Voilà qui est beaucoup demander pour la délivrance d'un seul serviteur – que votre Maître reçoive en échange ce qui, autrement, lui aurait coûté plusieurs guerres ! La bataille du Gondor aurait-elle déçu ses espoirs militaires au point de le réduire au marchandage ? Et si vraiment nous donnions un tel prix à ce prisonnier, quelle garantie aurions-nous que Sauron, Vil Maître de la Tricherie, respecterait sa part ? Où se trouve ce prisonnier ? Qu'il soit amené ici et remis entre nos mains ; alors, nous considérerons ces demandes. »

Il parut alors à Gandalf, absorbé, l'étudiant comme un homme d'épée devant un mortel adversaire, que l'espace d'une seconde, le Messager fut réduit à quia ; mais son rire éclata bientôt.

« Garde-toi de répondre à la Bouche de Sauron dans ton insolence ! s'exclama-t-il. Vous sollicitez des garanties ; Sauron n'en donne aucune. Si vous en appelez à sa clémence, il faut d'abord vous plier à ses ordres. Telles sont ses conditions. Elles sont à prendre ou à laisser ! »

« Nous prendrons au moins cela ! » dit soudain Gandalf. Il rejeta sa cape, et une lumière blanche jaillit comme une épée dans cet endroit sombre. Devant sa main levée, l'infâme Messager recula, et Gandalf s'avança pour saisir et lui soutirer les signes : mailles, cape et épée. « Nous prendrons au moins cela en mémoire de notre ami, cria-t-il. Quant à vos conditions, nous les rejetons en totalité. Partez d'ici, car votre ambassade est terminée et la mort vous guette. Nous ne sommes pas venus nous perdre en tractations avec Sauron, perfide et maudit ; encore moins avec l'un de ses esclaves. Allez-vous-en ! »

Alors, le Messager du Mordor ne rit plus. Son visage se tordit de stupéfaction et de colère, comme une bête sauvage qui, en se ramassant sur sa proie, eût reçu au museau un cuisant coup de bâton. La rage le saisit et l'écume lui monta aux lèvres ; de furieux marmottages s'étranglèrent dans sa gorge. Mais il observa les visages redoutables des Capitaines et leur regard mortel, et la peur eut raison de sa colère. Il poussa un grand cri et se retourna, sauta sur sa monture et, avec son escorte, galopa éperdument vers la sécurité de Cirith Gorgor. Mais au même moment, les cors de ses soldats donnèrent le signal depuis longtemps convenu ; et avant même qu'ils fussent à la porte, Sauron fit jouer son piège.

Des tambours roulèrent et des flammes montèrent. Les battants de la Porte Noire furent grand ouverts. Une énorme armée en déferla, aussi vive qu'une rivière à l'ouverture d'une vanne.

Les Capitaines se remirent en selle et battirent en retraite, et de l'armée du Mordor s'éleva une clameur de huées. De la poussière monta dans l'air suffoqué, car non loin de là venait un contingent d'Orientais qui avait attendu le signal dans l'ombre des Ered Lithui derrière la Tour la plus éloignée. Des collines de part et d'autre de la Morannon se déversèrent d'innombrables Orques. Les hommes de l'Ouest étaient pris au piège ; bientôt, tout autour des monticules gris où ils se tenaient, des forces dix fois plus grandes, voire plus de dix fois supérieures les enfermeraient dans une mer d'ennemis. Sauron avait saisi l'appât tendu dans des mâchoires d'acier.

Il restait peu de temps à Aragorn pour ordonner sa bataille. Il occupait l'une des collines avec Gandalf ; et là, belle de désespoir, fut élevée la bannière de l'Arbre Étoilé. Sur l'autre colline, toute proche, flottaient les bannières du Rohan et de Dol Amroth, Cheval Blanc et Cygne d'Argent. Et autour de chaque éminence, on forma un anneau hérissé de lances et d'épées qui faisait face dans toutes les directions. Mais sur le front du Mordor, où s'abattrait la fureur du premier assaut, se tenaient les fils d'Elrond sur la gauche, entourés des Dúnedain, et sur la droite, le prince Imrahil avec les hommes de Dol Amroth, grands et beaux, et d'autres de la Tour de Garde triés sur le volet.

Le vent sifflait, les trompettes chantaient et les flèches piaulaient ; mais le soleil, qui grimpait maintenant au sud, était voilé par les effluves du Mordor. Il luisait au travers d'une brume menaçante, distant, d'un rouge terreux, comme si la fin du jour était venue, ou celle du monde de lumière tout entier. Et de cette sombreur grandissante surgirent les Nazgûl, criant de leurs voix glaciales des paroles de mort, et alors, tout espoir s'éteignit.

Pippin avait ployé sous le coup de l'horreur en entendant Gandalf rejeter les conditions et condamner Frodo au tourment de la Tour ; mais il s'était dominé, et il se tenait à présent au côté de Beregond sur la première ligne du Gondor avec les hommes d'Imrahil, car il lui semblait préférable de trouver une mort rapide et de mettre un terme à la pénible histoire de sa vie, puisque tout était perdu.

« J'aurais voulu que Merry soit là », s'entendit-il dire ; les pensées lui traversaient l'esprit à une vitesse folle tandis qu'il voyait l'ennemi monter à la charge. « Eh bien, maintenant en tout cas, je comprends un peu mieux le pauvre Denethor. Nous aurions pu mourir ensemble, Merry et moi, et puisqu'il faut mourir, pourquoi pas ? Mais comme il n'est pas là, eh bien, j'espère qu'il aura une fin moins pénible. Il ne me reste plus qu'à faire de mon mieux. »

Il tira son épée et la regarda, ses entrelacs de rouge et d'or ; et les élégants caractères de Númenor flamboyèrent sur le plat de la lame. « Elle a été forgée pour une telle occasion, pensa-t-il. Si j'arrivais à transpercer cet infâme Messager, j'égalerais presque ce vieux Merry. N'empêche, je tâterai de cette sale engeance avant la fin. Comme je voudrais revoir le doux soleil et l'herbe verte ! »

Et comme il pensait à tout cela, le premier assaut fondit sur eux. Les orques, gênés par les bourbiers qui s'étalaient au pied des collines, firent halte et déversèrent une pluie de flèches sur les lignes de défense. Mais à travers eux surgit à pas de géants, avec un rugissement de bêtes, une grande compagnie de trolls des collines venue du Gorgoroth. Ils étaient plus grands et plus larges que des Hommes, et ne portaient qu'un étroit costume garni d'écailles pointues, ou peut-être était-ce là leur horrible cuir ; mais ils étaient équipés de bocles ronds, noirs et imposants, et brandissaient de lourds marteaux dans leurs mains noueuses. Ils s'élancèrent avec insouciance dans les mares, qu'ils franchirent tant bien que mal, beuglant dans l'effort. Comme une tempête, ils s'abattirent sur les rangs du Gondor et frappèrent casques et têtes, bras et boucliers, tels des forgerons battant un fer chaud et malléable. Au côté de Pippin, Beregond, assommé et mis à mal, s'effondra ; et le grand chef troll qui l'avait frappé se pencha sur lui et tendit une griffe pour le saisir ; car ces abominables créatures avaient coutume de prendre ceux qu'ils terrassaient pour leur croquer la gorge.

Alors, Pippin frappa vers le haut, et la lame gravée de l'Occidentale perça le cuir du troll et s'enfonça profondément dans ses chairs, faisant jaillir un sang noir. Le troll bascula en avant et s'écroula comme un rocher, ensevelissant ses adversaires sous lui. Le noir, la puanteur et une douleur écrasante suffoquèrent Pippin, et son esprit s'abîma dans de profondes ténèbres.

« Tout finit donc comme je l'avais prévu », lui souffla sa pensée, comme elle s'envolait ; et elle rit un peu en lui avant de s'évader, heureuse, presque, d'abandonner enfin tout doute, tout souci et toute peur. Puis, au moment de voler vers l'oubli, elle entendit des voix qui semblaient crier, loin au-dessus d'elle, dans un monde reculé :

« Les Aigles arrivent ! Les Aigles arrivent ! »

La pensée de Pippin resta suspendue, un instant encore. « Bilbo ! dit-elle. Mais non ! C'était dans son histoire, il y a très, très longtemps. Celle-ci est la mienne, et elle est terminée, à présent. Adieu ! » Et sa pensée s'enfuit au loin et ses yeux ne virent plus.

Livre sixième

1

La Tour de Cirith Ungol

Sam se releva péniblement du sol. Pendant un instant, il se demanda où il était, puis il se rappela toute sa détresse et son désespoir. Il se trouvait dans la plus totale obscurité, devant l'entrée souterraine de la forteresse des orques; ses portes de bronze étaient fermées. Il avait dû tomber assommé en se jetant contre elles; mais combien de temps il était resté étendu là, il n'en avait aucune idée. Autant il avait été bouillant tout à l'heure, désespéré et furieux, autant il frissonnait à présent, glacé jusqu'aux os. Il s'approcha furtivement des portes et pressa son oreille contre celles-ci.

Il put tout juste entendre des voix d'orques qui clabaudaient, loin à l'intérieur; mais bientôt, elles se turent ou échappèrent à son ouïe, et le silence retomba. Sa tête le lancinait, et ses yeux percevaient des lumières fantômes dans les ténèbres, mais il prit sur lui de se remettre d'aplomb et de réfléchir. Une chose était claire, en tout cas : il n'y avait aucun espoir de s'introduire dans la forteresse orque par cette porte. Il attendrait peut-être des jours avant qu'elle s'ouvre, et il ne pouvait attendre : les heures étaient terriblement précieuses. Il ne doutait plus du devoir qui lui incombait : il lui fallait secourir son maître ou périr dans l'entreprise.

« Pour ce qui est de périr, j'ai de bonnes chances ; et ce sera bien plus facile de toute façon », se dit-il sombrement, tandis qu'il remettait Dard au fourreau et se détournait des portes de bronze. Lentement, il remonta le tunnel à tâtons dans l'obscurité, n'osant se servir de la lampe elfique ; et comme il cheminait, il tenta de se représenter le cours des événements depuis que Frodo et lui avaient passé la Croisée des Routes. Il se demanda quelle heure il était. Quelque part entre une journée et une autre, sans doute ; à vrai dire, il avait tout à fait perdu le compte des jours. Il se trouvait dans un pays de ténèbres où les jours du monde semblaient oubliés, et tous ceux qui y entraient l'étaient eux aussi.

« Je me demande s'ils pensent jamais à nous, se dit-il, et ce qui leur arrive tout là-bas. » Il agita vaguement la main devant lui ; mais en vérité, comme il regagnait le tunnel d'Araigne, il se trouvait à présent face au sud, et non à l'ouest. Au-dehors dans le monde, sur les marches de l'Ouest, midi approchait au quatorzième jour de mars, Comput du Comté : Aragorn venait alors de quitter Pelargir à la tête de la flotte noire, et Merry chevauchait avec les Rohirrim dans la Vallée des Fardiers, pendant qu'à Minas Tirith, les flammes montaient, Pippin voyant grandir la folie dans le regard de Denethor. Pourtant, malgré le souci et la peur, leurs pensées se tournaient constamment vers Frodo et Sam. Ils n'étaient pas oubliés. Mais ils étaient au-delà de toute assistance, et pour lors, aucune pensée ne pouvait venir en aide à Samsaget, fils de Hamfast : il se trouvait entièrement seul.

Il finit par regagner la porte de pierre à l'entrée du passage des orques, et, toujours incapable de découvrir le moindre loquet ou verrou, il se hissa par-dessus comme auparavant et se laissa tomber doucement de l'autre côté. Puis il se coula jusqu'à la sortie du tunnel d'Araigne, où les lambeaux de sa grande toile continuaient de flotter et de s'agiter dans le courant d'air froid. Sam le trouva glacial après les ténèbres malsaines où il était resté ; mais ce souffle le ranima. Il sortit à pas de loup.

Au-dehors, il régnait un calme inquiétant. La lumière n'était guère plus nette que le crépuscule d'un jour sombre. L'immense flot de vapeur qui s'élevait du Mordor se répandait vers l'ouest en un bas plafond, maelström de nuages et de fumée que la sinistre lueur rouge éclairait encore par en dessous.

Sam leva les yeux vers la tour orque, quand tout à coup apparurent à ses étroites fenêtres des lumières semblables à de petits yeux rouges. Il se demanda s'il s'agissait d'un signal. Sa crainte des orques, momentanément oubliée dans sa colère et son désespoir, le saisit de plus belle. Il ne voyait pas d'autre voie : il lui fallait poursuivre sa route et tenter de découvrir l'entrée principale de cette terrible tour ; mais il sentait ses genoux ployer, et il s'aperçut qu'il tremblait. Détournant son regard de la tour et des cornes de la Fente devant lui, il força ses jambes récalcitrantes à lui obéir ; et tout yeux, tout oreilles, scrutant l'ombre dense des rochers de part et d'autre du sentier, il revint lentement sur ses pas, retrouvant l'endroit où Frodo était tombé, et où planait encore la puanteur d'Araigne ; puis il poursuivit son ascension, jusqu'à ce qu'il fût de nouveau dans cette même fente où il avait mis l'Anneau et vu passer la compagnie de Shagrat.

Il s'arrêta alors et s'assit. Pour le moment, il ne pouvait s'astreindre à continuer. Il sentait que, s'il dépassait le sommet du col et faisait un véritable premier pas dans la descente, sur la terre du Mordor, ce premier pas serait irrévocable. Il ne pourrait plus jamais revenir. Sans intention précise, il sortit l'Anneau et le repassa à son doigt. Il en sentit aussitôt l'énorme poids ; et il sentit à nouveau, mais plus forte et plus pressante que jamais, la malveillance de l'Œil du Mordor, fouillant, tentant de percer les ombres ourdies pour sa propre protection, mais qui à présent lui nuisaient, confortant son inquiétude et son doute.

Comme auparavant, Sam constata que son ouïe était plus fine, mais qu'à sa vue les choses de ce monde paraissaient vagues et dissipées. Les parois rocheuses du sentier étaient pâles, comme vues à travers un brouillard, mais il entendait encore le lointain gargouillement d'Araigne dans son malheur ; et, durs et clairs – tout proches, pensat-il –, il entendit des cris et des chocs métalliques. Il sauta sur pied et se pressa vivement contre la paroi en bordure de la route. Il se félicita d'avoir l'Anneau, car voici qu'une nouvelle compagnie d'orques venait encore par là. Il le crut du moins, au début. Puis soudain, il comprit qu'il n'en était rien, que son ouïe l'avait abusé : les cris d'orques venaient de la tour, dont la plus haute corne se trouvait juste audessus de lui, à présent, sur le côté gauche de la Fente.

Secoué d'un frisson, il s'efforça d'avancer. Visiblement, il se tramait quelque diablerie. Peut-être la cruauté des orques les avait-elle dominés au mépris des ordres ; peutêtre étaient-ils en train de tourmenter Frodo, ou même de le tailler sauvagement en pièces. Il tendit l'oreille ; et tandis qu'il écoutait, une lueur d'espoir vint à lui. Impossible de s'y tromper : on se battait dans la tour, les orques devaient se quereller entre eux, Shagrat et Gorbag en étaient venus aux coups. L'espoir que lui inspira cette idée, si mince qu'il fût, le fouetta néanmoins. Il avait peut-être une chance. Son amour pour Frodo l'emporta sur toute autre pensée ; alors, oublieux du danger, il s'écria : « J'arrive, monsieur Frodo ! »

Il s'élança vers le sentier et gravit la pente en courant. Au-delà, la route tournait à gauche et plongeait abruptement. Sam venait d'entrer au Mordor.

Il retira l'Anneau, mû peut-être par quelque vague prémonition de danger, encore qu'il se dît simplement qu'il souhaitait y voir plus clair. « Vaut mieux faire face au pire, murmura-t-il. C'est mieux qu'avancer à tâtons dans le brouillard ! »

Un pays hostile, dur et cruel se révéla à son regard. À ses pieds, la plus haute crête de l'Ephel Dúath s'abîmait en de hauts précipices dans une sombre gorge, derrière laquelle s'élevait une autre chaîne, beaucoup plus basse, dont l'arête découpée présentait des entailles et des aiguilles de roche, tels des crocs dessinés en noir devant la lueur rouge de l'arrière-fond : c'était la sinistre Morgai, l'anneau intérieur des défenses du pays. Loin au-delà, mais presque en droite ligne, par-delà une grande mer de ténèbres piquetée de feux minuscules, se voyait un intense rougeoiement, d'où s'élevaient d'immenses volutes de fumée tourbillonnante, rouge cendre à la base, noires au-dessus, là où elles rejoignaient l'enflure du plafond de nuages qui recouvrait toute la terre maudite.

Sam contemplait l'Orodruin, la Montagne du Feu. De temps à autre, les fourneaux s'échauffaient loin au-dessous de son cône de cendres, et des torrents de roche en fusion se déversaient par jets convulsifs, sortant des crevasses qui déchiraient ses flancs. Des coulées incandescentes se dirigeaient vers Barad-dûr, dévalant par de profondes rigoles ; d'autres se faufilaient dans la plaine rocailleuse où elles finissaient par se refroidir et restaient comme des formes de dragons tordus vomies par la terre tourmentée. Ce fut en cette heure d'épreuve que Sam contempla le Mont Destin, et sa lumière, cachée par le haut écran de l'Ephel Dúath à la vue de ceux qui venaient de l'Ouest, enflammait à présent la face sinistre des rochers, de sorte qu'ils paraissaient baignés de sang.

Dans cette lueur infâme, Sam resta frappé d'horreur, car il vit à présent, regardant à sa gauche, la Tour de Cirith Ungol dans toute sa puissance. La corne qu'il avait aperçue de l'autre côté n'était que la plus haute tourelle. À l'est, sa face, en trois grands niveaux, était assise sur un replat de la muraille montagneuse, loin en contrebas ; l'édifice était adossé à un haut escarpement d'où saillaient ses bastions pointus, l'un au-dessus de l'autre, en dimensions toujours réduites, avec des côtés abrupts d'une ingénieuse maçonnerie qui regardaient au nord-est et au sud-est. Autour de l'assise inférieure, à deux cents pieds sous la corniche où se tenait Sam, se dressait un mur crénelé enfermant une cour étroite. Sa porte s'ouvrait au sud-est, du côté rapproché, et donnait sur une large voie dont le parapet extérieur longeait le bord d'un précipice ; puis ce chemin, tournant vers le sud, descendait en zigzags dans les ténèbres pour aller rejoindre la route venant du Col de Morgul. Celle-ci passait alors une découpure irrégulière dans la face de la Morgai, débouchant dans la vallée du Gorgoroth et poursuivant sa course vers Barad-dûr. L'étroit chemin de montagne sur lequel se trouvait Sam plongeait quant à lui par une série d'escaliers et de raidillons, jusqu'à la grand-route qui passait sous les murs renfrognés, près de la porte de la Tour.

Tandis qu'il regardait, Sam comprit soudain, presque sous le choc, que la forteresse n'avait pas été bâtie pour empêcher que l'ennemi n'entre au Mordor, mais pour éviter qu'il n'en sorte. C'était, en fait, l'un des ouvrages du Gondor de jadis, un avant-poste de défense à l'est de l'Ithilien, construit dans le sillage de la Dernière Alliance, alors que les Hommes de l'Occidentale surveillaient le pays maléfique de Sauron où rôdaient encore ses créatures. Mais comme à Narchost et à Carchost, les Tours des Dents, leur vigilance s'était endormie, et la traîtrise avait livré la Tour au Seigneur des Spectres de l'Anneau ; et il y avait de longues années désormais qu'elle était aux mains de choses mauvaises. Depuis son retour au Mordor, Sauron en avait tiré le meilleur parti ; car il avait peu de serviteurs mais beaucoup d'esclaves sous le joug de la peur, aussi cette place forte remplissait-elle la même fonction qu'autrefois : empêcher toute évasion du Mordor. Mais quiconque eût poussé l'audace jusqu'à vouloir s'insinuer dans ce pays la trouverait également sur son chemin, ultime sentinelle qui ne dort jamais, pour qui aurait échappé à la vigilance de Morgul et d'Araigne.

Sam ne voyait que trop clairement combien il serait difficile de se faufiler sous ces remparts aux multiples yeux et de passer la porte attentive. Et même s'il y réussissait, il n'irait sans doute pas bien loin sur la route surveillée qui courait au-delà : même les ombres noires, tapies dans les creux que la lueur rouge ne pouvait atteindre, ne l'abriteraient pas longtemps de la vision nocturne des orques. Mais si désespérée que lui parût cette route, la tâche qui l'attendait était encore bien pire : non pas d'éviter la porte dans sa fuite, mais de la franchir, seul.

Sa pensée se tourna vers l'Anneau mais n'y trouva aucun réconfort, que du danger et de la peur. À peine arrivé en vue du Mont Destin rougeoyant au lointain, il avait constaté que son fardeau avait changé. À mesure qu'il approchait des grands fourneaux où celui-ci avait, dans les profondeurs du temps, été façonné et forgé, le pouvoir de l'Anneau grandissait : il devenait plus âpre, indomptable, sinon par une volonté extrêmement puissante. Et Sam, tandis qu'il se tenait là, bien que l'Anneau ne fût pas à son doigt, mais suspendu à la chaîne qu'il avait au cou, se sentait plus grand que nature, comme revêtu d'une ombre de lui-même, démesurément haute, sinistre menace dressée sur les remparts du Mordor. Il sentait que dorénavant, il n'avait plus que deux choix : refuser l'Anneau et s'exposer à son tourment, ou le revendiquer, et défier la Puissance assise dans son repaire noir au-delà de la vallée des ombres. Déjà, l'Anneau le tentait, entamant sa raison et sa volonté. Les rêves les plus fous se présentaient à lui ; et il se voyait, Samsaget le Fort, Héros de notre Âge, arpentant les terres assombries avec une épée flamboyante, rassemblant les armées sous son drapeau, tandis qu'il volait à la conquête de Barad-dûr. Alors, tous les nuages se retiraient, le soleil dardait ses rayons blancs ; et à son commandement, la vallée du Gorgoroth devenait un jardin de fleurs et d'arbres plantureux. Il n'avait qu'à mettre l'Anneau et à le revendiquer pour lui-même ; alors, toutes ces choses seraient à sa portée.

Ce fut d'abord l'amour de son maître qui, à travers cette épreuve, lui permit de rester ferme, mais aussi ce simple bon sens de hobbit qui au fond de lui-même demeurait invaincu : il savait, en son for intérieur, qu'il n'était pas de taille à supporter un tel fardeau, en supposant que ces visions ne fussent pas un simple leurre. Un tout petit jardin, celui d'un jardinier libre, tel était son unique besoin et son seul dû, non un jardin érigé en royaume ; travailler de ses propres mains, et non commander celles des autres.

« Et puis, toutes ces lubies sont qu'un piège, se dit-il. Il m'aurait cerné et soumis avant que j'aie eu même crié. Il aurait vite fait de me cerner si je mettais l'Anneau ici, au Mordor. Eh bien, tout ce que je puis dire, c'est que ça s'annonce aussi mal qu'un gel au printemps. Juste au moment où être invisible serait vraiment utile, je peux pas me servir de l'Anneau ! Et si jamais j'arrive à me sortir d'ici, ce sera qu'un fardeau et un boulet à traîner à chaque pas. Que faire, alors ? »

Il ne doutait pas réellement. Il savait qu'il lui fallait descendre à la porte sans s'attarder plus longtemps. Avec un haussement d'épaules, comme pour secouer l'ombre et chasser les phantasmes, il se mit à descendre lentement. Chaque pas semblait l'amoindrir ; bientôt, il était redevenu un tout petit hobbit effrayé. Il se faufila sous les murs mêmes de la Tour, d'où il put entendre, sans aide extérieure, les cris et le tumulte de la bagarre. À présent, le brouhaha semblait venir de la cour située derrière la muraille.

Sam avait parcouru environ la moitié du chemin quand deux orques sortirent en courant de la porte sombre dans la lueur rouge. Ils ne se dirigeaient pas vers lui. Ils tentaient de rejoindre la grand-route ; mais, trébuchant dans leur course, ils s'affalèrent sur le sol et y restèrent étendus, immobiles. Sam n'avait vu aucune flèche, mais il devinait que les fuyards avaient été abattus par d'autres orques postés aux créneaux, ou cachés dans les ombres de la porte. Il se remit en marche, serrant le mur à sa gauche. Un regard vers le haut lui avait confirmé qu'il n'y avait aucun espoir d'escalade. La maçonnerie s'élevait à trente pieds, sans la moindre fente ou saillie, vers des assises en surplomb formant un escalier inversé. La porte était le seul moyen.

Il continua d'approcher ; ce faisant, il se demanda combien d'orques vivaient dans la tour avec Shagrat, combien étaient avec Gorbag, et quel était le motif de leur dispute, si dispute il y avait. La compagnie de Shagrat lui avait paru totaliser une quarantaine, celle de Gorbag plus du double ; mais évidemment, la patrouille de Shagrat n'était qu'une partie de la garnison. Frodo était presque assurément l'objet de leur querelle, Frodo et le butin. Sam s'arrêta une seconde, car soudain tout lui semblait clair, comme s'il le voyait de ses yeux. La cotte de mailles de mithril ! Frodo la portait, naturellement, et ils ne manqueraient pas de la trouver. Et d'après ce que Sam avait entendu, Gorbag la convoiterait. Mais les ordres de la Tour Sombre étaient désormais la seule protection de Frodo, et si l'on décidait de passer outre, Frodo pouvait être tué à tout moment, sans cérémonies.

« Allons, pauvre fainéant ! s'écria Sam pour lui-même. Il est temps d'agir ! » Il tira Dard et courut vers la porte béante. Mais juste au moment de passer sous sa grande arche, il ressentit un choc : comme s'il s'était heurté à une toile semblable à celle d'Araigne, mais invisible. Il ne voyait aucun obstacle, mais quelque chose lui barrait le chemin, trop fort pour être surmonté par sa volonté. Il regarda autour de lui, et alors, dans l'ombre du portail, il vit les Deux Guetteurs.

On eût dit de grandes formes assises sur des trônes. Chacune avait trois corps joints et trois têtes tournées vers l'extérieur, l'intérieur et le travers du portail. Leurs faces étaient celles de vautours ; et sur leurs épais genoux reposaient des mains pareilles à des serres. Ils semblaient taillés dans d'immenses blocs de pierre, immuables ; et pourtant ils étaient conscients, pétris de malveillance, habités d'un terrible esprit de vigilance. Ils savaient reconnaître un ennemi. Visible ou invisible, nul ne pouvait passer sans être découvert. Ils lui interdiraient l'entrée, comme ils empêcheraient son évasion.

Durcissant sa volonté, Sam s'élança une nouvelle fois, mais il s'arrêta d'un coup sec, chancelant, comme frappé à la poitrine et à la tête. Puis redoublant d'audace – car il ne trouvait rien d'autre à faire –, répondant à une idée soudaine qui lui était venue en tête, il sortit lentement la fiole de Galadriel et la brandit. Sa lumière blanche fusa rapidement, et les ombres s'enfuirent du portail. Les monstrueux Guetteurs furent révélés, froids et immobiles, dans toute leur ignominie. Pendant un instant, Sam vit une lueur étinceler dans les pierres noires des yeux, et leur malveillance le fit trembler ; mais peu à peu, il sentit leur volonté s'effriter et succomber finalement à la peur.

Il les passa en coup de vent, mais comme il le faisait, remettant la fiole sous sa chemise, il sut, aussi sûrement que si une barre d'acier avait claqué, que leur vigilance était revenue. Et de ces hideuses têtes monta un cri aigu et strident qui résonna entre les hauts murs devant lui. Loin au-dessus, tel un signal de réponse, une cloche discordante retentit une fois.

« Bon, bon ! dit Sam. V'là que j'ai sonné à la grande porte ! Eh bien, quelqu'un va venir ? cria-t-il. Dites au capitaine Shagrat que le grand guerrier elfe est en visite, et son épée d'Elfe itou ! »

Il n'y eut pas de réponse. Sam s'avança d'un pas alerte. Dans sa main, Dard luisait d'une flamme bleue. La cour était plongée dans l'ombre, mais il pouvait voir que le pavement était jonché de corps. Tout juste à ses pieds gisaient deux archers orques avec un couteau planté dans le dos. Plus loin se voyaient quantité d'autres formes : seules pour certaines, comme si elles avaient été abattues d'un coup de lame ou par une flèche ; d'autres par paires, encore la main au collet, morts dans l'acte même de poignarder, de mordre, d'étouffer. Les pierres étaient glissantes de sang noir.

Sam remarqua deux livrées, l'une marquée de l'Œil Rouge, l'autre d'une Lune défigurée par un horrible visage de mort ; mais il ne s'arrêta pas pour les examiner. Au fond de la cour, une grande porte était entrouverte au pied de la Tour ; une lueur rouge en sortait, un grand orque gisait mort sur le seuil. Sam entra, sautant par-dessus le cadavre ; puis il scruta les environs d'un œil dérouté.

Un large couloir rempli d'échos ramenait de la porte vers le flanc de la montagne. Il était faiblement éclairé par des torches fixées aux murs, mais au bout, il se perdait dans la pénombre. De nombreuses portes et ouvertures se voyaient de part et d'autre ; mais il était vide, hormis deux ou trois autres corps étalés sur le sol. D'après ce qu'il avait surpris de la conversation des capitaines, Sam savait que, mort ou vivant, Frodo devait se trouver quelque part dans une chambre au sommet de la tourelle tout en haut ; mais il pouvait aussi bien chercher une journée entière avant de trouver le chemin qui y menait.

« Ce doit être vers le fond, je suppose, murmura Sam. Toute la Tour grimpe comme en reculant. Et puis, je ferais mieux de suivre la lumière. »

Il avança dans le couloir, mais sa démarche se ralentit, toujours plus hésitante. La terreur le rattrapait. Il n'y avait pas un son hormis le bruit de ses pas, lequel semblait retentir comme de larges mains frappant sur la pierre. Les cadavres, le vide, les murs suintants et noirs qui, à la lueur des torches, semblaient dégouliner de sang, la crainte d'une mort soudaine tapie dans l'ombre d'une porte et, dans l'arrière-fond de sa pensée, la malveillance sournoise et attentive à l'entrée de la Tour : c'en était presque trop pour lui. Il aurait bien voulu en découdre – sans trop d'adversaires à la fois – plutôt que de rester dans cette affreuse et écrasante incertitude. Il s'efforça de penser à Frodo étendu – ligoté, souffrant ou mort – quelque part dans cet endroit horrible. Il se pressa en avant.

Il avait passé la lumière des torches et se trouvait devant un grand portail voûté au bout du couloir – l'envers de la porte souterraine, comme il le devina –, lorsqu'il entendit un hurlement venu d'en haut, un horrible cri étranglé. Il s'arrêta net. Puis des échos retentirent au-dessus de lui. Quelqu'un dévalait un escalier à toutes jambes.

Sa volonté fut trop faible et trop lente pour retenir sa main qui, tirant sur la chaîne, se referma sur l'Anneau. Mais Sam ne le passa pas à son doigt ; car au moment où il le pressait contre son sein, un orque surgit avec fracas. Jaillissant d'une sombre ouverture à sa droite, il fonça vers lui. Il était tout juste à six pas quand, levant la tête, il le vit ; et Sam put entendre sa respiration haletante et voir la lueur de ses yeux injectés de sang. L'orque s'arrêta court, atterré. Car il ne vit pas un petit hobbit effrayé dont la main vacillante peinait à tenir son arme ; il vit une grande forme silencieuse, enveloppée d'une ombre grise, se détachant sur le clignotement de lumière : l'une de ses mains tenait une lame dont l'éclat même était une douleur cuisante, l'autre était serrée contre sa poitrine, mais elle recelait une menace sans nom, de puissance et de ruine.

L'orque se recroquevilla un moment, puis, avec un horrible glapissement de peur, il se retourna et s'enfuit comme il était venu. Jamais aucun chien ne fut plus emballé de voir son ennemi montrer les talons que Sam devant cette fuite inespérée. Il donna la chasse avec un cri.

« Oui ! Le guerrier elfe court toujours ! lança-t-il. J'arrive. Mais tu me montres le chemin, ou je vais t'écorcher ! »

L'orque était toutefois chez lui, agile et bien nourri. Sam était un étranger, affamé et fourbu. L'escalier était haut, raide, et en colimaçon. Sam se mit à souffler. L'orque était vite passé hors de vue, et le claquement de ses pieds sur les marches ne s'entendait plus que faiblement. De temps en temps, il poussait un cri, et l'écho en courait le long des murs. Mais peu à peu, les sons s'éteignirent complètement.

Sam poursuivit sa pénible ascension. Se sentant sur la bonne voie, il avait repris courage. Il lâcha l'Anneau et serra sa ceinture. « Eh bien ! dit-il. S'ils deviennent tous aussi frileux envers moi et mon Dard, ça pourrait mieux finir que ce que j'espérais. Et puis, il semble bien que Shagrat, Gorbag et compagnie ont fait presque tout le boulot à ma place. À part ce petit rat effarouché, c'est à croire qu'il reste plus personne de vivant ! »

Là-dessus, il s'arrêta brutalement, comme s'il venait de se frapper la tête contre le mur de pierre. La pleine portée de ses paroles l'avait heurté de plein fouet. Plus personne de vivant ! Qui avait poussé ce cri horrible, ce hurlement

de mort ? « Frodo, Frodo ! Maître ! cria-t-il presque sanglo-
tant. S'ils vous ont tué, qu'est-ce que je vais faire ? Mais
j'arrive enfin, tout en haut, pour voir ce qu'il faudra. »

Il monta, encore et encore. Il faisait sombre, sauf ici et
là, où une torche brûlait derrière un tournant, ou près d'une
ouverture donnant accès aux étages supérieurs de la Tour.
Sam voulut compter les marches, mais il perdit le compte
après deux cents. Il allait en silence, à présent ; car il croyait
entendre des voix qui parlaient là-haut, encore à quelque
distance. Il y avait encore plus d'un rat vivant, à ce qu'il
semblait.

Tout à coup, alors qu'il ne se sentait plus la force de
prendre un souffle de plus ni de plier les genoux une nouvelle fois, l'escalier prit fin. Il se tint immobile. Les voix
étaient à présent fortes et rapprochées. Sam regarda autour
de lui. Il avait grimpé jusqu'au toit plat du troisième et
dernier niveau de la Tour, un espace ouvert d'environ
soixante pieds de large, entouré d'un parapet de faible
hauteur. Là, l'escalier était couvert par un petit édicule
à coupole, avec des portes basses à l'est et à l'ouest. Du
côté est, Sam pouvait voir la plaine du Mordor étalée en
bas, vaste et sombre, et le flamboiement de la montagne
au loin. Un nouveau tumulte s'agitait dans ses profonds
puits, et ses torrents de feu brûlaient d'une ardeur telle
que le sommet de la Tour, malgré les nombreux milles qui
l'en séparaient, était baigné de leur sinistre rougeoiement.
À l'ouest, la vue était bloquée par le bas de la grande
tourelle dressée au fond de cette cour surélevée, sa haute
corne dominant la crête des montagnes environnantes.
Une lueur s'échappait d'une fenêtre comme à travers une

fente. Sam se tenait à moins d'une trentaine de pieds de la porte. Elle était ouverte mais ne laissait filtrer aucune lumière, les voix émanant de l'ombre juste derrière le seuil.

Sam n'écouta pas au début; sortant du côté est, il s'aventura d'un pas et regarda alentour. Il vit aussitôt que la haute cour avait été le théâtre des plus violents combats. Elle était ensevelie sous les cadavres d'orques, parsemée de membres tranchés et de têtes coupées. Une puanteur de mort régnait. Mais un rugissement hargneux, suivi d'un coup et d'un cri, lui fit aussitôt regagner sa cachette. Une voix orque s'éleva avec colère, et il la reconnut sur-le-champ, âpre, froide, brutale. C'était Shagrat, le Capitaine de la Tour.

« Tu y retourneras pas, c'est bien ce que tu dis ? Maudit sois-tu, Snaga, misérable petit ver ! Si tu me crois si amoché que je vais te laisser me rire au nez, tu te trompes. Viens ici que je t'arrache les yeux, comme j'ai fait à Radbug il y a une seconde. Et quand d'autres gars arriveront, je m'occuperai de toi : je t'enverrai voir Araigne. »

« Il en viendra pas, en tout cas, pas avant que tu sois mort, répondit Snaga d'un ton acerbe. Je t'l'ai dit deux fois : les porcs de Gorbag sont arrivés à la porte avant nous, et aucun des nôtres a pu s'échapper. Lagduf et Muzgash sont passés, mais on leur a tiré dessus. J'ai tout vu d'une fenêtre, que j'te dis. Et c'étaient les derniers. »

« Alors tu dois y aller. J'ai pas le choix que de rester ici, moi. Mais je suis blessé. Les Puits Noirs le prennent, ce foutu rebelle de Gorbag ! » La voix de Shagrat se réduisit à un flot d'injures et de jurons. « Je lui ai donné plus que ce que j'ai pris, mais il m'a suriné, l'ordure, avant que je l'étouffe. Tu vas y aller, ou je te mange tout rond. Il faut que les nouvelles se rendent à Lugbúrz, ou on sera bons pour les Puits Noirs. Oui, toi aussi. Tu t'en sauveras pas en te cachant ici. »

« Je remets pas les pieds dans cet escalier, que tu sois capitaine ou non, rugit Snaga. Nan ! T'avises pas de prendre ton couteau, sinon j'te colle une flèche dans le ventre. Tu seras pas capitaine longtemps, quand Ils auront eu vent de toute cette débâcle. Je me suis battu pour la Tour contre ces sales rats de Morgul, mais vous avez fait un beau gâchis, vous deux messieurs les capitaines, à vous arracher le butin. »

« En voilà assez, tonna Shagrat. J'avais mes ordres. C'est Gorbag qu'a commencé en essayant de piquer c'te belle chemise. »

« Tu l'as bien cherché, j'te signale, avec tes grands airs de seigneur. Et puis de toute manière, il s'est montré plus malin que toi. Il t'a dit plus d'une fois que le plus dangereux des espions était encore en liberté, mais tu l'écoutais pas. Et t'écoutes toujours pas. Gorbag avait raison, j'te dis. Y a un grand guerrier qui se promène, un de ces Elfes aux mains sanglantes, ou bien un des maudits *tarks*[1]. Il s'en vient, j'te dis. T'as entendu la cloche. Il a passé les Guetteurs, et ça, c'est de la besogne de *tark*. Il est dans les marches. Et tant qu'il y sera, je vais pas descendre. Même si t'étais un Nazgûl, j'irais pas. »

« Alors c'est ça, hein ? s'écria Shagrat. Tu vas faire ci, mais pas ça ? Et quand il arrivera, tu vas prendre tes jambes à ton cou et me laisser tout seul ? Oh ! que non. Je t'aurai lardé le ventre de trous de vers avant que tu sois loin. »

Le plus fluet des deux orques surgit de la porte de la tourelle, fuyant à tire-d'aile. Derrière lui venait Shagrat, un large spécimen aux longs bras traînant jusqu'à terre, tandis qu'il courait le dos arqué. Mais l'un de ses bras

---

1. Voir l'Appendice F, p. 707.

pendait mollement et paraissait saigner; l'autre étreignait un gros paquet noir. Dans la lueur rouge, Sam, tapi derrière la porte de l'escalier, vit rapidement passer son sinistre visage, lacéré comme par des griffes meurtrières et barbouillé de sang; les crocs saillants, dégoulinants de bave, la lèvre retroussée comme une bête enragée.

D'après ce que Sam put voir, Shagrat poursuivit Snaga autour du toit jusqu'à ce que le plus petit orque, s'étant baissé pour esquiver l'autre, piquât vers la tourelle avec un glapissement : il y entra et disparu. Alors Shagrat s'arrêta. Sam, de la porte est, pouvait l'apercevoir non loin du parapet, haletant, serrant et desserrant sa griffe gauche avec difficulté. Il le vit déposer son paquet sur le sol et, de sa griffe droite, sortir un long couteau rouge, et cracher dessus. Puis l'orque alla s'appuyer contre le parapet pour regarder dans la cour extérieure, loin en bas. Il cria par deux fois, mais aucune réponse ne vint.

Soudain, alors que Shagrat était penché sur le garde-fou, tournant le dos à la tourelle, Sam vit que l'un des corps étendus se remuait. L'orque rampait. Tendant une griffe, il saisit le paquet et se releva tant bien que mal. Il tenait de son autre main une lance à large fer et au manche tronqué. Il s'apprêta à frapper. Mais à cet instant précis, un sifflement s'échappa de ses dents, un sursaut de douleur ou de haine. Vif comme un serpent, Shagrat glissa sur le côté, se retourna et enfonça sa lame dans la gorge de son adversaire.

« Je t'ai eu, Gorbag ! cria-t-il. Pas encore mort, hein ? Viens un peu que je t'achève. » Il sauta sur le corps tombé et le piétina dans sa fureur, se baissant de temps à autre pour le poignarder et le taillader. Enfin satisfait, il rejeta la tête en arrière et poussa un terrible gargouillement de triomphe. Il lécha alors son couteau et le tint entre ses dents, puis il ramassa le paquet et courut à grands bonds vers la porte la plus proche.

Sam n'eut pas le temps de réfléchir. Il aurait pu s'enfuir par l'autre porte, mais il risquait fort d'être vu ; et il n'aurait pu jouer longtemps à cache-cache avec cet orque dégoûtant. Il fit probablement ce qu'il y avait de mieux à faire : il s'élança à la rencontre de Shagrat avec un cri. Il ne serrait plus l'Anneau, mais il était là, tel un pouvoir caché, une menace pour dompter les esclaves du Mordor ; et dans sa main brillait Dard, et sa lumière blessa les yeux de l'orque comme un scintillement d'étoiles dans les pays elfes si redoutés, pays qui, même en rêve, inspiraient une peur bleue à tous ceux de son espèce. Et Shagrat ne pouvait en même temps se battre et garder la main sur son trésor. Il se baissa alors et grogna, dénudant ses crocs. Puis encore une fois, à la manière orque, il bondit de côté ; et tandis que Sam se ruait sur lui, il brandit le lourd paquet et, tant en guise d'arme que de défense, l'écrasa sur le visage de son ennemi. Sam resta ébranlé. Avant qu'il ait pu réagir, Shagrat le doubla et disparut dans l'escalier.

Sam, jurant, courut après lui, mais il n'alla pas loin. La pensée de Frodo lui revint bientôt, et il se souvint que l'autre orque était retourné dans la tourelle. Voilà qu'un autre choix déchirant se présentait à lui, et il n'avait pas le temps d'y penser. Si Shagrat parvenait à s'enfuir, il reviendrait bientôt avec des renforts. Mais si Sam le poursuivait, l'autre orque, là-haut, aurait tout le loisir de se livrer à ses atrocités. Et puis de toute manière, Shagrat risquait de lui glisser entre les doigts, ou même de le tuer. Vivement, il tourna les talons et remonta l'escalier en courant. « Encore tout faux, je suppose, soupira-t-il. Mais mon devoir est d'aller jusqu'en haut d'abord, advienne que pourra. »

En bas, Shagrat dévala l'escalier quatre à quatre, fila à travers la cour et franchit la porte, emportant son précieux fardeau. Sam, s'il l'avait vu, eût peut-être tremblé, s'il avait su le désespoir que son évasion allait causer. Mais toutes ses facultés étaient maintenant tournées vers la dernière étape de sa quête. Il s'avança avec prudence jusqu'à la porte de la tourelle et la franchit. Elle ouvrait sur des ténèbres. Mais ses yeux écarquillés perçurent bientôt une faible lueur à sa droite. Elle sortait d'une ouverture menant à un autre escalier, sombre et exigu, qui semblait monter en spirale derrière la façade arrondie de la tourelle. Une torche clignotait quelque part en haut.

Sam grimpa doucement. Il vit bientôt la torche, fixée au-dessus d'une porte à sa gauche, face à une étroite fenêtre regardant sur l'ouest : l'un des yeux rouges que Frodo et lui avaient aperçus d'en bas, près du tunnel. Sam passa vivement devant la porte et se hâta vers le deuxième étage, craignant à tout moment une attaque par-derrière et la sensation de doigts étrangleurs se refermant sur sa gorge. Il arriva ensuite à une fenêtre donnant sur l'est et à une seconde torche, cette fois au-dessus d'une porte qui menait à un couloir au milieu de la tourelle. La porte était béante et le couloir sombre, hormis la lueur de la torche et le rougeoiement du dehors entrant par la fente de la fenêtre. Mais l'escalier s'arrêtait là et n'allait pas plus haut. Sam s'aventura dans le couloir. Une porte basse se voyait de chaque côté ; toutes deux étaient fermées à clef. Il n'y avait pas un son.

« Une impasse, murmura Sam, après toute cette grimpée ! C'est pas le sommet de la tour, impossible. Mais que puis-je faire, maintenant ? »

Il courut à l'étage inférieur et tenta d'ouvrir la porte.

Elle ne céda pas d'un pouce. Il remonta aussitôt, et la sueur se mit à couler de son front. Il sentait que chaque minute comptait, mais elles filaient une à une ; et il ne pouvait rien faire. Shagrat, Snaga, ceux-là ne l'inquiétaient plus, ni aucun orque jamais engendré. Il ne désirait qu'une chose, retrouver son maître, apercevoir son visage ou sentir le contact de sa main.

Enfin, à bout de forces, se sentant finalement vaincu, il s'assit au milieu des marches sous le deuxième palier et plongea sa tête dans ses mains. Tout était calme, horriblement calme. La torche, déjà vacillante à son arrivée, pétilla et s'éteignit ; et il sentit les ténèbres l'envahir comme la marée. Et là, doucement, à sa propre surprise, au bout de ses longues et vaines recherches et de son affliction, mû par un quelconque élan de son cœur, Sam se mit à chanter.

Sa voix, dans la tour sombre et froide, avait un son grêle et tremblotant : c'était celle d'un pauvre hobbit fatigué, qu'aucun orque à l'écoute ne pouvait raisonnablement confondre avec le chant clair d'un seigneur elfe. Il fredonnait, tantôt de vieilles comptines du Comté, tantôt des bribes de la poésie de M. Bilbo qui lui venaient à l'esprit, comme autant de souvenirs fugitifs de son pays natal. Puis soudain, une nouvelle force monta en lui, et la tour retentit de sa voix, tandis que des paroles inventées venaient se marier spontanément à la simple mélodie.

> *Là-bas dans l'Ouest, sous le Soleil,*
> *et sous l'arbre en boutons,*
> *le Printemps rit, la fleur s'éveille*
> *au chant du gai pinson.*
> *Ou bien c'est la nuit sans nuages*
> *et les étoiles percent,*

> *tels des joyaux sur les ramages*
> *des hêtres qui se bercent.*

> *Et si, mon voyage achevé,*
> *les ténèbres m'enserrent,*
> *par-delà les monts escarpés*
> *et les bastions de pierre,*
> *le Soleil brille pour toujours,*
> *les Étoiles demeurent :*
> *je ne dirai adieu au Jour*
> *que mon espoir ne meure.*

« Par-delà les monts escarpés », commença-t-il de nouveau ; puis il s'arrêta net. Il avait cru entendre une faible voix lui répondant. Mais à présent, plus rien. Si, il y avait quelque chose, mais ce n'était pas une voix. Des bruits de pas qui approchaient. Et là, une porte s'ouvrant doucement, là-haut dans le couloir, grinçant sur ses gonds. Sam se baissa et tendit l'oreille. La porte se referma avec un choc sourd ; puis une voix orque s'éleva avec hargne.

« Hé, là ! Toi là-haut, sale rat de fumier ! Cesse de couiner, ou j'irai m'occuper de toi. T'entends ? »

Il n'y eut pas de réponse.

« Bon, bon, grogna Snaga. Mais je vais tout de même monter pour voir ce que tu fabriques. »

La porte grinça de nouveau, et Sam, glissant un œil juste au-dessus de la dalle de palier, entrevit une lueur derrière une porte ouverte, et une vague silhouette d'orque qui en sortait. Elle semblait porter une échelle. Soudain, la réponse se fit jour dans l'esprit de Sam : la plus haute chambre était accessible par une trappe dans le plafond du couloir. Snaga dressa son échelle et la cala avant de grimper hors de vue. Sam entendit glisser un verrou. Alors, l'hideuse voix parla de nouveau.

« Tiens-toi tranquille, ou j'vais t'faire payer ! Il t'en reste pas long à vivre en paix, je suppose ; mais si tu veux pas que j'te fasse ta fête tout de suite, ferme ton clapet, vu ? Voilà pour te rappeler à l'ordre ! » Il y eut un claquement semblable à celui d'un fouet.

À ce son, le cœur de Sam s'embrasa d'une soudaine fureur. Il sauta sur pied, courut jusqu'à l'échelle et l'escalada comme un chat. Puis il sortit la tête au milieu d'une grande pièce ronde. Une lampe rouge était suspendue au plafond ; l'étroite fenêtre, du côté ouest, était haute et sombre. Près du mur, sous la fenêtre, quelque chose gisait au sol, mais une forme noire se tenait au-dessus, jambes écartées. Elle leva son fouet une seconde fois, mais le coup ne tomba jamais.

Avec un cri, Sam se rua à travers la pièce, brandissant Dard. L'orque fit volte-face, mais avant qu'il ait pu réagir, Sam trancha la main qui tenait le fouet. Hurlant de panique et de douleur, mais en un geste désespéré, l'orque fonça sur lui tête baissée. Sam le manqua au coup suivant : déstabilisé, il tomba à la renverse, tentant d'agripper l'orque qui passa par-dessus lui. Il n'eut pas le temps de se relever qu'il entendit un cri, suivi d'un choc sourd. Dans sa hâte folle, l'orque avait buté sur le haut de l'échelle et s'était précipité dans la trappe restée ouverte. Sam ne lui accorda plus une seule pensée. Il accourut vers la forme repliée sur le sol. C'était Frodo.

Il était nu, gisant comme évanoui sur un tas de guenilles sales : son bras était levé, protégeant sa tête ; une vilaine marque de fouet courait en travers de son côté.

« Frodo ! Monsieur Frodo, cher ami ! s'écria Sam, presque aveuglé par les larmes. C'est Sam ! Je suis là ! » Il souleva son maître à demi et le serra contre sa poitrine. Frodo ouvrit les yeux.

« Est-ce que je rêve encore ? marmonna-t-il. Mais les autres rêves étaient horribles. »

« Vous rêvez pas du tout, Maître, dit Sam. C'est vrai. C'est moi. Je suis là. »

« J'ai peine à le croire, dit Frodo, l'agrippant. Il y avait un orque armé d'un fouet, puis voilà qu'il se change en Sam ! Alors je ne rêvais pas, finalement, quand j'ai entendu chanter en bas et que j'ai voulu répondre ? Était-ce toi ? »

« Oui, monsieur Frodo, c'était moi. J'avais quasiment perdu espoir. J'arrivais pas à vous trouver. »

« Eh bien, tu m'as trouvé, Sam, cher Sam », dit Frodo, et il s'abandonna dans les bras protecteurs de Sam, fermant les yeux, comme un enfant qui s'endort après qu'une voix ou une main familière a chassé les frayeurs de la nuit.

Sam sentait qu'il aurait pu rester assis ainsi dans un bonheur sans fin ; mais ce n'était pas permis. Il ne suffisait pas d'avoir trouvé Frodo, il lui fallait encore tenter de le sauver. Il embrassa le front de son maître. « Allons ! Debout, monsieur Frodo ! » dit-il, essayant de paraître aussi joyeux que lorsqu'il tirait les rideaux à Cul-de-Sac par un matin d'été.

Frodo soupira et se redressa. « Où sommes-nous ? Comment suis-je arrivé ici ? » demanda-t-il.

« Y a pas le temps de tout vous raconter avant qu'on soit ailleurs, monsieur Frodo. Mais vous êtes au haut de cette tour qu'on a vue tous les deux d'en bas, près du tunnel, avant que les orques vous prennent. J'ignore c'était il y a combien de temps. Plus d'une journée, j'imagine. »

« Rien que ça ? dit Frodo. J'aurais dit des semaines. Tu devras tout me raconter, si on en a l'occasion. Quelque chose m'a frappé, n'est-ce pas ? Et je me suis enfoncé dans les ténèbres et dans des rêves affreux, pour me réveiller ensuite et constater que c'était pire. Il y avait des orques tout autour de moi. Je crois qu'ils venaient de me faire avaler une horrible boisson qui me brûlait la gorge. Mes idées se sont éclaircies, mais j'avais mal partout et j'étais épuisé. Ils m'ont dépouillé de tout ; puis deux grandes brutes sont venues et ils m'ont questionné, questionné, au point que j'ai cru que j'en deviendrais fou, debout au-dessus de moi, jubilant, tripotant leurs couteaux. Je n'oublierai jamais leurs griffes ni leurs yeux. »

« Pas si vous continuez d'en parler, monsieur Frodo, dit Sam. Et si on ne veut pas les revoir, plus vite on partira, mieux ce sera. Êtes-vous en état de marcher ? »

« Oui, je peux marcher, dit Frodo en se relevant lentement. Je ne suis pas blessé, Sam. Je me sens très fatigué, voilà tout, et j'ai une douleur ici. » Il mit la main derrière son cou, au-dessus de l'épaule gauche. Il se tint debout, et Sam eut l'impression qu'il était vêtu de flammes : sa peau nue était écarlate à la lumière de la lampe au plafond. Il arpenta la pièce, dans un sens puis dans l'autre.

« Voilà qui est mieux ! dit-il, reprenant quelque peu courage. Je n'osais pas bouger quand j'étais laissé seul, un des gardes venait sinon. C'était avant qu'ils se mettent à hurler et à se battre. Les deux grosses brutes : elles se sont querellées, je crois. À propos de moi et de mes affaires. Je suis resté étendu ici, terrifié. Puis ce fut le silence, un silence mort, et c'était pire encore. »

« Oui, ils se sont querellés, c'est clair, dit Sam. Il devait y avoir deux bonnes centaines de ces sales créatures. Ça fait un peu beaucoup pour Sam Gamgie, diriez-vous. Mais ils se sont tous tués par eux-mêmes. Un sacré coup de chance, mais ce serait trop long d'en faire une chanson, tant qu'on sera pas sortis d'ici. Qu'est-ce qu'on va faire, maintenant, monsieur Frodo ? Vous pouvez pas vous balader dans le Pays Noir sans rien sur le dos. »

« Ils m'ont tout pris, Sam, dit Frodo. Tout ce que j'avais. Tu comprends ? *Tout !* » Il se ramassa de nouveau sur le sol, tête baissée, tandis que ses propres mots lui faisaient saisir toute l'ampleur du désastre et que le désespoir le gagnait. « La quête a échoué, Sam. Même si nous sortons d'ici, il n'y a aucun espoir d'évasion. Seuls les Elfes peuvent s'échapper. Loin, loin de la Terre du Milieu, au-delà de la Mer. Si même elle est assez large pour tenir l'Ombre à distance. »

« Non, pas *tout*, monsieur Frodo. Et elle n'a pas échoué, pas encore. Je l'ai pris, monsieur Frodo, vous m'excuserez. Et je l'ai gardé en sécurité. Je l'ai en ce moment autour du cou, et qu'est-ce qu'il me pèse aussi. » Sam fouilla nerveusement sous sa chemise, cherchant l'Anneau sur sa chaîne. « Mais je suppose que vous devez le reprendre. » Maintenant qu'il y était, Sam hésitait à se défaire de l'Anneau et à remettre ce fardeau sur les épaules de son maître.

« Tu l'as ? demanda Frodo, ahuri. Tu l'as ici ? Sam, tu es merveilleux ! » Puis sa voix changea étrangement tout à coup. « Donne-le-moi ! cria-t-il, se levant, et tendant une main tremblante. Donne-le-moi tout de suite ! Tu ne peux pas le garder ! »

« Très bien, monsieur Frodo, dit Sam, plutôt stupéfait. Le voici ! » Il sortit lentement l'Anneau et passa la chaîne par-dessus sa tête. « Mais vous êtes sur les terres du Mordor, maintenant, m'sieur ; et quand vous sortirez, vous verrez la Montagne du Feu et tout. Vous verrez que l'Anneau est devenu très dangereux, et très dur à porter. Si c'est trop difficile, vous pourriez le partager avec moi, peut-être ?»

«Non, non ! s'exclama Frodo, arrachant l'Anneau et la chaîne des mains de Sam. Non, tu ne l'auras pas, voleur !» Haletant, il le dévisagea avec hostilité, les yeux écarquillés de peur et d'aversion. Puis tout à coup, serrant l'Anneau dans son poing, il resta abasourdi. On eût dit qu'une brume s'était levée de son regard, et il passa une main sur son front douloureux. L'affreuse vision lui avait paru si réelle, tout chaviré qu'il était par les blessures et la peur. Sam, sous ses propres yeux, s'était de nouveau changé en orque, lorgnant son trésor et tendant des mains avides, ignoble petite créature au regard cupide et à la bouche baveuse. Mais la vision était passée. Sam se tenait là, à genoux devant lui, le visage tordu de douleur, comme s'il eût été frappé en plein cœur ; ses yeux ruisselaient de larmes.

«Oh, Sam ! s'écria Frodo. Qu'ai-je dit ? Qu'ai-je fait ? Pardonne-moi ! Après tout ce que tu as fait. C'est l'horrible pouvoir de l'Anneau. Je voudrais qu'il n'eût jamais, jamais été trouvé. Mais ne t'occupe pas de moi, Sam. Je dois porter le fardeau jusqu'à la fin. On n'y peut rien changer. Tu ne peux pas t'interposer entre moi et ce destin. »

«Vous en faites pas, monsieur Frodo, dit Sam, passant sa manche sur ses yeux. Je comprends. Mais je peux quand même aider, non ? Il faut que je vous sorte d'ici. Tout de suite, voyez ! Mais il vous faut d'abord des vêtements et du matériel, et puis de la nourriture. Le plus facile, ce sera les vêtements. Puisqu'on est au Mordor, mieux vaut s'accoutrer comme eux ; et de toute façon, y a pas le choix. Va falloir vous déguiser en orque, monsieur Frodo, j'en ai peur. Et moi aussi. Si on y va ensemble, vaudrait mieux être assortis. Mais enveloppez-vous là-dedans ! »

Sam dégrafa sa cape grise et la jeta sur les épaules de Frodo. Il déposa son sac à terre et tira Dard du fourreau : sa lame luisait à peine. « J'oubliais, monsieur Frodo, dit-il. Non, ils n'ont pas tout pris ! Vous m'aviez prêté Dard, si vous vous rappelez bien, et le globe de la Dame. J'ai encore les deux. Mais prêtez-les-moi encore un moment, monsieur Frodo. Il faut que j'aille trouver ce que je peux. Restez ici en attendant. Promenez-vous un peu, histoire de vous dégourdir les jambes. Ce sera pas bien long. J'irai pas bien loin. »

« Fais attention, Sam ! dit Frodo. Et dépêche-toi ! Il peut y avoir des orques encore vivants, tapis dans les coins et prêts à te sauter dessus. »

« Il faut que je m'y risque », dit Sam. Il s'avança jusqu'à la trappe et se glissa au bas de l'échelle. Sa tête reparut un instant plus tard. Il jeta un long couteau sur le sol.

« Voilà quelque chose qui pourrait servir, dit-il. Il est mort : celui qui vous a flagellé. Il s'est brisé le cou, on dirait, dans sa hâte. Maintenant, remontez donc l'échelle, si vous pouvez, monsieur Frodo ; et vous avisez pas de la faire redescendre avant que j'aie crié le mot de passe. *Elbereth*, que je vais dire. Comme les Elfes. Aucun orque ne dirait ça. »

Frodo resta un moment assis, frissonnant, tandis que de terribles angoisses se pourchassaient dans sa tête. Puis il se leva, ramena la cape grise autour de ses épaules et, pour distraire sa pensée, se mit à arpenter la pièce, fouillant et scrutant chaque recoin de sa prison.

L'attente ne fut pas bien longue, encore qu'avec la peur elle lui parût durer une heure au moins, avant qu'il n'entendît la voix de Sam appeler doucement d'en bas : *Elbereth, Elbereth*. Frodo laissa descendre la légère échelle.

Sam grimpa en soufflant comme un bœuf, portant un gros ballot sur la tête. Il le laissa tomber avec fracas.

« Maintenant, dépêchez-vous, monsieur Frodo ! dit-il. J'ai dû chercher pas mal avant de trouver quelque chose d'assez petit pour des gens comme nous. Faudra s'en contenter. Mais il faut faire vite. J'ai pas rencontré âme qui vive, et j'ai rien vu non plus, mais quelque chose me travaille. Je pense que cet endroit est surveillé. Je peux pas vous l'expliquer, mais voilà : j'ai comme l'impression qu'il y a un de ces horribles Cavaliers ailés aux alentours, là-haut dans le noir où on le voit pas. »

Il ouvrit son ballot. Frodo en examina le contenu avec dégoût, mais il n'avait pas le choix : il lui faudrait mettre ces choses ou partir nu. Il y avait une longue culotte à poils hirsutes faite d'une écœurante peau d'animal, et une tunique de cuir souillé. Il les enfila. Par-dessus la tunique, il passa une cotte de mailles à gros anneaux, courte pour un orque de taille normale, trop longue pour Frodo, et bien lourde. Il mit autour une ceinture où pendait un court étui renfermant un poignard à large lame. Sam avait apporté plusieurs casques d'orques. L'un d'eux convenait assez bien à Frodo, une calotte noire à bordure de fer, cerclée de fer et garnie de cuir, l'Œil Mauvais étant peint en rouge au-dessus du protège-nez en forme de bec.

« L'attirail de Morgul, l'équipement de Gorbag, était mieux adapté et de meilleure façon, dit Sam ; mais ce serait pas une bonne idée, j'imagine, de porter ses emblèmes au Mordor, pas après ce qui s'est passé ici. Eh bien voilà, monsieur Frodo. Un parfait petit orque, si je puis me permettre – du moins vous le seriez si on pouvait vous masquer le visage, vous allonger les bras et vous arquer les jambes. Ceci pourra au moins cacher quelques indices. » Il posa une grande cape noire sur les épaules de Frodo. «Maintenant, vous voilà prêt! Vous pourrez ramasser un bouclier en passant.»

«Et toi, Sam? demanda Frodo. Nous ne sommes pas censés être assortis?»

«Eh bien, monsieur Frodo, j'ai réfléchi, dit Sam. Je ferais mieux de rien laisser de mes affaires, et on peut pas les détruire. Et puis, je peux quand même pas porter des mailles d'orques par-dessus tous mes vêtements, non? Faudra que je me couvre, c'est tout.»

Il s'agenouilla et plia soigneusement sa cape elfique. Elle donna un rouleau étonnamment petit. Il la rangea dans son paquet laissé sur le sol. Se relevant, il le passa derrière son dos, coiffa sa tête d'un casque d'orque et jeta une autre cape noire sur ses épaules. «Voilà! dit-il. Maintenant, nous sommes assez assortis. Et là, il faut y aller!»

«Je ne peux pas faire tout le trajet d'une traite, dit Frodo avec un sourire malicieux. J'espère que tu t'es renseigné sur les auberges en chemin? Ou aurais-tu oublié le manger et le boire?»

«Punaise, c'est bien vrai!» dit Sam. Il eut un sifflement de dépit. «Ah çà! monsieur Frodo, ce que vous me donnez faim et soif, là! Je sais plus c'est quand la dernière fois que j'ai pris une goutte ou un morceau. J'ai tout oublié à essayer de vous trouver. Mais attendez que je réfléchisse! La dernière fois que j'ai regardé, il me restait assez de ce pain de route et de ce que le capitaine Faramir nous a donné pour me garder sur mes jambes pendant encore deux semaines à la rigueur. Mais s'il reste une seule goutte dans ma gourde, c'est tout ce qu'il y a. Ça suffira pas pour nous deux, de toute façon. Ils doivent bien manger, ces orques, et boire? Ou ils vivent seulement d'air vicié et de poison?»

« Non, ils mangent et ils boivent, Sam. L'Ombre qui les a enfantés n'arrive jamais qu'à parodier : elle ne peut rien créer d'elle-même qui soit réellement nouveau. Je ne pense pas qu'elle ait donné vie aux orques, elle les a seulement altérés et pervertis ; mais s'ils veulent vivre, il faut bien qu'ils fassent comme toutes les créatures vivantes. Ils se contenteront de liquides et de viandes infects, s'ils ne peuvent trouver mieux, mais jamais de poison. Ils m'ont nourri, alors je suis moins à plaindre que toi. Il doit bien y avoir de la nourriture et de l'eau quelque part par ici. »

« Mais on n'a pas le temps de les chercher », dit Sam.

« Eh bien, les choses ne sont pas aussi noires que tu le crois, dit Frodo. J'ai eu un peu de chance pendant que tu étais parti. En fait, ils n'ont pas tout pris. J'ai trouvé mon sac de nourriture sur le plancher, au milieu de guenilles. Ils l'ont éventré, bien évidemment. Mais l'aspect et l'odeur mêmes du *lembas* leur faisaient horreur, je suppose, plus encore qu'à Gollum. Ils ont tout éparpillé, et il y a des morceaux écrasés ou brisés, mais j'ai rassemblé tout ce qu'il y avait. C'est presque autant que tu en as. Mais ils ont pris la nourriture de Faramir, et ils ont tailladé ma gourde. »

« Eh bien, ça fait le tour de la question, dit Sam. On a de quoi se mettre en route. N'empêche que l'eau risque d'être un vrai problème. Mais allons, monsieur Frodo ! Partons d'ici ; sinon, même un lac entier pourra pas nous sauver ! »

« Je ne bougerai pas tant que tu n'auras pas avalé une bouchée, Sam, dit Frodo. Tiens, prends ce gâteau elfique, et vide ta gourde ! Toute cette histoire est désespérée, alors inutile de penser à demain. Nous ne le verrons sans doute jamais. »

Enfin, ils se mirent en route. Lorsqu'ils furent au bas de l'échelle, Sam la prit et la déposa dans le couloir, près du corps ramassé de l'orque tombé. L'escalier était sombre, mais sur le toit, la sinistre lueur de la Montagne était encore visible, quoique mourante, d'un rouge éteint. Ils ramassèrent deux boucliers afin de compléter leur déguisement et disparurent du toit.

Ils descendirent d'un pas lourd le long du grand escalier. Dès lors la chambre haute de la tourelle, lieu de leurs retrouvailles, leur parut presque accueillante ; car ils en étaient sortis, et la terreur courait le long des murs. Tout était peut-être mort dans la Tour de Cirith Ungol, mais elle restait imprégnée de peur et de maléfice.

Ils finirent par arriver dans la cour extérieure, et ils s'arrêtèrent. Même d'où ils se tenaient, ils sentaient la malveillance des Guetteurs les marteler, formes noires et silencieuses assises de part et d'autre de l'ouverture où s'entrevoyait la lueur menaçante du Mordor. Comme ils se frayaient un chemin à travers les horribles cadavres d'orques, chaque pas devenait plus difficile. Avant même d'atteindre l'arche, ils se trouvèrent immobilisés. Avancer d'un pouce de plus était douleur et lassitude, tant pour la volonté que pour les membres.

Frodo vacilla ; pareil combat était au-dessus de ses forces. Il se laissa choir sur le sol. « Je ne peux pas continuer, Sam, murmura-t-il. Je vais m'évanouir. Je ne sais pas ce qui m'arrive. »

« Moi je sais, monsieur Frodo. Tenez bon ! C'est la porte. Y a quelque diablerie à l'œuvre. Mais je suis passé une fois, et je vais ressortir. Ça peut pas être plus dangereux qu'avant. On y va ! »

Sam ressortit le globe elfique de Galadriel. Comme pour

saluer son courage, et honorer d'une vive splendeur la fidèle main brune de hobbit ayant accompli tant d'exploits, la fiole s'embrasa soudain, si bien que toute la cour enténébrée s'illumina d'un éclat éblouissant, comme la foudre, mais sans discontinuer.

« *Gilthoniel, A Elbereth !* » cria Sam. Car sans qu'il sût pourquoi, sa pensée se reporta soudain aux Elfes rencontrés dans le Comté, et au chant qui avait fait fuir le Cavalier Noir parmi les arbres.

« *Aiya elenion ancalima !* » cria Frodo à son tour, derrière lui.

La volonté des Guetteurs se brisa avec la soudaineté d'une corde qui se rompt, et Frodo et Sam basculèrent en avant. Puis ils coururent. Passé la porte, passé les grandes figures aux yeux étincelants. Un craquement se fit entendre. La clef de voûte de l'arche manqua de s'écraser sur leurs talons et, au-dessus, le mur s'affaissa et tomba en ruine. Ils ne s'échappèrent que de justesse. Une cloche tinta sinistrement ; et une plainte aiguë s'éleva des deux Guetteurs, horrible à entendre. Haut dans les airs, parmi les ténèbres, vint une réponse. Une forme ailée plongea tel un éclair dans le ciel noir, déchirant la nuée d'un cri affreux.

2
Le Pays de l'Ombre

Sam eut tout juste la présence d'esprit de remettre la fiole contre sa poitrine. «Courez, monsieur Frodo! criat-il. Non, pas par là! Il y a un abrupt de l'autre côté du mur. Suivez-moi!»

Ils s'enfuirent le long de la route partant de la porte. En cinquante pas, par un rapide détour derrière une avancée de l'escarpement, elle les amena hors de vue de la Tour. Ils s'étaient échappés, pour le moment. Tapis contre le roc, ils reprirent leur souffle et s'étreignirent le cœur. Perché à présent sur le mur à côté de la porte en ruine, le Nazgûl lança ses cris mortels. Tous les rochers retentirent.

Terrorisés, ils repartirent clopin-clopant. Bientôt, la route fit un coude et reprit sa course vers l'est, les exposant à la vue de la Tour pendant un affreux moment. Comme ils fuyaient par là, ils jetèrent un regard en arrière et virent la grande forme noire assise sur le rempart; alors, ils plongèrent entre de hautes parois rocheuses et se jetèrent dans une ravine qui descendait abruptement jusqu'à la route de Morgul. Ils arrivèrent au carrefour des voies. Il n'y avait toujours aucun signe d'orques, ni aucune réponse aux cris du Nazgûl; mais ils savaient que ce silence ne durerait pas. La poursuite débuterait d'un instant à l'autre.

« Ça ne va pas du tout, Sam, dit Frodo. Si nous étions de vrais orques, nous nous serions empressés de regagner la Tour, pas de nous en éloigner. Nous serons démasqués à la première rencontre. Il faut quitter cette route d'une manière ou d'une autre. »

« Mais on peut pas, dit Sam, il nous faudrait des ailes. »

La face est de l'Ephel Dúath était abrupte, ses falaises et ses précipices se jetant dans la sombre gorge qui les séparait de la chaîne intérieure. Passé le carrefour, après une autre pente raide, un pont de pierre sautait d'une seule travée par-dessus le gouffre et conduisait la route au cœur des ravins et des pentes affaissées de la Morgai. Frodo et Sam piquèrent une course désespérée à travers le pont ; mais ils n'avaient pas encore atteint l'autre bout que les clameurs s'élevèrent. Loin derrière eux, maintenant juchée sur le flanc de la montagne, se dressait la Tour de Cirith Ungol, ses murs de pierre jetant un reflet terne. Soudain, sa cloche stridente carillonna de nouveau, bientôt à toute volée, une sonnerie fracassante. Des cors retentirent. Et à l'autre bout du pont venaient à présent des cris de réponse. Au creux de la gorge, coupés de la lueur mourante de l'Orodruin, Frodo et Sam ne pouvaient voir devant eux, mais ils entendaient déjà le piétinement des semelles de fer et, sur la route, de vifs roulements de sabots.

« Vite, Sam ! Sautons ! » cria Frodo. Ils se hissèrent au-dessus du parapet, qui n'était pas bien haut. Heureusement, la chute n'était plus aussi vertigineuse, car les flancs de la Morgai s'étaient déjà haussés presque au niveau de la route ; mais il faisait trop sombre pour apprécier la hauteur du saut.

« Eh bien, on y va, monsieur Frodo, dit Sam. Adieu ! »

Il lâcha prise. Frodo le suivit. Et alors même qu'ils tombaient, ils entendirent la ruée des cavaliers sur le pont et le cliquetis des chaussures de fer qui les suivaient au pas de course. Mais Sam aurait ri, s'il l'avait osé. Craignant une chute mortelle sur un banc de rochers invisibles, les hobbits allèrent s'écraser avec un craquement sourd, en un plongeon d'une douzaine de pieds au plus, dans la chose la plus inattendue : un fouillis de buissons épineux. Sam y resta tranquillement assis, suçotant une égratignure sur le dos de sa main.

Quand le son des sabots et des bottes se fut éteint, il hasarda un murmure. « Ah çà ! monsieur Frodo, je savais pas qu'il poussait des choses au Mordor ! Mais si j'avais su, c'est bien à ça que j'aurais pensé. Ces épines ! Elles doivent faire un pied de long rien qu'à les sentir ; elles sont rentrées dans toutes mes affaires. Si j'avais mis cette fichue cotte de mailles, aussi ! »

« Des mailles orques ne repousseraient pas de telles épines, dit Frodo. Même un gilet de cuir n'y parviendrait pas. »

Ils durent lutter afin de s'extirper du hallier. Les épines et les ronces étaient raides comme du fil de fer et s'accrochaient comme des serres. Lorsqu'ils se libérèrent enfin, leurs capes étaient déchirées et en loques.

« Maintenant, descendons, Sam, murmura Frodo. Au fond de la vallée, vite, puis au nord dès que ce sera possible. »

Le jour revenait dans le monde extérieur : loin au-delà des ténèbres du Mordor, le Soleil passait la lisière orientale de la Terre du Milieu ; mais le pays autour d'eux restait noir comme la nuit. La Montagne se mit à fumer copieusement, et ses feux s'éteignirent. La lueur s'évanouit sur la face des rochers. Le vent d'est qui n'avait cessé de souffler depuis qu'ils avaient quitté l'Ithilien semblait être tombé. Ils descendirent lentement et péniblement, s'agrippant, s'aidant des pieds et des mains, achoppant sur les pierres, les ronces et le bois mort, parmi les ombres aveugles, toujours plus bas, jusqu'à ne plus pouvoir avancer.

Enfin, ils s'arrêtèrent et s'assirent côte à côte, le dos appuyé contre un gros rocher. Tous deux étaient en nage. « Si Shagrat en personne venait m'offrir un verre d'eau, je lui serrerais la main », dit Sam.

« Ne dis pas des choses semblables ! protesta Frodo. Ça ne fait qu'empirer notre malheur. » Sur quoi, fatigué et pris d'étourdissements, il s'étira, sans rien ajouter. Enfin, il fit un effort pour se relever. À sa stupéfaction, il vit que Sam s'était endormi. « Réveille-toi, Sam ! Allons ! Il est temps de donner un autre coup de collier. »

Sam se releva comme il put. « Çà, par exemple ! dit-il. J'ai dû m'assoupir. Ça fait longtemps que j'ai pas dormi d'une traite, monsieur Frodo, et mes yeux se sont fermés tout seuls. »

Frodo partit alors en tête, vers le nord, pour autant qu'il pût en juger, parmi les pierres et les rochers qui encombraient le fond du grand ravin. Mais bientôt, il s'arrêta de nouveau.

« Ça ne sert à rien, Sam, dit-il. Je n'y arriverai pas. Cette chemise de mailles, je veux dire. Pas dans l'état où je suis. Même ma cotte de mithril me semblait lourde quand j'étais fatigué. Cette chose est beaucoup plus lourde. Et quelle est son utilité ? Ce n'est pas en se battant qu'on atteindra le but. »

« Mais il se peut qu'on doive se battre, dit Sam. Et il y a les poignards et les flèches perdues. Ce Gollum, il est pas mort, pour commencer. Je suis pas tranquille à l'idée qu'il y ait qu'une épaisseur de cuir pour vous protéger d'un coup de couteau dans le noir. »

« Écoute bien, Sam, mon brave garçon, dit Frodo : je suis las, épuisé, je n'ai plus le moindre espoir. Mais je dois continuer de faire tout mon possible pour me rendre à la Montagne, tant que je pourrai marcher. L'Anneau, c'est déjà bien assez. Ce poids supplémentaire me tue. Il faut m'en défaire. Mais sache que je t'en suis reconnaissant. Je n'ose pas imaginer quelle sale besogne cela a été de fouiller parmi les cadavres pour me dénicher ça. »

« Je vous en prie, monsieur Frodo. Y a pas de quoi ! Je vous porterais sur mon dos, si je pouvais. Balancez-la ! »

Frodo retira sa cape, enleva sa chemise de mailles et la jeta parmi les rochers. Il eut un léger frisson. « C'est un vêtement chaud qu'il me faudrait, à vrai dire, reprit-il. Il fait frais tout à coup, ou alors j'ai dû prendre froid. »

« Vous avez qu'à prendre ma cape, monsieur Frodo », dit Sam. Il posa son paquet et en sortit la cape elfique. « Qu'en dites-vous, monsieur Frodo ? demanda-t-il. Serrez cette guenille d'orque tout contre vous, et passez la ceinture autour. Puis mettez ça pour recouvrir le tout. C'est pas tout à fait à la mode orque, mais ça vous tiendra plus au chaud ; et je parie que ça vous protégera plus qu'aucune autre pièce d'équipement. Ç'a été fait par la Dame. »

Frodo revêtit la cape et épingla la broche. « Voilà qui est mieux ! dit-il. Je me sens beaucoup plus léger. Je peux continuer, maintenant. Mais ce noir d'encre semble me pénétrer le cœur. Étendu dans ma prison, Sam, j'ai essayé de me rappeler le Brandivin, Pointe-aux-Bois, et l'Eau passant à travers le moulin à Hobbiteville. Mais je ne les vois plus, maintenant. »

« Allons, monsieur Frodo, c'est vous qui parlez d'eau cette fois ! répondit Sam. Si seulement la Dame pouvait nous voir ou nous entendre, je lui dirais : "Madame, tout ce qu'on veut, c'est de la lumière et de l'eau, un peu d'eau pure et la simple lumière du jour, ça vaut mieux qu'aucun joyau, sauf votre respect." Mais on est loin de la Lórien. » Il soupira, agitant la main vers les hauteurs de l'Ephel Dúath à peine discernables à présent, ombres plus noires que la noirceur du ciel.

Ils reprirent leur marche, mais Frodo s'arrêta avant peu. « Il y a un Cavalier Noir au-dessus de nous, dit-il. Je le sens. Nous ferions mieux de ne plus bouger pour quelque temps. » Tapis sous un gros rocher, ils s'assirent face à l'ouest et s'abstinrent de parler un moment. Puis Frodo poussa un soupir de soulagement. « Il est passé », dit-il. Ils se levèrent, et alors, un spectacle étonnant arrêta leurs deux regards. Au loin sur leur gauche, vers le sud, contre un ciel virant au gris, les cimes et les hautes crêtes de la grande chaîne commencèrent d'apparaître, sombres et noires, des formes visibles. La lumière croissait derrière elles. Elle gagnait lentement le nord. Un combat était engagé au-dessus d'eux, dans les hauts espaces de l'air. Les nuages boursouflés du Mordor étaient repoussés et leurs bords s'effilochaient, tandis que se levait une brise du monde vivant, balayant fumées et vapeurs vers la terre sombre qui les avait crachées. Une lumière indécise filtrait sous l'encoignure de son sinistre plafond, comme un pâle matin à travers les vitres crasseuses d'une prison.

« Regardez-moi ça, monsieur Frodo ! dit Sam. Regardez ! Le vent a tourné. Il se passe quelque chose. Tout se passe pas comme il veut. Ses ténèbres se défont là-bas dans le monde. Que je voudrais donc voir ce qui se passe ! »

C'était le matin du quinzième jour de mars, et sur la Vallée de l'Anduin, le Soleil se levait au-dessus de l'ombre de l'est, et le vent soufflait du sud-ouest. Théoden gisait à l'agonie sur les Champs du Pelennor.

Sous le regard de Frodo et Sam, le trait de lumière se répandit tout le long de l'Ephel Dúath, puis ils virent une forme arriver en trombe de l'Ouest. Au début, ce n'était qu'un point noir devant la bande lumineuse au-dessus des cimes, mais elle grandit peu à peu avant de filer comme un éclair à travers le sombre plafond, passant loin au-dessus d'eux. Et comme elle passait, elle poussa un long cri strident, la voix d'un Nazgûl ; mais ce cri ne leur inspirait plus aucune terreur : c'était un cri de détresse et de consternation, de sinistre augure pour la Tour Sombre. Le Seigneur des Spectres de l'Anneau avait trouvé son destin.

« Qu'est-ce que je vous disais ? Il se passe quelque chose ! s'écria Sam. "Les choses vont bien", disait Shagrat ; mais Gorbag en était pas si sûr. Et encore là il avait raison. Notre ciel s'éclaircit, monsieur Frodo. Vous avez un peu d'espoir, maintenant ? »

« Eh bien non, pas tellement, Sam, soupira Frodo. C'est de l'autre côté des montagnes. Nous allons à l'est, non à l'ouest. Et je suis si fatigué. Et l'Anneau est si lourd, Sam. Je commence à le voir tout le temps dans ma tête, comme une grande roue de feu. »

L'ardeur courageuse de Sam se refroidit aussitôt. Il regarda son maître avec inquiétude, et il lui prit la main. « Allons, monsieur Frodo ! lui dit-il. J'ai obtenu un de mes souhaits : un peu de lumière. Assez pour nous aider, mais je suppose que c'est dangereux aussi. Essayez encore un bout, et puis on pourra se blottir et prendre du repos. Mais mangez d'abord un morceau, un peu de nourriture des Elfes ; peut-être que ça vous remontera. »

Ils partagèrent une gaufrette de *lembas*, qu'ils mâchèrent comme ils purent dans leur bouche desséchée tout en cheminant. La lumière, qui n'était guère qu'un crépuscule gris, leur permit cependant de constater qu'ils se trouvaient au creux de la vallée entre les montagnes. Cette dépression s'élevait doucement vers le nord, et le lit d'un cours d'eau tari et desséché courait en son sein. Par-delà le chenal pierreux, ils virent un sentier battu traçant une ligne sinueuse au pied des falaises de l'ouest. S'ils avaient su, ils auraient pu l'atteindre avant, car cette piste quittait la grand-route de Morgul à l'extrémité ouest du pont et descendait au fond de la vallée par un long escalier taillé dans le roc. Elle était empruntée par des patrouilles ou des messagers envoyés en dépêche vers des postes et des forteresses secondaires situées plus au nord, entre Cirith Ungol et le couloir de la Gueule-de-Fer, les terribles mâchoires de Carach Angren.

Pareille route était périlleuse pour les hobbits, mais ils devaient faire vite, et Frodo sentait qu'il n'aurait pas le cœur de se traîner parmi les pierres ou dans les ravins impraticables de la Morgai. Et le nord, se disait-il, était sans doute la direction la plus improbable pour eux, dans l'esprit de leurs poursuivants. La route de l'est jusqu'à la plaine, et celle du col ramenant vers l'ouest, celles-là seraient ratissées en priorité. Il attendrait d'être bien au nord de la Tour : seulement là comptait-il bifurquer pour trouver une voie qui le mènerait à l'est, dans l'ultime et impossible étape de son voyage. Aussi franchirent-ils alors le lit pierreux pour rejoindre le sentier orque, qu'ils suivirent pendant quelque temps. Les falaises sur leur gauche étaient en surplomb, et ils ne pouvaient être aperçus d'en haut ; mais le sentier faisait de nombreux coudes, et ils agrippaient chaque fois la poignée de leur arme, avançant avec prudence.

La lumière restait faible, car l'Orodruin continuait de vomir une immense fumée qui, rejetée par les vents contraires, montait toujours plus haut, jusqu'aux régions plus calmes où elle s'épanchait en une voûte incommensurable dont le pilier central se dressait, caché à leur vue, au milieu des ombres. Ils se trimballaient depuis plus d'une heure lorsqu'ils entendirent un son qui les mit en arrêt. Impensable, mais indubitable. Le gazouillis d'une source. D'une rigole sur leur gauche, si nettement et si étroitement découpée qu'elle paraissait taillée à grands coups de hache dans la falaise noire, une eau s'écoulait : dernier vestige, peut-être, de quelque douce pluie amassée sur des mers ensoleillées, mais qu'un triste destin avait fait tomber sur les murs du Pays Noir où elle suivait son cours stérile jusque dans la poussière. Elle sortait ici des rochers en une petite cascade, coulait à travers le sentier et partait vivement vers le sud pour se perdre parmi les pierres mortes.

Sam se précipita à sa rencontre. « Si jamais je revois la Dame, je vais lui dire ! s'écria-t-il. De la lumière, et maintenant de l'eau ! » Puis il s'arrêta. « Laissez-moi boire en premier, monsieur Frodo », dit-il.

« D'accord, mais il y a assez de place pour deux. »

« C'est pas ce que je voulais dire, répondit Sam. Je veux

dire : si c'est poison, ou quelque chose qui montrerait tout de suite son côté néfaste, eh bien vaut mieux que ce soit moi et pas vous, maître, si vous me comprenez. »

« Oui, Sam. Mais allons-y ensemble, s'il faut s'en remettre à la chance – ou à la bénédiction. Tout de même, fais attention, si c'est très froid ! »

L'eau était froide, mais pas glaciale, et elle avait un goût désagréable, amer et huileux à la fois ; c'est du moins ce qu'ils auraient dit chez eux. Ici, elle semblait au-dessus de tout éloge, interdisant toute peur et toute prudence. Ils en burent tout leur soûl, et Sam remplit sa gourde. Après cela, Frodo se sentit mieux et ils continuèrent pendant plusieurs milles, jusqu'au moment où la route s'élargit et où un rudiment de mur sur le côté les avertit qu'ils approchaient d'un autre repaire d'orques.

« C'est ici que nous nous détournons, Sam, dit Frodo. Et il faut prendre vers l'est. » Il soupira en regardant les sombres crêtes de l'autre côté de la vallée. « Il me reste juste assez d'énergie pour trouver quelque trou là-haut. Puis je vais devoir me reposer un peu. »

Le lit de la rivière se trouvait à présent en contrebas du sentier. Jouant des pieds et des mains, ils y descendirent et entreprirent de traverser. Ils furent surpris d'y trouver des mares sombres nourries par des filets d'eau coulant d'une source quelque part en amont. Sur ses marges extérieures, au pied des montagnes à l'ouest, le Mordor était une terre agonisante, mais point encore morte. Des choses continuaient d'y pousser, rudes, tordues, amères, luttant pour leur survie. Dans les ravins de la Morgai, de l'autre côté de la vallée, de petits arbres rabougris vivotaient et s'accrochaient, des bouquets d'herbe grossière et grise bataillaient contre les pierres, et des mousses desséchées y rampaient ; et partout s'étendaient de grandes ronces aux bras contorsionnés et inextricables. Certains portaient de longues épines mordantes, d'autres des barbillons crochus qui déchiraient comme des couteaux. Les feuilles tristes et racornies d'une année passée y pendaient, bruissant et frémissant dans l'air mélancolique, mais leurs bourgeons infestés de larves venaient tout juste d'éclore. Des mouches, brunes ou grises, parfois noires, marquées d'une tache en forme d'œil rouge à la manière des orques, bourdonnaient et piquaient ; et au-dessus des buissons de ronces, des nuages de moucherons affamés valsaient et tanguaient.

« Cet attirail d'orque ne vaut rien, dit Sam, agitant les bras. Il me faudrait un cuir d'orque ! »

Frodo finit par ne plus pouvoir avancer. Ils s'étaient engagés dans un étroit ravin qui montait en étages, mais ils avaient encore une bonne grimpée à faire, ne fût-ce que pour apercevoir la dernière crête accidentée. « Je dois me reposer, maintenant, Sam, et dormir si je peux », dit Frodo. Il regarda alentour, mais il semblait n'y avoir nulle part où s'abriter dans ce triste pays, même pour un animal. Enfin, à bout de forces, ils se glissèrent sous un rideau de ronces qui pendait comme une natte sur la face d'un petit banc de rocher.

Assis dans l'ombre, ils prirent le repas qu'ils purent. Gardant leur précieux *lembas* pour les jours funestes à venir, ils mangèrent la moitié de ce qui restait à Sam des provisions de Faramir : quelques fruits secs et une mince tranche de viande salée ; et ils burent quelques petites gorgées d'eau. Ils venaient encore de boire aux mares de la vallée, mais ils avaient de nouveau très soif. L'air du Mordor avait une âpreté qui desséchait la bouche. Quand Sam pensait à l'eau, même son esprit optimiste se décourageait. Au-delà de la Morgai, ils auraient à franchir la terrible plaine du Gorgoroth.

« À vous de dormir en premier, monsieur Frodo, dit Sam. Il recommence à faire noir. J'ai l'impression que cette journée tire à sa fin. »

À ces mots, Frodo soupira et s'endormit presque aussitôt. Sam, luttant contre sa propre fatigue, lui prit la main ; et il resta assis en silence jusqu'à la nuit close. Enfin, pour mieux rester éveillé, il rampa hors de leur cachette et regarda aux alentours. Le pays semblait résonner de grincements, de craquements et de bruits furtifs, mais il n'y avait aucun son de voix, aucune rumeur de pas. Loin au-dessus de l'Ephel Dúath, à l'ouest, le ciel nocturne gardait encore une pâle lueur. Là, parmi les épaves nuageuses, au-dessus d'un sombre monolithe au faîte des montagnes, Sam vit scintiller un moment une étoile blanche. Sa beauté lui perça le cœur, comme il regardait au-dessus de la terre déserte ; et l'espoir rejaillit en lui. Car la pensée le traversa, nette et froide, comme un trait, que l'Ombre n'était finalement qu'une petite chose éphémère : une lumière et une beauté pérennes existaient au-delà, à jamais hors de sa portée. Dans la Tour, Sam avait chanté un air de défi plutôt que d'espoir ; car il pensait alors à lui-même. Mais pour l'heure, son propre sort, et même celui de son maître, cessèrent de l'inquiéter. Il se glissa de nouveau parmi les ronces et s'étendit près de Frodo, puis, mettant toute peur de côté, il s'abandonna à un profond et paisible sommeil.

Ils s'éveillèrent ensemble, main dans la main. Sam se sentait presque dispos, prêt pour une autre journée de marche ;

mais Frodo soupira. Il avait eu un sommeil inquiet, plein de rêves de flammes, et le réveil ne lui apportait aucun réconfort. Son sommeil avait tout de même été réparateur : il se sentait plus fort, mieux apte à porter son fardeau pour une nouvelle étape. Ils ignoraient quelle heure il était et combien de temps ils avaient dormi ; mais après avoir pris un morceau et bu une gorgée d'eau, ils poursuivirent l'ascension du ravin jusqu'à une pente abrupte, couverte d'éboulis et de pierres instables. Là, les dernières choses vivantes abandonnaient la lutte : point d'herbe sur les hauteurs de la Morgai, nues, déchiquetées, stériles comme une ardoise.

Après beaucoup d'errances et de recherches, ils trouvèrent un endroit où monter, puis, d'une dernière grimpée longue d'une centaine de pieds, ils atteignirent le sommet. Ils traversèrent une fente entre deux rochers escarpés et se retrouvèrent au bord même de la dernière défense du Mordor. Là, sous une dénivellation d'environ quinze cents pieds, la plaine intérieure s'étendait à perte de vue, perdue dans des ténèbres informes. À présent, le vent du monde soufflait de l'ouest et les grands nuages s'étaient soulevés, flottant vers l'est ; mais les mornes champs du Gorgoroth n'étaient encore éclairés que d'une simple lueur grise. Des fumées traînaient sur le sol de la plaine ou tapies dans des creux, et des vapeurs s'échappaient de fissures dans la terre.

Loin encore, à quarante milles au moins, ils apercevaient le Mont Destin, fondé dans un désert de cendres : son énorme cône s'élevait à une grande hauteur sous sa tête fumante, elle-même enveloppée de nuages. Ses feux couvaient à présent, et il se tenait là, bouillant dans son sommeil, aussi menaçant et dangereux qu'une bête assoupie.

Derrière lui planait une ombre de vastes dimensions, aussi sombre et sinistre que la nuée orageuse : les voiles de Barad-dûr, debout, loin derrière, sur une longue avancée des Montagnes de Cendre descendant du nord. Le Pouvoir Sombre était en profonde réflexion, son Œil tourné vers l'intérieur, et sa pensée appesantie sur des augures de doute et de danger : une brillante épée, un visage sévère et royal ; pour l'heure, il ne s'occupait guère d'autre chose, et toute son immense forteresse, porte après porte, et tour après tour, était enveloppée de ténèbres inquiètes.

Frodo et Sam contemplèrent cet odieux pays avec un dégoût mêlé d'étonnement. Entre eux et la montagne fumante, et partout au nord et au sud, tout était mort et dévastation, un désert calciné et suffoqué. Ils se demandèrent comment le Seigneur de ce royaume pouvait nourrir ses esclaves et entretenir ses armées. Mais des armées, il en avait. Aussi loin que portait leur regard, le long de la Morgai et vers la plaine au sud, il y avait des camps, les uns composés de tentes, les autres ordonnés comme de petites villes. L'une des plus grandes se trouvait directement sous eux. À un mille à peine dans la plaine, elle s'entassait comme un énorme nid d'insectes, ses rues droites et mornes constituées de baraquements et de longues constructions basses, d'aspect sordide. Tout autour se voyait un fourmillement d'allées et venues ; une large voie en partait au sud-est pour rejoindre la route de Morgul, et de petites formes noires s'y déplaçaient en de nombreuses files, filant à vive allure.

« J'aime pas du tout ce que je vois là, dit Sam. C'est sans espoir, si vous voulez mon avis – quoique, s'il y a autant de monde, c'est qu'il doit y avoir des puits ou de l'eau, sans oublier de quoi manger. Et ce sont des Hommes, pas des Orques, ou bien ma vue me joue des tours. »

Ni lui ni Frodo ne savaient rien des immenses terres cultivées par des esclaves loin dans le sud de ce vaste royaume, au-delà des vomissures de la Montagne, près des eaux sombres et tristes du lac Núrnen ; ni des grandes routes qui partaient à l'est et au sud vers des fiefs tributaires, d'où les soldats de la Tour ramenaient les longs convois de chariots bourrés de marchandises, de butin et de nouveaux esclaves. Ici, dans les régions septentrionales, se trouvaient les mines et les forges, et tous les préparatifs d'une guerre planifiée de longue date ; ici, le Pouvoir Sombre, déplaçant ses armées comme des pièces sur l'échiquier, s'employait à les rassembler. Ses premiers coups, destinés à tâter le terrain, avaient essuyé un échec sur le front ouest, au sud et au nord. Pour le moment, il avait fait marche arrière et mobilisé de nouvelles forces, massées autour de Cirith Gorgor en préparation de sa revanche. Et s'il avait aussi eu pour intention de défendre la montagne contre toute approche, il n'eût guère pu entreprendre davantage.

« Enfin bon ! poursuivit Sam. Peu importent les vivres qu'ils ont, c'est pas nous qui allons en profiter. Je vois pas moyen d'arriver en bas. Et on pourrait jamais traverser toute cette plaine truffée d'ennemis, même si on pouvait descendre. »

« Il nous faudra tout de même essayer, répondit Frodo. Ce n'est pas bien pire que ce que j'imaginais. Je n'ai jamais eu espoir de la traverser. Je n'en vois pas maintenant. Mais je dois tout de même faire de mon mieux. Pour le moment, il s'agit d'éviter de tomber entre leurs mains le plus longtemps possible. Il faut donc continuer vers le nord, je pense, et voir ce qu'il en sera quand la plaine sera plus étroite. »

« Je vais vous dire ce qu'il en sera, répliqua Sam. Quand ce sera plus étroit, les Orques et les Hommes seront juste un peu plus tassés. Vous verrez, monsieur Frodo. »

« Je verrai, oui, si jamais nous arrivons jusque-là », dit Frodo, et il se détourna.

Ils s'aperçurent bientôt qu'il leur serait impossible d'avancer le long la crête de la Morgai, non plus que sur ses hauteurs, sans chemins praticables et profondément crevassées. En désespoir de cause, ils durent redescendre le ravin qu'ils avaient grimpé et chercher un chemin à travers la vallée. Ce fut un pénible trajet, car ils n'osaient pas retraverser jusqu'au sentier du côté ouest. Au bout d'un mille ou davantage, ils aperçurent, blotti dans un creux au pied de la falaise, le repaire orque dont ils avaient deviné la présence : un mur et des cabanes de pierre regroupées devant l'entrée d'une grotte, béante et noire. Aucun mouvement ne se voyait derrière le mur, mais les hobbits n'en furent pas moins prudents, se coulant aussi souvent que possible derrière les fourrés d'épines qui, à cet endroit, poussaient abondamment de part et d'autre de l'ancien cours d'eau.

Ils parcoururent deux ou trois milles encore, et le repaire orque disparut derrière eux ; mais ils commençaient à peine à respirer un peu mieux que le son rude et clabaudeur de voix d'orques retentit à leurs oreilles. Ils se mirent aussitôt à couvert, réfugiés sous un buisson d'aspect brunâtre et souffreteux. Les voix s'approchèrent. Bientôt, deux orques s'offrirent à leur vue. L'un était vêtu de loques brunes et armé d'un arc de corne ; il était d'une espèce chétive, à la peau noire et aux larges narines renifleuses, visiblement une sorte de traqueur. L'autre était un grand orque de combat, semblable à ceux de la compagnie de Shagrat, portant l'emblème de l'Œil. Lui aussi avait un arc au dos, et il tenait une courte lance à large fer. Comme toujours, ils se querellaient, et comme ils étaient d'espèces différentes, ils usaient du parler commun, à leur manière.

À moins de vingt pas de l'abri où les hobbits s'étaient cachés, le petit orque s'arrêta. « Nan ! grogna-t-il. Je rentre chez nous. » Il désigna le repaire orque de l'autre côté de la vallée. « Pas la peine de m'user le nez sur les pierres plus longtemps. Y a plus la moindre trace, je t'assure. J'ai perdu la piste à force de t'écouter. Elle va dans les collines, je te dis, pas dans la vallée. »

« Vous servez pas à grand-chose, vous autres petits renifleurs, hein ? dit le grand orque. Une paire d'yeux vaut mieux que vos nez morveux, je gage. »

« Et tes mirettes, elles ont vu quoi ? rugit l'autre. Va donc, eh pignouf ! Tu sais même pas ce que tu cherches. »

« La faute à qui ? rétorqua le soldat. Pas à moi. Ça vient d'En Haut. D'abord, ils nous disent que c'est un Elfe en armure brillante, puis c'est une espèce de petit homme-nain, puis une bande d'Uruk-hai rebelles ; ou peut-être tout ça en même temps, tiens. »

« Arrh ! fit le traqueur. Ils ont perdu la tête, voilà tout. Et y a certains patrons qui risquent aussi de perdre leur peau, que je me dis, si c'est vrai ce qu'on entend : la Tour prise dans un raid et tout, des centaines de vos gars trucidés, et le prisonnier envolé. Si tous les combattants font comme vous, pas étonnant qu'y ait des mauvaises nouvelles en provenance du front. »

« Qui dit qu'y a des mauvaises nouvelles ? » s'emporta le soldat.

« Arrh ! Qui dit qu'y en a pas ? »

« C'est de la sale propagande de rebelle, et si t'arrêtes pas je t'embroche, compris ? »

« C'est bon, c'est bon ! dit le traqueur. Je dis plus rien, mais j'en pense pas moins. N'empêche, veux-tu bien me dire ce qu'il a à voir là-dedans, ce fouineur à peau noire ? Ce glouglouteur aux mains flasques ? »

« Je sais pas. Rien, peut-être. Mais il prépare un mauvais coup, encore à fureter dans tous les coins, je gage. Qu'il crève ! Il venait de nous filer entre les doigts quand on a su qu'ils le voulaient vivant, et au plus vite. »

« Eh bien, j'espère qu'ils l'auront et qu'ils le feront déguster, gronda le traqueur. Il a brouillé la piste là-haut en ramassant cette cotte de mailles qu'il a trouvée, et en patouillant partout autour avant que je sois sur les lieux. »

« Elle lui a sauvé la vie, en tout cas, dit le soldat. Avant même de savoir qu'il était recherché, je lui ai tiré dessus, tu vois, du beau travail, à cinquante pas en plein dans le dos ; mais il a continué de courir. »

« Va donc ! Tu l'as manqué, dit le traqueur. D'abord, tu tires à côté, puis t'es pas fichu de le rattraper, alors t'appelles les pauvres traqueurs. Y en a marre. » Il partit à grands bonds.

« Reviens ici, s'écria le soldat, ou je te dénonce ! »

« À qui ? Pas à ton Shagrat chéri. Il ne sera plus capitaine. »

« Je vais donner ton nom et ton numéro aux Nazgûl, dit le soldat, baissant la voix et serrant les dents. Oui, à *eux*. C'est l'un d'eux qui commande à la Tour, maintenant. »

L'autre s'arrêta, et sa voix était emplie de crainte et de rage. « Sale mouchard ! Espèce de truand ! hurla-t-il. T'es incapable de faire ton boulot, et t'es même pas foutu de rester solidaire. Va voir tes maudits Criailleurs, et puissent-ils te glacer la peau sur les os ! Si l'ennemi les a pas déjà expédiés. Ils ont occis le Numéro Un, à ce que j'ai entendu dire, et j'espère que c'est vrai ! »

Le grand orque, lance à la main, bondit après lui. Mais le traqueur, sautant derrière une pierre, lui tira une flèche dans l'œil comme il arrivait, et il tomba avec fracas. L'autre s'enfuit dans la vallée et disparut.

Pendant un moment, les hobbits restèrent assis en silence. Enfin, Sam remua. « Eh bien, voilà ce que j'appelle du beau travail, dit-il. Si cet esprit de franche camaraderie pouvait se répandre au Mordor, la moitié de nos ennuis seraient terminés. »

« Tout doux, Sam, murmura Frodo. Il y en a peut-être d'autres dans les parages. Nous l'avons manifestement échappé belle, et la poursuite nous talonnait plus que nous ne le pensions. Mais c'est bien là l'esprit du Mordor, Sam ; et il s'est répandu dans chaque recoin. Les Orques se sont toujours comportés de la sorte lorsqu'ils sont laissés à eux-mêmes, d'après tous les récits. Mais il n'y a pas grand espoir à tirer de cela. Ils nous haïssent bien davantage, en tout point et en toutes circonstances. Si ces deux-là nous avaient vus, ils auraient eu tôt fait de remiser leur querelle jusqu'à ce que nous soyons morts. »

Il y eut encore un long silence. Sam le rompit de nouveau, cette fois en murmurant. « Vous les avez entendus au sujet de ce *glouglouteur*, monsieur Frodo ? Je vous ai bien dit que Gollum était toujours pas mort, non ? »

« Oui, je me rappelle. Et je me suis demandé comment tu le savais, dit Frodo. Mais allons ! Je crois qu'il vaudrait mieux ne plus bouger d'ici jusqu'à ce qu'il fasse complètement noir. Alors tu vas me dire comment tu le sais, et me raconter tout ce qui s'est passé. Si tu peux le faire sans lever le ton. »

« Je vais essayer, dit Sam, mais quand je pense à ce Chlingueur, j'enrage tellement que je pourrais crier. »

Sous le couvert du buisson épineux, alors que la terne lueur du Mordor se fondait peu à peu en une nuit profonde et sans étoiles, Sam raconta à l'oreille de Frodo tout ce qu'il pouvait exprimer de l'attaque perfide de Gollum, de l'horreur d'Araigne et de ses propres mésaventures avec les orques. Une fois son récit terminé, Frodo ne dit rien, mais il prit la main de Sam et la serra dans la sienne. Enfin, il se secoua.

« Eh bien, je suppose qu'il faut repartir, dit-il. Je me demande combien de temps il faudra avant que nous soyons vraiment pris, toutes nos peines et nos dissimulations terminées, et finalement vaines. » Il se leva. « Il fait noir, et nous ne pouvons nous servir du globe de la Dame. Garde-le précieusement pour moi, Sam. Je n'ai plus nulle part où le mettre, sauf dans le creux de ma main, et j'aurai besoin des deux pour avancer dans la nuit noire. Mais Dard, je te le donne. J'ai bien une lame orque, mais je ne pense pas qu'il m'appartienne de frapper aucun autre coup. »

Il était difficile et dangereux de se mouvoir de nuit dans ce pays accidenté ; mais, lentement et péniblement, les hobbits cheminèrent heure après heure en direction du nord sur la lisière orientale de la vallée pierreuse. Quand la lueur grise reparut sur les hauteurs de l'ouest, longtemps après que le jour se fut levé dans les terres au-delà, ils se remirent à couvert et dormirent un peu, à tour de rôle. Durant ses périodes d'éveil, Sam était préoccupé par la question des vivres. Et quand Frodo se réveilla enfin, proposant de manger avant d'entreprendre un nouvel effort, Sam lui posa la question qui l'inquiétait le plus.

« Vous m'excuserez, monsieur Frodo, dit-il, mais avez-vous idée du chemin qu'il nous reste à faire ? »

« Non, aucune idée précise, Sam, répondit Frodo. À Fendeval, avant le départ, on m'a montré une carte du Mordor dressée avant que l'Ennemi ne fût revenu ici ; mais je n'en ai conservé qu'un vague souvenir. Ce que je me rappelle avant tout, c'est qu'il y avait une région au nord, où les chaînes de l'ouest et du nord projettent des éperons qui se rencontrent presque. Il doit y avoir au moins vingt lieues jusque-là, en partant du pont près de la Tour. Ce pourrait être un bon endroit pour traverser. Mais naturellement, cela nous amènerait encore plus loin de la Montagne que nous ne l'étions pour commencer, à soixante milles de distance, selon mes estimations. Nous devons être à une douzaine de lieues au nord du pont, à présent. Même si tout va bien, je ne pourrai guère atteindre la montagne en moins d'une semaine. Je crains, Sam, que le fardeau ne devienne très lourd ; j'irai donc encore plus lentement à mesure que nous approcherons. »

Sam soupira. « C'est bien ce que je craignais, dit-il. Eh bien, sans parler du manque d'eau, il faudra manger moins, monsieur Frodo, ou bien aller un peu plus vite, du moins tant qu'on traînera dans cette vallée. Encore une bouchée et tous nos vivres seront épuisés, sauf le pain de route des Elfes. »

« Je vais essayer d'accélérer le pas, Sam, dit Frodo avec une profonde inspiration. Dans ce cas, allons ! En route pour une autre marche ! »

Les ténèbres n'étaient pas encore tout à fait revenues. Ils repartirent d'un pas lourd et chancelant, jusque dans la nuit. Les heures passèrent, pénibles et lasses, entrecoupées de brèves haltes. À la première lueur grise sous les lisières de la voûte d'ombre, ils se tapirent à nouveau dans l'obscurité d'un creux, sous un rocher en surplomb.

La lumière crût lentement, et elle se fit plus claire que jamais. Un fort vent soufflait de l'Ouest, chassant les vapeurs du Mordor des hauts airs. Avant peu, les hobbits purent discerner la forme des terres à quelques milles autour. À mesure que le pays s'élevait, la gorge entre les montagnes et la Morgai s'était progressivement comblée, et la chaîne intérieure n'était plus qu'un replat sous les flancs abrupts de l'Ephel Dúath ; mais à l'est, elle plongeait toujours aussi brusquement vers le Gorgoroth. Au nord, la vallée asséchée se terminait par un amoncellement de rochers en escalier ; car de la chaîne principale se détachait un haut contrefort nu, dressé comme un mur en direction de l'est. À sa rencontre s'avançait, de la chaîne septentrionale des Ered Lithui aux cimes brumeuses et grises, un grand bras saillant ; et entre ces deux éperons s'ouvrait une étroite brèche : Carach Angren, la Gueule-de-Fer, au-delà de laquelle s'étendait la profonde vallée de l'Udûn. Dans cette vallée derrière la Morannon se trouvaient les tunnels et les profondes armureries creusés par les serviteurs du Mordor pour défendre la Porte Noire de leur pays ; et leur Seigneur, à présent, se hâtait d'y rassembler de grandes forces pour contrer l'assaut des Capitaines de l'Ouest. Sur les éperons avancés se dressaient des tours et des forts, éclairés par des feux de garde ; et sur toute la largeur de la brèche, un mur de terre avait été élevé, précédé d'une profonde tranchée franchie par un unique pont.

À quelques milles au nord, juché dans l'angle entre l'éperon ouest et la chaîne principale, se trouvait l'ancien château de Durthang, devenu l'une des nombreuses forteresses orques concentrées autour de la vallée de l'Udûn. Une route sinueuse, déjà visible dans la lumière croissante, en descendait, et à seulement un ou deux milles de l'endroit où se tenaient les hobbits, elle tournait vers l'est et suivait une corniche taillée au flanc de l'éperon, descendant alors dans la plaine et vers la Gueule-de-Fer.

Devant tel paysage, il sembla aux hobbits que tout leur voyage vers le nord avait été vain. La plaine, sur leur droite, était sombre et enfumée, et ils n'y voyaient pas le moindre camp ni déplacement de troupes ; mais toute la région était sous la vigilance des forts de Carach Angren.

« Nous voici dans une impasse, Sam, dit Frodo. Si nous continuons, nous finirons seulement par arriver à cette tour orque ; mais la seule route pour nous est celle qui en descend – à moins de revenir sur nos pas. Impossible de grimper à l'ouest ni de descendre à l'est. »

« Alors il faut prendre la route, monsieur Frodo. Il faut la prendre et espérer que notre chance tiendra, à supposer que la chance puisse nous suivre au Mordor. Autant nous livrer tout de suite à l'ennemi plutôt que de continuer à flâner dans le coin, ou essayer de revenir sur nos pas. Nous n'aurons bientôt plus de vivres. Il faut foncer ! »

« D'accord, Sam, dit Frodo. Conduis-moi ! Tant qu'il te reste un peu d'espoir. Je n'en ai plus. Mais je ne peux pas foncer, Sam. Je vais juste me trimballer derrière toi. »

« Avant de vous trimballer plus loin, il vous faut du repos et de quoi manger, monsieur Frodo. Venez prendre ce que vous pourrez des deux ! »

Il lui donna de l'eau et une autre gaufrette de pain de

route, et lui offrit sa cape repliée en guise d'oreiller. Frodo était trop las pour discuter ; et Sam ne lui fit pas remarquer qu'il avait bu tout ce qui leur restait d'eau, et mangé la portion de Sam en plus de la sienne. Quand il se fut endormi, Sam se pencha sur lui, écouta sa respiration et scruta son visage. Celui-ci était ridé et amaigri ; pourtant, dans le sommeil, il respirait le contentement et la quiétude d'esprit. « Eh bien, faut c'qui faut, Maître ! murmura Sam pour lui-même. Je dois vous laisser un peu et m'en remettre à la chance. Il nous faut de l'eau, ou on n'ira pas plus loin. »

Sam sortit à pas de loup, et, volant de pierre en pierre, plus furtif qu'un hobbit, il descendit jusqu'au lit asséché et le remonta sur une courte distance au nord, jusqu'aux rochers en escalier où, longtemps auparavant, une source avait dû jaillir en une petite chute d'eau. Tout était sec et silencieux à présent ; mais Sam, refusant de baisser les bras, se pencha pour écouter, et pour sa plus grande joie il entendit un faible gazouillis. Il grimpa alors quelques marches et tomba sur un filet d'eau sombre qui, sortant du flanc de la colline, remplissait une petite mare sur le roc nu et s'écoulait de nouveau avant de disparaître sous les pierres arides.

Sam goûta l'eau, qui lui parut assez bonne ; il but alors abondamment, remplit sa bouteille et se tourna pour redescendre. Au même moment, il entrevit quelque chose, une forme ou une ombre noire se glissant parmi les rochers près de la cachette de Frodo. Ravalant un cri, il se jeta à bas des rochers et courut, bondissant de pierre en pierre. C'était une créature méfiante, difficile à voir, mais Sam n'entretenait guère de doutes : il brûlait de lui mettre la main au cou. Mais, l'entendant approcher, elle s'esquiva rapidement. Sam crut l'apercevoir une dernière fois, jetant un rapide coup d'œil par-dessus le bord du précipice à l'est, mais elle se baissa aussitôt et disparut.

« Eh bien, la chance m'a pas abandonné, murmura Sam, mais il s'en est fallu de peu ! Ça suffit pas d'avoir des milliers d'orques sur les bras, il faut que cet affreux vilain vienne fourrer son nez dans nos affaires ? J'aurais bien voulu qu'ils l'abattent ! » Il s'assit auprès de Frodo, sans le réveiller ; mais il n'osa pas dormir lui-même. Enfin, quand il sentit que ses paupières se fermaient de sommeil et qu'il ne pourrait bientôt plus lutter, il réveilla doucement Frodo.

« J'ai bien peur que ce Gollum soit de nouveau dans les parages, monsieur Frodo, dit-il. En tout cas, si c'était pas lui, c'est qu'il a un double. Je suis parti chercher de l'eau et, juste comme j'allais revenir, je l'ai surpris à fouiner. J'ai comme l'impression qu'il serait dangereux de dormir tous les deux en même temps, et vous m'excuserez, mais j'arrive plus à garder les yeux ouverts. »

« Très cher Sam ! s'écria Frodo. Allonge-toi et prends le tour qui te revient ! Mais je préfère Gollum aux orques. Lui, en tout cas, ne risque pas de nous livrer à eux – à moins d'être pris lui-même. »

« Mais il pourrait faire un petit bout de chapardage et d'assassinat pour son propre compte, grogna Sam. Gardez l'œil ouvert, monsieur Frodo ! Tenez, une gourde pleine d'eau. Buvez tout. On pourra la remplir en partant. » Là-dessus, Sam plongea dans le sommeil.

La lumière baissait de nouveau quand il se réveilla. Frodo était assis contre le roc, mais il s'était assoupi. La gourde était vide. Il n'y avait aucun signe de Gollum.

La nuit du Mordor était revenue, et les feux de garde brûlaient d'une sanglante lueur sur les hauteurs quand les hobbits décidèrent d'entreprendre l'étape la plus dangereuse de tout leur voyage. Ils montèrent d'abord à la petite source, puis, grimpant avec précaution, ils gagnèrent la route au point où elle bifurquait vers l'est pour rejoindre la Gueule-de-Fer, à vingt milles de là. La voie n'était pas large, sans mur ni parapet sur le côté, et à mesure qu'elle s'aventurait sur l'éperon, le précipice qui la bordait devenait de plus en plus profond. Les hobbits n'entendirent pas le moindre mouvement, et après avoir écouté un moment, ils partirent vers l'est d'un pas soutenu.

Au bout d'une douzaine de milles, ils s'arrêtèrent. Quelque temps auparavant, la route avait tourné un peu au nord, et la portion qu'ils venaient de franchir était à présent cachée à la vue. Les conséquences furent désastreuses. Ils se reposèrent quelques minutes et se remirent en route ; mais ils ne marchaient pas depuis bien longtemps quand soudain, dans le calme de la nuit, ils entendirent le son qu'ils redoutaient secrètement depuis le début : un grand piétinement sur la route. Il était encore à quelque distance derrière eux, mais en se retournant, ils virent un clignotement de torches passer le tournant à moins d'un mille : elles venaient très vite, trop vite pour que Frodo songe à fuir le long de la route.

« J'en étais sûr, Sam, dit Frodo. Nous nous sommes fiés à la chance, et elle nous a fait défaut. Nous voilà pris au piège. » Il leva un regard éperdu vers la face renfrognée du mur : taillé à pic par les constructeurs de la route au temps jadis, il s'élevait de plusieurs toises au-dessus de leurs têtes. Il courut de l'autre côté de la route et regarda par-dessus le bord, dans un gouffre de ténèbres. « Nous sommes finalement pris au piège ! » dit-il. Il se laissa choir au pied du mur de roche et baissa la tête.

« Il semblerait, répondit Sam. Bon, eh bien y a plus qu'à attendre. » Sur ce, il s'assit à côté de Frodo dans l'ombre de l'escarpement.

L'attente ne dura pas longtemps. Les orques avançaient d'un bon pas. Ceux des premiers rangs portaient des torches. Elles approchaient, flammes rouges dans l'obscurité, toujours grandissantes. Bientôt, Sam aussi baissa la tête, espérant cacher son visage quand les torches seraient à leur hauteur ; et il plaça les boucliers devant leurs genoux pour mieux dissimuler leurs pieds.

« S'ils sont assez pressés, ils peuvent bien laisser une couple de soldats fatigués se reposer, et passer leur chemin », pensa-il.

Et on eût dit qu'ils le feraient. En tête de file, les orques vinrent d'un pas mou et bondissant, le souffle court, la tête baissée. Ils étaient de l'espèce plus chétive, conduits malgré eux à la guerre de leur Sombre Seigneur ; leur seul souci était d'en finir avec la marche et d'échapper au fouet. Sur le côté, deux des grands et féroces *uruks* allaient et venaient le long de la file, faisant claquer leurs lanières et vociférant. Les rangs défilaient, et la lumière révélatrice des torches était déjà bien en avant. Sam retint son souffle. Plus de la moitié de la file était maintenant passée. Puis soudain, l'un des meneurs d'esclaves repéra les deux formes sur le bord de la route. Il fit claquer son fouet en leur direction et hurla : « Hé, vous ! Debout ! » Ils ne répondirent pas et, sur son cri, toute la compagnie s'arrêta.

« Allons, misérables limaces ! pesta-t-il. C'est pas le moment de flemmarder. » Il fit un pas vers eux et, malgré les ténèbres, il reconnut l'emblème sur leurs boucliers.

« Vous désertez, hein ? gronda-t-il. Ou vous y pensez ? Tous vos copains devaient être à l'intérieur de l'Udûn avant-hier au soir. Vous savez ça. Debout, et à vos rangs, sinon je prends vos numéros et je vous signale. »

Ils se levèrent avec peine. Gardant le dos penché, clo-pinant comme des soldats fourbus, ils se traînèrent jusqu'à l'arrière de la file. « Non, pas en queue ! Trois rangs en avant ! Et restez-y, ou vous aurez de mes nouvelles quand je remonterai la file ! » Il fit claquer son long fouet au-dessus de leurs têtes ; puis, d'un autre claquement suivi d'un cri, il remit la compagnie au trot.

Ce fut bien difficile pour le pauvre Sam, tout fatigué qu'il était ; mais pour Frodo, ce fut un supplice et bientôt un cauchemar. Il serra les dents, s'efforçant de ne penser à rien et de tenir bon. La puanteur des orques en sueur tout autour de lui était suffocante, et il se mit à tirer la langue. Leur course ne se relâchait pas, et il appliqua toute sa volonté à prendre son souffle et à mouvoir ses jambes ; mais tout du long, il n'osait imaginer quelle fin atroce il trouverait au bout de son labeur et de ses souffrances. Il n'y avait aucun espoir de sortir des rangs sans être vu. De temps à autre, le meneur d'orques revenait pour les narguer.

« Là, c'est bon ! ricanait-il, leur cinglant tout juste les jambes. Quand on veut, clac ! on peut, mes limaces ! Au pas ! Je vous servirais bien un petit rappel, seulement ils vont vous mettre à vif quand vous serez en retard à vos quartiers. Ça vous apprendra. Vous savez pas qu'on est en guerre ? »

Ils avaient parcouru quelques milles, et la route des-cendait enfin par une longue pente dans la plaine, quand Frodo sentit ses forces s'épuiser et sa volonté faiblir. Il vacillait et titubait. Sam tentait désespérément de l'aider et de le soutenir; mais lui-même sentait qu'il aurait peine à tenir l'allure beaucoup plus longtemps. Il savait que la fin arriverait d'un instant à l'autre : son maître tomberait ou s'évanouirait, tout serait découvert, et leurs efforts acharnés n'auraient servi à rien. «Je vais tout de même me payer ce diable de gros meneur d'esclaves », pensa-t-il.

Mais, au moment où il portait la main à son épée, vint un secours inattendu. Ils étaient maintenant dans la plaine, et ils approchaient de l'entrée de l'Ûdun. Non loin en avant, devant la porte à l'extrémité du pont, la route de l'ouest convergeait avec d'autres venant du sud et de Barad-dûr. Des troupes faisaient mouvement sur toutes les routes; car les Capitaines de l'Ouest avançaient et le Seigneur Sombre hâtait ses armées vers le nord. Le hasard voulut que plusieurs compagnies se rejoignissent dans les ténèbres du carrefour, en dehors de la lueur des feux de garde sur le mur. On ne tarda pas à se bousculer et à s'invectiver, chacune des troupes voulant arriver la première et en finir avec la marche. Les meneurs eurent beau hurler et donner du fouet, la bagarre éclata par endroits et des lames furent tirées. Une troupe d'*uruks* de Barad-dûr lourdement armés chargea la colonne de Durthang, semant la confusion parmi les rangs.

Tout étourdi qu'il était, de douleur comme de lassitude, Sam se secoua, saisit rapidement sa chance et se jeta sur le sol, entraînant Frodo avec lui. Des Orques trébuchèrent sur eux, grognant et jurant. Alors les hobbits, rampant à quatre pattes, se glissèrent lentement hors de la cohue, jusqu'au côté de la route où enfin, sans être remarqués, ils se laissèrent tomber. Celle-ci avait un haut rebord pour servir de repère aux meneurs de troupes par nuit noire ou par temps de brouillard, et elle était surélevée de quelques pieds par rapport à la plaine.

Ils restèrent immobiles pendant un certain temps. Il faisait trop sombre pour chercher un abri, à supposer qu'il y en eût aucun ; mais Sam sentait qu'ils devaient au moins s'éloigner des grandes routes et de la lumière des torches.

« Allons, monsieur Frodo ! murmura-t-il. Encore un petit bout et vous pourrez vous étendre. »

Dans un dernier effort de désespoir, Frodo se souleva sur ses mains et rampa encore une soixantaine de pieds. Alors, il tomba dans une fosse peu profonde qui s'ouvrit subitement devant eux, et il y demeura comme un corps mort.

3

Le Mont Destin

Sam posa sa cape d'orque en lambeaux sous la tête de son maître, et il les couvrit tous deux du manteau gris de la Lórien ; et comme il le faisait, ses pensées se reportèrent vers ce beau pays, et vers les Elfes, et il se prit à espérer que le drap tissé de leurs mains eût quelque vertu qui, contre toute attente, pût les tenir cachés dans ce désert de peur. Il entendait mourir les cris et le son des échauffourées, à mesure que les troupes entraient dans la Gueule-de-Fer. Dans la confusion et l'affluence de nombreuses compagnies de diverses sortes, leur absence semblait être passée inaperçue, pour le moment, du moins.

Sam prit une petite gorgée d'eau, mais il pressa Frodo de se désaltérer, et quand son maître fut un peu remis, il lui donna toute une gaufrette de leur précieux pain de route et la lui fit manger. Puis, épuisés au point même de ne plus avoir tellement peur, ils s'étirèrent. Ils dormirent par à-coups et d'un sommeil inquiet ; car la sueur se refroidit sur eux, les pierres dures leur entamaient la chair, et ils frissonnaient. De la Porte Noire au nord et le long de Cirith Gorgor, un flot d'air froid et vaporeux courait en murmurant le long du sol.

Une lumière grise resurgit au matin, car le Vent d'Ouest

balayait encore les régions supérieures; mais au ras des pierres, derrière les défenses du Pays Noir, l'air semblait presque mort, glacé et suffocant à la fois. Sam jeta un coup d'œil hors de la fosse. Les terres alentour étaient mornes et planes, ternes et grises. Plus rien n'avançait sur les routes voisines; mais Sam craignait les regards vigilants sur les murs de la Gueule-de-Fer, à un furlong vers le nord tout au plus. Debout au sud-est, comme une ombre noire et lointaine, se tenait la Montagne. Des fumées s'en déversaient, et cependant qu'une partie gagnait les airs supérieurs et formait une longue traînée vers l'est, de grandes vagues de nuages déferlaient sur son cône et s'épandaient sur le pays. À quelques milles au nord-est, les contreforts des Montagnes de Cendre s'alignaient comme des spectres gris sombre, au dos desquels se dressaient, telle une frange de nuages lointains, à peine plus sombre que le ciel pesant, les hauteurs brumeuses de la chaîne septentrionale.

Sam tenta d'évaluer les distances et de décider quel chemin ils devaient prendre. « Ça m'a tout l'air de cinquante milles au bas mot, marmonna-t-il d'un air sombre, les yeux fixés sur la menace de la montagne; et ça, c'est une semaine et pas un jour de moins, avec M. Frodo arrangé comme il est. » Il secoua la tête, et comme il s'employait à calculer, une pensée funeste se dessina lentement dans sa tête. L'espoir ne s'était jamais longtemps éteint dans son indéfectible cœur, et jusqu'à présent il avait toujours eu égard au voyage de retour. Mais la cruelle vérité le frappa enfin de plein fouet : au mieux, leurs provisions les conduiraient au but; et une fois leur mission terminée, ils trouveraient leur fin, seuls, sans abri, sans nourriture, au milieu d'un terrible désert. Il ne pouvait y avoir aucun retour.

« C'était donc ça, la tâche que je sentais devoir accomplir

quand je suis parti, pensa Sam : aider M. Frodo jusqu'au dernier pas, et mourir avec lui ? Eh bien, si c'est ça, je dois le faire. Mais comme je voudrais revoir Belleau, Rosie Casebonne et ses frères, et l'Ancêtre, et Bouton-d'or et les autres. Que Gandalf ait pu embarquer M. Frodo dans c't'histoire, sachant qu'il y avait pas d'espoir qu'il revienne, ça me rentre pas dans la tête. Tout est allé de travers du moment qu'il est tombé en Moria. Si seulement il avait pu en réchapper… Il aurait fait quelque chose. »

Mais tandis que l'espoir s'éteignait en lui, ou paraissait s'éteindre, il se changea en une nouvelle force. Son visage ordinaire de hobbit prit un air sévère, presque sinistre, tandis que sa volonté se durcissait en lui, et il sentit dans tous ses membres une sorte de frémissement, comme s'il se transformait en une créature de pierre et d'acier que le désespoir ne pouvait atteindre, non plus que la fatigue, ni les milles infinis du désert.

Fort d'un nouveau sens du devoir, Sam ramena les yeux vers les environs immédiats, considérant la prochaine étape. La lumière croissait peu à peu, et il fut surpris de constater que la plaine qu'il avait perçue de loin comme une vaste terre uniforme était en fait un pays inégal et tourmenté. En effet, toute la surface des plaines du Gorgoroth était criblée de larges trous, comme si, du temps où elles n'étaient encore qu'une étendue de fange, elles avaient reçu une grêle de flèches et de projectiles. Les plus grands de ces trous étaient ceinturés par des arêtes de roche brisée, et de larges fissures en partaient dans toutes les directions. C'était un pays où il serait possible de fuir d'une cachette à l'autre, à l'insu de tous les regards hormis les plus attentifs – possible du moins pour qui était fort et ne connaissait pas l'urgence. Pour des voyageurs affamés et épuisés, avec une longue route à faire avant que la vie ne s'éteigne, il avait un aspect sinistre.

Avec toutes ces pensées en tête, Sam retourna auprès de son maître. Il n'eut pas à le réveiller. Frodo était étendu sur le dos, les yeux ouverts, fixant le ciel nuageux. « Bon, monsieur Frodo, dit Sam, j'ai examiné les environs, et j'en ai profité pour réfléchir un peu. Il y a personne sur les routes, et on ferait mieux de s'éloigner pendant qu'on peut. En êtes-vous capable ? »

« Oui, j'en suis capable, dit Frodo. Il le faut. »

Ils repartirent une nouvelle fois, rampant de creux en creux, volant d'abri en abri, mais toujours se dirigeant en oblique vers les contreforts de la chaîne septentrionale. Toutefois, tandis qu'ils avançaient, la route la plus à l'est ne cessait de les suivre, avant de s'écarter pour mieux serrer la lisière des montagnes loin devant eux, dans un mur d'ombre noire. Ni homme ni orque ne foulait plus sa surface grise et unie ; car le Seigneur Sombre avait presque achevé ses mouvements de troupes, et, même dans l'enceinte de son propre royaume, il recherchait le couvert de la nuit, craignant les vents du monde qui s'étaient retournés contre lui, arrachant ses voiles, et préoccupé par les rumeurs d'intrépides espions ayant passé ses défenses.

Les hobbits franchirent quelques pénibles milles avant de s'arrêter. Frodo semblait presque à bout de forces. Sam vit qu'ils ne pourraient pas continuer longtemps de cette manière, tantôt à quatre pattes, tantôt pliés en deux, suivant ici un chemin incertain et fastidieux, trébuchant là dans une course précipitée.

« Je retourne sur la route pendant qu'il y a encore de la

lumière, monsieur Frodo, dit-il. Tenter de nouveau notre chance ! Elle nous a presque lâchés la dernière fois, mais pas complètement. Un bon pas pendant quelques milles encore, puis repos. »

Il prenait un risque beaucoup plus grand qu'il n'en avait conscience ; mais Frodo était trop préoccupé par son fardeau et par sa lutte intérieure pour discuter, et presque trop désespéré pour s'en soucier. Ils montèrent sur la chaussée et se traînèrent le long de la route, dure et cruelle, celle-là même qui menait jusqu'à la Tour Sombre. Mais leur chance tint bon et, tout le reste de cette journée, ils ne rencontrèrent nulle chose vivante ou animée ; et quand la nuit tomba, ils se fondirent dans les ténèbres du Mordor. Tout le pays ruminait comme dans l'attente d'une énorme tempête ; car les Capitaines de l'Ouest avaient passé la Croisée des Routes et incendié les funestes prairies d'Imlad Morgul.

Le voyage désespéré se poursuivit de semblable manière, tandis que l'Anneau descendait au sud et que la bannière des rois montait vers le nord. Pour les hobbits, chaque jour, chaque mille était plus difficile que le précédent, tandis que leurs forces s'épuisaient et que le pays se faisait plus maléfique. Ils ne voyaient aucun ennemi de jour. Parfois, la nuit, alors qu'ils se terraient ou sommeillaient avec inquiétude dans quelque cachette en bordure de la route, ils entendaient des cris et le bruit de nombreux pas, ou la course précipitée d'une monture cruellement surmenée. Mais de tels dangers paraissaient dérisoires en regard de la menace qui les martelait et ne cessait de s'approcher : la terrible menace du Pouvoir qui attendait, tout absorbé dans ses réflexions et sa malveillance toujours en éveil, derrière le sombre voile entourant son Trône. Elle se faisait toujours plus proche, se dressait de plus en plus noire, comme l'apparition d'un mur de nuit aux derniers confins du monde.

Vint enfin un terrible soir ; et alors même que les Capitaines de l'Ouest voyaient la fin des terres vivantes, les deux voyageurs vivaient une heure de profond désespoir. Quatre jours s'étaient écoulés depuis qu'ils avaient échappé aux orques, mais le temps s'étendait derrière eux comme un rêve toujours plus obscur. Frodo n'avait pas parlé de toute cette journée-là ; à demi courbé, il trébuchait souvent dans sa marche, comme si ses yeux ne voyaient plus la route à ses pieds. Sam devinait que, de toutes leurs souffrances, il endurait la pire, le poids croissant de l'Anneau, un fardeau pour le corps et un tourment pour l'esprit. Avec grande inquiétude, Sam avait remarqué la façon que son maître avait de lever souvent la main gauche, comme pour se garder d'un coup, ou protéger ses yeux à demi fermés d'un Œil redoutable cherchant à y regarder. Et parfois sa main droite venait se crisper sur son sein ; puis, comme la volonté reprenait le dessus, elle se retirait.

Or, tandis que retombaient les ténèbres nocturnes, Frodo était assis, la tête entre les genoux ; ses bras pendaient avec lassitude jusqu'au sol où reposaient ses mains, secouées de faibles spasmes. Sam resta à l'observer, jusqu'à ce que la nuit les recouvrît tous deux et que l'un fût caché à la vue de l'autre. Il ne trouvait plus rien à dire ; aussi se tourna-t-il à son tour vers ses sombres pensées. Lui-même avait encore des forces, malgré sa fatigue et l'ombre de peur qui pesait sur lui. Le *lembas* possédait une vertu indéniable, sans laquelle ils se seraient laissés mourir depuis longtemps. Il ne satisfaisait pas l'appétit, et Sam était parfois hanté par des souvenirs de nourriture, et par des envies de pain et de viande ordinaires. Mais le pain de route des Elfes avait un effet d'autant plus puissant que les voyageurs se reposaient entièrement sur lui, sans le mêler à d'autres aliments. Il nourrissait la volonté et donnait une force d'endurance, et une maîtrise des nerfs et des membres bien au-delà de celles des mortels. Mais, pour l'heure, il fallait à nouveau décider. Ils ne pouvaient suivre cette route plus longtemps, car elle continuait vers l'est, vers la grande Ombre; du reste, la Montagne se dressait à présent sur leur droite, presque plein sud, et ils devaient prendre cette direction. Mais il s'étendait encore devant elle une vaste région de terres arides et fumantes, couvertes de cendres.

« De l'eau, de l'eau ! » marmonnait Sam. Il s'était privé et, dans sa bouche desséchée, il sentait sa langue épaisse et gonflée; mais malgré toutes ses précautions, il ne leur en restait que très peu, peut-être la moitié de sa gourde, et ils pouvaient avoir encore des jours à marcher. Elle eût été vide depuis longtemps s'ils n'avaient pas osé suivre la grand-route. Car de loin en loin, des citernes y avaient été construites à l'usage des troupes dépêchées à travers les régions sans eau. Au fond de l'une d'elles, Sam avait trouvé un vieux reste d'eau, croupie, rendue trouble par les orques, mais encore passable au vu de leur situation. Or, cela faisait déjà un jour; il n'y avait pas espoir d'en trouver davantage.

Enfin, brisé par tant de soucis, Sam se mit à somnoler, sans plus penser au lendemain; il ne pouvait rien faire de plus. Entre veille et sommeil, des rêves troublants le visitaient. Il voyait des lumières semblables à des yeux cruels, et des formes noires aux mouvements furtifs, et il entendait des sons rappelant des bêtes sauvages, ou les cris atroces d'êtres torturés ; et il se réveillait en sursaut pour s'apercevoir que le monde alentour était entièrement sombre, peuplé de ténèbres vides. Une fois seulement, comme il se levait et jetait autour de lui des regards effarés, crut-il apercevoir, même réveillé, de pâles lumières semblables à des yeux ; mais bientôt elles clignotèrent et disparurent.

L'infâme nuit passa lentement et à contrecœur. Le matin qui lui succéda ne donna que peu de lumière ; car à l'approche de la Montagne, l'air avait toujours cette teinte fuligineuse, tandis que de la Tour Sombre se répandaient les voiles d'Ombre que Sauron tissait autour de lui. Frodo, couché sur le dos, ne bougeait pas. Sam se tenait auprès de lui, n'osant pas parler, mais sachant que la parole lui incombait : il devait atteler la volonté de son maître à un nouvel effort. Enfin, se penchant pour lui caresser le front, il murmura à l'oreille de Frodo.

« Debout, Maître ! dit-il. C'est l'heure de reprendre la marche. »

Comme au son d'une soudaine cloche, Frodo se redressa d'un trait, puis il se leva et regarda au sud ; mais au moment où ses yeux contemplèrent la Montagne et le désert environnant, son courage vacilla de nouveau.

« Je n'y arriverai pas, Sam, dit-il. C'est un tel poids à porter, un si grand poids. »

Sam sut, avant même d'ouvrir la bouche, que ses paroles étaient vaines, qu'elles causeraient sans doute plus de mal que de bien ; mais la pitié fit en sorte qu'il ne put garder le silence. « Alors laissez-moi le porter un peu pour vous, Maître, dit-il. Je vais le faire avec plaisir, vous le savez, tant qu'il me restera des forces. »

Une lueur farouche parut dans les yeux de Frodo. « Écarte-toi ! Ne me touche pas ! s'écria-t-il. Il est à moi, je te dis. Va-t'en ! » Sa main s'égara sur la poignée de son épée. Mais alors, sa voix changea rapidement. « Non, non Sam, dit-il tristement. Mais il faut que tu comprennes. C'est mon fardeau, et personne d'autre ne peut le porter. Il est trop tard, maintenant, cher Sam. Tu ne peux pas m'aider de cette manière une seconde fois. Je suis presque en son pouvoir, à présent. Je ne pourrais pas m'en séparer, et si tu essayais de me le prendre, j'en deviendrais fou. »

Sam hocha la tête. « Je comprends, dit-il. Mais je me disais, monsieur Frodo, qu'il y a encore des choses dont on pourrait se passer. Et si on allégeait un peu la charge ? On va de ce côté, maintenant, aussi net que possible. » Il leva le doigt vers la Montagne. « C'est pas la peine d'emporter des choses qui risquent de jamais nous servir. »

Frodo se tourna de nouveau vers la Montagne. « Non, dit-il, il ne nous faudra pas grand-chose sur cette route. Et à la fin, rien. » Il ramassa son bouclier d'orque, le jeta au loin, et lança son casque à la suite. Il retira alors la cape grise, défit la lourde ceinture et la laissa choir sur le sol avec l'épée dans sa gaine. Il déchira la cape noire en lambeaux et les éparpilla.

« Voilà, je ne serai plus un orque, s'écria-t-il, et je ne porterai plus d'arme, noble ou vile. Qu'ils me prennent, s'ils le veulent ! »

Sam fit de même, délaissant son attirail d'orque ; et il vida tout le contenu de son paquet. Peu à peu, il s'était attaché à chacun de ces objets, ne fût-ce que parce qu'il les avait portés aussi loin, et au prix de tant d'efforts. Le plus dur fut de se séparer de ses ustensiles de cuisine. Ses yeux se remplirent de larmes à l'idée de devoir les jeter.

« Vous rappelez-vous ce petit bout de lapin, monsieur Frodo ? demanda-t-il. Et notre campement sous le talus ensoleillé, au pays du capitaine Faramir, le jour où j'ai vu un oliphant ? »

« Non, je crains que non, Sam, répondit Frodo. Du moins, je sais que ces choses sont arrivées, mais je ne puis les voir. Aucun goût de nourriture, ni sensation d'eau, ni rumeur de vent, aucun souvenir d'arbre, d'herbe ou de fleur, ni reflet de lune ou d'étoile ne me reste. Je suis nu dans les ténèbres, Sam, et il n'y a aucun voile pour me séparer de la roue de feu. Je commence à la voir même de mes yeux éveillés, et tout le reste s'estompe. »

Sam s'approcha et lui baisa la main. « Alors, plus vite on s'en sera débarrassés, plus vite on se reposera », hasarda-t-il d'une voix hésitante, ne trouvant rien de mieux à dire. « Ça n'arrange rien de parler », murmura-t-il pour lui-même, tandis qu'il rassemblait toutes les choses qu'ils avaient choisi de jeter. Il n'entendait pas les laisser au milieu du désert à la vue des regards. « Chlingueur a ramassé les mailles d'orques, à ce qu'il paraît ; on va pas lui fournir une épée en plus. Ses mains nues sont déjà assez dangereuses. Et je le laisserai pas toucher à mes casseroles ! » Là-dessus, il porta tous les objets à l'une des nombreuses fissures qui s'ouvraient dans la terre, et il les y jeta. Le bruit de ses précieuses casseroles disparaissant dans les ténèbres résonna dans son cœur comme le glas d'un mort.

Il retourna auprès de Frodo, puis il coupa un bout de sa corde elfique pour servir de ceinture à son maître et serrer ainsi la cape grise autour de sa taille. Il enroula soigneusement le reste de la corde et la remit dans son paquet. Outre cela, il conserva seulement leurs dernières gaufrettes de pain de route, la gourde, ainsi que Dard, qui pendait toujours à sa ceinture ; et, dissimulées contre son sein dans une poche de sa tunique, la fiole de Galadriel et la petite boîte qu'elle lui avait personnellement offerte.

Enfin, ils se tournèrent face à la montagne et repartirent, sans plus songer à se cacher, mais concentrant leur lassitude et leur volonté défaillante sur la seule idée de persévérer. Dans la morne pénombre du demi-jour, rares sont ceux qui, même en cette terre de vigilance, eussent pu les apercevoir, sauf de très près. De tous les esclaves du Seigneur Sombre, seuls les Nazgûl auraient pu l'avertir du péril qui s'immisçait, minuscule mais irréductible, au cœur même de son royaume pourtant bien gardé. Mais les Nazgûl et leurs ailes noires étaient sortis pour une autre mission : leur ombre rassemblée loin de là planait sur la marche des Capitaines de l'Ouest, et la pensée de la Tour Sombre était dirigée de ce côté.

Ce jour-là, il parut à Sam que son maître avait trouvé une nouvelle force, laquelle ne pouvait entièrement s'expliquer par le faible allégement de sa charge. Les premières étapes de leur marche les menèrent plus loin qu'il ne l'avait espéré et plus vite que prévu. Le pays était âpre et hostile, mais ils firent de grands progrès malgré tout, et la Montagne approchait sans cesse. Néanmoins, comme la journée avançait, la faible lumière ne baissant que trop vite, Frodo se courba de nouveau et se mit à chanceler, comme si l'effort renouvelé avait dilapidé le peu de forces qu'il lui restait.

À leur dernière halte, il s'affaissa sur le sol et dit : « J'ai soif, Sam », après quoi il ne parla plus. Sam lui donna une gorgée d'eau ; il n'en restait plus qu'une seule. Lui-même s'en priva ; et tandis que la nuit du Mordor retombait autour d'eux, toutes ses pensées étaient traversées par le souvenir de l'eau ; et chacun des ruisseaux ou rivières ou fontaines qu'il avait jamais vus, sous le vert ombrage des saules ou dans le chatoiement du soleil, dansait et ruisselait pour son plus grand tourment derrière les fenêtres aveugles de ses yeux. Il sentait la boue fraîche entre ses orteils alors qu'il barbotait dans l'Étang de Belleau avec Jolly Casebonne, Tom et Nibs, et leur sœur Rosie. « Mais c'était il y a des années, soupira-t-il, bien loin d'ici. Le chemin de retour, s'il y en a un, passe par la Montagne. »

Il ne trouvait pas le sommeil et débattait intérieurement. « Allons bon, ça s'est mieux passé que ce que t'avais prévu, dit-il d'un ton déterminé. Ça a bien commencé, en tout cas. Je pense qu'on a dû faire la moitié de la distance avant de s'arrêter. Encore un jour et ce sera fait. » Il marqua une pause.

« Sois pas idiot, Sam Gamgie, fit sa voix en réponse. Il tiendra pas une autre journée comme ça, s'il est même capable de bouger. Et tu tiendras pas beaucoup plus longtemps si tu continues à lui donner toute l'eau et presque toute la nourriture. »

« Je peux tenir encore un bon bout, en tout cas, et j'y compte bien. »

« Jusqu'où ? »

« Jusqu'à la Montagne, naturellement. »

« Et puis quoi, Sam Gamgie ? Quoi ? Quand tu y seras, qu'est-ce que tu vas faire ? Il arrivera à rien par lui-même. »

À son grand désarroi, Sam constata qu'il n'avait aucune réponse à cette question. Il n'avait même pas un commencement d'idée. Frodo ne lui avait pas beaucoup parlé de sa mission, et Sam savait seulement que l'Anneau devait être envoyé au feu d'une quelconque façon. « Les Failles du Destin, murmura-t-il, ce vieux nom lui revenant à l'esprit. Eh bien, si Maître sait comment les trouver, je peux pas en dire autant. »

« Bon, tu vois ! vint la réponse. Tout ça est plus qu'inutile. Il l'a dit lui-même. C'est toi l'idiot qui continue à espérer et à peiner. Vous auriez pu vous étendre côte à côte et fermer les yeux ensemble il y a de ça des jours, si t'étais pas si obstiné. Mais tu mourras tout de même, ou pire. Aussi bien t'allonger tout de suite et tout laisser tomber. De toute façon, t'arriveras jamais en haut. »

« J'y arriverai, même si je dois tout laisser excepté mes os, dit Sam. Et je vais moi-même porter M. Frodo jusque-là, quitte à me briser le dos et le cœur. Alors cesse de discuter ! »

À ce moment, Sam sentit la terre trembler sous lui, et il entendit ou perçut un lointain et profond grondement, comme un tonnerre emprisonné sous terre. Une flamme rouge clignota rapidement sous les nuages et mourut aussitôt. La Montagne aussi dormait d'un sommeil agité.

La dernière étape de leur voyage jusqu'à l'Orodruin arriva, et ce fut un tourment plus grand que tout ce que Sam avait jamais cru pouvoir endurer. Il souffrait, et il était si assoiffé qu'il ne parvenait même plus à avaler la moindre bouchée. Le ciel demeura sombre, mais les fumées de la Montagne n'étaient pas les seules responsables : un orage semblait imminent et, loin au sud-est, sous les cieux noirs, se voyait un chatoiement d'éclairs. Pire que tout, l'air était rempli de vapeurs délétères ; la respiration était pénible et douloureuse, et ils étaient pris d'étourdissements, de sorte qu'ils vacillaient sur leurs jambes et tombaient souvent. Mais leur volonté ne fléchissait pas, et ils continuaient malgré tout.

La Montagne ne cessait d'approcher, à tel point que, s'ils levaient leurs têtes lourdes, sa vaste forme emplissait toute leur vue : un gigantesque amas de cendres, de scories et de pierre calcinée, au milieu duquel s'élevait un cône aux flancs abrupts, perçant les nuages. Avant que cette journée crépusculaire ne fût terminée et la nuit véritable revenue, ils avaient rampé et trébuché jusqu'à son pied même.

Avec un râle, Frodo se jeta sur le sol. Sam s'assit auprès de lui. À sa surprise, il se sentait fatigué mais plus léger, et ses idées semblaient s'être de nouveau éclaircies. Aucun débat intérieur ne le troublait plus. Tous les arguments du désespoir lui étaient connus, et il refusait d'y prêter l'oreille. Sa volonté était arrêtée, et seule la mort pourrait la briser. Il ne se sentait plus aucun désir ni besoin de dormir, mais plutôt un besoin de vigilance. Il savait que tous les risques et les périls confluaient désormais vers un même point : le jour suivant serait un jour fatidique, celui de l'ultime effort ou du désastre final, le dernier sursaut.

Mais quand viendrait-il ? La nuit paraissait sans fin et en dehors du temps ; les minutes tombaient mortes, l'une après l'autre, sans jamais s'additionner en heures, sans apporter aucun changement. Sam commença à se demander si une seconde obscurité avait débuté et si aucun jour viendrait jamais. Enfin, cherchant à tâtons, il trouva la main de Frodo. Elle était froide et tremblante. Son maître frissonnait.

« J'aurais pas dû me débarrasser de ma couverture », marmonna Sam ; et, s'allongeant auprès de Frodo, il voulut le réconforter avec ses bras et son corps. Puis le sommeil le prit, et la lueur crépusculaire du dernier jour de leur quête les trouva côte à côte. Le vent était tombé la veille en se détournant de l'Ouest. Il soufflait à présent du nord et se mit à fraîchir ; et lentement, la lumière d'un Soleil invisible filtra jusque dans les ombres où étaient étendus les hobbits.

« En avant ! En avant pour le dernier sursaut ! » dit Sam en se remettant péniblement sur pied. Il se pencha sur Frodo et le réveilla doucement. Frodo gémit ; mais par un terrible effort de volonté, il se releva, chancelant ; puis il retomba à genoux. Il leva les yeux avec difficulté vers les pentes sombres du Mont Destin qui se dressaient au-dessus de lui, puis il se mit à ramper, pitoyablement, à quatre pattes.

Sam l'observa et pleura intérieurement, mais aucune larme ne monta à ses yeux secs et irrités. « J'ai dit que je le porterais, quitte à me briser le dos, murmura-t-il, et je le ferai ! »

« Allons, monsieur Frodo ! s'écria-t-il. Je peux pas le porter à votre place, mais je peux vous porter, vous, et lui en même temps. Alors relevez-vous ! Allons, cher monsieur Frodo ! Sam va vous emmener en promenade. Dites-lui juste où aller, et il ira. »

Tandis que Frodo s'accrochait à son dos, les bras passés autour de son cou, les jambes tenues fermement sous ses aisselles, Sam se releva avec effort ; et à son grand étonnement, le fardeau lui parut léger. Il avait craint d'avoir à peine la force de soulever son maître seul, et de devoir supporter au surplus le poids horrible et accablant de l'Anneau maudit. Mais il n'en fut rien. Soit que Frodo fût à tel point amenuisé par ses longues souffrances, la blessure du poignard, le dard empoisonné, le chagrin et la peur, le voyage sans asile, soit qu'un dernier sursaut d'énergie eût été imparti à Sam, toujours est-il qu'il souleva Frodo sans plus de difficulté que s'il emmenait un enfant hobbit faire un tour sur son dos à travers les prés ou les pelouses du Comté. Il prit une grande respiration et se mit en route.

Ils avaient atteint le pied de la Montagne sur son côté nord, et un peu à l'ouest ; à cet endroit ses longues pentes grises, bien qu'accidentées, n'étaient pas raides. Frodo ne parlait pas, aussi Sam chemina-t-il de son mieux, sans rien pour le guider sinon la ferme intention de grimper aussi haut qu'il le pouvait, avant que ses forces lâchent et que sa volonté cède. Il se traîna en avant, encore et toujours plus haut, zigzagant de côté et d'autre afin d'adoucir la pente, manquant souvent de tomber la tête la première, et enfin rampant comme un escargot sous une trop lourde charge. Quand sa volonté ne put l'amener plus loin et qu'il sentit ses jambes se dérober sous lui, il s'arrêta et déposa doucement son maître à terre.

Frodo ouvrit les yeux et inspira profondément. La respiration était plus aisée au-dessus des vapeurs qui flottaient et tourbillonnaient en contrebas. « Merci, Sam, murmura-t-il d'une voix cassée. Est-ce encore loin d'où on est ? »

« J'en sais rien, dit Sam, parce que j'ignore où on va. »

Il regarda en arrière, il regarda en haut ; et il fut stupéfait de voir jusqu'où sa dernière poussée l'avait amené. La forme solitaire et menaçante de la Montagne avait paru plus haute qu'elle ne l'était en réalité. Sam constatait à présent qu'elle était moins élevée que les hauts cols de l'Ephel Dúath que Frodo et lui avaient dû franchir. La masse confuse et éboulée des épaulements de son large socle se dressait à environ trois mille pieds au-dessus de la plaine, et de là, sur une hauteur moitié moindre encore, pointait son haut cône central, tel un vaste four ou une épaisse cheminée surmontée d'un cratère échancré. Mais déjà, Sam avait escaladé plus de la moitié de la base, et la plaine du Gorgoroth paraissait sombre sous lui, drapée d'ombre et de fumée. Et il eût crié en regardant en haut, si sa gorge desséchée le lui avait permis ; car parmi les bosses et les saillies mouvementées au-dessus de lui, il voyait nettement un sentier ou une route. Telle une ceinture montant de l'ouest, elle venait, dessinait une ligne serpentine sur le flanc de la Montagne, et trouvait le bas du cône sur sa face est avant de disparaître de l'autre côté.

Sam ne pouvait voir son tracé inférieur immédiatement au-dessus de lui, car une pente abrupte s'élevait à ses pieds ; mais il se disait que s'il parvenait seulement à grimper un peu plus haut, Frodo et lui atteindraient ce chemin. Une lueur d'espoir lui revint. Ils pouvaient encore conquérir la Montagne. « Ma foi, il aurait pu être mis là par exprès ! pensa-t-il. S'il avait pas été là, j'aurais dû m'avouer vaincu en fin de compte. »

Le chemin n'avait pas été conçu exprès pour Sam. Lui-même ne le savait pas, mais il contemplait la Route de Sauron menant de Barad-dûr aux Sammath Naur, les Chambres du Feu. De l'immense porte sur la face ouest de la Tour Sombre, elle franchissait un profond abîme enjambé par un grand pont de fer, et, passant alors dans la plaine, elle parcourait une lieue entre deux gouffres fumants et rejoignait ainsi une longue chaussée en pente qui l'amenait sur le flanc est de la Montagne. De là, tournant, et ceignant toute sa vaste circonférence du sud au nord, elle parvenait enfin, sur les hauteurs du cône, mais encore loin du sommet fumant, à une ouverture sombre qui regardait à l'est, droit vers la Fenêtre de l'Œil de la forteresse de Sauron dans son manteau d'ombre. Souvent obstruée ou détruite par le tumulte des fourneaux de la Montagne, cette route était continuellement réparée et à nouveau dégagée par le labeur d'innombrables orques.

Sam prit une grande respiration. Il y avait un chemin, mais il ne savait trop comment faire pour gravir la pente qui y menait. Il lui fallait d'abord reposer son échine douloureuse. Il s'étendit aux côtés de Frodo un moment. Ni l'un ni l'autre ne disait mot. Lentement, la lumière croissait. Soudain, Sam fut envahi d'un sentiment d'urgence qu'il ne comprenait pas. C'était comme si on l'appelait : « Vite, vite, ou il sera trop tard ! » Il prit sur lui de se relever. Frodo aussi semblait avoir senti l'appel. Avec effort, il se dressa sur ses genoux.

« Je vais ramper, Sam », dit-il en un souffle.

Ainsi, pouce par pouce, comme de petits insectes gris, ils se traînèrent jusqu'en haut. Ils arrivèrent au sentier et trouvèrent que celui-ci était plutôt large, pavé de gravats et de cendre battue. Frodo se hissa dans le chemin, puis, comme mû par une force étrange, il se tourna lentement, face à l'Est. Au loin, les ombres de Sauron demeuraient suspendues ; mais le manteau de nuages, soulevé par une bourrasque du monde au-dehors, ou dérangé par quelque grand trouble intérieur, tourbillonna, et un moment se retira ; et il vit alors, noirs, plus sombres et noirs que les vastes ombres au sein desquelles ils se dressaient, les cruels pinacles et la couronne de fer de la plus haute tour de

Barad-dûr. Elle ne se révéla qu'un moment, mais comme d'une grande fenêtre immensément haute, elle darda vers le nord un éclair rouge, telle la lueur d'un Œil perçant ; puis les ombres furent de nouveau tirées et la terrible vision disparut. L'Œil n'était pas tourné vers eux : il contemplait le Nord où les Capitaines de l'Ouest se tenaient aux abois, et toute sa malveillance y était dirigée, tandis que le Pouvoir s'apprêtait à donner le coup fatal ; mais Frodo, devant cette terrible vue, tomba comme un homme frappé mortellement. Sa main chercha la chaîne suspendue à son cou.

Sam s'agenouilla auprès de lui. D'une voix faible, presque inaudible, il entendit Frodo murmurer : « Aide-moi, Sam ! Aide-moi, Sam ! Tiens ma main ! Je ne peux l'arrêter. » Sam saisit les mains de son maître et les plaça ensemble, paume à paume, et il les embrassa ; puis il les serra doucement entre les siennes. Une pensée lui vint tout à coup : « Il nous a repérés ! Tout est fichu, ou tout le sera bientôt. Cette fois, Sam Gamgie, c'est vraiment la fin des fins. »

Il souleva de nouveau Frodo et tira ses mains jusqu'à sa propre poitrine, laissant pendre les jambes de son maître. Puis il courba la tête et s'engagea péniblement sur le chemin en pente. Cette route n'était pas aussi facile à suivre qu'elle ne l'avait d'abord paru. Par chance, les feux qui s'étaient déversés lors des grandes turbulences, alors que Sam se tenait sur Cirith Ungol, avaient coulé principalement sur les pentes sud et ouest, et la route, de ce côté-ci, n'était pas bloquée. Mais elle était affaissée à de nombreux endroits, ou encore traversée de fissures béantes. Après avoir grimpé vers l'est pendant quelque temps, elle tournait à angle aigu et se repliait sur elle-même, revenant un peu vers l'ouest. Là, dans le tournant, elle était profondément creusée dans un vieux rocher érodé, vomi longtemps auparavant par les fourneaux de la Montagne. Haletant sous sa charge, Sam franchit le coude ; et ce faisant, il entrevit du coin de l'œil quelque chose qui parut tomber du rocher, comme une petite pierre noire qui se serait détachée tandis qu'il passait.

Un poids soudain l'accabla et il s'effondra au sol, écorchant le dos de ses mains qui serraient encore fermement celles de son maître. Il sut alors ce qui s'était passé, car tandis qu'il gisait par terre, une voix détestée siffla au-dessus de sa tête.

« Vilain maître ! Vilain maître nous trahit ; il triche, triche Sméagol, *gollum*. Faut pas aller par là. Pas faire de mal au Trézor. Donnez-le à Sméagol, oui, laissez-le-nous ! Laisssez-le-nous ! »

D'une violente poussée, Sam se releva. Il tira aussitôt son épée ; mais il ne pouvait rien faire. Frodo était aux prises avec Gollum qui l'agrippait de toutes parts, cherchant à mettre la main sur la chaîne, et sur l'Anneau. C'était là, sans doute, la seule chose capable de raviver les cendres du cœur et de la volonté de Frodo : une attaque, un attentat visant à lui ravir son bien par la force. Il répondit avec une soudaine fureur qui abasourdit Sam et stupéfia Gollum. Même alors, les choses auraient pu tourner bien autrement si Gollum lui-même était demeuré inchangé ; mais tous les affreux chemins, solitaires, faméliques et sans eau, qu'il avait empruntés, poussé par une envie dévorante et une terrible crainte, avaient laissé sur lui leur marque cruelle. Il n'était plus qu'une pauvre créature étique et affamée, l'air hagard et la peau diaphane tirée sur les os. Une folle lueur flamboyait dans ses yeux, mais sa malveillance n'était plus doublée de sa vigueur étrangleuse d'autrefois. Frodo le rejeta sur le côté et se leva tout tremblant.

« À terre, à terre ! dit-il haletant, pressant sa main contre sa poitrine de manière à étreindre l'Anneau sous le plastron de cuir. Rampe, ventre à terre, et ôte-toi de mon chemin ! Ton heure est passée. Tu ne peux plus me trahir ou me tuer, à présent. »

Puis soudain, comme auparavant sous les contreforts des Emyn Muil, Sam contempla ces deux rivaux d'une vision autre. Une forme accroupie, à peine l'ombre d'un être vivant, une créature anéantie et entièrement perdue à présent, mais hideuse dans sa rage et dans sa convoitise ; et devant elle se dressait, sévère, et désormais inaccessible à la pitié, une silhouette vêtue de blanc, mais tenant en son sein une roue de feu. Une voix autoritaire parlait d'entre les flammes.

« Va-t'en, et cesse de me tourmenter ! Si jamais tu me touches à nouveau, tu seras toi-même jeté dans le Feu du Destin. »

La forme accroupie recula. La terreur se lisait dans ses yeux clignotants, en même temps qu'un désir insatiable.

Puis la vision passa et Sam vit Frodo debout, une main sur la poitrine, le souffle fort et entrecoupé, et Gollum agenouillé à ses pieds, les mains plaquées contre le sol, doigts écartés.

« Attention ! cria Sam. Il va sauter ! » Il s'avança, brandissant son épée. « Vite, Maître ! souffla-t-il. Allez-y ! Allez-y ! Pas de temps à perdre. Je m'occupe de lui. Allez-y ! »

Frodo leva les yeux vers lui comme vers quelqu'un d'à présent très lointain. « Oui, je dois y aller, dit-il. Adieu, Sam ! Enfin, nous y voici. Sur le Mont Destin, le destin tombera. Adieu ! » Il se détourna et poursuivit sa marche, lentement, mais le dos droit, sur le chemin ascendant.

« Bon ! dit Sam. Je peux enfin m'occuper de toi ! » Il s'élança l'épée au clair, prêt à se battre. Mais Gollum ne bondit pas. Il tomba face contre terre et se mit à geindre.

« Nous tuez pas, se lamenta-t-il. Nous faites pas de mal avec méchant acier cruel. Laissez-nous vivre, oui, vivre, juste encore un peu. Perdus, perdus ! On est perdus. Et quand le Trésor partira, on mourra, oui, on mourra dans la poussière. » Il pétrit les cendres du sentier de ses longs doigts décharnés. « De la poussssière ! » siffla-t-il.

La main de Sam fléchit. Son esprit était bouillant de colère et du souvenir d'actes odieux. Il serait juste de la tuer, cette créature perfide et assassine, juste et maintes fois mérité ; cela semblait aussi la seule option sûre. Mais au fond de son cœur, quelque chose le retenait : il ne pouvait frapper cette chose gisant dans la poussière, abandonnée, perdue, entièrement misérable. Lui-même avait un jour porté l'Anneau, quoique pour un court moment, et il entrevoyait maintenant l'agonie que l'esprit et le corps desséchés de Gollum avaient dû endurer sous l'empire de cet Anneau, sans pouvoir jamais de sa vie retrouver paix ou délivrance. Mais Sam n'avait pas de mots pour exprimer ce qu'il ressentait.

« Oh ! maudit sois-tu, sale puanteur ! dit-il. Va-t'en ! Disparais ! J'te ferais jamais confiance, même d'aussi loin que j'aurais le goût de te botter le derrière ; mais disparais. Ou j'vais te faire mal, oui, avec méchant acier cruel. »

Gollum se mit à quatre pattes et fit plusieurs pas en arrière, puis il se retourna et, au moment où Sam allait lui flanquer un coup de pied, il détala au bas de la côte. Sam ne fit plus attention à lui. Il se rappela soudain son maître.

Il regarda dans le sentier mais ne le voyait plus. Il le gravit du plus vite qu'il put. S'il avait tourné la tête, il aurait pu voir Gollum faire demi-tour non loin en bas et, furibond, avec une lueur sauvage dans les yeux, le suivre vivement mais subrepticement, hantant ses pas, telle une ombre furtive parmi les pierres.

Le chemin continuait de grimper. Bientôt, il prit un nouveau tournant et, par une dernière flèche vers l'est, il passa une entaille dans la paroi du cône jusqu'à l'ouverture sombre au flanc de la Montagne, la porte des Sammath Naur. Au loin le soleil, montant au midi, brûlait d'un éclat lugubre au travers des fumées et des brumes, disque de rouge, morne et flou; mais tout le Mordor s'étendait autour de la Montagne tel un pays mort et silencieux, replié sous les ombres, dans l'attente d'un terrible coup.

Sam se tint devant la bouche béante et regarda au-dedans. Elle était sombre et chaude, et un profond tremblement agitait l'air. « Frodo ! Maître ! » appela-t-il. Il n'y eut pas de réponse. Pendant un moment, il resta figé sous l'emprise d'une peur folle, le cœur battant la chamade, puis il plongea à l'intérieur. Une ombre le suivit.

Il ne put rien voir au début. Son impérieuse nécessité lui fit ressortir la fiole de Galadriel, mais elle demeura pâle et froide dans sa main tremblante et ne jeta aucune lumière dans ces ténèbres étouffantes. Il était parvenu au cœur du royaume de Sauron et des forges de son pouvoir ancien, suprême en Terre du Milieu; tous les autres pouvoirs étaient ici subjugués. Il hasarda quelques pas craintifs dans l'obscurité, puis un éclair rouge surgit tout à coup d'en bas, frappant le haut plafond noir. Sam vit alors qu'il se trouvait dans une longue caverne, une sorte de tunnel à travers le cône fumant de la Montagne. Non loin devant lui, toutefois, le sol et les murs de part et d'autre présentaient une large fissure, d'où sortait le sinistre rougeoiement, tantôt jaillissant, tantôt retombant dans les ténèbres; et tout ce temps, loin en bas, grondaient une rumeur et un trouble comme de grandes machines qui tournaient et ronflaient.

La lumière surgit de nouveau, et là, au bord du gouffre, devant la Faille du Destin même, se tenait Frodo détaché en noir sur le rougeoiement, raide, parfaitement droit, mais immobile, comme s'il eût été changé en pierre.

« Maître ! » lui cria Sam.

Alors, Frodo remua et parla d'une voix claire, plus claire et plus puissante en vérité que toute intonation que Sam lui avait jamais connue; et elle s'éleva au-dessus du tumulte et du ronflement du Mont Destin, résonnant au plafond et entre les murs.

« Je suis venu, dit-il. Mais je ne choisis pas maintenant de faire ce pour quoi je suis venu. Je n'accomplirai pas cet acte. L'Anneau est à moi ! » Et soudain, comme il le passait à son doigt, il disparut à la vue de Sam. Sam resta stupéfait, mais il n'eut pas le temps de crier, car tout à coup, les choses se précipitèrent.

Sam fut violemment frappé au dos, puis il fut renversé et jeté de côté, sa tête allant heurter le sol de pierre tandis qu'une forme noire bondissait au-dessus de lui. Il resta étendu immobile et tout devint noir pendant un moment.

Et loin de là, tandis que Frodo passait l'Anneau à son doigt et le revendiquait pour lui-même, dans Sammath Naur au cœur même de son royaume, le Pouvoir sis à Barad-dûr fut ébranlé, et la Tour trembla de ses fondations jusqu'à sa fière et terrible couronne. Le Seigneur Sombre eut soudain connaissance de lui, et son Œil, perçant toutes les ombres, regarda à travers la plaine jusqu'à la porte qu'il avait construite ; et l'ampleur de sa propre folie lui fut révélée en un éclair éblouissant, et tous les artifices de ses ennemis furent enfin mis à nu. Alors, son courroux s'éleva comme un brasier dévastateur, mais sa peur monta comme une vaste fumée noire pour l'étouffer. Car il savait le péril mortel qui le guettait et le fil auquel tenait maintenant sa destinée.

De tous ses stratagèmes et ses filets de peur et de tricherie, de toutes ses politiques et ses œuvres de guerre, son esprit se défit ; et un frisson courut à travers son royaume, ses esclaves tremblèrent, et ses armées firent halte, et ses capitaines soudain indécis, privés de volonté, cédèrent au désespoir. Car ils étaient oubliés. La pensée et le dessein du Pouvoir qui les gouvernait étaient dirigés tout entiers, d'un élan irrésistible, vers la Montagne. À son appel, d'un cri et d'un soubresaut qui déchirèrent le ciel, dans une dernière course désespérée, plus vite que les vents, filèrent les Nazgûl, les Spectres de l'Anneau, volant au sud sur une tempête d'ailes en direction du Mont Destin.

Sam se releva. Il était étourdi, et le sang qui ruisselait de sa tête lui dégoulinait dans les yeux. Il s'avança à tâtons, puis il vit quelque chose d'étrange et d'horrible à la fois. Gollum au bord de l'abîme luttait comme une bête folle avec un ennemi invisible. Il se balançait de côté et d'autre, tantôt si près du gouffre qu'il manquait d'y basculer, tantôt reculant, tombant au sol, se relevant et retombant. Et tout du long, il ne cessait de siffler mais ne disait mot.

Les feux d'en dessous montèrent avec colère, la lueur rouge flamboya, et toute la caverne s'emplit d'une vive chaleur et d'un éclat aveuglant. Soudain, Sam vit les longues mains de Gollum monter à sa bouche; ses crocs blancs luisirent, puis ils claquèrent en se refermant. Frodo poussa un cri et il apparut, tombé à genoux au bord du gouffre. Mais Gollum, dansant comme un fou, tint l'Anneau en l'air, un doigt encore resté dans son cercle. Il brillait à présent comme s'il eût vraiment été fait de flammes vives.

« Trésor, trésor, trésor! cria Gollum. Mon Trésor! Ô mon Trésor! » Et alors, tandis même qu'il levait les yeux pour admirer sa récompense, il fit un pas de trop, perdit l'équilibre, chancela un moment sur le bord, puis tomba avec un cri aigu. Sa dernière plainte, *Trésor*, monta des profondeurs, et il disparut.

Il y eut un grondement et une grande confusion de bruits. Des flammes montèrent et léchèrent le plafond. Le ronflement s'éleva jusqu'à un grand tumulte, et la Montagne trembla. Sam courut vers Frodo et le prit dans ses bras, puis il courut à la porte. Là, sur le sombre seuil des Sammath Naur, loin au-dessus des plaines du Mordor, sa terreur et son émerveillement furent tels qu'il resta figé, oublieux de tout hormis du spectacle qu'il regardait, comme pétrifié.

Il eut un court moment la vision d'une nuée tournoyante, et au milieu, de tours et de remparts, hauts comme des collines, fondés sur un vaste trône de montagne au-dessus de gouffres insondables; de grandes cours et de cachots, et de prisons aveugles, aussi raides que des précipices, et de portes béantes, d'acier comme de diamant; puis tout passa. Les tours tombèrent et les montagnes s'affaissèrent; les murs pliaient et s'écroulaient, montant en poussière;

d'immenses jets de fumée et de vapeur s'élevaient en volutes toujours plus hautes, jusqu'à basculer comme une irrésistible déferlante dont la crête tumultueuse roula sur le pays comme un torrent d'écume. Et pour finir, sur les milles intermédiaires, arriva un grondement qui se mua bientôt en un fracas et un vacarme assourdissants ; la terre trembla, la plaine se souleva et se fissura, et l'Orodruin vacilla sur son socle. Des feux jaillirent de sa cime fendue. Le tonnerre éclata dans le ciel strié d'éclairs. Une pluie cinglante et noire s'abattit en trombe comme autant de coups de fouet. Et au cœur de la tempête, avec un cri qui perça tous les autres sons, déchirant les nuages, surgirent les Nazgûl comme des traits enflammés, et, pris dans l'embrasement de la terre et du ciel, ils crépitèrent, se consumèrent et s'éteignirent.

« Eh bien, c'est la fin, Sam Gamgie », dit une voix à côté de lui. Et voici que Frodo était là, pâle et défait, mais de nouveau lui-même ; et la paix se voyait dans ses yeux, sans nul tourment de sa volonté, ni folie, ni aucune peur. Son fardeau avait été levé. C'était le cher maître des beaux jours dans le Comté.

« Maître ! » s'écria Sam, et il tomba à genoux. Dans toute la ruine du monde, à ce moment il n'éprouva que de la joie, une grande joie. Le fardeau était parti. Son maître avait été sauvé ; il était de nouveau lui-même, il était libre. Puis Sam aperçut sa main sanglante et mutilée.

« Votre pauvre main ! dit-il. Et je n'ai rien pour la bander ni la soulager. Je lui aurais donné ma main entière, plutôt. Mais il est parti, maintenant, parti à jamais. »

« Oui, dit Frodo. Mais te souviens-tu des paroles de

Gandalf : *Même Gollum pourrait avoir encore quelque chose à faire ?* Sans lui, Sam, je n'aurais pas pu détruire l'Anneau. La Quête aurait été vaine, même à la toute fin. Pardonnons-lui donc ! Car la Quête est accomplie, et tout est fini, maintenant. Je suis content que tu sois ici avec moi. Ici, à la fin de toutes choses, Sam. »

4

Le Champ de Cormallen

Tout autour des collines, les armées du Mordor se déchaînaient. Les Capitaines de l'Ouest sombraient dans la marée montante. Le soleil brillait d'un éclat rouge, et sous les ailes des Nazgûl, les ombres de la mort assombrissaient la terre. Aragorn se tenait sous sa bannière, sévère et silencieux, comme perdu dans le souvenir de choses lointaines ou depuis longtemps passées; mais ses yeux scintillaient comme des étoiles d'autant plus brillantes que la nuit se fait plus profonde. En haut de la colline se tenait Gandalf, blanc et froid, et nulle ombre ne tombait sur lui. L'assaut du Mordor déferlait comme une vague sur les collines assiégées. Des voix rugissaient comme les flots parmi le naufrage et le fracas des armes.

Comme si une vision était soudain offerte à ses yeux, Gandalf remua; et il se retourna, regardant vers le nord dans les cieux pâles et clairs. Puis il leva les mains et cria d'une voix forte qui s'éleva au-dessus du tumulte : *Les Aigles arrivent!* Et de nombreuses voix crièrent en réponse : *Les Aigles arrivent! Les Aigles arrivent!* Les armées du Mordor levèrent la tête et se demandèrent ce que cet augure pouvait signifier.

Vinrent là Gwaihir le Seigneur du Vent et son frère

Landroval, plus grands de tous les Aigles du Nord, plus formidables descendants de Thorondor l'ancien, lui dont les aires étaient disséminées sur les pics inaccessibles des Montagnes Encerclantes, quand la Terre du Milieu était jeune. Derrière eux, en de longues colonnes rapides, venaient tous leurs vassaux des montagnes septentrionales, portés par un vent de tourmente. Ils piquèrent droit sur les Nazgûl, plongeant soudain du haut des airs, et la ruée de leurs vastes ailes passant au-dessus des collines fut comme un grand coup de vent.

Mais les Nazgûl virèrent et prirent la fuite, et ils disparurent parmi les ombres du Mordor, percevant le soudain et terrible appel de la Tour Sombre ; et à ce moment même, toutes les armées du Mordor hésitèrent : le doute les saisit au cœur, leur rire s'éteignit, leurs mains tremblèrent et leurs membres faiblirent. Le Pouvoir qui les conduisait et les nourrissait de haine et de furie vacillait, sa volonté les abandonnait ; et, regardant alors dans les yeux de l'ennemi, ils virent une lueur mortelle et furent saisis d'épouvante.

Tous les Capitaines de l'Ouest crièrent alors haut et fort, car leur cœur se gonfla d'un nouvel espoir au milieu des ténèbres. Du sein des collines assiégées, les chevaliers du Gondor, les Cavaliers du Rohan, les Dúnedain du Nord, en rangs serrés, s'élancèrent contre leurs ennemis flageolants, fendant la presse à grand renfort de lances. Mais Gandalf leva les bras et appela de nouveau d'une voix claire :

« Arrêtez-vous, Hommes de l'Ouest ! Arrêtez-vous et attendez ! Voici venue l'heure du destin. »

Et tandis même qu'il parlait, la terre remua sous leurs pieds. Puis, d'un seul coup, loin au-dessus des tours de la Porte Noire, plus haut que les montagnes, une vaste obscurité monta en flèche et jaillit dans le ciel dans un grand flamboiement. La terre gronda et trembla. Les Tours des Dents oscillèrent, puis chancelèrent et tombèrent, le haut rempart s'écroula, la Porte Noire fut renversée et détruite ; et de loin, d'abord faible, puis s'enflant, enfin montant jusqu'aux nuages, vint un roulement sourd, un rugissement, un long tonnerre retentissant et dévastateur.

« Le royaume de Sauron n'est plus ! dit Gandalf. Le Porteur de l'Anneau a accompli sa Quête. » Et tandis que les Capitaines regardaient au sud vers le Pays de Mordor, il leur sembla que, noire devant la sinistre nuée, s'élevait une immense forme d'ombre, impénétrable, couronnée d'éclairs, emplissant tout le ciel. Elle se dressait impérieusement sur le monde, tendant vers eux une vaste et menaçante main, terrible mais impuissante ; car tandis qu'elle se penchait sur eux, un grand vent la saisit, et elle fut entièrement balayée et se dissipa ; et un silence tomba alors.

Les Capitaines courbèrent le chef ; et lorsqu'ils relevèrent les yeux, voyez ! leurs ennemis prenaient la fuite et la puissance du Mordor se dispersait comme poussière au vent. Comme les fourmis, à la mort de la chose boursouflée et prolifique qui habite leur fourmilière et les tient sous sa domination, errent stupidement et sans but pour trouver l'engourdissement et la mort, ainsi les créatures de Sauron, orque, troll ou bête subjuguée par un sort, couraient çà et là comme des fous ; et d'aucuns se tuaient ou se jetaient dans des fosses, ou encore fuyaient en gémissant pour se terrer dans des trous et des endroits sombres, sans lumière, loin de tout espoir. Mais les Hommes du Rhûn et du Harad, Orientais ou Sudrons, voyaient la ruine de leur guerre et la majesté et la gloire des Capitaines de l'Ouest. Et ceux d'entre eux qui étaient plus lourdement et depuis plus longtemps asservis au mal, haïssant l'Ouest, quoique fiers et hardis, s'assemblèrent à leur tour en vue d'un ultime combat désespéré. Mais la plupart s'enfuirent vers l'est comme ils purent ; et certains jetèrent les armes et demandèrent grâce.

Alors Gandalf, laissant la conduite de la bataille et la question du commandement entre les mains d'Aragorn et des autres seigneurs, se tint au sommet de la colline et appela ; sur quoi le grand aigle, Gwaihir le Seigneur du Vent, descendit et se tint devant lui.

« Par deux fois tu m'as porté, Gwaihir, mon ami, dit Gandalf. La troisième fois sera la dernière, si tu es disposé. Je ne te serai pas un fardeau beaucoup plus grand que lorsque tu m'as emporté du Zirakzigil, où mon ancienne vie s'est consumée. »

« Je vous porterai où bon vous semblera, répondit Gwaihir, fussiez-vous fait de pierre. »

« Alors viens, et que ton frère nous accompagne, et quelque autre de tes gens qui soit des plus rapides ! Car il nous faudra filer plus vite qu'aucun vent, et plus vite que les ailes des Nazgûl. »

« Le Vent du Nord souffle, mais nous volerons plus vite que lui », dit Gwaihir. Et il souleva Gandalf et s'envola rapidement vers le sud, et avec lui venait Landroval, et Meneldor, jeune et vif. Et, passant au-dessus de l'Udûn et du Gorgoroth, ils virent tout le pays en bouleversement au-dessous d'eux, et, devant eux, les feux du Mont Destin vomissant sa colère.

« Je suis content que tu sois ici avec moi, dit Frodo. Ici, à la fin de toutes choses, Sam. »

« Oui, je suis avec vous, Maître, dit Sam, pressant délicatement la main blessée de Frodo contre son sein. Et vous êtes avec moi. Et le voyage est fini. Mais après tout ce chemin, je refuse d'abandonner. Je suis pas comme ça, pour ainsi dire, si vous me comprenez. »

« Peut-être bien, Sam, dit Frodo, mais le monde, lui, est ainsi fait. Les espoirs meurent. Une fin vient. Il n'y aura plus longtemps à attendre, maintenant. Nous sommes perdus dans les ruines d'un monde qui s'écroule, et il n'y a pas d'issue. »

« Enfin, Maître, on pourrait tout de même s'éloigner de cet endroit dangereux, cette Faille du Destin, s'il faut l'appeler comme ça. Hein, pas vrai ? Allons, monsieur Frodo, descendons au moins le chemin ! »

« D'accord, Sam. Si tu y vas, je vais te suivre », dit Frodo ; et ils se levèrent et descendirent lentement la route sinueuse ; et comme ils se dirigeaient vers le pied tremblant de la Montagne, un grand jet de fumée et de vapeur s'éjecta des Sammath Naur, la paroi du cône se fendit, et une grande vomissure de feu se déversa lentement, en une cascade ronflante, sur le versant oriental de la Montagne.

Frodo et Sam ne pouvaient plus continuer. Leurs forces mentales et physiques étaient à leur ultime déclin. Ils avaient atteint une petite colline de cendre au pied de la Montagne ; mais il n'y avait plus moyen de s'en échapper. C'était devenu une île, une île bien éphémère au milieu du tourment de l'Orodruin. Tout autour, la terre était béante ;

des fumées s'exhalaient de larges fissures et de profonds trous. Derrière eux, la Montagne était dans les affres. Ses flancs laissaient apparaître de grandes crevasses. De lentes rivières de feu descendaient vers eux sur ses longues pentes. Bientôt, ils seraient engloutis. Une pluie de cendres chaudes s'abattait.

Ils se tinrent là; et Sam, tenant toujours la main de son maître, la caressait. Il soupira. «Quelle histoire on a vécue, hein, monsieur Frodo? dit-il. J'aimerais l'entendre raconter! Vous croyez qu'ils diront: *Voici maintenant l'histoire de Frodo Neuf-Doigts et l'Anneau du Destin?* Puis tout le monde fera silence, comme on faisait, nous, à Fendeval, quand ils nous disaient le conte de Beren Une-Main et du Grand Joyau. Je voudrais être là pour l'entendre! Et je me demande ce qui va arriver quand notre rôle sera terminé. »

Mais tandis qu'il parlait ainsi, afin d'éloigner la peur jusqu'à la toute fin, ses yeux continuaient de s'égarer au nord, dans l'œil du vent, où l'horizon était dégagé, tandis que la bise froide, se levant en bourrasque, repoussait les ténèbres et la dévastation des nuages.

C'est ainsi que Gwaihir les vit de son regard perçant et sa vue clairvoyante, porté par le vent sauvage, et bravant le grave péril des cieux, il tournoya dans les airs : deux petites formes sombres, isolées, solitaires, main dans la main sur une petite colline, tandis que le monde tremblait sous eux, agonisant, et que des rivières de feu les rejoignaient. Et comme il les apercevait et fondait sur eux, il les vit tomber, épuisés, suffoqués par la chaleur et la fumée, ou terrassés enfin de désespoir, fermant les yeux devant la mort.

Ils gisaient côte à côte ; et Gwaihir plongea, avec Landroval et Meneldor le vif ; et dans un rêve, sans savoir ce qui leur arrivait, les voyageurs furent soulevés de terre et emportés au loin, hors des ténèbres et du feu.

Quand Sam se réveilla, il vit qu'il était étendu sur un lit moelleux, mais de vastes branches de hêtre se balançaient au-dessus de lui, et le soleil brillait au travers des jeunes feuilles, vert et or. Tout l'air était empli d'un doux et riche parfum.

Il se rappelait cette senteur : la fragrance de l'Ithilien. «Ça alors ! pensa-t-il. Combien de temps ai-je dormi ?» Car l'odeur le ramenait au jour où il avait allumé son petit feu sous le talus ensoleillé ; et tout ce qui était arrivé entre-temps avait momentanément glissé de sa mémoire. Il s'étira et prit une grande respiration. «Non mais, quel rêve j'ai fait ! marmonna-t-il. Je suis content de me réveiller !» Il se redressa sur son séant, et c'est alors qu'il vit Frodo couché à côté de lui dans un sommeil paisible, une main passée derrière la tête, l'autre posée sur le couvre-lit. C'était sa main droite, et l'annulaire manquait.

La mémoire entière lui revint d'un coup, et Sam s'écria : «Ce n'était pas un rêve ! Où sommes-nous, alors ?»

Et une voix parla doucement derrière lui : «Dans le pays d'Ithilien, sous la bonne garde du Roi ; et il vous attend.» Gandalf se tint alors devant lui, vêtu de blanc, sa barbe étincelant comme neige immaculée dans le chatoiement du soleil à travers les feuilles. «Eh bien, maître Samsaget, comment vous sentez-vous ?» dit-il.

Mais Sam retomba sur l'oreiller et le regarda bouche bée, et pendant un moment, entre confusion et joie indicible, il fut incapable de répondre. Enfin, il dit d'une voix entrecoupée : « Gandalf ! Je vous croyais mort ! Mais d'un autre côté, je me croyais mort aussi. Est-ce que toutes les choses tristes vont se révéler fausses ? Qu'est-il arrivé au monde ? »

« Une grande Ombre est partie », dit Gandalf, puis il rit, et ce son était comme de la musique, ou de l'eau dans un pays asséché ; et, l'écoutant, Sam se rendit compte qu'il n'avait pas entendu un rire, le son de l'absolue gaieté, depuis des jours et des jours sans nombre. Il retentit à ses oreilles comme l'écho de toutes les joies qu'il avait jamais connues. Mais lui-même fondit en larmes. Puis, comme la douce averse passe sur un vent de printemps pour donner lieu à une brillante éclaircie, ses larmes cessèrent, et son rire jaillit, et, riant aux éclats, il sauta à bas du lit.

« Comment je me sens ? s'exclama-t-il. Eh bien, je ne sais pas, comment dire. Je me sens, je me sens… – il agita les bras – je me sens comme le printemps après l'hiver, et le soleil sur les feuilles ; et comme des trompettes et des harpes et toutes les chansons que j'ai entendues de ma vie ! » Il s'arrêta et se tourna vers son maître. « Mais comment va M. Frodo ? demanda-t-il. C'est-y pas dommage pour sa pauvre main ? Mais j'espère qu'il va bien sinon. Il a passé des moments pénibles. »

« Oui, je vais bien sinon, dit Frodo, se dressant sur son séant et riant à son tour. Je me suis rendormi à force de t'attendre, Sam, espèce de marmotte ! Je me suis réveillé de bonne heure ce matin, mais maintenant, il doit être près de midi. »

« Midi ? fit Sam, essayant de calculer. Midi de quel jour ? »

« Le quatorzième de la Nouvelle Année, dit Gandalf ; ou, si vous préférez, le huitième jour d'avril dans le

Comput du Comté[1]. Mais désormais, au Gondor, le Nouvel An commencera toujours le vingt-cinq de mars, jour où Sauron tomba et où vous fûtes tirés du feu et amenés auprès du Roi. Il vous a soignés, et maintenant, il vous attend. Vous mangerez et boirez avec lui. Quand vous serez prêts, je vous conduirai à lui. »

« Le Roi ? dit Sam. Quel roi, et qui est-il ? »

« Le Roi du Gondor et le Seigneur des Terres de l'Ouest, dit Gandalf ; et il a repris tout son ancien royaume. Il doit bientôt chevaucher à son couronnement, mais il vous attend. »

« Qu'est-ce qu'on va mettre ? » demanda Sam ; car il ne voyait que les vieux vêtements en loques qu'ils avaient portés durant leur voyage, soigneusement pliés et posés sur le sol près de leurs lits.

« Les vêtements qui vous ont emmenés jusqu'au Mordor, dit Gandalf. Même les guenilles d'orque que vous avez portées dans la terre sombre, Frodo, seront conservées. Nulle toile ou soierie, ni armure ni blason ne pourrait être plus honorable. Mais plus tard, peut-être, je vous trouverai d'autres vêtements. »

Il tendit alors les mains vers eux, et ils virent que l'une d'elles était étincelante de lumière. « Qu'avez-vous là ? s'écria Frodo. Se pourrait-il... ? »

« Oui, j'ai apporté vos deux trésors. On les a trouvés sur la personne de Sam quand vous avez été secourus, les présents de la dame Galadriel : votre globe, Frodo, et votre boîte, Sam. Vous serez heureux de les retrouver. »

---

1. Le mois de mars (ou *rethe*) comptait trente jours dans le calendrier du Comté.

Quand ils furent lavés et vêtus, et eurent pris un léger repas, les Hobbits suivirent Gandalf. Ils sortirent de la hêtraie où ils avaient dormi et passèrent à une longue pelouse verte, éclatante de soleil, et bordée par des arbres majestueux, au feuillage sombre, chargés de fleurs écarlates. Derrière eux montait le son d'une chute d'eau, et un ruisseau coulait devant eux entre des berges fleuries, avant d'atteindre un bosquet vert au bas de la pelouse. Il passait sous un berceau d'arbres, à travers lesquels ils apercevaient un lointain miroitement d'eau.

Comme ils parvenaient à l'orée du bois, ils furent surpris de voir des chevaliers en mailles brillantes et de grands gardes qui se tenaient là, vêtus d'argent et noir, les accueillant avec honneur et s'inclinant devant eux. Puis l'un d'eux sonna d'une longue trompette, et ils descendirent l'allée d'arbres auprès du ruisseau chantant. Ils débouchèrent ainsi dans un grand pré verdoyant, et plus loin s'étendait une large rivière couverte de brume argentée, d'où émergeait une longue île boisée aux rives chargées de navires. Mais dans le champ où ils se trouvaient était assemblée une grande armée, ses rangs et ses compagnies étincelant au soleil. Et comme les Hobbits approchaient, les épées furent tirées et les lances secouées, les cors et les trompettes chantèrent, et les hommes s'écrièrent en un chœur de voix et en plusieurs langues :

« *Vive les Demi-Hommes ! Louez-les avec de grandes louanges !*
Cuio i Pheriain anann ! Aglar'ni Pheriannath !
Louez-les avec de grandes louanges, Frodo et Samsaget !
Daur a Berhael, Conin en Annûn ! Eglerio !
Louez-les !
Eglerio !

A laita te, laita te ! Andave laituvalmet !

Louez-les !

Cormacolindor, a laita tárienna !

Louez-les ! Les Porteurs de l'Anneau, louez-les avec de grandes louanges ! »

Ainsi, le visage empourpré de sang et les yeux souriant d'émerveillement, Frodo et Sam s'avancèrent et virent qu'au milieu de la foule en liesse étaient disposés trois sièges d'honneur faits de gazon vert. Derrière le siège de droite flottait, blanc sur vert, un grand cheval courant librement ; et à gauche était une bannière d'argent sur fond bleu, un navire en forme de cygne faisant voile sur la mer ; mais derrière le plus haut trône et au milieu des trois, un grand étendard s'agitait dans la brise, et là, un arbre blanc fleurissait en champ de sable, surmonté d'une éclatante couronne et de sept étoiles scintillantes. Sur le trône était assis un homme vêtu de mailles, une longue épée posée en travers de son giron, mais il ne portait aucune coiffure. Comme ils approchaient, il se leva. Et c'est alors qu'ils le reconnurent, tout changé qu'il était, si noble de traits et radieux de visage, royal, le seigneur des Hommes, aux cheveux sombres et aux yeux gris.

Frodo courut à sa rencontre, et Sam lui emboîta le pas. « Eh bien, pour couronner le tout ! dit-il. C'est l'Arpenteur, ma foi, ou bien je rêve encore ! »

« Oui, Sam, l'Arpenteur, répondit Aragorn. N'est-ce pas un long chemin depuis Brie, où vous n'aimiez pas trop mon apparence ? Un long chemin pour nous tous, mais votre route fut la plus sombre. »

Sur ce, à la surprise de Sam et à sa grande confusion, il plia le genou devant eux ; puis, les prenant par la main,

Frodo sur sa droite et Sam sur sa gauche, il les mena au trône et, les ayant priés de s'asseoir, il se tourna vers les hommes et les capitaines qui se tenaient là et parla d'une voix qui s'entendit à travers les rangs, criant :

« Louez-les avec de grandes louanges ! »

Et quand les cris d'allégresse se furent gonflés et tus, à la satisfaction la plus complète de Sam, et pour sa plus grande joie, un ménestrel du Gondor s'avança, mit un genou en terre et demanda la permission de chanter. Et voici ! il s'écria :

« Oyez ! seigneurs et chevaliers, hommes de valeur incontestée, rois et princes, belles gens du Gondor, et Cavaliers du Rohan, et vous fils d'Elrond et Dúnedain du Nord, Elfe et Nain, et grands cœurs du Comté, et vous tous, gens libres de l'Ouest, écoutez mon lai. Car je vous chanterai l'histoire de Frodo aux Neuf Doigts et l'Anneau du Destin. »

Et Sam, entendant cela, se mit à rire de pur enchantement, et il se leva et cria : « Ô grande gloire et splendeur ! Et tous mes désirs se sont réalisés ! » Puis il pleura.

Et toute l'armée rit et pleura, et parmi la joie et les pleurs, la voix claire du ménestrel s'élevait comme un tintement d'argent et d'or ; et tous firent silence. Et il leur chanta, tantôt en langue elfique, tantôt dans le parler de l'Ouest, et bientôt leurs cœurs, blessés par des mots délicieux, débordèrent, leur joie saillit comme des épées, et ils glissèrent en pensée à des régions ou la douleur et le plaisir coulent de pair, et où les larmes sont le vin même de la félicité.

Et tandis que le Soleil déclinait du midi et que les ombres des arbres s'allongeaient, il termina enfin son chant. « Louez-les avec de grandes louanges ! » dit-il, s'agenouillant. Puis Aragorn se leva, et toute l'armée fit de même, et ils passèrent dans des pavillons dressés pour l'occasion, pour manger, boire et se réjouir tant qu'il ferait jour.

Frodo et Sam furent conduits séparément jusqu'à une tente, où leurs vieilles hardes furent retirées, mais on les plia et les rangea avec honneur; et on leur donna du linge propre. Puis Gandalf arriva, tenant dans ses bras, au grand étonnement de Frodo, l'épée, la cape elfique et la cotte de mithril qui lui avaient été dérobées au Mordor. Il remit à Sam une cotte de mailles dorées, et sa cape elfique guérie des souillures et des dommages qu'elle avait subis; puis il déposa deux épées devant eux.

« Je ne désire aucune épée », dit Frodo.

« Ce soir au moins, vous devriez en porter une. »

Frodo prit alors la petite épée qui avait appartenu à Sam, retrouvée près de lui à Cirith Ungol. « Dard, je te l'ai donné, Sam », dit-il.

« Non, maître! M. Bilbo vous l'a donné à vous, et ça va avec sa chemise d'argent; il voudrait voir personne d'autre le porter aujourd'hui. »

Frodo se rendit à ces arguments; et Gandalf, comme s'il était leur écuyer, s'agenouilla et les ceignit chacun de la ceinture qui porterait l'épée, puis, se relevant, il passa un cercle d'argent autour de leur front. Et quand ils furent tout apprêtés, ils se rendirent au grand festin; et ils prirent place à la table du Roi avec Gandalf, et le roi Éomer du Rohan, et le prince Imrahil et tous les grands capitaines; et Gimli et Legolas étaient là également.

Mais quand, après le Silence Debout, on apporta du vin, arrivèrent deux écuyers qui devaient servir les rois, du moins à ce qu'il semblait: l'un était vêtu de l'argent et noir de la Garde de Minas Tirith, et l'autre de blanc et vert. Mais Sam se demanda ce que faisaient d'aussi jeunes garçons au sein d'une armée de robustes soldats. Puis, quand ils se furent assez approchés pour lui permettre de les voir clairement, il s'exclama soudain :

« Eh, regardez, monsieur Frodo ! Regardez un peu ! C'est notre ami Pippin. M. Peregrin Touc, devrais-je dire, et M. Merry ! Comme ils ont grandi ! Ma parole ! Mais je vois qu'il y a d'autres histoires que la nôtre à raconter. »

« Pour ça, oui ! dit Pippin en se tournant vers lui. Et on commencera sitôt que ce festin sera fini. En attendant, tu peux t'essayer avec Gandalf. Il n'est plus aussi fermé qu'avant, même s'il rit maintenant plus qu'il ne parle. Pour l'heure, Merry et moi sommes occupés. Nous sommes des chevaliers de la Cité et de la Marche, comme vous l'aurez remarqué, j'espère. »

Enfin, ce jour heureux se termina ; et quand le Soleil fut parti et que la Lune ronde monta lentement au-dessus des brumes de l'Anduin, clignotant parmi les feuilles, Frodo et Sam s'assirent sous les arbres murmurants dans la fragrance du bel Ithilien ; et ils parlèrent jusque tard dans la nuit avec Merry et Pippin et Gandalf, et bientôt Legolas et Gimli les rejoignirent. Frodo et Sam surent alors une bonne partie de ce que la Compagnie était devenue après l'éclatement de leur fraternité, en ce jour funeste à Parth Galen près des chutes du Rauros ; mais il y avait toujours plus de questions à poser et de réponses à apporter.

Des orques, des arbres parlants, des étendues d'herbe et des cavaliers au galop ; des cavernes scintillantes, des tours blanches et des salles dorées ; des batailles et de grands navires sur l'eau : toutes ces choses défilèrent dans l'imagination de

Sam et le laissèrent abasourdi. Mais entre toutes ces merveilles, il revenait toujours à la taille de Merry et Pippin, qui n'en finissait plus de le surprendre ; et il les fit mettre dos à dos avec Frodo et lui-même. « À votre âge, c'est à n'y rien comprendre ! dit-il. Une chose est sûre, vous mesurez trois pouces de plus que vous devriez, ou alors je suis un nain. »

« Ah çà ! je vous jure que non, dit Gimli. Mais qu'est-ce que je disais ? Des mortels ne peuvent ingurgiter des breuvages d'Ent en pensant n'y trouver rien de plus que dans un pot de bière. »

« Des breuvages d'Ent ? fit Sam. Voilà que vous recommencez avec vos Ents ; mais j'ai toujours pas idée de ce que c'est. Ma foi, il va falloir des semaines pour vider la question ! »

« Des semaines, oui, dit Pippin. Et puis il faudra enfermer Frodo dans une tour de Minas Tirith pour qu'il puisse tout mettre par écrit. Sinon, il en oubliera la moitié, et le pauvre Bilbo sera terriblement déçu. »

Enfin, Gandalf se leva. « Les mains du Roi sont des mains guérisseuses, chers amis, dit-il. Mais vous étiez au seuil de la mort quand il vous a rappelés, déployant tous ses dons, pour vous donner l'oubli et la douceur du sommeil. Et bien que vous ayez dormi longuement et dans le plus parfait bien-être, il est temps néanmoins de retourner dormir. »

« Et pas seulement pour nos amis Sam et Frodo, dit Gimli, mais pour vous aussi, Pippin. Je tiens à vous, ne serait-ce que pour les peines que vous m'avez causées, et que je n'oublierai jamais. Pas plus que je n'oublierai vous avoir trouvé sur la colline de la dernière bataille. Sans Gimli le Nain, vous y seriez resté. Mais au moins, je puis maintenant reconnaître un pied de hobbit sous un amas de corps, quand bien même ce serait la seule chose qui dépasse. Et quand j'eus soulevé cette grande carcasse qui vous écrasait, j'eus tôt fait de m'assurer que vous étiez bien mort. J'aurais pu m'arracher la barbe. Et il y a à peine un jour que vous êtes sorti du lit et de nouveau sur pied. Retournez-y, et je vais faire de même. »

« Quant à moi, dit Legolas, je vais marcher dans les bois de cette belle contrée, ce qui est un repos suffisant. Dans les jours à venir, si mon Seigneur elfe le permet, quelques-uns de nos gens viendront s'y installer ; et quand nous viendrons, elle sera bénie, pour un temps. Pour un temps : un mois, une vie, ou cent années des Hommes. Mais l'Anduin est proche, et l'Anduin conduit à la mer. À la Mer !

> À la Mer ! À la Mer ! Les mouettes blanches crient,
> Je sens le vent souffler, blanche vole l'écume.
> À l'ouest, au loin à l'ouest, le soleil rond décline.
> Navire, ô gris navire, l'entends-tu appeler,
> La voix de tous les miens, ceux qui m'ont précédé ?
> Je vais quitter les bois, les bois où je suis né ;
> Car nos jours prennent fin et nos années s'épuisent.
> Je franchirai les eaux, vastes et solitaires.
> Au-delà de la Mer, sur le Dernier Rivage,
> Doux est le son des voix, longues roulent les vagues,
> Dans cette Île Perdue, dans la Patrie des Elfes
> Au cœur d'Eressëa où ne vient aucun homme,
> Où ne tombent jamais les feuilles des années :
> Pays de tous les miens pour toute éternité ! »

Et Legolas s'en fut en chantant ainsi, descendant la colline.

Alors, les autres se séparèrent, et Frodo et Sam regagnèrent leurs lits pour dormir. Et au matin, ils s'éveillèrent de nouveau dans l'espoir et la paix ; et ils passèrent de
nombreux jours en Ithilien. Car le Champ de Cormallen,
où l'armée était en cantonnement, se trouvait non loin de
Henneth Annûn, et le torrent qui coulait de ses chutes
bruissait dans la nuit en passant son écluse rocheuse, traversant alors les prés fleuris jusqu'aux flots de l'Anduin
près de l'île de Cair Andros. Les hobbits se promenèrent
ici et là, visitant de nouveau les endroits où ils étaient
déjà passés ; et Sam, sous un ombrage des arbres ou dans
une clairière secrète, espérait toujours entrevoir, peut-être,
une dernière fois le grand Oliphant. Et quand il sut que le
siège du Gondor avait vu bon nombre de ces bêtes, mais
que toutes avaient été tuées, il trouva que c'était bien
dommage.

« Enfin, on peut pas être partout à la fois, dit-il. Mais j'ai
manqué bien des choses, on dirait. »

Entre-temps, l'armée s'apprêtait à rentrer à Minas
Tirith. Les plus fatigués se reposaient tandis qu'on gué-
rissait les blessés. Car d'aucuns avaient beaucoup peiné
et combattu contre le reste des Orientais et des Sudrons,
jusqu'à ce que tous se soumettent. Et pour finir revinrent
ceux qui étaient entrés au Mordor afin de détruire les forteresses dans le nord du pays.

Mais un beau jour, alors que le mois de mai approchait, les Capitaines de l'Ouest se remirent en route ; et
ils s'embarquèrent à Cair Andros avec tous leurs hommes

et descendirent l'Anduin jusqu'à Osgiliath, où ils demeurèrent une journée ; et le lendemain, ils parvinrent aux champs verdoyants du Pelennor et contemplèrent de nouveau les tours blanches sous le haut Mindolluin, la Cité des Hommes du Gondor, dernier souvenir de l'Occidentale ayant traversé le feu et les ténèbres pour voir un nouveau jour.

Et là, au milieu des champs, ils dressèrent leurs pavillons et attendirent jusqu'au matin ; car on était à la veille de mai, et le Roi entendait franchir ses portes au lever du Soleil.

5

L'Intendant et le Roi

Le doute et une grande peur avaient pesé sur la cité du Gondor. Le beau temps et le clair soleil n'avaient paru que moquerie à ces hommes qui ne comptaient plus sur aucun espoir mais qui, chaque matin, appréhendaient de funestes nouvelles. Leur seigneur était mort brûlé, le Roi du Rohan gisait sans vie dans leur citadelle, et le nouveau roi venu à eux dans la nuit était reparti en guerre contre des forces trop noires et trop effroyables pour être vaincues par la bravoure et la puissance des armes, si grandes qu'elles fussent. Et aucune nouvelle ne venait. Depuis le jour où l'armée avait quitté le Val de Morgul et pris la route du Nord à l'ombre des montagnes, aucun message ne leur était parvenu, ni aucune rumeur de ce qui se passait dans l'Est menaçant.

Deux jours seulement après le départ des Capitaines, la dame Éowyn demanda aux femmes qui la soignaient de lui apporter des vêtements, et elle ne souffrit aucune discussion mais se leva plutôt ; et quand elles l'eurent habillée, et eurent fixé son bras dans une écharpe de linge, elle-même se rendit auprès du Gardien des Maisons de Guérison.

« Monsieur, dit-elle, je ressens une grande agitation, et ne puis demeurer plus longtemps dans l'oisiveté. »

« Madame, répondit-il, vous n'êtes toujours pas guérie, et j'ai reçu ordre de vous soigner avec une attention particulière. Vous n'étiez pas censée sortir du lit avant sept jours encore, selon les instructions qu'on m'a données. Je vous supplie d'y retourner. »

« Je suis guérie, dit-elle, guérie dans ma chair tout au moins, sauf mon bras gauche, et il ne me gêne plus. Mais je vais bientôt retomber malade s'il n'est rien que je puisse faire. N'y a-t-il aucune nouvelle de la guerre ? Les femmes ne peuvent rien me dire. »

« Il n'y a aucune nouvelle, répondit le Gardien, sinon que les Seigneurs se sont rendus au Val de Morgul ; et l'on rapporte que le capitaine récemment venu du Nord est celui qui les mène. Un grand seigneur que cet homme, et un guérisseur au surplus ; et il me paraît plus qu'étrange que la main guérisseuse dût aussi porter l'épée. Il n'en va pas ainsi au Gondor de nos jours, encore que ce fût le cas autrefois, si les contes anciens ont du vrai. Mais il y a longtemps que nous autres guérisseurs ne cherchons plus qu'à recoudre les plaies laissées par les hommes d'épée. Non qu'il n'y ait suffisamment à faire sans leur apport : les maux et les malchances du monde sont bien assez nombreux sans qu'il soit besoin de guerres pour les multiplier. »

« Il n'est besoin que d'un seul adversaire pour engendrer une guerre, maître Gardien, répondit Éowyn. Et ceux qui n'ont pas d'épées peuvent quand même tomber sous les lames. Voudriez-vous que les gens du Gondor se bornent à rassembler vos herbes, tandis que le Seigneur Sombre rassemble des armées ? Et il n'est pas toujours bon d'être guéri dans sa chair. Pas plus qu'il n'est toujours mauvais de tomber au combat, fût-ce dans d'atroces souffrances.

Si cela m'était permis, en cette heure funeste je choisirais plutôt cela. »

Le Gardien la considéra un moment. Elle se tenait là, altière, les yeux brillants dans un visage d'albâtre, le poing crispé sur son côté droit tandis qu'elle regardait par la fenêtre donnant sur l'est. Il soupira et secoua la tête. Après un silence, elle le regarda de nouveau en face.

« N'y a-t-il rien à accomplir ? lui dit-elle. Qui dirige cette Cité ? »

« Je ne le sais pas très bien, répondit-il. Ces choses ne sont pas de mon ressort. Un maréchal est à la tête des Cavaliers du Rohan ; et le seigneur Húrin, me dit-on, dirige les hommes du Gondor. Mais le seigneur Faramir est le légitime Intendant de cette Cité. »

« Où puis-je le trouver ? »

« Ici même, madame. Il fut grièvement blessé, mais il se trouve désormais sur le chemin de la guérison. Bien que je ne sache pas... »

« Me conduirez-vous à lui ? Alors, vous saurez. »

Le seigneur Faramir marchait seul au jardin des Maisons de Guérison, la lumière du soleil le réchauffait, et il sentait la vie affluer de nouveau dans ses veines ; mais il avait le cœur lourd, et son regard se portait vers l'est au-dessus des murailles. Et le Gardien se rendit à lui et prononça son nom ; alors, se retournant, il aperçut la dame Éowyn du Rohan, et la pitié remua son cœur, car il vit qu'elle était blessée, et son œil clairvoyant perçut le chagrin et l'agitation qui la hantaient.

« Monseigneur, dit le Gardien, voici la dame Éowyn du Rohan. Elle chevauchait avec le roi et fut gravement blessée, ce pourquoi elle est sous ma charge. Mais elle n'est pas satisfaite, et elle désire parler à l'Intendant de la Cité. »

« Ne vous méprenez pas sur ce qu'il dit, seigneur, intervint Éowyn. Ce n'est pas le manque de soins qui me chagrine. On ne pourrait souhaiter plus bel endroit pour qui désire être guéri. Mais je ne puis rester dans l'oisiveté, désœuvrée, en cage. J'ai voulu trouver la mort au combat. Mais je ne suis pas morte, et la bataille se poursuit. »

Sur un geste de Faramir, le Gardien salua et se retira. « Qu'attendez-vous de moi, madame ? demanda Faramir. Car je suis moi-même prisonnier des guérisseurs. » Il la regarda et, en homme enclin à la pitié, il crut que sa beauté imprégnée de chagrin allait lui transpercer le cœur. Et elle le regarda, et malgré la grave tendresse qu'elle lisait dans ses yeux, elle sut, pour avoir grandi au milieu de guerriers, que c'était là un homme qu'aucun Cavalier de la Marche ne pourrait surpasser au combat.

« Que désirez-vous ? dit-il de nouveau. Si c'est en mon pouvoir, je vais vous l'obtenir. »

« Je voudrais que vous interveniez auprès de ce Gardien, pour qu'il me laisse partir », répondit-elle ; mais si sa contenance était encore haute, son cœur vacilla et, pour la première fois, elle douta d'elle-même. Elle craignit que cet homme de fière stature, à la fois sévère et doux, la crût simplement capricieuse, comme une enfant qui n'aurait pas la constance de mener une tâche fastidieuse à son terme.

« Je suis moi-même sous la responsabilité du Gardien, répondit Faramir. Et je n'ai toujours pas endossé mon autorité dans la Cité. Mais si je l'avais fait, j'écouterais tout de même son conseil, et je ne m'opposerais pas à sa volonté en ce qui touche à la connaissance de son art, sauf en cas d'extrême nécessité. »

« Mais je ne souhaite pas la guérison, répondit-elle. Je désire aller à la guerre comme mon frère Éomer, ou mieux, comme le roi Théoden, car il est mort et a trouvé l'honneur et la paix. »

« Il est trop tard, madame, pour suivre les Capitaines, même si vous en aviez la force, dit Faramir. Mais tous peuvent encore trouver la mort au combat, qu'ils le désirent ou non. Vous serez mieux préparée à l'affronter à votre manière si, pour le temps qui reste, vous vous pliez aux ordres du Guérisseur. Il nous faut, vous et moi, souffrir les heures d'attente avec patience. »

Elle ne répondit pas, mais comme il la regardait, il lui sembla que quelque chose en elle s'adoucissait, comme si une terrible gelée s'avouait vaincue aux tout premiers présages du Printemps. Une larme monta à l'œil de la jeune femme et ruissela sur sa joue, telle une goutte de pluie miroitante. Sa tête fière se courba quelque peu. Puis, doucement, comme si elle s'adressait à elle-même plutôt qu'à lui : « Mais les guérisseurs voudraient que je reste alitée pendant encore une semaine, dit-elle. Et ma fenêtre ne donne pas sur l'est. » Sa voix était à présent celle d'une fille, jeune et chagrine.

Faramir sourit, mais son cœur se gonfla de pitié. « Votre fenêtre ne donne pas sur l'est ? dit-il. Cela peut s'arranger. En cela, j'interviendrai auprès du Gardien. Si vous voulez bien demeurer ici sous notre garde, madame, et prendre le repos qu'il vous faut, alors vous pourrez marcher à loisir dans ce jardin ensoleillé ; et vous pourrez contempler l'est, où sont allés tous nos espoirs. Et vous me trouverez ici, à marcher et à attendre, et à contempler l'est comme vous. Cela apaiserait mon souci si vous daigniez parler avec moi, ou marcher quelquefois en ma compagnie. »

Alors, elle leva la tête et le regarda de nouveau dans les

yeux ; et son pâle visage prit un peu de couleur. « Comment apaiserais-je votre souci, monseigneur ? demanda-t-elle. Et je ne désire pas la compagnie des vivants. »

« Préférez-vous une réponse franche ? » dit-il.

« Oui. »

« En ce cas, Éowyn du Rohan, je vous dirai que vous êtes belle. Dans les vallées de nos montagnes, il est des fleurs d'une beauté éclatante et des jeunes filles encore plus belles ; mais je n'ai encore vu au Gondor ni fleur ni femme plus ravissante, ni plus triste. Peut-être ne reste-t-il que quelques jours avant que les ténèbres s'étendent sur notre monde, et j'espère les affronter sans défaillir quand elles viendront ; mais mon cœur serait plus léger si je pouvais vous voir, tant que le Soleil brille. Car nous sommes tous deux passés, vous et moi, sous les ailes de l'Ombre, et la même main nous a secourus. »

« Hélas ! pas moi, seigneur, lui dit-elle. L'Ombre m'écrase encore. Ne comptez pas sur moi pour votre guérison ! Je suis une fille guerrière et ma main n'est pas tendre. Mais je vous remercie pour cela au moins, de n'être pas confinée à ma chambre. Je serai libre d'aller à mon gré, par la grâce de l'Intendant de la Cité. » Et elle lui fit une révérence et s'en fut vers la maison. Mais Faramir resta longtemps à marcher seul dans le jardin ; et désormais, ses regards s'attardaient plus souvent sur la maison que sur les remparts de l'est.

Quand il eut regagné sa chambre, il fit appeler le Gardien, et il entendit tout ce que l'autre put lui dire au sujet de la Dame du Rohan.

« Mais je ne doute pas, seigneur, dit le Gardien, que vous serez mieux renseigné par le Demi-Homme qui est avec nous ; car il était de la suite du roi et se trouvait aux côtés de la Dame à la toute fin, dit-on. »

Merry fut donc envoyé auprès de Faramir, et ils passèrent le reste de la journée dans un long entretien, où Faramir apprit bien des choses, plus encore, même, que ce que Merry trouva bon d'exprimer en mots ; et il crut alors comprendre un peu mieux la tristesse et le trouble d'Éowyn du Rohan. Et par cette belle soirée, Faramir et Merry se promenèrent dans le jardin ; mais elle ne vint pas.

Le lendemain matin, tandis que Faramir sortait des Maisons, il la vit toutefois, debout sur les remparts ; et elle était tout de blanc vêtue, et son vêtement luisait au soleil. Il l'appela et elle descendit, et ils marchèrent sur l'herbe ou encore s'assirent ensemble sous un arbre vert, tantôt en silence, tantôt parlant. Et chaque jour qui suivit, ils firent de même. Et le Gardien, regardant de sa fenêtre, se réjouit à cette vue, car c'était un guérisseur, et son souci fut allégé ; et il voyait bien que, si lourdes qu'aient été la peur et l'appréhension qui pesaient alors sur le cœur des hommes, ces deux êtres dont il avait soin tout au moins prospéraient et récupéraient de jour en jour.

Ainsi vint le cinquième jour depuis que la dame Éowyn s'était rendue pour la première fois auprès de Faramir ; et voilà qu'ils se tenaient de nouveau ensemble sur les murs de la Cité et y regardaient au loin. Aucune nouvelle n'était encore venue, et tous les cœurs étaient noirs. Le temps, aussi, s'était assombri. Il faisait froid. Un vent pénétrant, surgi à la nuit, soufflait maintenant du Nord et fraîchissait ; mais les terres alentour étaient grises et mornes.

Ils étaient couverts de vêtements chauds et de lourdes capes, et par-dessus le tout, la dame Éowyn portait une mante d'un bleu profond, de la couleur d'un soir d'été, ornée d'étoiles argentées sur la bordure et à la gorge. Faramir l'avait envoyée chercher, puis l'avait déposée sur les épaules d'Éowyn ; et il trouva qu'elle était belle, belle comme une reine en vérité, tandis qu'elle se tenait là, à ses côtés. La mante avait été confectionnée pour sa mère, Finduilas d'Amroth, morte prématurément, et dont il ne gardait que le souvenir d'une beauté lointaine, et celui de son premier chagrin ; si bien que ce vêtement lui semblait convenir à la beauté et à la tristesse d'Éowyn.

Mais elle frissonnait à présent sous la mante étoilée, et elle regardait vers le nord par-delà les terres grises du proche horizon, dans l'œil du vent froid, où le ciel était dur et clair.

« Que cherchez-vous, Éowyn ? » demanda Faramir.

« La Porte Noire n'est-elle pas là-bas ? dit-elle. Et ne doit-il pas y être, à présent ? Il y a sept jours qu'il est parti. »

« Sept jours, dit Faramir. Mais ne pensez aucun mal de moi, si je vous dis qu'ils m'ont apporté une joie et une douleur que je ne pensais jamais connaître. La joie de vous voir ; mais la douleur, car à présent, la peur et le doute de cette triste époque me sont d'autant plus noirs. Éowyn, je ne veux pas voir ce monde prendre fin, ni perdre si vite ce que j'ai trouvé. »

« Perdre ce que vous avez trouvé, seigneur ? » répondit-elle ; mais elle le regarda avec gravité, et ses yeux étaient bons. « Je ne sais ce que vous avez trouvé en ces circonstances que vous pourriez perdre. Mais allons, mon ami, n'en parlons pas ! Ne parlons pas du tout ! Je suis au bord d'un terrible précipice, et il n'y a que des ténèbres dans le gouffre à mes pieds, mais j'ignore si une lumière est derrière moi. Car je ne puis encore me tourner. J'attends quelque coup du destin. »

« Oui, nous attendons le coup du destin », répéta

Faramir. Ils ne dirent plus rien; et il leur sembla alors, comme ils se tenaient sur le rempart, que le vent tombait, que la lumière mourait, que le Soleil s'était voilé, et que tous les sons de la Cité et des terres alentour s'étaient tus : nul vent, nulle voix, ni chant d'oiseau ni bruissement de feuille, ni leur propre souffle ne s'entendaient plus; même les battements de leur cœur étaient suspendus. Le temps s'arrêta.

Et comme ils se tenaient ainsi, leurs mains se rencontrèrent et se joignirent, bien qu'ils n'en eussent pas conscience. Et ils restèrent à attendre ils ne savaient quoi. Puis, très vite, il leur sembla qu'au-dessus des lointaines montagnes se levait une autre grande montagne d'obscurité, comme une immense vague prête à engloutir le monde, et qu'elle était striée d'éclairs; puis une secousse parcourut la terre, et ils sentirent les murs de la Cité trembler sous leurs pieds. Un son semblable à un soupir monta de toutes les terres alentour; et leur cœur se remit à battre tout à coup.

« Cela me rappelle Númenor », dit Faramir, et il fut surpris de s'entendre parler.

« Númenor ? » dit Éowyn.

« Oui, répondit Faramir, les terres de l'Occidentale qui se sont abîmées, et cette grande vague noire partout sur les prairies et les collines, ne cessant d'avancer, mer de ténèbres inéluctables. J'en rêve souvent. »

« Ainsi, vous croyez que les Ténèbres approchent ? dit Éowyn. Les Ténèbres Inéluctables ? » Et soudain, elle se serra contre lui.

« Non, dit Faramir, scrutant son visage. Ce n'était qu'une image de l'esprit. J'ignore ce qui se passe. La raison, qui ne doit rien au songe, me dit qu'un grand mal est survenu et que nous sommes à la fin des jours. Mais mon cœur dit non ; et tous mes membres se font légers, et un espoir et une joie me viennent que la raison ne saurait contester. Éowyn, Éowyn, Dame Blanche du Rohan, en cette heure je ne crois pas qu'aucunes ténèbres puissent demeurer ! » Et il se pencha pour lui baiser le front.

Et ils se tinrent ainsi sur les murs de la Cité du Gondor, et un grand vent se leva et souffla, et leurs chevelures soulevées, de jais et d'or, se mêlèrent dans la brise. Et l'Ombre s'en fut, et le Soleil fut dévoilé, et la lumière jaillit ; et les eaux de l'Anduin se muèrent en un reflet d'argent, et dans chaque maison de la Cité, les hommes chantèrent la joie qui sourdait en leur cœur sans qu'ils pussent en deviner la source.

Et avant que le Soleil eût beaucoup décliné du Zénith, arriva de l'Est un grand Aigle, et il portait des nouvelles inespérées au nom des Seigneurs de l'Est, criant :

> *Or chantez, gens de la Tour d'Anor,*
> *car le Royaume de Sauron est fini pour toujours,*
> *et la Tour Sombre est jetée bas.*

> *Chantez et célébrez, gens de la Tour de Garde,*
> *car votre guet n'a pas été vain,*
> *et la Porte Noire est brisée,*
> *et votre Roi est passé outre,*
> *et il est victorieux.*

> *Chantez et réjouissez-vous, enfants de l'Ouest,*
> *car votre Roi rentrera au pays,*
> *et il demeurera parmi vous*
> *tous les jours de votre vie.*

Et l'Arbre qui s'est desséché sera renouvelé,
et il le plantera en haut lieu,
et la Cité sera bénie.

Chantez, ô braves gens !

Et les gens chantèrent dans toutes les rues de la Cité.

Les jours qui suivirent furent dorés, et Printemps et Été se joignirent et célébrèrent de conserve dans les champs du Gondor. Et de rapides cavaliers partis de Cair Andros apportèrent des nouvelles de tout ce qui avait été accompli, et la Cité se prépara à la venue du Roi. Merry fut convoqué, et il chevaucha avec les voitures qui devaient apporter des ravitaillements à Osgiliath, et de là, par navire, à Cair Andros; mais Faramir n'y alla point, car, à présent guéri, il endossa son autorité de même que la charge de l'Intendance, encore que ce fût seulement pour une brève période et qu'il eût pour devoir de paver la voie à son remplaçant.

Et Éowyn n'y alla point, bien que son frère lui eût mandé de venir au champ de Cormallen. Et Faramir s'en étonna; mais il la voyait rarement, accaparé par toutes ses affaires, et elle, toujours aux Maisons de Guérison, se promenait seule dans le jardin, et son visage se fit de nouveau pâle, et il semblait que, dans toute la Cité, elle fût la seule à pâtir et à se chagriner. Et le Gardien des Maisons s'inquiéta de la voir ainsi, et il parla à Faramir.

Alors Faramir vint la trouver, et ils se tinrent de nouveau ensemble sur les murs, et Faramir lui dit : «Éowyn, pourquoi restez-vous ici, plutôt que de vous rendre aux réjouissances de Cormallen, par-delà Cair Andros, où vous attend votre frère ? »

Et elle demanda : « Ne le savez-vous pas ? »

Mais il répondit : « Il peut y avoir deux raisons, mais je ne saurais dire laquelle est la vraie. »

Et elle dit : « Je n'ai pas envie de jouer aux énigmes. Parlez plus clairement ! »

« Eh bien, puisque vous insistez, madame, reprit-il : vous n'y allez pas, parce que seul votre frère vous a appelé ; et de voir maintenant le seigneur Aragorn, héritier d'Elendil, dans son triomphe ne vous apporterait plus aucune joie. Ou bien parce que je n'y vais pas, et que vous souhaitez demeurer près de moi. Et peut-être pour ces deux raisons, entre lesquelles vous n'arrivez pas à décider. Est-ce que vous ne m'aimez pas, Éowyn, ou ne le voulez-vous pas ? »

« J'ai voulu être aimée par un autre, répondit-elle. Mais je ne désire la pitié d'aucun homme. »

« Je le sais bien, dit-il. Vous vouliez recevoir l'amour du seigneur Aragorn. Parce qu'il était noble et puissant, que vous souhaitiez gloire et renom, et vous élever au-dessus des turpitudes de ce bas monde. Et comme un grand capitaine au regard d'un jeune soldat, il vous paraissait admirable. Ce qu'il est – un seigneur parmi les hommes, le plus grand de notre époque. Mais comme il ne vous a montré que pitié et compréhension, vous avez choisi de tout refuser, sinon une mort courageuse, les armes à la main. Regardez-moi, Éowyn ! »

Et Éowyn le regarda et soutint longuement son regard, et Faramir dit : « Ne dédaignez pas la pitié d'un homme au cœur doux, Éowyn ! Mais je ne vous offre pas ma pitié. Car vous êtes une noble et vaillante dame, et vous vous êtes acquis une renommée qui ne sera pas oubliée ; et vous êtes pour moi une dame, plus belle qu'il ne peut se dire même dans les mots de la langue elfique. Et je vous aime. Il fut un temps où votre tristesse me faisait pitié. Mais à présent, seriez-vous libre de toute tristesse, de toute peur et de tout manque, seriez-vous l'heureuse reine du Gondor, que je vous aimerais tout de même. Ne m'aimez-vous pas, Éowyn ? »

Alors, quelque chose se retourna dans le cœur d'Éowyn, ou elle comprit enfin son sentiment. Et soudain, son hiver passa, et le soleil brilla sur sa joue.

« Je me tiens à Minas Anor, la Tour du Soleil, dit-elle ; et voilà que l'Ombre s'est retirée ! Je ne serai plus une fille guerrière, ni rivale des grands Cavaliers, ni soulevée par les seuls chants de tuerie. Je serai une guérisseuse, et j'aimerai toutes choses qui poussent et ne sont pas stériles. » Et son regard se reporta sur Faramir. « Je ne désire plus être reine », dit-elle.

Faramir rit alors, la joie au cœur. « J'aime autant cela, dit-il ; car je ne suis pas roi. Mais j'épouserai la Dame Blanche du Rohan, si telle est sa volonté. Et si elle le veut, nous traverserons le Fleuve et nous nous installerons en des jours plus heureux dans le bel Ithilien pour y faire un jardin. Toutes choses pousseront là-bas dans la joie, si la Dame Blanche accepte de venir. »

« Devrai-je donc quitter les miens, homme du Gondor ? répondit-elle. Et voulez-vous que vos fiers semblables disent de vous : "Voilà un seigneur qui a apprivoisé une farouche guerrière du Nord ! N'y avait-il aucune femme du sang de Númenor pour le satisfaire ?" »

« Oui, je le veux », dit Faramir. Et il la prit dans ses bras et l'embrassa sous le ciel ensoleillé, et il se moquait de ce qu'ils fussent sur les remparts à la vue de tous. Et nombreux furent ceux qui les virent, et qui virent la lumière qui les entourait comme ils descendaient des murs et rentraient main dans la main aux Maisons de Guérison.

Et Faramir dit au Gardien des Maisons : « Voici la dame Éowyn du Rohan, et maintenant, elle est guérie. »

Et le Gardien répondit : « Dans ce cas, je la libère de ma garde et lui fais mes adieux, et puisse-t-elle ne plus jamais souffrir aucune blessure ou maladie. Je la remets entre les mains de l'Intendant de la Cité, jusqu'à ce que son frère revienne auprès d'elle. »

Éowyn dit toutefois : « Mais voici, maintenant que j'ai la permission de partir, je préférerais rester. Car cette Maison est devenue pour moi, de toutes les demeures, la plus heureuse. » Et elle demeura là-bas jusqu'au retour du roi Éomer.

La Cité veilla alors à tous les préparatifs ; et il y eut un grand concours de gens, car la nouvelle s'était répandue dans toutes les régions du Gondor, du Min-Rimmon jusqu'à Pinnath Gelin et aux côtes lointaines de la mer ; et tous ceux qui pouvaient gagner la Cité se hâtèrent d'y venir. Et la Cité fut de nouveau remplie de femmes et de beaux enfants qui rentraient chez eux chargés de fleurs, et de Dol Amroth vinrent les harpistes les plus doués de tout le pays, et il y eut aussi des musiciens jouant sur des violes, sur des flûtes et sur des cors d'argent, et des chanteurs dont la voix claire faisait retentir les vaux du Lebennin.

Vint enfin un soir où l'on put voir du haut des murs les pavillons dressés dans le champ, et des lumières brûlèrent toute cette nuit-là tandis que les hommes guettaient l'aurore. Et quand le soleil se leva dans le clair matin au-dessus des montagnes de l'Est, où les ombres ne s'étendaient plus, toutes les cloches retentirent, et tous les étendards se déployèrent et flottèrent au vent ; et au sommet de la Tour Blanche de la citadelle, la bannière des Intendants, d'argent clair comme neige au soleil, sans meuble ni emblème, fut levée sur le Gondor pour la dernière fois.

Alors, les Capitaines de l'Ouest conduisirent leur armée vers la Cité, et on les vit avancer rang après rang, et luire et étinceler dans le soleil levant comme l'argent ondoyant des flots. Ainsi arrivant au Portail, ils s'arrêtèrent à un furlong de la muraille. Les portes n'avaient encore pu être reconstruites, mais une barrière avait été dressée à l'entrée de la Cité, et des hommes en armes se tenaient là dans leur costume argent et noir, portant de longues épées nues. Devant la barrière se tenait Faramir l'Intendant, Húrin le Gardien des Clefs et d'autres capitaines du Gondor, ainsi que la dame Éowyn du Rohan avec Elfhelm le Maréchal et de nombreux chevaliers de la Marche ; et de chaque côté de la Porte se pressait une belle et grande foule en habits colorés, portant des guirlandes de fleurs.

Un vaste espace se trouva alors formé devant les murs de Minas Tirith, bordé de tous côtés par les chevaliers et les soldats du Gondor et du Rohan, et par les gens de la Cité et de toutes les régions du pays. Tous firent silence, tandis que des rangs de l'armée s'avançaient les Dúnedain en gris et argent ; et à leur tête marchait lentement le seigneur Aragorn. Il portait un haubert noir et une ceinture d'argent, et avait revêtu une longue cape d'un blanc immaculé, fermée à la gorge par un grand joyau vert qui étincelait de loin ; mais sa tête était nue, hormis une étoile brillant à son front, retenue par un mince bandeau d'argent. À ses côtés venaient Éomer du Rohan et le prince Imrahil, et Gandalf tout de blanc vêtu, et quatre petits personnages que bien des hommes s'étonnèrent de voir.

«Non, cousine! ce ne sont pas des garçons, dit Ioreth à sa parente d'Imloth Melui qui se tenait à côté d'elle. Ce sont des *Periain*, du lointain pays des Demi-Hommes, où ils sont des princes de grande renommée, à ce que j'entends. Je suis bien placée pour le savoir, puisque j'en ai eu un à soigner aux Maisons. Ils sont petits, mais vaillants. Peux-tu croire, cousine, que l'un d'eux a traversé le Pays Noir avec son écuyer pour seul compagnon, qu'il s'est battu en duel contre le Seigneur Sombre, avant d'incendier sa Tour? C'est du moins ce qu'on raconte dans la Cité. C'est sûrement lui qui marche aux côtés de notre Pierre-elfe. Ils sont bons amis, à ce que j'ai entendu dire. Une vraie perle que ce Seigneur de la Pierre-elfe : un peu tranchant dans sa façon de parler, remarque, mais il a un cœur d'or, comme on dit ; et il possède les mains guérisseuses. "Les mains du roi sont celles d'un guérisseur", que j'ai dit ; et c'est comme ça que tout a été découvert. Et Mithrandir, il m'a dit : "Ioreth, les hommes se rappelleront longtemps vos paroles", et puis… »

Mais Ioreth ne put continuer d'instruire sa parente de la campagne, car une unique trompette sonna, appelant un silence complet. De la Porte s'avança alors Faramir avec Húrin des Clefs, et nuls autres, hors quatre hommes qui marchaient à leur suite et portaient l'armure et la haute coiffure de la Citadelle, ainsi qu'un grand coffret de *lebethron* noir cerclé d'argent.

Faramir rencontra Aragorn au milieu des gens assemblés là, et il ploya le genou et dit : «Le dernier Intendant du Gondor sollicite la permission d'abdiquer sa charge.»

Et il tendit un bâton blanc ; mais Aragorn le prit et le lui redonna, disant : « Cette charge n'est pas expirée, et elle sera tienne et celle de tes héritiers tant que ma lignée durera. Remplis maintenant ton office ! »

Alors, Faramir se releva et parla d'une voix claire : « Hommes du Gondor, entendez maintenant l'Intendant du Royaume ! Voyez ! un homme est venu enfin revendiquer de nouveau la royauté. Voici Aragorn fils d'Arathorn, chef des Dúnedain de l'Arnor, Capitaine de l'Armée de l'Ouest, porteur de l'Étoile du Nord, manieur de l'Épée Reforgée, victorieux au combat, lui dont les mains apportent la guérison, la Pierre-elfe, Elessar de la lignée de Valandil, fils d'Isildur, fils d'Elendil de Númenor. Sera-t-il roi et entrera-t-il dans la Cité afin d'y demeurer ? »

Et toute l'armée et tous les gens du peuple crièrent *oïl* d'une seule voix.

Et Ioreth dit à sa parente : « C'est là seulement une cérémonie comme on en fait dans la Cité, cousine ; car il est déjà entré, comme je te disais tout à l'heure ; et il m'a dit… » Et elle fut de nouveau réduite au silence, car Faramir reprit la parole.

« Hommes du Gondor, les maîtres en tradition disent que selon la coutume d'antan le roi recevait la couronne des mains de son père avant la mort de celui-ci ; ou, si cela ne pouvait se faire, qu'il allait seul afin de la prendre dans le giron de son père gisant au tombeau. Mais puisqu'il nous faut aujourd'hui procéder autrement, usant du pouvoir de l'Intendant, j'ai fait porter ici de Rath Dínen la couronne d'Eärnur, le dernier roi, dont les jours prirent fin au temps de nos lointains ancêtres. »

Les gardes s'avancèrent alors, et Faramir ouvrit le coffret, dont il souleva une antique couronne. Elle était semblable au heaume des Gardes de la Citadelle, quoique plus altière, et entièrement blanche ; et les ailes de chaque côté étaient de perles et d'argent ouvrés à la ressemblance de celles d'un oiseau marin, car c'était là l'emblème des rois ayant traversé la Mer ; sept gemmes adamantines en décoraient le bandeau, et le sommet était serti d'un unique joyau dont l'éclat montait comme une flamme.

Aragorn prit alors la couronne, et il la souleva et dit :

Et Eärello Endorenna utúlien. Sinome maruvan ar Hildinyar tenn' Ambar-metta !

Et ce sont ces mêmes mots qu'Elendil prononça quand il vint de la Mer sur les ailes du vent : « De la Grande Mer à la Terre du Milieu je suis venu. En ce lieu je resterai, et tous mes héritiers, jusqu'à la fin du monde. »

Puis, à la surprise de nombreux spectateurs, Aragorn ne posa pas la couronne sur sa tête mais la rendit à Faramir et dit : « C'est grâce au labeur et à l'héroïsme de nombreux autres que j'entre en possession de mon héritage. En gage de quoi, j'aimerais que le Porteur de l'Anneau m'apporte la couronne, pour laisser Mithrandir la poser sur ma tête, s'il le veut bien ; car il fut le moteur de tous nos accomplissements, et cette victoire est la sienne. »

Alors Frodo s'avança, et il prit la couronne des mains de Faramir et l'apporta à Gandalf ; et Aragorn s'agenouilla, et Gandalf le ceignit de la Couronne Blanche et dit :

« Les jours du Roi sont arrivés ; puissent-ils être bénis tant que les trônes des Valar dureront ! »

Mais quand Aragorn se releva, tous ceux qui le virent contemplèrent en silence ; car on eût dit qu'il leur était révélé pour la toute première fois. Grand comme jadis les rois d'outre-mer, il dominait au-dessus de la foule, vénérable, et pourtant dans la fleur de l'âge ; la sagesse était sur son front, la force et la guérison dans sa main, et une lumière l'entourait. Alors Faramir cria :

« Voici le Roi ! »

Et à ce moment, toutes les trompettes sonnèrent, et le roi Elessar s'avança à la barrière, et Húrin des Clefs la repoussa ; et au son de harpes et de violes et de flûtes, et parmi les chants de voix claires, le Roi passa dans les rues chargées de fleurs, et vint à la Citadelle et y entra ; et la bannière de l'Arbre Étoilé fut déployée au sommet de la plus haute tour, et ainsi commença le règne du roi Elessar que bien des chants ont célébré.

Et sous son règne, la Cité fut embellie à tel point qu'elle parut plus somptueuse que jamais, même au temps de sa gloire première ; et elle regorgeait d'arbres et de fontaines, et ses portes étaient de mithril et d'acier, et ses rues, pavées de marbre blanc ; et les Gens de la Montagne y travaillaient, et les Gens de la Forêt s'y rendaient avec plaisir ; et tout fut guéri et amendé, et ses maisons furent remplies d'hommes et de femmes et de rires d'enfants, et il n'y eut plus une fenêtre aveugle ni une cour vide ; et bien après que le Troisième Âge eut pris fin et que le nouvel âge du monde fut commencé, elle conserva la mémoire et la splendeur des années disparues.

Dans les jours qui suivirent son couronnement, le Roi prit place sur son trône de la Salle des Rois et prononça ses jugements. Et il vint des ambassades de divers pays et peuples, de l'Est et du Sud, et des lisières de Grand'Peur, et de Dunlande, à l'ouest. Et le roi amnistia les Orientais qui s'étaient rendus et les renvoya libres, et il fit la paix avec les peuples du Harad ; et il relâcha les esclaves du Mordor et leur donna toutes les terres autour du lac Núrnen comme territoire. Et un grand nombre de valeureux furent amenés devant lui pour recevoir ses éloges et la récompense de leur valeur ; et en tout dernier lieu, le Capitaine de la Garde amena Beregond devant lui afin qu'il soit jugé.

Et le Roi dit à Beregond : « Beregond, par votre épée, le sang fut versé au Sanctuaire, où cela est interdit. Vous avez de plus quitté votre poste sans l'autorisation de votre Seigneur ou Capitaine. Pour ces offenses, autrefois, la peine de mort était le châtiment. Je suis donc tenu de prononcer votre jugement.

« Votre peine sera entièrement remise, eu égard à votre valeur au combat, et à plus forte raison, parce que vous avez agi par amour pour le seigneur Faramir. Cependant, vous ne serez plus Garde de la Citadelle, et vous devrez partir de la Cité de Minas Tirith. »

Alors, le sang quitta alors le visage de Beregond ; il fut frappé au cœur, et sa tête se courba. Mais le Roi dit :

« Il le faudra bien, car vous êtes assigné à la Compagnie Blanche, la Garde de Faramir, Prince d'Ithilien, et vous en serez le capitaine et demeurerez à Emyn Arnen dans l'honneur et la paix, et au service de celui pour qui vous avez tout risqué, afin de le sauver de la mort. »

Alors Beregond, percevant la clémence et la justice du Roi, sourit, et il s'agenouilla pour lui baiser la main, et il partit dans la joie et le contentement. Et Aragorn donna l'Ithilien à Faramir en tant que principauté, et il le pria de demeurer dans les collines des Emyn Arnen en vue de la Cité.

« Car, dit-il, Minas Ithil dans le Val de Morgul sera entièrement détruite, et même si le lieu peut être assaini dans les temps à venir, nul homme n'y pourra demeurer avant de longues années encore. »

Et pour finir, Aragorn accueillit Éomer du Rohan, et ils s'étreignirent, et Aragorn dit : « Entre nous, il ne saurait être question de donner ou de prendre, ni de récompenser ; car nous sommes frères. Une heure favorable a vu Eorl descendre du Nord, et il n'y eut jamais d'alliance plus heureuse entre deux peuples, où l'un n'a jamais failli à l'autre, et jamais ne faudra. Maintenant, comme vous le savez, nous avons enseveli Théoden le Renommé dans un tombeau du Sanctuaire, et il y demeurera pour toujours parmi les Rois du Gondor, si tel est votre désir. Ou, si vous le souhaitez, nous viendrons au Rohan et l'y transporterons afin qu'il repose parmi les siens. »

Et Éomer répondit : « Je vous ai aimé depuis le jour où je vous ai vu surgir de l'herbe verte des coteaux, et cet amour ne fera jamais défaut. Mais à présent, je dois partir et séjourner un temps dans mon propre royaume, où il y a beaucoup à soigner et à remettre en ordre. Quant au Roi tombé, lorsque tout sera prêt, nous reviendrons pour lui ; mais qu'il repose ici encore un peu. »

Et Éowyn dit à Faramir : « Je dois maintenant rentrer et contempler de nouveau mon propre pays, et assister mon frère dans sa tâche ; mais quand celui que j'ai longtemps aimé comme un père sera enfin porté en terre, je reviendrai. »

Ainsi passèrent ces jours heureux ; et au huitième jour de mai, les Cavaliers du Rohan apprêtèrent leurs chevaux et s'engagèrent sur le Chemin du Nord, accompagnés des fils d'Elrond. Et tout le long de la route, de la Porte de la Cité aux murs du Pelennor, la chaussée était bordée de gens venus leur faire honneur et chanter leurs louanges. Puis tous ceux qui vivaient au loin rentrèrent chez eux dans l'allégresse; pendant que, dans la Cité, de nombreuses mains volontaires s'employaient à reconstruire, à renouveler et à effacer toutes les cicatrices de la guerre et le souvenir de l'obscurité.

Les hobbits demeurèrent à Minas Tirith, en compagnie de Legolas et de Gimli; car Aragorn se refusait à ce que la fraternité fût dissoute. «Il vient un temps où de telles choses doivent prendre fin, dit-il, mais je voudrais que vous patientiez encore un moment : car l'œuvre à laquelle vous avez pris part n'est pas encore arrivée à terme. Toutes les années de ma maturité, je n'ai cessé d'attendre le jour qui aujourd'hui approche; et quand il viendra, j'aimerais voir mes amis à mes côtés.» Mais concernant le jour à venir, il ne voulut rien ajouter.

Entre-temps, les Compagnons de l'Anneau vécurent ensemble dans une belle maison qu'ils partageaient avec Gandalf, allant et venant à leur gré. Et Frodo dit à Gandalf : «Savez-vous quel est ce jour dont Aragorn nous a parlé ? Car nous sommes heureux ici, et je ne souhaite pas m'en aller; mais les jours passent, et Bilbo attend; et le Comté est mon pays.»

«Pour ce qui est de Bilbo, répondit Gandalf, lui aussi attend ce même jour, et il sait ce qui vous retient. Quant au passage des jours, nous ne sommes encore qu'en mai, et le plein été se fait toujours attendre; et bien que toutes choses paraissent différentes, comme si un âge du monde avait passé, il n'en reste pas moins qu'au regard des arbres et de l'herbe, il y a moins d'un an que vous êtes parti.»

«Pippin, dit Frodo, j'ai cru t'entendre dire que Gandalf n'était plus aussi fermé qu'autrefois ? Il devait être fatigué de ses labeurs, alors. J'ai l'impression qu'il est en voie de se remettre. »

Et Gandalf dit : « Bien des gens voudraient savoir d'avance ce qui sera servi à table ; mais ceux qui ont préparé le festin conservent jalousement leur secret ; car l'étonnement multiplie les louanges. Et Aragorn lui-même attend un signe. »

Un jour arriva où Gandalf fut introuvable, et les Compagnons se demandèrent ce qui allait se passer. Mais Gandalf avait quitté la Cité de nuit, emmenant Aragorn ; et il le conduisit sur les contreforts au sud du mont Mindolluin, où ils trouvèrent un sentier des siècles passés que peu de gens osaient désormais emprunter. Car il grimpait dans la montagne vers un haut lieu sacré que seuls les rois avaient eu coutume de fréquenter. Et ils montèrent par des voies escarpées jusqu'à une haute plateforme sous le manteau de neige des pics altiers, et elle regardait du haut de l'escarpement auquel la Cité était adossée. Et de cet endroit, ils embrassèrent tout le pays du regard, car le matin était venu ; et ils virent les tours de la Cité loin au-dessous d'eux comme des pinceaux illuminés par le soleil, et toute la Vallée de l'Anduin était comme un jardin, et une brume dorée s'étendait comme un voile sur les Montagnes de l'Ombre. D'un côté, la vue portait jusqu'à la ligne grisâtre des Emyn Muil, et le reflet du Rauros était comme une étoile scintillant au loin ; et de l'autre, ils pouvaient voir le Fleuve déroulé comme un ruban jusqu'à Pelargir, et une lumière se dessinait au-delà sur la frange du ciel, évoquant la Mer.

Et Gandalf dit : « Voici ton royaume, et le cœur du royaume plus grand encore à venir. Le Troisième Âge du monde a pris fin et le nouveau est commencé; et il t'appartient d'ordonner son commencement et de préserver ce qui peut l'être. Car bien des choses ont été sauvées, mais beaucoup d'autres doivent maintenant disparaître; et le pouvoir des Trois Anneaux a pris fin également. Et toutes les terres qui s'offrent à ta vue, et celles qui les entourent, seront le domaine des Hommes. Car voici venir le temps de la Domination des Hommes, et ceux du Peuple Aîné s'évanouiront, ou bien partiront. »

« Je le sais bien, mon cher ami, dit Aragorn; mais je voudrais pouvoir encore bénéficier de vos conseils. »

« Plus pour longtemps, dit Gandalf. Le Troisième Âge était le mien. J'étais l'Ennemi de Sauron; et mon œuvre est terminée. Je partirai bientôt. Le fardeau doit maintenant reposer sur toi et tes semblables. »

« Mais un jour, je vais mourir, dit Aragorn. Car je suis un homme mortel, et pour être ce que je suis, et de la race de l'Ouest sans métissage, la vie me restera beaucoup plus longtemps qu'à d'autres hommes, mais ce ne sera qu'un court moment; et quand ceux qui sont à présent dans le sein des femmes auront vu le jour et se feront vieux, je serai vieux moi aussi. Et qui gouvernera alors le Gondor et ceux qui regardent cette Cité comme leur reine, si mon désir n'est pas exaucé? L'Arbre dans la Cour de la Fontaine est toujours desséché et stérile. Quand verrai-je un signe qu'il en sera jamais autrement? »

« Détourne-toi du monde de verdure, et regarde où tout paraît stérile et froid! »

Sur ce, Aragorn se retourna, et il vit une pente rocailleuse descendant des lisières de la neige; et en y regardant, il remarqua que seule au milieu du désert se dressait une pousse. Il grimpa jusqu'à l'endroit, et vit qu'au tout

413

début de la congère avait surgi un jeune arbre haut de trois pieds au plus. Il avait déjà produit de longues feuilles aux contours harmonieux, sombres sur le dessus et argentées en dessous, et sa cime élancée portait déjà une petite couronne de fleurs dont les pétales blancs rutilaient comme la neige au soleil.

Alors, Aragorn s'écria : « Yé ! *utúvienyes* ! Je l'ai trouvé ! Oui ! voici un rejeton de l'Aîné des Arbres ! Mais comment est-il venu ici ? Car lui-même n'a pas encore sept ans. »

Et Gandalf accourant le regarda, et dit : « Voilà bien un rejeton de la lignée de Nimloth le beau, lequel fut un semis de Galathilion, lui-même un fruit de Telperion aux maints noms, l'Aîné des Arbres. Qui saurait dire comment il est venu ici à l'heure voulue ? Mais ceci est un antique lieu sacré, et avant que les rois s'éteignent ou que l'Arbre de la cour se dessèche, un fruit a dû être laissé ici. Car il est dit que, bien que le fruit de l'Arbre parvienne rarement à maturité, la vie qu'il porte en lui peut alors rester en dormance pendant maintes longues années, et nul ne saurait prédire le jour de sa résurrection. Souviens-toi de cela. Car si jamais un fruit mûrit, il doit être planté, de crainte que la lignée ne s'éteigne. Il est resté caché ici sur la montagne, alors même que la race d'Elendil gisait cachée dans les déserts du Nord. Mais la lignée de Nimloth est beaucoup plus ancienne que la tienne, roi Elessar. »

Alors, Aragorn posa doucement la main sur le jeune arbre, et voici ! il ne semblait que légèrement implanté et s'arracha sans souffrir aucun mal ; et Aragorn l'apporta dans la Citadelle. Puis l'on déracina l'arbre desséché, mais avec respect ; et il ne fut pas brûlé, mais laissé au repos dans le silence de Rath Dínen. Et Aragorn planta le nouvel arbre dans la cour près de la fontaine, et il se mit à croître avec élan et vitalité ; et quand vint le mois de juin, ses branches étaient chargées de fleurs.

« Le signe a été donné, dit Aragorn, et le jour est proche. » Et il posta des sentinelles sur les murs.

Au jour d'avant la Mi-Été, des messagers venus d'Amon Dîn parurent dans la Cité, disant qu'une chevauchée de belles gens du Nord avait été aperçue, et qu'elle se dirigeait vers les murs du Pelennor. Et le roi dit : « Enfin, les voici. Que toute la Cité soit prête ! »

Ainsi, à la Veille de la Mi-Été, quand le ciel prit un bleu de saphir, que les premières étoiles s'ouvrirent dans l'Est, tandis que l'Ouest était d'or encore, et l'air frais et odorant, les cavaliers descendirent le Chemin du Nord jusqu'aux portes de Minas Tirith. Vinrent d'abord Elrohir et Elladan avec une bannière argentée, puis Glorfindel et Erestor et toute la maison de Fendeval, et après eux vinrent la dame Galadriel et Celeborn, Seigneur de Lothlórien, sur des coursiers blancs, et une suite de belles gens de leur pays, aux capes grises et aux cheveux parés de gemmes blanches ; et pour finir vint maître Elrond, puissant parmi les Elfes et les Hommes, portant le sceptre d'Annúminas, et à son côté sur un palefroi gris venait Arwen, sa fille, Étoile du Soir de son peuple.

Et Frodo la voyant approcher, brillante dans le soir, étoiles au front et un doux parfum autour d'elle, fut pris d'un grand émerveillement, et il dit à Gandalf : « Enfin, je comprends pourquoi nous attendions ! Nous sommes à l'aboutissement. À partir d'aujourd'hui, non seulement le jour sera aimé de tous, mais la nuit aussi sera belle et bienheureuse, et toutes les peurs en disparaîtront ! »

Alors le Roi accueillit ses invités, et ils mirent pied à terre; et Elrond rendit le sceptre, et il plaça la main de sa fille dans celle du Roi, et ensemble ils montèrent à la Haute Cité, et toutes les étoiles fleurirent dans le ciel. Et Aragorn, le roi Elessar, épousa Arwen Undómiel dans la Cité des Rois au jour de la Mi-Été, et l'histoire de leurs labeurs et de leur longue attente fut à son achèvement.

6

Nombreuses séparations

Quand s'acheva enfin le temps des réjouissances, les Compagnons songèrent à regagner leurs propres demeures. Et Frodo alla trouver le Roi alors qu'il se trouvait assis près de la fontaine avec la reine Arwen, et elle chantait un chant du Valinor, tandis que l'Arbre poussait et fleurissait. Ils saluèrent Frodo et se levèrent pour l'accueillir ; et Aragorn dit :

« Je sais ce que vous êtes venu dire, Frodo : vous souhaitez rentrer au pays. L'arbre, on le sait, est toujours plus prospère dans le terreau de ses ancêtres ; mais vous, cher ami, dans toutes les terres de l'Ouest, recevrez toujours bon accueil. Et votre peuple, qui n'eut jamais beaucoup de place dans les légendes des grands, sera dorénavant plus renommé que tous ces vastes royaumes qui aujourd'hui ne sont plus. »

« Il est vrai que je souhaite retourner dans le Comté, dit Frodo. Mais je dois d'abord aller à Fendeval. Car s'il est possible de regretter quelque chose de ces jours bénis, j'aurais voulu retrouver Bilbo ; et j'ai été peiné de voir que, parmi toute la maisonnée d'Elrond, il n'était pas venu. »

« Est-ce pour vous étonner, Porteur de l'Anneau ? dit Arwen. Car vous savez le pouvoir de cette chose qui est

417

maintenant détruite ; et tout ce que ce pouvoir a engendré est aujourd'hui en voie de disparaître. Or votre proche parent a eu cet objet plus longtemps que vous. À l'échelle de son espèce, il est maintenant avancé en âge ; et il vous attend, car il ne fera plus aucun long voyage, hormis un seul. »

« Dans ce cas, je demande à partir bientôt », dit Frodo.

« Dans sept jours nous partirons, dit Aragorn. Car nous vous accompagnerons loin sur la route, aussi loin que le pays de Rohan. Dans trois jours, Éomer reviendra chercher Théoden pour le porter dans la Marche au lieu de son dernier repos, et nous chevaucherons avec lui en l'honneur du défunt. Mais pour l'heure, avant que vous partiez, je vais confirmer la sentence prononcée par Faramir, et je vous déclare à jamais libre de circuler par le royaume du Gondor ; et tous vos compagnons pareillement. Et si j'avais pour vous des cadeaux à la mesure de votre accomplissement, je vous en comblerais ; mais vous prendrez avec vous tout ce que vous désirez, et vous chevaucherez dans l'honneur, harnachés comme des princes du royaume. »

Mais la reine Arwen dit : « Moi, je vais vous offrir un cadeau. Car je suis la fille d'Elrond. Je ne le suivrai plus à présent, quand il ira aux Havres ; car mon choix est celui de Lúthien, et j'ai choisi comme elle ce qu'il y a de plus doux, et de plus amer. Mais vous irez à ma place, Porteur de l'Anneau, quand l'heure viendra, et si tel est alors votre désir. Si vos blessures vous tourmentent encore et que le souvenir de votre fardeau vous pèse, vous pourrez alors passer à l'Ouest, jusqu'à ce que soient guéris tous vos maux et votre lassitude. Mais portez ceci maintenant, en mémoire de la Pierre-elfe et de l'Étoile du Soir dont les vies ont entretissé la vôtre ! »

Et elle prit une gemme semblable à une étoile qui reposait sur sa poitrine au bout d'une chaîne d'argent, et elle lui passa la chaîne au cou. « Quand vous serez hanté par le souvenir de la peur et de l'obscurité, dit-elle, ceci vous prêtera secours. »

Trois jours plus tard, comme le Roi l'avait annoncé, Éomer du Rohan arriva à cheval dans la Cité, et avec lui vint une *éored* des plus beaux chevaliers de la Marche. On l'accueillit chaleureusement ; et quand tous furent attablés à Merethrond, la Grande Salle des Festins, il vit la beauté des dames qui étaient présentes et s'en émerveilla. Et avant d'aller à son repos, il fit appeler Gimli le Nain et lui dit : « Gimli fils de Glóin, votre hache est-elle à portée ? »

« Non, seigneur, répondit Gimli, mais je puis vite l'aller chercher si besoin est. »

« Je vous laisse juge, dit Éomer. Car il y a encore entre nous certains propos inconsidérés prononcés au sujet de la Dame du Bois Doré. Or je l'ai vue aujourd'hui de mes yeux. »

« Fort bien, seigneur, répondit Gimli, et qu'en dites-vous à présent ? »

« Hélas ! dit Éomer. Je ne puis vous concéder qu'elle soit la plus belle des dames. »

« Dans ce cas, je vais chercher ma hache », dit Gimli.

« Mais j'invoquerai d'abord cette excuse, dit Éomer. L'aurais-je vue en d'autre compagnie, que j'aurais dit tout ce que vous voudriez entendre. Mais dans les circonstances, c'est la reine Arwen, Étoile du Soir, qui reçoit ma plus haute faveur, et je suis prêt à me battre pour défendre ce parti contre quiconque souhaite me démentir. Dois-je réclamer mon épée ? »

Alors Gimli s'inclina bien bas. « Non, pour moi vous êtes excusé, seigneur, dit-il. Vous avez choisi le Soir ; mais mon amour est voué au Matin. Et mon cœur m'avertit qu'il passera bientôt à jamais de ces terres. »

Vint enfin le jour du départ, et une grande et belle compagnie s'apprêta à quitter la Cité pour chevaucher au nord. Alors, les rois du Gondor et du Rohan se rendirent au Sanctuaire et vinrent aux tombeaux de Rath Dínen, et ils emportèrent le roi Théoden sur un brancard d'or et passèrent en silence à travers la Cité. Puis ils posèrent le brancard sur un grand chariot entouré de Cavaliers du Rohan et précédé de sa bannière ; et Merry, en tant qu'écuyer du roi, monta dans le chariot et veilla sur les armes du roi.

Aux autres Compagnons, on fournit des coursiers qui convenaient à leur stature ; et Frodo et Sam chevauchèrent au côté d'Aragorn, et Gandalf monta Scadufax, et Pippin alla avec les chevaliers du Gondor ; et Legolas et Gimli, comme toujours, chevauchèrent ensemble sur Arod.

À cette chevauchée se joignirent également la reine Arwen, et Celeborn et Galadriel avec les leurs, et Elrond et ses fils ; et les princes de Dol Amroth et d'Ithilien, et de nombreux capitaines et chevaliers. Jamais aucun roi de la Marche n'avait eu si grandiose compagnie sur la route que celle de Théoden fils de Thengel regagnant la terre de ses ancêtres.

Sans hâte et en paix, ils passèrent en Anórien et parvinrent au Bois Gris sous l'Amon Dîn ; et là, ils entendirent un son comme celui de tambours battant dans les collines, bien qu'il ne se vît pas un seul être vivant. Aragorn fit alors sonner des trompettes ; et les hérauts crièrent :

« Voyez, le roi Elessar se tient parmi vous ! À Ghân-buri-Ghân et à son peuple, il cède la Forêt de Drúadan, qui sera à jamais leur territoire ; et que nul homme n'y entre désormais sans leur consentement ! »

Sur ce, les tambours roulèrent puissamment, et se turent.

Enfin, après un voyage de quinze jours, le chariot de Théoden traversa les prés verts du Rohan et parvint à Edoras ; et tous s'y reposèrent. La Salle Dorée fut décorée de belles tentures et elle fut remplie de lumière, et l'on y tint le plus somptueux festin jamais vu sous son toit depuis les jours de sa construction. Car après trois jours, les Hommes de la Marche préparèrent les funérailles de Théoden ; et il fut enseveli dans une maison de pierre avec ses armes et beaucoup d'autres belles choses qu'il avait eues en sa possession, et une grande butte fut élevée au-dessus de lui, recouverte de gazon vert et de mémoires éternelles aux fleurs blanches. Et il y eut alors huit monticules sur le côté est du Champ de Tertres.

Alors, les Cavaliers de la Maison du Roi, montés sur des chevaux blancs, défilèrent en cercles autour du tertre et chantèrent ensemble un chant à la mémoire de Théoden fils de Thengel composé par son ménestrel Gléowine, et ce fut le dernier chant qu'il composa. La voix lente des Cavaliers suffit à remuer le cœur de ceux qui ne connaissaient pas la langue de ce peuple ; mais les mots allumèrent une flamme dans les yeux des gens de la Marche tandis que remontaient lointainement à leurs oreilles le tonnerre des sabots du Nord et la voix d'Eorl s'élevant au-dessus de la mêlée du Champ de la Celebrant ; et l'histoire des rois se déroula de suite, et le cor de Helm retentit dans les montagnes, jusqu'à ce que vînt l'Obscurité, que le roi Théoden se levât et chevauchât à travers l'Ombre jusqu'au feu, et mourût dans la gloire, au moment même où le Soleil revenait contre tout espoir, et luisait au matin sur le Mindolluin.

> *Par-delà la pénombre et par-delà le doute,*
> *il vit poindre le jour et l'espoir se lever,*
> *chantant sous le soleil et dégainant l'épée.*
> *L'espoir il ranima et dans l'espoir finit ;*
> *porté outre la mort, la peur et le malheur,*
> *et par-delà le deuil, dans la gloire éternelle.*

Mais Merry se tint au pied du tertre vert, et il pleurait ; et quand le chant fut achevé, il se leva et cria :

« Théoden Roi ! Théoden Roi ! Adieu ! Vous fûtes pour moi comme un père, pour une brève période. Adieu ! »

Quand la cérémonie fut terminée, les pleurs des femmes apaisés, et Théoden enfin laissé seul dans son tertre, alors les gens s'assemblèrent dans la Salle Dorée pour le grand festin et se détournèrent de leur peine ; car Théoden avait atteint sa pleine vieillesse et connu une fin honorable qui n'avait rien à envier au plus illustre de ses ancêtres. Et quand vint le temps de boire à la mémoire des rois, comme le voulait la coutume de la Marche, Éowyn la Dame du Rohan s'avança, dorée comme les rayons et blanche comme la neige, et elle porta une coupe pleine à Éomer.

Alors, un ménestrel et maître en tradition se leva et nomma tous les Seigneurs de la Marche dans l'ordre de leur succession : Eorl le Jeune ; et Brego le bâtisseur de la

422

Salle; et Aldor frère de Baldor le malheureux; et Fréa, et Fréawine, et Goldwine, et Déor, et Gram; et Helm qui se cacha dans la Gorge de Helm quand la Marche fut envahie; et voilà qui acheva la série de neuf monticules du côté ouest, car à cette époque, la lignée fut rompue, et les tertres furent alors érigés du côté est : Fréaláf, fils de sœur de Helm, et Léofa, et Walda, et Folca, et Folcwine, et Fengel, et Thengel, et Théoden, le dernier à ce jour. Et quand Théoden fut nommé, Éomer vida sa coupe. Puis Éowyn pria ceux qui servaient de remplir les coupes, et tous ceux qui étaient assemblés là se levèrent et burent au nouveau roi, criant : «Salut, Éomer, Roi de la Marche!»

Enfin, quand les célébrations furent près de s'achever, Éomer se leva et dit : «Ceci est le festin funéraire de Théoden, le Roi, mais je vais partager avant que nous nous quittions une joyeuse nouvelle; et il ne me l'aurait pas reproché, car il fut toujours un père pour Éowyn ma sœur. Écoutez donc, ô belles gens de maints royaumes, comme jamais on n'en vit rassemblées dans cette salle! Faramir, Intendant du Gondor et Prince d'Ithilien, demande à prendre pour épouse Éowyn, la Dame du Rohan, et elle le lui accorde de plein gré. En foi de quoi, ils seront fiancés devant vous tous.»

Et Faramir et Éowyn s'avancèrent et se tinrent main dans la main; et tous burent à leur union et furent ravis. «Ainsi, dit Éomer, l'amitié entre la Marche et le Gondor se fortifie d'un nouveau lien, et je m'en réjouis d'autant.»

«Vous n'êtes pas avare de vos richesses, Éomer, dit Aragorn, pour offrir ainsi au Gondor la perle de votre royaume!»

Alors, Éowyn le regarda dans les yeux et lui dit : «Souhaitez-moi la joie, mon suzerain et guérisseur!»

Et Aragorn répondit : « Je t'ai souhaité la joie sitôt que je t'ai vue la première fois. Mon cœur se guérit de te voir bienheureuse. »

Quand le festin fut terminé, ceux qui devaient partir prirent congé du roi Éomer. Aragorn et ses chevaliers, ainsi que les gens de la Lórien et de Fendeval, s'apprêtèrent à monter en selle ; mais Faramir et Imrahil demeurèrent à Edoras ; et Arwen l'Étoile du Soir fit de même, et elle dit adieu à ses proches. Nul ne fut témoin de sa dernière rencontre avec Elrond, son père, car ils montèrent dans les collines et y eurent un long entretien, et leur séparation fut douloureuse, laquelle devait se prolonger par-delà la fin du monde.

En tout dernier lieu, avant le départ des hôtes, Éomer et Éowyn allèrent trouver Merry, et ils dirent : « Adieu, maintenant, Meriadoc du Comté et Holdwine de la Marche ! Chevauchez à bonne fortune, et revenez-nous vite pour notre bon accueil ! »

Et Éomer dit : « Les rois d'autrefois vous auraient comblé de présents, plus que n'en pourrait contenir un char, pour vos actions dans les champs de Mundburg ; mais vous ne prendrez rien, dites-vous, hormis les armes qui vous ont été données. Je permettrai qu'il en soit ainsi, car en vérité je n'ai aucun présent qui soit digne ; mais ma sœur vous prie de recevoir cette petite chose, en mémoire de Dern-helm et des cors de la Marche à la venue du matin. »

Éowyn offrit alors à Merry un cor ancien, petit mais finement ouvré, tout de bel argent avec un baudrier vert ; et des graveurs y avaient sculpté de vifs cavaliers courant en une file qui s'enroulait de l'extrémité de la corne jusqu'à son embouchure ; et des runes d'une grande vertu y étaient tracées.

« Voici un héritage de notre maison, dit Éowyn. Il a été fait par les Nains, et provient du trésor de Scatha le Serpent. Eorl le Jeune l'a apporté du Nord. Qui en sonnera dans le besoin sèmera la peur dans le cœur de ses ennemis et la joie dans le cœur des siens, et ils l'entendront et viendront à lui. »

Alors, Merry prit le cor dans ses mains, car pareille chose ne se refusait pas ; et il baisa la main d'Éowyn. Et ils l'étreignirent, et c'est ainsi qu'ils se séparèrent pour cette fois.

Or, les hôtes étant prêts, ils burent le coup de l'étrier ; et ils partirent dans les louanges et l'amitié et finirent par arriver à la Gorge de Helm, où ils se reposèrent deux jours. Legolas tint alors sa promesse envers Gimli et l'accompagna aux Brillantes Cavernes ; et à leur retour, il garda le silence, se bornant à dire que seul Gimli pouvait trouver les mots pour en parler. « Et c'est bien la première fois qu'un Nain peut crier victoire contre un Elfe dans un concours de mots, dit-il. Maintenant, allons donc à Fangorn pour rétablir le compte ! »

De la Combe de la Gorge, ils chevauchèrent jusqu'à Isengard et virent alors ce à quoi les Ents s'étaient affairés. Tout le cercle de pierre avait été démoli et retiré, et l'intérieur transformé en un jardin d'arbres et de vergers, traversé par un cours d'eau ; mais un lac d'eau claire s'étendait au milieu, et la Tour d'Orthanc se dressait encore en son centre, haute et imprenable, tel un roc noir reflété sur l'eau.

Les voyageurs s'assirent quelque temps à l'endroit où se dressaient naguère les vieilles portes d'Isengard, et deux grands arbres s'y tenaient à présent comme des sentinelles au début d'un chemin bordé de vert qui filait jusqu'à Orthanc; et ils s'émerveillèrent devant tout le travail accompli, mais aucun être vivant ne se voyait, ni de près ni de loin. Bientôt, cependant, ils entendirent une voix qui appelait, *houm-hom, houm-hom*; et voici que Barbebois remontait le chemin à grandes foulées pour les accueillir, Primebranche à ses côtés.

«Bienvenue au Clos sylvestre d'Orthanc! dit-il. Je savais que vous arriviez, mais j'étais au travail dans la vallée; il y a encore beaucoup à faire. Mais vous n'avez pas chômé non plus dans les contrées du sud et de l'est, à ce que j'entends; et tout ce que j'entends est bien, vraiment très bien.» Barbebois loua alors toutes leurs actions, dont il semblait d'ailleurs parfaitement au courant; et quand il finit par s'arrêter, il regarda longuement Gandalf.

«Eh bien, eh bien! dit-il. Vous vous êtes révélé le plus fort, et tous vos labeurs ont porté fruit. Et maintenant, où allez-vous donc? Et pourquoi êtes-vous ici?»

«Pour voir comment vont vos travaux, mon ami, dit Gandalf, et pour vous remercier de votre concours dans tout ce qui a été accompli.»

«*Houm*, oui, ce n'est pas de refus, dit Barbebois; car les Ents ont assurément fait leur part. Et pas seulement en se débarrassant de ce... *houm*, ce maudit pourfendeur d'arbres qui vivait ici. Car il y a eu grand afflux de ces... *burárum*, ces yeux-mauvais et mains-infâmes et jambes-arquées et cœurs-de-pierre et doigts-griffus et panses-immondes et coupe-jarrets, *morimaite-sincahonda... houm*, bon, puisque vous êtes des gens hâtifs et que leur nom complet est aussi long qu'un siècle de tourment – ces saletés d'orques; et ils ont passé le Fleuve, venant par le Nord et tout autour du bois de Laurelindórenan, où ils n'ont pu entrer, grâce à l'intervention des Grands qui sont ici. » Il s'inclina devant le Seigneur et la Dame de Lórien.

« Et ces mêmes affreux bandits ont été plus qu'étonnés de nous rencontrer sur le Wold, car ils n'avaient jamais entendu parler de nous ; bien qu'on puisse en dire autant de certaines gens moins détestables. Et ils ne seront pas nombreux à se souvenir de nous, car ils n'ont pas été nombreux à avoir la vie sauve, et le Fleuve a pris la plupart de ceux-là. Mais c'est heureux pour vous, car si nous n'avions pas été là pour leur barrer la route, le roi des prairies n'aurait pas chevauché aussi loin, et s'il l'avait fait, il n'aurait eu nulle part où aller à son retour au pays. »

« Nous le savons fort bien, dit Aragorn, et nous n'oublierons jamais cela, à Minas Tirith ni à Edoras. »

« *Jamais* est un mot bien trop long même pour moi, dit Barbebois. Tant que dureront vos royaumes, vous voulez dire ; mais ils devront durer un très long temps avant que cela ne paraisse long aux Ents. »

« Le Nouvel Âge commence, dit Gandalf, et dans cet âge, les royaumes des Hommes pourraient bien vous survivre, Fangorn, mon ami. Mais allons, dites-moi donc : qu'en est-il de la tâche que je vous ai confiée ? Comment va Saruman ? N'est-il pas fatigué des murs d'Orthanc ? Car je n'ai pas l'impression qu'il vous remerciera d'avoir amélioré la vue depuis ses fenêtres. »

Barbebois posa un long regard sur Gandalf, un regard presque malicieux, pensa Merry. « Ah ! fit-il. Je pensais bien que vous y viendriez. Fatigué d'Orthanc ? Très fatigué, oui, à la longue – non tant de sa tour que du fait d'entendre ma voix. *Houm !* Que de longues histoires je lui ai contées, longues en tout cas pour ceux qui s'expriment dans votre parler. »

« Pourquoi restait-il alors à les écouter ? Êtes-vous entré à Orthanc ? » demanda Gandalf.

« *Houm*, non, pas à Orthanc ! dit Barbebois. Mais il venait à sa fenêtre pour m'écouter, parce qu'il ne pouvait avoir de nouvelles autrement, et même si ces nouvelles lui étaient odieuses, il était avide de les entendre ; et j'ai veillé à ce qu'il les ait toutes. Mais j'y ai ajouté bon nombre de choses que je jugeais bon de lui faire méditer. Il est devenu très las. Il a toujours été trop hâtif. Ce fut sa perte. »

« Je remarque, mon bon Fangorn, dit Gandalf, que vous avez grand soin de dire *vivait*, *venait*, *était*. Pourquoi pas *est* ? Est-il mort ? »

« Non, pas mort, pour autant que je sache, dit Barbebois. Mais il est parti. Oui, voilà une semaine. Je l'ai laissé partir. Il ne restait plus grand-chose de lui quand il est sorti de son trou ; quant à son acolyte aux allures de serpent, il avait la pâleur d'une ombre. Or ne me dites pas, Gandalf, que j'ai promis de le garder à l'œil ; car je le sais. Mais les choses ont changé depuis. Et je l'ai mis sous une garde sûre, jusqu'à ce que je sois sûr, sûr qu'il ne pourrait plus faire de mal. Vous devez bien savoir que la mise en cage des êtres vivants est pour moi la pire chose, et je me refuse, même pour de telles créatures, à les garder prisonniers plus longtemps qu'il n'en est besoin. Un serpent sans crochets peut ramper où il veut. »

« Peut-être avez-vous raison, dit Gandalf ; mais ce serpent-ci avait encore une dent, je pense. Il lui restait le poison de sa voix, et je crois qu'il a dû vous persuader – même vous, Barbebois –, vous connaissant cette sensibilité. Enfin bon, il est parti, et il n'y a pas à nous étendre sur le sujet. La Tour d'Orthanc doit néanmoins retourner au Roi, auquel elle appartient. Il se peut toutefois qu'il n'en ait pas besoin. »

« Cela reste à voir, dit Aragorn. Mais je donnerai toute cette vallée aux Ents afin qu'ils en fassent ce qu'ils veulent, tant qu'ils continueront de surveiller Orthanc et de veiller à ce que personne n'y entre sans ma permission. »

« Elle est fermée à clef, dit Barbebois. Saruman l'a fermée sur mon ordre et m'a remis les clefs. Primebranche les a avec lui. »

Primebranche, se courbant comme un arbre ployant sous le vent, remit à Aragorn deux grandes clefs noires de forme élaborée, réunies par un anneau d'acier. « Maintenant, il ne me reste plus qu'à vous remercier une nouvelle fois, dit Aragorn, et à vous dire adieu. Puisse votre forêt croître de nouveau en paix. Quand cette vallée sera remplie, il y aura tout l'espace souhaité et plus encore à l'ouest des montagnes, où vous marchiez autrefois il y a bien longtemps. »

La figure de Barbebois se rembrunit. « Les forêts peuvent croître, dit-il. Les bois peuvent s'étendre. Mais pas les Ents. Il n'y a plus d'Entiges. »

« Mais peut-être aurez-vous plus d'espoir dans votre quête, à présent, dit Aragorn. À l'est, des terres s'ouvriront qui vous furent longtemps inaccessibles. »

Mais Barbebois secoua la tête et dit : « Il y a loin à marcher jusque-là. Et il y a trop d'Hommes là-bas de nos jours. Mais j'en oublie les bonnes manières ! Voulez-vous rester ici et vous reposer quelque temps ? Et il y en a peut-être parmi vous qui aimeraient passer par la Forêt de Fangorn et ainsi raccourcir leur trajet ? » Il regarda Celeborn et Galadriel.

Mais tous sauf Legolas annoncèrent devoir aussitôt prendre congé et partir vers le sud ou l'ouest. « Allons, Gimli ! dit Legolas. Avec la permission de Fangorn, je vais donc visiter les profondeurs du Bois d'Ent et voir des arbres comme on n'en trouve nulle part ailleurs en Terre du Milieu. Tu viendras avec moi comme promis ; et de cette façon, nous poursuivrons ensemble notre voyage vers nos propres demeures, à Grand'Peur et au-delà. » Gimli consentit à cela, quoique sans grand enthousiasme, eût-on dit.

« Enfin donc, la Fraternité de l'Anneau finit ici, dit Aragorn. Mais j'espère que vous reviendrez dans mon pays avant peu, et avec l'aide que vous avez promise. »

« Nous viendrons, si nos seigneurs à nous le permettent, dit Gimli. Eh bien, adieu, mes hobbits ! Vous devriez pouvoir rentrer chez vous sains et saufs, à présent, et je ne serai plus privé de sommeil par crainte pour votre sécurité. Nous enverrons des nouvelles quand ce sera possible, et certains d'entre nous pourraient se revoir de temps à autre ; mais je crains que la joie de nous voir tous réunis ne se représente jamais plus. »

Barbebois dit alors adieu à chacun tour à tour ; et il s'inclina trois fois, lentement et avec grande révérence, devant Celeborn et Galadriel. « Il y a long, long temps que nous nous sommes rencontrés entre troncs et pierres, *A vanimar, vanimálion nostari !* dit-il. Il est triste que nous nous retrouvions ainsi, seulement à la fin. Car le monde change : je le sens dans l'eau, je le sens dans la terre, et je le sens dans l'air. Il m'étonnerait que nous nous revoyions. »

Et Celeborn dit : « Je l'ignore, Aîné. » Mais Galadriel dit : « Pas en Terre du Milieu, ni avant que les terres ensevelies sous les flots ne soient exhaussées. Alors nous pourrions, dans les saulaies de Tasarinan, nous revoir au Printemps. Adieu ! »

Pour finir, Merry et Pippin dirent au revoir au vieil Ent, et il devint plus gai en les regardant. « Eh bien, mes joyeuses gens, dit-il, prendrez-vous un dernier coup avec moi avant de partir ? »

« Très volontiers », répondirent-ils, et il les amena à l'écart, dans l'ombre de l'un des arbres, et ils virent qu'une grande jarre de pierre était posée là. Barbebois remplit trois bols, et ils burent ; et ils virent ses yeux étranges qui les observaient par-dessus le rebord de son bol. « Prudence, prudence ! dit-il. Car vous avez déjà grandi depuis la dernière fois que nous nous sommes vus. » Et, riant, ils vidèrent leurs bols.

« Eh bien, au revoir ! dit-il. Et n'oubliez pas : si vous avez des nouvelles des Ent-Femmes dans votre pays, vous serez gentils de m'en informer. » Puis, agitant ses grandes mains, il salua toute la compagnie et s'en fut parmi les arbres.

Les voyageurs adoptèrent alors une allure plus rapide et se dirigèrent vers la Brèche du Rohan ; et Aragorn prit enfin congé d'eux tout près de l'endroit où Pippin avait regardé dans la Pierre d'Orthanc. Cette séparation chagrina beaucoup les Hobbits ; car Aragorn ne leur avait jamais fait défaut, lui qui avait été leur guide à travers maints périls.

« Si seulement nous avions une Pierre où nous verrions tous nos amis, dit Pippin, pour pouvoir leur parler à distance ! »

« Il n'en reste qu'une seule qui pourrait vous servir, répondit Aragorn ; car vous ne voudriez pas voir ce que la Pierre de Minas Tirith aurait à vous montrer. Mais le Palantír d'Orthanc sera la possession du Roi, afin qu'il voie ce qui se passe dans son royaume, et ce que font ses serviteurs. Car n'oubliez pas, Peregrin Touc, que vous êtes un chevalier du Gondor, et je ne vous dispense pas de votre service. Vous allez maintenant en permission, mais je puis toujours vous rappeler. Et souvenez-vous, chers amis du Comté, que mon royaume est aussi dans le Nord, et je me rendrai là-bas un jour. »

Aragorn prit alors congé de Celeborn et de Galadriel ; et la Dame lui dit : « Pierre-elfe, à travers les ténèbres, tu as trouvé ton espoir et comblé tout ton désir. Fais bon usage des jours ! »

Mais Celeborn dit : « Adieu, cher parent ! Puisses-tu connaître un destin différent du mien, et garder ton trésor jusqu'à la fin ! »

Sur quoi ils se séparèrent, et c'était l'heure du couchant ; et lorsqu'ils finirent par se tourner pour regarder en arrière, ils virent le Roi de l'Ouest assis sur sa monture et entouré de ses chevaliers ; et le Soleil près de sombrer tombait sur eux et faisait reluire tout leur harnais comme de l'or fauve, et la longue cape blanche d'Aragorn avait l'aspect d'une flamme. Aragorn saisit alors la pierre verte et la tint levée, et un feu émeraude jaillit de sa main.

La compagnie ainsi réduite, suivant le cours de l'Isen, tourna bientôt vers l'ouest et traversa la Brèche jusque dans les terres désolées au-delà, après quoi elle se dirigea au nord et passa les frontières de Dunlande. Les Dunlandais fuyaient et couraient se cacher, car ils craignaient les Elfes, encore que ceux-ci aient été peu nombreux à visiter jamais leur pays ; mais les voyageurs ne firent pas attention à eux, car ils formaient encore une grande compagnie, et ils étaient bien approvisionnés de tout ce qui leur était nécessaire ; aussi voyageaient-ils à leur gré, dressant leurs tentes quand bon leur semblait.

Le sixième jour après leurs adieux au Roi, ils traversèrent un bois qui descendait des collines au pied des Montagnes de Brume défilant à présent sur leur droite. Au coucher du soleil, tandis qu'ils ressortaient en pays découvert, ils rattrapèrent un vieillard appuyé sur un bâton, vêtu de haillons de couleur grise ou blanc sale, avec un autre mendiant qui traînassait derrière lui en gémissant.

« Ho, Saruman ! dit Gandalf. Où vas-tu donc ? »

« Que t'importe où je vais ? répondit-il. Veux-tu encore dicter mes allées et venues, et n'es-tu pas satisfait de me voir en disgrâce ? »

« Tu connais les réponses, dit Gandalf ; non et non. Mais dans tous les cas, le temps de mes labeurs tire aujourd'hui à sa fin. Le Roi a repris le fardeau. Si tu avais attendu à Orthanc, tu l'aurais vu, et il t'aurait montré sagesse et clémence. »

« Raison de plus pour être parti avant, dit Saruman ; car je ne désire de lui aucune des deux. En fait, si tu souhaites une réponse à ta première question, je cherche à quitter son royaume par le chemin le plus court. »

« Eh bien, tu te diriges encore du mauvais côté, dit Gandalf, et ton voyage me semble voué à l'échec. Mais dédaigneras-tu notre aide ? Car nous te l'offrons. »

« Vous me l'offrez ? dit Saruman. Non, épargne-moi ce sourire, de grâce ! Je préfère tes froncements de sourcils. Quant à cette Dame ici présente, je ne lui fais pas confiance : elle m'a toujours détesté, non contente de comploter en ta faveur. Je ne doute pas qu'elle vous ait amené ici pour mieux se réjouir de mon indigence. Si j'avais su que vous me poursuiviez, je vous aurais refusé ce plaisir. »

« Saruman, dit Galadriel, nous avons d'autres affaires et d'autres soucis plus urgents que de courir après vous. Dites plutôt que la bonne fortune vous a rattrapé ; car voici qu'une dernière chance vous est offerte. »

« Si c'est vraiment la dernière, j'en suis reconnaissant, dit Saruman ; car cela m'évitera de devoir encore la refuser. Tous mes espoirs sont anéantis, mais je ne veux aucune part des vôtres. Si vous en avez. »

Ses yeux flamboyèrent un instant. « Allez-vous-en ! dit-il. Ce n'est pas en vain que j'ai longuement étudié ces questions. Vous vous êtes condamnés, et vous le savez. Et je trouverai quelque réconfort dans mes errances à songer que vous avez démoli votre propre maison en saccageant la mienne. Et maintenant, quel vaisseau pourrait vous emporter au-delà d'une si vaste mer ? fit-il, moqueur. Un vaisseau gris, tout plein de fantômes, voilà lequel. » Il rit, mais sa voix était cassée, et son rire, affreux.

« Lève-toi, bougre d'idiot ! » cria-t-il à l'autre mendiant, qui s'était assis par terre ; et il le frappa avec son bâton. « Demi-tour ! Si ces illustres personnages vont sur le même chemin que nous, nous en prendrons un autre. Dépêche, ou t'auras pas de croûton pour souper ! »

Le mendiant tourna les talons et se traîna devant eux en gémissant : « Pauvre vieux Gríma ! Pauvre vieux Gríma ! Toujours battu et injurié. Ah ! que je le hais ! Que je voudrais pouvoir le laisser ! »

« Alors laissez-le ! » dit Gandalf.

Mais Langue de Serpent, les yeux voilés et remplis de terreur, ne lui jeta qu'un regard fuyant avant d'emboîter le pas à Saruman. Puis les deux misérables, passant la compagnie, arrivèrent aux hobbits, et Saruman s'arrêta pour les dévisager ; mais ils le regardèrent avec pitié.

« Ainsi, vous êtes venus plastronner vous aussi, mes galopins ? dit-il. Les besoins d'un mendiant ne vous importent guère, n'est-ce pas ? Car vous avez tout ce qu'il vous faut, de la nourriture, de beaux vêtements, et la meilleure herbe pour vos pipes. Si, si, je le sais ! Je sais d'où elle vient. Vous n'auriez pas une pipée pour un nécessiteux, non ? »

« Je vous en donnerais si j'en avais », dit Frodo.

« Je vous offre ce qui me reste, dit Merry, si vous voulez bien attendre un moment. » Il mit pied à terre et fouilla dans le sac qui pendait à sa selle. Il tendit alors une blague de cuir à Saruman. « Prenez tout ce qu'il y a, je vous en prie, dit-il ; cette herbe vient des épaves d'Isengard. »

« La mienne, oui, c'est la mienne, chèrement payée en plus ! s'écria Saruman, saisissant la blague d'une main. Ce n'est qu'un remboursement pour la forme, car vous en avez pris plus, j'en suis certain. N'empêche qu'un mendiant doit se montrer reconnaissant, si un voleur daigne lui remettre ne serait-ce qu'une parcelle de son bien. Et puis ce sera bien fait pour vous quand vous rentrerez, si vous constatez que les choses ne vont pas comme vous le souhaitez dans le Quartier Sud de votre pays. Puisse-t-il rester longtemps à court de feuille ! »

« Trop aimable ! dit Merry. Dans ce cas, je vais reprendre ma blague, qui ne vous appartient pas et qui m'a accompagné dans de longs voyages. Enveloppez l'herbe dans un chiffon à vous. »

« À voleur, voleur et demi », dit Saruman ; et il tourna le dos à Merry, donna un coup de pied à Langue de Serpent et s'en fut vers le bois.

« Eh bien, voyez-vous ça ! dit Pippin. Voleur, mon œil ! Quid de nos doléances pour avoir été assaillis, brutalisés et traînés à dos d'orques à travers le Rohan ? »

« Ah ouais ! fit Sam. Et *payée*, qu'il a dit. Comment, c'est ce que je me demande. Et j'aime pas trop ce qu'il disait du Quartier Sud. Il est temps de rentrer. »

« Je suis bien d'accord, dit Frodo. Mais on ne peut rentrer plus rapidement si l'on doit voir Bilbo. Je vais d'abord à Fendeval, quoi qu'il arrive. »

« Oui, je crois que vous feriez mieux, dit Gandalf. Mais hélas pour Saruman ! Je crains qu'il n'y ait plus rien à en tirer. Il est complètement décrépit. Mais je ne suis pas sûr que Barbebois ait raison : je le crois encore capable de quelques vilains tours, par pure mesquinerie. »

Le lendemain, ils passèrent en Dunlande du Nord, un agréable pays de verdure, bien qu'à présent dépeuplé. Septembre arriva avec ses jours dorés et ses nuits d'argent, et ils chevauchèrent en toute tranquillité jusqu'à la Rivière aux Cygnes, qu'ils franchirent par le vieux gué à l'est des chutes où elle plongeait subitement dans les basses terres. Loin à l'ouest, une brume s'étendait sur les mares et les îlots parmi lesquels elle serpentait jusqu'au Grisfleur : là, nichait une multitude de cygnes dans un pays de roseaux.

Ils passèrent donc en Eregion, et un beau matin parut enfin, luisant au-dessus de brumes chatoyantes ; et regardant depuis leur campement sur une colline basse, les voyageurs virent s'éclairer trois hautes cimes qui s'élevaient dans le ciel de l'est à travers des nuages flottants : Caradhras, Celebdil et Fanuidhol. Ils étaient parvenus à la hauteur des Portes de la Moria.

Ils demeurèrent à cet endroit sept jours durant, car voici qu'approchait le moment d'une autre séparation difficile. Celeborn, Galadriel et leur suite se tourneraient bientôt vers l'est pour franchir la Porte de Cornerouge et ainsi redescendre par l'Escalier de Ruisselombre jusqu'à l'Argentine aux frontières de leur pays. Ils avaient jusque-là emprunté les chemins de l'ouest, car ils avaient maintes choses à discuter avec Elrond et Gandalf ; mais ici encore, ils restèrent longtemps en conversation avec leurs amis. Souvent, bien après que les hobbits eurent succombé au premier sommeil, ils s'asseyaient ensemble sous les étoiles à se remémorer les âges passés, et toutes les joies et les épreuves qu'ils avaient connues dans le monde, ou à tenir conseil sur les jours à venir. Si quelque voyageur était passé par là, il n'aurait pu voir ni entendre grand-chose, tout au plus une vision de formes grises, sculptées dans la pierre en mémoire de gens oubliés, perdus à présent au milieu de terres inhabitées. Car ils ne bougeaient pas, non plus qu'ils ne parlaient avec la bouche, regardant d'esprit à esprit ; et seuls leurs yeux lumineux étincelaient et s'animaient au va-et-vient de leurs pensées.

Mais tout finit par être dit, et ils se séparèrent à nouveau pour un temps, jusqu'à ce qu'il fût l'heure pour les Trois Anneaux de passer au-delà. Les gens de la Lórien s'en furent à cheval vers les montagnes, leurs capes grises se fondant rapidement parmi les pierres et les ombres ; et ceux qui allaient à Fendeval s'assirent sur la colline pour regarder, lorsqu'un éclair s'éleva tout à coup des brumes grandissantes, après quoi ils ne virent plus rien. Frodo sut que c'était Galadriel, élevant son anneau en signe d'adieu.

Sam se détourna et dit en un soupir : « Que j'aimerais donc retourner en Lórien moi aussi ! »

Enfin, un soir, ils arrivèrent par-delà les hautes landes, subitement, comme le remarquaient toujours les voyageurs, au seuil de la profonde vallée de Fendeval, et ils virent clignoter les lampes de la maison d'Elrond loin en bas. Et ils descendirent, franchirent le pont et arrivèrent aux portes, et toute la maison s'illumina et retentit de joyeux chants pour saluer le retour d'Elrond.

Avant toute chose, sans s'être nourris ni lavés, ni même débarrassés de leurs capes, les hobbits partirent à la recherche de Bilbo. Ils le trouvèrent seul, enfermé dans sa petite chambre. Elle était jonchée de vieux papiers, de plumes et de pinceaux ; mais Bilbo était assis dans un fauteuil devant une belle petite flambée. Il semblait très vieux, mais paisible, et il somnolait.

À leur arrivée, il ouvrit les yeux et leva la tête. « Bonjour, bonjour ! dit-il. Ainsi, vous voilà revenus ? Et à la veille de mon anniversaire, en plus. Comme c'est malin ! Pensez-vous, j'aurai bientôt cent vingt-neuf ans ! Et dans un an, si l'on me prête vie, je rejoindrai le Vieux Touc. Je voudrais bien le surpasser ; mais on verra. »

Après avoir célébré l'anniversaire de Bilbo, les quatre hobbits restèrent quelques jours à Fendeval, et ils s'assirent longuement avec leur vieil ami qui, désormais, passait le plus clair de son temps dans sa chambre, sauf à l'heure des repas. En règle générale, il demeurait fort ponctuel à ce chapitre, manquant rarement de s'éveiller à temps pour passer à table. Tour à tour, assis au coin du feu, ils lui racontèrent tout ce qu'ils purent se rappeler de leurs voyages et de leurs aventures. Bilbo, au début, fit semblant de prendre des notes ; mais il s'endormait souvent, et il disait à son réveil : « Splendide ! Merveilleux ! Mais où en étions-nous ? » Alors, ils reprenaient l'histoire au moment où il avait commencé à s'assoupir.

La seule chose qui parut vraiment l'exciter et susciter toute son attention fut le couronnement d'Aragorn et le récit de son mariage. « J'ai été invité aux noces, bien sûr, dit-il. Et je les attendais depuis bien longtemps. Mais allez savoir, le jour venu, je me suis trouvé tellement débordé ; et faire ses bagages peut être si assommant... »

Près de quinze jours s'étaient écoulés quand Frodo regarda à sa fenêtre et vit qu'il avait gelé cette nuit-là, et que les toiles d'araignées s'étendaient en filets blancs. Alors, il sut tout à coup qu'il devait partir et faire ses adieux à Bilbo. Le temps demeurait calme et beau, après l'un des plus merveilleux étés dont on pût se souvenir ; mais octobre était venu : le ciel n'allait pas tarder à se brouiller, la pluie et le vent reprendraient de plus belle, et il y avait encore une longue route à faire. Mais ce n'était pas vraiment ce qui l'inquiétait. Il sentait qu'il était temps de retourner dans le Comté. Sam partageait ce sentiment. Encore la veille au soir, il lui avait dit :

« Eh bien, monsieur Frodo, on a voyagé un sacré bout et on a vu pas mal de choses, mais je me dis qu'on n'a jamais trouvé meilleur endroit qu'ici. On y trouve un peu de tout, si vous me comprenez : le Comté, le Bois Doré et le Gondor, les maisons de rois et les auberges, le pré et la montagne, tout ça en même temps. Mais quelque part, je sens qu'on ferait mieux de partir bientôt. Je me fais du souci pour mon ancêtre, pour tout vous dire. »

« Oui, un peu de tout, Sam, sauf la Mer », lui avait répondu Frodo ; et il se le répéta à présent : « Sauf la Mer. »

Ce jour-là, Frodo alla trouver Elrond, et il fut convenu qu'ils partiraient le lendemain matin. Et Gandalf dit, pour leur plus grand bonheur : « Je crois que je viendrai aussi. Du moins jusqu'à Brie. J'aimerais voir Fleurdebeurre. »

Dans la soirée, ils allèrent dire au revoir à Bilbo. « Eh

bien, s'il faut que vous partiez, il le faut, dit-il. Je suis navré. Vous allez me manquer. C'est bon de savoir simplement que vous êtes dans les parages. Mais je me fais de plus en plus somnolent. » Puis il donna sa chemise de mithril et son épée Dard en cadeau à Frodo, oubliant qu'il l'avait déjà fait ; et il lui offrit également trois livres de traditions qu'il avait composés à divers moments, tous dans son écriture en pattes de mouche, leur dos rouge portant l'inscription suivante : *Traductions de l'elfique, par B.B.*

À Sam, il remit une petite bourse d'or. « Presque la dernière goutte de la cuvée de Smaug, dit-il. Ça pourra t'être utile si tu penses à te marier, Sam. » Sam rougit.

« Je n'ai pas grand-chose pour vous, jeunes gens, dit-il à Merry et à Pippin, sauf de bons conseils. » Et quand il leur en eut donné un bel échantillon, il ajouta une dernière chose à la manière du Comté : « Prenez garde à ce que votre tête ne devienne trop grosse pour votre chapeau ! Mais si vous n'arrêtez pas bientôt de grandir, chapeaux et vêtements ne seront plus à portée de votre escarcelle. »

« Puisque vous essayez de battre le Vieux Touc, dit Pippin, je ne vois pas pourquoi nous n'essaierions pas de battre Fiertaureau. »

Bilbo rit, et d'une poche de sa veste il sortit deux belles pipes à bec de perle, au fourneau cerclé d'argent finement ouvré. « Pensez à moi quand vous vous en servirez ! dit-il. Elles ont été faites pour moi par les Elfes, mais je ne fume plus, à présent. » Puis soudain, sa tête tomba et il s'assoupit un peu ; et quand il se réveilla, il dit : « Bon, où en étions-nous ? Oui, bien sûr, les présents. Mais j'y pense, Frodo : qu'est-il arrivé à mon anneau, celui que tu as emporté ? »

« Je l'ai perdu, Bilbo, mon cher, répondit Frodo. Je m'en suis débarrassé, tu vois ? »

« Quel dommage ! dit Bilbo. J'aurais aimé le revoir. Mais non, suis-je bête ! C'est pour ça que tu y allais, non, pour t'en débarrasser ? Mais tout cela est tellement compliqué, car il y a tant de choses qui semblent s'être mêlées à l'affaire : les ambitions d'Aragorn, le Conseil Blanc, le Gondor et les Cavaliers, les Sudrons et les oliphants – tu en as vraiment vu un, Sam ? –, et les cavernes et les tours, et les arbres dorés, et je ne sais quoi encore.

« De toute évidence, j'ai pris une route beaucoup trop directe en revenant de voyage. Je me dis que Gandalf aurait pu me faire visiter quelques endroits. Mais alors, la vente aux enchères se serait terminée avant mon arrivée, et j'aurais eu encore plus d'ennuis sur les bras. De toute manière, il est trop tard, à présent ; et puis je trouve qu'il est beaucoup plus confortable de rester assis ici à vous entendre. Le feu est très agréable ici, et la nourriture est *très* bonne, et il y a des Elfes quand on en a envie. Que demander de plus ?

> *La Route se poursuit sans fin*
> *Qui a commencé à ma porte*
> *Et depuis m'a conduit si loin.*
> *D'autres maintenant elle emporte,*
> *Lancés dans un nouveau voyage,*
> *Mais moi enfin, les pieds fourbus,*
> *Je gagne l'auberge au village*
> *Trouver le repos qui m'est dû. »*

Et comme il marmonnait les derniers mots, sa tête tomba sur sa poitrine et il s'endormit aussitôt.

Le crépuscule enveloppa la pièce, et la lueur du feu se fit d'autant plus vive ; et ils observèrent Bilbo qui dormait et virent que son visage était souriant. Ils restèrent quelque temps assis en silence ; puis Sam, regardant autour de la pièce et étudiant les ombres qui dansaient sur les murs, murmura pensivement :

« Savez-vous, monsieur Frodo, je crois pas qu'il ait beaucoup écrit pendant notre absence. Il écrira jamais notre histoire, maintenant. »

Alors Bilbo ouvrit un œil, presque comme s'il eût entendu. Puis il se secoua. « C'est que je deviens tellement somnolent, voyez-vous, dit-il. Et quand j'ai le temps d'écrire, la poésie est vraiment la seule chose dont j'aie envie. Je me demande, Frodo, mon brave garçon, si cela t'ennuierait outre mesure de mettre un peu d'ordre dans mes affaires avant de t'en aller ? Rassembler toutes mes notes et tous mes papiers, et mon journal aussi, et les prendre avec toi, si le cœur t'en dit. Tu vois, je n'ai pas beaucoup de temps pour la sélection, l'agencement et tout ça. Fais-toi aider par Sam, et quand tu auras un peu dégrossi le tout, reviens me voir pour que je regarde. Je ne serai pas trop tatillon. »

« Bien sûr, je m'en charge ! dit Frodo. Et bien sûr, je reviendrai très vite : il n'y aura plus aucun danger. Il y a maintenant un vrai roi, et il remettra bientôt les routes en état. »

« Merci, mon garçon ! dit Bilbo. C'est pour moi, vraiment, un très grand soulagement. » Et là-dessus, il se rendormit.

Le lendemain, Gandalf et les hobbits prirent congé de Bilbo dans sa chambre, car il faisait froid dehors ; puis ils dirent adieu à Elrond et à toute sa maison.

Tandis que Frodo se tenait sur le seuil, Elrond lui souhaita bon voyage, et il le bénit, et dit :

« Je crois, Frodo, que vous n'aurez peut-être pas besoin de revenir, à moins que ce ne soit très bientôt. Car environ à ce temps de l'année, quand les feuilles seront d'or et tout près de tomber, recherchez Bilbo dans les bois du Comté. Je serai avec lui. »

Aucun autre n'entendit ces mots, et Frodo les garda pour lui-même.

7

Le chemin du foyer

Enfin, les regards des hobbits étaient tournés vers le foyer. Ils étaient impatients de revoir le Comté, à présent ; mais leur chevauchée s'était lentement amorcée, car Frodo avait montré des signes d'inconfort. Au Gué de la Bruinen, il s'était arrêté, paraissant répugner à entrer dans le cours d'eau ; et pendant quelque temps, ils auraient juré que ses yeux ne les voyaient plus, ni rien de ce qui l'environnait. Toute cette journée, il demeura silencieux. C'était le sixième jour d'octobre.

« Êtes-vous souffrant, Frodo ? » dit doucement Gandalf, chevauchant à côté de lui.

« Enfin… oui, dit Frodo. C'est mon épaule. La blessure m'élance, et le souvenir de l'obscurité me pèse. Cela fait un an aujourd'hui. »

« Hélas ! certaines blessures ne peuvent être complètement guéries », dit Gandalf.

« Je crains qu'il n'en soit ainsi de la mienne, dit Frodo. Il n'y a pas de véritable retour. Je reviendrai peut-être dans le Comté, mais il ne semblera plus le même ; car je ne serai plus le même. Je suis meurtri par le poignard, le dard, la dent, et par un long fardeau. Où trouverai-je le repos ? »

Gandalf ne répondit pas.

Le lendemain soir, la douleur et l'inconfort avaient passé, et Frodo retrouva son humeur joyeuse, comme s'il n'avait plus souvenir des ténèbres de la veille. Dès lors, le voyage se passa bien et les jours filèrent ; car ils allaient à loisir et s'arrêtaient souvent dans les belles contrées au feuillage rutilant, jaune et rouge dans le soleil d'automne. Enfin, ils arrivèrent à Montauvent : le soir tombait et l'ombre de la colline s'étendait, noire, sur la route. Frodo les pria alors de se hâter, et il ne voulut pas regarder la montagne, chevauchant dans son ombre, la tête baissée, sa cape serrée autour de lui. Cette nuit-là, le temps changea ; un vent froid se leva à l'ouest et rugit avec force, et les feuilles jaunies se mirent à voler, tourbillonnant comme des oiseaux. Lorsqu'ils parvinrent au Bois de Chètes, les branches étaient déjà presque nues, la Colline de Brie étant cachée derrière un lourd rideau de pluie.

C'est ainsi que, par une fin de soirée humide et venteuse des derniers jours d'octobre, les cinq voyageurs gravirent le chemin en pente et arrivèrent à Brie par la Porte du Sud. Elle était close. La pluie leur cinglait le visage, les nuages noirs se pressaient dans le ciel bas et leur cœur se serra un peu, car ils avaient espéré un meilleur accueil.

Ils lancèrent des appels répétés, et le gardien de la Porte finit par se montrer, virent-ils, armé d'un grand gourdin. Il les lorgna d'un œil craintif et suspicieux ; mais quand il vit que Gandalf était là et que ses compagnons étaient des hobbits, malgré leur étrange accoutrement, son visage s'éclaira et il leur souhaita la bienvenue.

« Entrez ! dit-il en leur ouvrant la porte. On ne va pas rester ici, saucés comme des bandits dans le froid et la pluie pour donner des nouvelles. Mais le vieux Bébert devrait se faire un plaisir de vous accueillir au *Poney*, et là, vous entendrez tout ce qu'il y a à entendre. »

« Et plus tard, vous entendrez tout ce que nous aurons à dire et plus encore, dit Gandalf en riant. Comment va Harry ? »

Le gardien se renfrogna. « Parti, fit-il. Mais vous feriez mieux de demander à Filibert. Bonsoir ! »

« Bonsoir à vous ! » répondirent-ils, passant la porte ; et c'est alors qu'ils remarquèrent qu'une longue baraque basse avait été construite derrière la haie au bord de la route, qu'une poignée d'hommes en étaient sortis, et qu'ils les regardaient par-dessus la clôture. En arrivant à la maison de Bill Fougeard, ils virent que la haie était toute dépenaillée et mal entretenue, et que les fenêtres étaient condamnées.

« Crois-tu que tu l'as tué avec cette pomme, Sam ? » dit Pippin.

« J'ose pas l'espérer, monsieur Pippin. Mais je voudrais bien savoir ce qui est arrivé à ce pauvre poney. Je l'ai souvent revu détaler dans le noir, et les loups qui hurlaient et tout. »

Ils parvinrent enfin à l'auberge du *Poney Fringant*, et celle-ci au moins, vue de l'extérieur, ne semblait pas avoir changé ; des lampes brillaient derrière les rideaux rouges aux fenêtres du bas. Ils sonnèrent à la porte, et Nob accourut et l'entrouvrit, jetant un œil à travers la fente ; et lorsqu'il les vit sous l'éclairage de la lanterne, il lâcha un cri de surprise.

« Monsieur Fleurdebeurre ! Maître ! cria-t-il. Ils sont revenus ! »

« Ah bon ? Je vais leur apprendre », fit la voix de Fleurde-beurre, et il sortit en coup de vent avec une massue. Mais quand il aperçut les visiteurs, il s'arrêta court, et la colère noire sur son visage laissa place à une joie étonnée.

« Nob, espèce de nouille à tête crépue ! s'écria-t-il. Tu ne pourrais pas appeler de vieux amis par leurs noms ? Quelle idée de me faire pareille frousse, à l'époque où on vit. Bon, bon ! Et d'où est-ce que vous venez ? Je n'aurais jamais cru revoir aucun de vous autres messieurs, ça c'est un fait : partir dans la Sauvagerie avec l'Arpenteur, avec tous ces Hommes en Noir aux alentours… Mais je suis drôlement content de vous voir, et Gandalf par-dessus le marché. Entrez ! Entrez ! Les mêmes chambres que la dernière fois ? Elles sont libres. En fait, la plupart des chambres sont vides ces jours-ci, je ne vous le cacherai pas, et vous le verrez bien assez vite. Et je vais voir ce qu'on peut faire pour le sou-per, aussitôt que possible ; mais je suis à court d'aide en ce moment. Hé, Nob, espèce de lambin ! Préviens Bob ! Ah, mais j'oubliais, Bob est parti : il retourne chez ses vieux à la tombée, maintenant. Eh bien, emmène les poneys des hôtes à l'écurie, Nob ! Vous vous chargerez vous-même de conduire votre cheval à sa stalle, Gandalf, j'en suis bien certain. Superbe bête, comme je l'ai dit la première fois que je l'ai vue. Eh bien, entrez ! Faites comme chez vous ! »

M. Fleurdebeurre, en tout cas, n'avait pas changé sa manière de parler, et il semblait toujours aussi affairé et à bout de souffle. Pourtant, l'endroit était pratiquement désert, et tout était calme : un faible murmure montait de la Salle Commune, où ne devaient pas se trouver plus de deux ou trois personnes. Et, vu de plus près, à la lueur des deux bougies qu'il alluma et porta devant eux, le visage de l'aubergiste parut plutôt ridé et rongé par les soucis.

Il les mena le long du couloir jusqu'au petit salon qu'ils avaient occupé par cette étrange nuit d'automne, plus d'un an auparavant; et ils le suivirent, un peu inquiets, car il était évident que le vieux Filibert faisait bonne contenance devant quelque difficulté. Les choses n'étaient plus ce qu'elles avaient été. Mais ils ne dirent mot et se contentèrent d'attendre.

Après souper, comme ils s'y attendaient, M. Fleurdebeurre se présenta au salon afin de s'assurer que tout avait été à leur convenance. Ce qu'ils confirmèrent avec empressement : rien de fâcheux n'était encore arrivé à la bière ni aux victuailles du *Poney*, à tout le moins. «Maintenant, je n'irai pas jusqu'à vous inviter à passer dans la Salle Commune, dit Fleurdebeurre. Vous êtes fatigués, sûrement; et il n'y a pas grand monde ce soir de toute manière. Mais si vous pouviez me consacrer une demi-heure avant d'aller vous coucher, j'aimerais vraiment faire un brin de causette, entre nous bien tranquilles. »

«C'est exactement ce que nous voudrions, nous aussi, dit Gandalf. Nous ne sommes pas fatigués. Nous avons pris notre temps pour venir. Nous étions trempés, transis et affamés, mais tu as remédié à tout. Viens donc t'asseoir! Et si tu avais un peu d'herbe à pipe, nous te serions bien obligés. »

«Ma foi, si vous aviez demandé n'importe quoi d'autre, ç'aurait fait mon bonheur, dit Fleurdebeurre. C'est justement l'une des choses dont on manque, vu qu'on n'a rien que ce que l'on fait pousser nous-mêmes, et ça ne suffit pas. Il n'y a plus moyen d'en faire venir du Comté, de nos jours. Mais je vais faire ce que je peux. »

Il revint avec une provision qui leur suffirait pour un jour ou deux, une carotte de feuilles entières. «Du

Côtes-du-Sud, dit-il, le meilleur plant que nous avons ; mais ça n'arrive pas à la cheville des variétés du Quartier Sud, comme j'ai toujours dit, même si je suis pour Brie la plupart du temps, sauf votre respect. »

Ils l'installèrent dans un grand fauteuil près du feu de bois, mais Gandalf s'assit à l'autre bout de l'âtre, et les hobbits dans des fauteuils bas entre les deux hommes ; et ils parlèrent alors bien au-delà d'une demi-heure, échangeant toutes les nouvelles que M. Fleurdebeurre voulut bien entendre ou leur donner. Une grande partie de ce qu'ils avaient à raconter fut un pur émerveillement pour leur hôte, amenant plus de questions que de réponses et dépassant de beaucoup sa vision ; et leur récit n'attira guère d'autre commentaire que « Pas possible ! » et « Vous me dites pas ! », maintes fois répété par l'aubergiste en dépit du témoignage de ses propres oreilles. « Vous me dites pas, monsieur Bessac ! ou est-ce monsieur Souscolline ? Je suis si déboussolé. Vous me dites pas, maître Gandalf ! Ça par exemple ! Qui l'eût cru, à notre époque ? »

Mais il eut beaucoup à dire pour sa part. Les choses étaient loin d'aller bien, disait-il. Les affaires n'étaient pas même correctes, elles étaient carrément mauvaises. « Personne de l'Extérieur ne vient plus à Brie, leur dit-il. Et les gens d'ici, ils restent chez eux le plus souvent, et ils gardent leurs portes barrées. Tout ça, c'est depuis que ces nouveaux venus et tous ces vagabonds ont commencé à monter par le Chemin Vert l'an dernier, si vous vous souvenez ; mais plus tard, il y en a eu d'autres. Parfois, c'était seulement de pauvres types qui cherchaient à fuir les ennuis ; mais la plupart étaient mauvais, des voleurs et des fauteurs de troubles. Et il y a eu des ennuis ici même à Brie, de sérieux ennuis. Ah ! je vous dis, on a eu une vraie rixe, et des gens ont été tués, tués raides morts ! Si vous pouvez me croire. »

« Je te crois sur parole, dit Gandalf. Combien ? »

« Trois et deux », dit Fleurdebeurre, séparant les grandes gens des petites. « Il y a eu le pauvre Mat Piedbruyère, et Rowlie Pommerel, et le petit Tom Piquépine de derrière la Colline ; et Willie Cotelier de là en haut, et l'un des Sous-colline de Raccard : tous de braves gens, très regrettés. Et Harry Chèvrefeuille qui gardait autrefois la Porte de l'Ouest, et ce Bill Fougeard, ils se sont rangés du bord des étrangers, et ils sont partis avec eux ; et mon idée est qu'ils les ont laissés entrer. La nuit de la bataille, je veux dire. Et c'était après qu'on leur a eu montré les portes pour ensuite les jeter dehors : avant la fin de l'année, que c'était ; et la bataille s'est passée au début du Nouvel An, après la grosse chute de neige qu'on a eue.

« Et voilà qu'ils vivent comme des voleurs sans feu ni lieu, terrés dans les bois au-delà d'Archet et dans les terres sauvages là-bas au nord. C'est un peu comme dans les vieilles histoires d'horreur qui nous parlent de l'ancien temps, que je dis. Les routes ne sont pas sûres, les gens ne vont jamais loin et s'enferment de bonne heure. On a dû poster des guetteurs tout autour de la clôture et mettre beaucoup d'hommes sur les portes la nuit. »

« Eh bien, personne ne nous a inquiétés, dit Pippin, et nous venions lentement, sans monter la garde. Nous pensions avoir laissé tous les ennuis derrière nous. »

« Ah ! pour ça non, Maître, et c'est d'autant plus dommage, dit Fleurdebeurre. Mais pas étonnant qu'ils vous aient laissé la paix. Ils ne s'attaqueraient pas à des gens armés, avec des épées, des casques, des boucliers et tout. Ça leur donnerait à réfléchir, je vous le garantis. Et je dois dire que j'ai été un peu sidéré de vous voir arriver comme ça. »

Les hobbits comprirent alors, tout d'un coup, que les regards ahuris dont ils avaient été la cible devaient moins à la surprise de les revoir qu'à leur étrange accoutrement. Eux-mêmes étaient devenus si habitués à la guerre et au grand appareil des compagnies à cheval qu'ils en oubliaient les brillantes mailles entrevues sous leurs capes, les casques du Gondor et de la Marche, et les beaux emblèmes sur leurs boucliers qui ne manqueraient pas de détonner dans leur propre pays. Et Gandalf aussi, à présent, allait sur son grand cheval gris, tout de blanc vêtu sous une grande cape de bleu et d'argent, la longue épée Glamdring pendant à sa ceinture.

Gandalf rit. « Eh bien, dit-il, s'il n'y a besoin que de nous cinq pour les effrayer, nous avons connu pires adversaires durant nos voyages. Mais au moins, ils vous laisseront dormir en paix tant que nous resterons ici. »

« Combien de temps pensez-vous rester ? demanda Fleurdebeurre. Je ne vous cacherai pas que nous serions contents de vous garder pour un petit bout. C'est que, voyez-vous, on n'est pas habitués à pareils ennuis ; et les Coureurs sont tous partis, à ce qu'on me dit. Je crois que nous n'avions pas bien compris avant aujourd'hui ce qu'ils faisaient pour nous. Car il y a eu pire que des voleurs dans les parages. Des loups hurlaient alentour des clôtures l'hiver dernier. Et des formes sombres rôdent dans les bois, des choses horribles qui vous glacent le sang rien que d'y penser. Ça bouleverse bien du monde, si vous me comprenez. »

« Assurément, dit Gandalf. Presque toutes les régions ont été bouleversées ces derniers temps, profondément bouleversées. Mais console-toi, Filibert ! Tu as frôlé de très graves ennuis, et je ne peux que me réjouir de ce que tu n'aies pas été plus durement touché. Mais de meilleurs jours s'en viennent. Meilleurs, peut-être, que tous ceux dont tu aies souvenance. Les Coureurs sont de retour. Nous sommes revenus avec eux. Et il y a de nouveau un roi, Filibert. Son attention se tournera bientôt de ce côté-ci.

« Alors, le Chemin Vert sera rouvert, ses messagers viendront dans le Nord, et il y aura des allées et venues, et les choses mauvaises seront chassées des terres désertes. En fait, le désert, avec le temps, ne sera plus désert, et il y aura des hommes et des champs où n'étaient autrefois que des lieux sauvages. »

M. Fleurdebeurre secoua la tête. « S'il y a des gens corrects et du monde respectable sur les routes, ça ne peut pas faire de tort, dit-il. Mais on ne veut plus de racaille et de bandits. Et on ne veut pas de gens de l'extérieur à Brie, ni dans les environs. On veut la paix. Je ne veux pas voir tout un tas d'étrangers camper par-ci, s'installer par-là et saccager les terres sauvages. »

« Vous aurez la paix, Filibert, dit Gandalf. Il y a de la place pour maints royaumes entre l'Isen et le Grisfleur, ou le long des côtes au sud du Brandivin, sans qu'il y ait âme qui vive à moins de plusieurs jours de chevauchée de Brie. Et bien des gens vivaient jadis au nord, à une centaine de milles d'ici ou davantage, tout au bout du Chemin Vert : sur les Coteaux du Nord ou aux abords du lac du Crépuscule. »

« Tout là-haut, près de la Chaussée des Trépassés ? dit Fleurdebeurre, l'air encore plus dubitatif. C'est un pays hanté, à ce qu'on dit. Il n'y a que des voleurs pour aller là. »

« Les Coureurs y vont, dit Gandalf. La Chaussée des Trépassés, dis-tu. C'est ainsi qu'on l'appelle depuis de longues années ; mais son véritable nom, Filibert, est Fornost Erain, Norferté-les-Rois. Et le Roi y retournera un jour ; et alors, vous verrez passer de belles gens. »

« Eh bien, voilà qui est plus encourageant, avouons, dit Fleurdebeurre. Et ce sera bon pour les affaires, sans aucun doute. Pourvu qu'il laisse Brie tranquille. »

« Il le fera, dit Gandalf. Il le connaît et le chérit. »

« Ah bon ? s'étonna Fleurdebeurre, l'air dérouté. Mais je vais vous dire, je ne vois pas pourquoi il le ferait, assis dans son grand fauteuil au milieu de son beau château, à des centaines de milles d'ici. À boire du vin dans une coupe en or, qui plus est, probablement. Qu'est-ce donc que le *Poney* pour lui, ou des chopes de bière ? Non que ma bière ne soit pas bonne, Gandalf. Elle est merveilleusement bonne, depuis que vous êtes venu l'automne dernier en y mettant une bonne parole. Et ça m'a consolé au plus fort des ennuis, je dois dire. »

« Ah ! fit Sam. Mais il dit que votre bière est toujours bonne. »

« Lui dit cela ? »

« Bien sûr que oui. C'est l'Arpenteur. Le chef des Coureurs. Ça vous est pas encore rentré dans la tête ? »

Cela finit par rentrer, et le visage de Fleurdebeurre fut au comble de l'étonnement. Ses yeux s'arrondirent dans sa large figure, sa bouche s'ouvrit toute grande, et il eut le souffle coupé. « L'Arpenteur ! s'exclama-t-il en le retrouvant. Lui, avec une couronne et tout, et puis une coupe en or ! Eh bien, où va-t-on ? »

« Vers des jours meilleurs, pour Brie en tout cas », dit Gandalf.

« Pour sûr, je l'espère, dit Fleurdebeurre. Eh bien, c'est la plus agréable petite causerie que j'ai eue depuis belle lurette. Et je ne vous cacherai pas que je vais mieux dormir cette nuit, et le cœur plus léger. Vous m'avez donné de quoi me retourner les méninges, mais je vais remettre ça à demain. Je suis pour aller au lit, et je ne doute pas que vous serez contents d'aller trouver les vôtres. Hé, Nob! appela-t-il, s'avançant à la porte. Nob, espèce de lambin! »

« Nob! répéta-t-il pour lui-même en se tapant le front. Voyons, à quoi ça me fait penser? »

« Ne me dites pas que vous avez encore oublié une lettre, monsieur Fleurdebeurre », dit Merry.

« Allons, allons, monsieur Brandibouc, faut pas me rappeler cette histoire-là! Mais voilà, j'ai perdu le fil, maintenant. Où en étais-je donc? Nob, les écuries… ah! voilà. J'ai quelque chose qui vous appartient. Si vous vous rappelez Bill Fougeard et le vol des chevaux : son poney que vous aviez acheté, eh bien, il est ici. Il est revenu de lui-même, n'est-ce pas assez fort? Mais par où il était passé, vous le savez mieux que moi. Il était comme un vieux chien pouilleux et maigre comme un manche à balai, mais il était vivant. Nob a pris soin de lui. »

« Quoi! Mon Bill? s'écria Sam. Eh bien, je suis né sous une bonne étoile, quoi qu'en dise mon ancêtre. Encore un autre souhait de réalisé! Où est-il? » Sam ne voulut pas se coucher avant d'avoir rendu visite à Bill dans son écurie.

Les voyageurs restèrent à Brie toute la journée du lendemain; et M. Fleurdebeurre ne put se plaindre, pour une fois, des affaires qu'il fit ce soir-là. La curiosité eut raison de toutes les craintes, et l'endroit était bondé. Par politesse, dans la soirée, les hobbits visitèrent quelque temps la Salle Commune et répondirent à bon nombre de questions.

Brie ayant la mémoire longue, on demanda maintes fois à Frodo s'il avait fini par écrire son livre.

« Pas encore, répondit-il. Je retourne à présent chez moi mettre de l'ordre dans mes notes. » Il promit de rendre compte des incroyables événements survenus à Brie, question de donner un peu d'intérêt à un livre qui semblait devoir traiter avant tout des affaires lointaines et moins importantes qui se brassaient « là-bas dans le Sud ».

Puis une jeune personne réclama une chanson. Mais à ce moment, un silence tomba, suivi de regards réprobateurs, et l'appel ne fut pas repris. Personne, à l'évidence, ne souhaitait voir d'étranges événements se répéter dans la Salle Commune.

Aucun désordre le jour ni aucun son la nuit ne vint troubler la paix de Brie tant que les voyageurs y demeurèrent ; mais ils se levèrent tôt le lendemain, souhaitant arriver avant la nuit dans le Comté, car le temps était encore pluvieux, et c'était une longue chevauchée. Les gens de Brie étaient tous sortis pour les voir partir. Ils étaient d'humeur plus gaie qu'ils ne l'avaient été en un an ; et ceux qui n'avaient pas encore vu les étrangers dans leur accoutrement complet les regardèrent bouche bée : Gandalf, avec sa barbe blanche et la lumière qui semblait émaner de lui, comme si sa longue cape bleue n'était qu'un nuage devant l'éclat du soleil ; et les quatre hobbits, tels des cavaliers en errance, sortis de contes presque disparus des mémoires. Même ceux qui s'étaient joyeusement moqués de toutes les rumeurs au sujet du Roi, commencèrent à se dire qu'il y avait peut-être là un fond de vérité.

« Eh bien, bonne chance sur la route, et bonne chance pour le retour à la maison ! dit M. Fleurdebeurre. J'aurais dû vous prévenir plus tôt, car tout ne va pas bien dans le

Comté non plus, s'il y a du vrai dans ce qu'on entend. Il s'y passe des choses bizarres, à ce qu'on dit. Mais un clou chasse l'autre, et j'étais tout absorbé par mes propres ennuis. Reste que, si je puis me permettre, vous êtes revenus transformés de vos voyages, et vous m'avez l'air de gens capables de prendre les choses en main. Je ne doute pas que vous aurez vite fait de tout arranger. Je vous souhaite bonne chance ! Et plus vous reviendrez souvent, plus vous me rendrez heureux. »

Ils lui dirent adieu et s'en furent à cheval, prenant la Porte de l'Ouest et le chemin du Comté. Bill le poney alla avec eux et, comme auparavant, il reçut son lot de bagages ; mais il trottait auprès de Sam et semblait bien content.

« Je me demande à quoi le vieux Filibert faisait allusion », dit Frodo.

« J'en devine un bout, répondit Sam d'un air sombre. Ce que j'ai vu dans le Miroir : des arbres coupés et tout, et mon vieil ancêtre chassé de la Rue. J'aurais dû me dépêcher de rentrer. »

« Et quelque chose ne tourne pas rond dans le Quartier Sud, de toute évidence, dit Merry. Il y a pénurie générale d'herbe à pipe. »

« Qu'importe ce que c'est, dit Pippin, Lotho sera au fin fond de l'histoire : tu peux en être sûr. »

« Mêlé à l'histoire, mais pas au fin fond, dit Gandalf. Vous oubliez Saruman. Il a commencé à s'intéresser au Comté bien avant le Mordor. »

« Heureusement, vous êtes avec nous, dit Merry ; les choses seront vite arrangées. »

« Je suis avec vous pour le moment, dit Gandalf, mais

bientôt, je ne le serai plus. Je ne vais pas dans le Comté. Vous devez régler ses affaires vous-mêmes ; c'est à cette fin qu'on vous a entraînés. Ne comprenez-vous pas ? Mon temps est passé : il ne m'appartient plus désormais de redresser les torts, ni d'aider les gens à le faire. Et quant à vous, mes chers amis, vous n'aurez besoin d'aucune aide. Vous êtes grands, à présent. Non seulement cela : vous êtes parmi *les* grands, et je n'ai plus aucune crainte pour aucun d'entre vous.

« Mais si vous voulez le savoir, je dois bientôt quitter la route. Je vais avoir une longue conversation avec Bombadil : une conversation comme je n'en ai pas eu de tout le temps que j'ai passé ici. C'est un amasseur de mousse, et j'ai été une pierre condamnée à rouler. Mais mes jours de roulement touchent à leur fin, et maintenant, nous aurons beaucoup à nous dire. »

Peu de temps après, ils arrivèrent à l'endroit où ils avaient pris congé de Bombadil sur la Route de l'Est ; et ils espéraient, et croyaient à moitié qu'ils le trouveraient là, attendant de les saluer au passage. Mais il n'y avait aucun signe de lui ; et une brume grise flottait au sud sur les Coteaux des Tertres, tandis qu'un voile épais s'étendait sur la Vieille Forêt au loin.

Ils s'arrêtèrent, et Frodo regarda au sud d'un air mélancolique. « J'aimerais beaucoup revoir notre vieil ami, dit-il. Je me demande comment il va. »

« Toujours aussi bien, vous pouvez en être sûr, dit Gandalf. Tranquille comme jamais ; et peu enclin à s'intéresser, m'est avis, à tout ce que nous ayons pu voir ou faire, si ce n'est nos visites chez les Ents. Vous aurez peut-être un jour l'occasion d'aller le voir. Mais à votre place, je me dépêcherais de rentrer, sans quoi vous n'atteindrez pas le Pont du Brandivin avant la fermeture des portes. »

« Mais il n'y a pas de portes, dit Merry, pas sur la Route ; vous le savez fort bien. Il y a la Porte du Pays-de-Bouc, naturellement ; mais là, ils me laisseront entrer à toute heure. »

« Il n'y avait pas de portes, vous voulez dire, le reprit Gandalf. Je crois que vous en trouverez à présent. Et vous pourriez avoir plus de difficulté que vous ne le croyez, même à la Porte du Pays-de-Bouc. Mais vous vous débrouillerez très bien. Au revoir, chers amis ! Ce ne sont pas des adieux, pas encore. Au revoir ! »

Il détourna Scadufax de la Route, et le grand cheval enjamba le fossé de verdure qui la bordait à cet endroit ; puis, sur un cri de Gandalf, il disparut, filant vers les Coteaux des Tertres comme un vent du Nord.

« Eh bien, nous voici rien que nous quatre qui étions partis ensemble, dit Merry. Nous avons laissé tout le monde derrière nous, les uns après les autres. C'est presque comme un rêve qui se serait lentement évanoui. »

« Pas pour moi, dit Frodo. Pour moi, j'ai plutôt l'impression de retomber dans le sommeil. »

8

Le Nettoyage du Comté

Il faisait déjà nuit quand, fatigués et détrempés, les voyageurs arrivèrent enfin au Brandivin et trouvèrent le chemin barré. À chaque extrémité du Pont se dressait une palissade garnie de pointes ; et ils voyaient que de nouvelles maisons avaient été construites de l'autre côté du fleuve : des bâtiments à deux étages aux fenêtres étroites et à angles droits, dénudés et mal éclairés, lugubres au possible et tout à fait étrangers à la manière du Comté.

Ils frappèrent à la porte extérieure et appelèrent, mais il n'y eut d'abord aucune réponse ; puis, à leur grande surprise, il y eut une sonnerie de cor, et toutes les lumières s'éteignirent aux fenêtres. Une voix cria dans l'obscurité :

« Qui va là ? Allez-vous-en ! Vous pouvez pas entrer. Z'avez pas lu la pancarte : *Accès interdit entre le coucher et le lever du soleil ?* »

« Évidemment qu'on l'a pas lue, il fait noir comme chez le loup, cria Sam en réponse. Et si vous croyez que des hobbits du Comté méritent d'être laissés dans la flotte par un soir pareil, je vais vous l'arracher votre pancarte, sitôt que je l'aurai trouvée. »

Là-dessus, une fenêtre claqua, et un quarteron de hobbits se déversa de la maison de gauche, lanternes à la main. Ils ouvrirent la porte sur l'autre rive et quelques-uns d'entre eux traversèrent le pont. Apercevant les voyageurs, ils parurent effrayés.

« Voyons, voyons ! dit Merry, reconnaissant l'un des hobbits. Si tu ne me reconnais pas, Hob Lahaie, tu devrais. Je suis Merry Brandibouc, et j'aimerais savoir ce que tout cela signifie, et ce qu'un Bouceron comme toi fait ici. Tu étais à la Porte de la Haie, aux dernières nouvelles. »

« Ma foi ! C'est maître Merry, j'vous mens pas, et tout attifé pour la castagne ! fit le vieux Hob. J'aurions juré que vous étiez mort ! Perdu dans la Vieille Forêt, à ce qu'on disait. Content de voir que vous êtes en vie au bout du compte ! »

« Alors cesse de m'examiner à travers les planches et ouvre cette porte ! » répondit Merry.

« J'suis désolé, maître Merry, mais nous avons nos ordres. »

« Vos ordres de qui ? »

« Le Chef qu'est à Cul-de-Sac. »

« Le Chef ? Le Chef ? Vous voulez dire M. Lotho ? » demanda Frodo.

« J'imagine, monsieur Bessac ; mais il faut dire seulement "le Chef" à partir de maintenant. »

« Ah, je vois ! dit Frodo. Au moins, il a laissé tomber le "Bessac". Mais de toute évidence, il est grand temps que sa famille s'occupe de lui et le remette à sa place. »

Un silence tomba parmi les hobbits derrière la clôture. « C'est malvenu de parler comme ça, dit l'un d'eux. Il va finir par l'apprendre. Et avec tout ce boucan, vous allez réveiller son Gros Bras. »

« Nous le réveillerons d'une manière qui risque de le surprendre, dit Merry. S'il faut comprendre que votre Chef adoré ramasse des bandits dans les terres sauvages pour les prendre à son service, eh bien, nous ne sommes pas revenus trop tôt. » Il sauta à bas de son poney, puis, avisant la pancarte à la lueur des lanternes, il l'arracha et la jeta par-dessus la clôture. Les hobbits reculèrent, sans aucunement chercher à l'ouvrir. « Viens, Pippin ! dit Merry. À deux, ça devrait suffire. »

Merry et Pippin escaladèrent la clôture, et les hobbits s'enfuirent. Il y eut une autre sonnerie de cor. Sur le plus gros bâtiment à droite, une forme râblée se dessina dans l'embrasure de la porte, d'où filtrait un peu de lumière.

« Qu'est-ce que c'est que ce raffut ? grogna-t-elle en s'avançant. Bris de clôture ? Fichez-moi le camp ou je vous tords le cou, sales petits avortons ! » Puis il s'arrêta, car il vit un reflet d'épées.

« Bill Fougeard, dit Merry, si tu n'ouvres pas cette porte dans dix secondes, tu vas le regretter. Je vais te pourfendre si tu n'obéis pas. Et quand tu auras ouvert les portes, tu les passeras, pour ne jamais revenir. Tu es un bandit et un voleur de grand chemin. »

Fougeard se soumit, traînant les pieds jusqu'à la porte et l'ouvrant. « Donne-moi la clef ! » dit Merry. Mais le bandit la lui jeta à la tête et prit ses jambes à son cou, fuyant dans l'obscurité. Comme il arrivait à la hauteur des poneys, l'un d'eux décocha une ruade et l'atteignit en pleine course. Il partit dans la nuit avec un jappement, et l'on n'entendit plus jamais parler de lui.

« Beau travail, Bill », dit Sam – à l'intention du poney.

« Voilà pour votre Gros Bras, dit Merry. Nous verrons le Chef plus tard. En attendant, il nous faut un logement pour la nuit, et puisque vous semblez avoir démoli l'Auberge du Pont pour construire ces affreux édifices, vous devrez nous héberger. »

« J'suis désolé, monsieur Merry, dit Hob, mais c'est pas permis. »

« Qu'est-ce qui n'est pas permis ? »

« Inviter des gens sur le pouce, manger plus qu'on y a droit, et tout ça », répondit Hob.

« Mais qu'est-ce qui se passe, ici ? dit Merry. Est-ce une mauvaise année, ou quoi ? Je pensais que nous avions eu un bel été et une récolte à l'avenant. »

« Eh bien non, l'année a été plutôt bonne, dit Hob. On fait pousser beaucoup de choses, mais on sait pas trop ce qu'elles deviennent. Si vous voulez mon avis, c'est à cause de ceusses qui passent pour "recueillir" et "redistribuer", toujours à compter, à mesurer, à mettre à l'entrepôt. Ils recueillent plus qu'ils distribuent, et on n'en revoit jamais les trois quarts. »

« Oh pitié ! dit Pippin, bâillant. Tout cela est bien trop lassant pour moi ce soir. Nous avons des vivres dans nos bagages. Donnez-nous seulement une chambre où nous allonger. Ce sera mieux que bien des endroits que j'ai visités. »

Les hobbits à la porte ne semblaient pas moins inquiets : de toute évidence, ils enfreignaient une règle ou une autre ; mais il n'était pas question de s'opposer à quatre voyageurs d'une telle autorité, armés des pieds à la tête, dont deux qui paraissaient singulièrement grands et forts. Frodo ordonna de refermer les portes à clef. Il était tout de même sage de monter la garde, tant que des bandits rôdaient dans la contrée. Les quatre compagnons entrèrent alors dans le corps de garde hobbit et s'y mirent aussi à l'aise que possible. L'endroit était nu et d'une grande laideur, pourvu d'un misérable petit âtre qui ne permettait pas de faire un bon feu. Des lits durs, placés en rangées, occupaient les chambres du haut ; et chaque mur affichait une pancarte et une liste de Règles. Pippin les arracha une à une. Il n'y avait pas de bière, ni guère de nourriture, mais les voyageurs partagèrent leurs provisions et firent tous un assez bon repas ; et Pippin viola la Règle 4 en jetant au feu la plus grande part du bois de chauffage alloué au lendemain.

« Bon, bon ! que diriez-vous d'une pipe, pendant que vous nous racontez ce qui se passe dans le Comté depuis quelque temps ? » proposa-t-il.

« C'est fini, l'herbe à pipe, dit Hob, sauf pour les hommes du Chef. Toutes les réserves se sont volatilisées, il semblerait. Des charrettes pleines s'en sont allées par la vieille route qui descend du Quartier Sud, à ce qu'on entend, du côté du Gué de Sarn. Vers la fin de l'année passée, ce devait être, après que vous êtes partis. Mais il en partait déjà avant, en cachette, juste un peu. Ce Lotho… »

« Maintenant, tu te tais, Hob Lahaie ! s'écrièrent plusieurs autres. Tu sais bien que c'est pas permis de bavasser. Le Chef va en entendre parler, et on sera tous dans de beaux draps. »

« Il entendrait rien du tout s'il y avait pas tant de mouchards, ici », répliqua Hob avec virulence.

« C'est bon, c'est bon ! dit Sam. Ça suffira comme ça. Je ne veux plus entendre un seul mot. Aucun accueil, pas de bière, pas de pipe, et au lieu de ça, un beau tas de règles et du langage d'orque. J'espérais pouvoir me reposer, mais je vois bien qu'il y a encore du travail et des ennuis à venir. Allons nous coucher et oublions ça jusqu'à demain matin ! »

Le nouveau « Chef » avait visiblement les moyens de se renseigner. Il fallait compter une bonne quarantaine de milles entre le Pont et Cul-de-Sac, mais quelqu'un se hâta de parcourir le trajet. Frodo et ses amis ne devaient pas tarder à le découvrir.

Ils n'avaient aucun projet arrêté ; tout au plus avaient-ils caressé l'idée de descendre tous ensemble à Creux-le-Cricq pour se reposer un peu avant de continuer. Mais, devant l'urgence de la situation, ils décidèrent d'aller tout droit à Hobbiteville. Ils reprirent donc la Route le lendemain, allant d'un trot soutenu. Le vent était tombé mais le ciel était gris. Les terres paraissaient mornes et plutôt désolées ; mais l'on était après tout au premier jour de novembre et à la triste fin de l'automne. Il semblait toutefois y avoir des feux en nombre inhabituel, et de la fumée montait un peu partout alentour. Une grande traînée s'élevait au loin du côté de la Pointe-aux-Bois.

À la tombée du jour, ils approchaient de Grenouillers, un village directement sur la Route, à environ vingt-deux milles du Pont. Ils avaient l'intention d'y passer la nuit : *La Bûche Flottante* de Grenouillers était une bonne auberge. Mais, arrivés à la lisière orientale du village, ils rencontrèrent une barrière avec un grand écriteau marqué ROUTE BARRÉE ; et derrière celle-ci se tenait une grande troupe de Connétables, bâton à la main et plume au chapeau, l'air à la fois important et plutôt effrayé.

« Qu'est-ce que c'est que cette mascarade ? » dit Frodo, le rire au bord des lèvres.

« J'vais vous dire ce que c'est, monsieur Bessac, intervint le chef de troupe des Connétables, un hobbit à deux plumes : vous êtes en état d'arrestation pour Bris de Clôture, Arrachage du Règlement, Voies de Fait sur les

Gardiens, Entrée sans Permission, Occupation illégale des Immeubles du Comté, et Corruption des Gardes au Moyen de Nourriture. »

« Ce sera tout ? » demanda Frodo.

« Ça suffira pour commencer », répondit le chef de troupe.

« Je peux en rajouter, si vous voulez, dit Sam. Traiter votre Chef de Tous les Noms, Vouloir cogner sa Face Boutonneuse, et Trouver que vous autres Connétables z'avez l'air d'une Bande de Cruches. »

« Allons, monsieur, ça suffira. C'est le Chef qui ordonne que vous veniez tout doux sans faire de bruit. On vous emmène à Belleau pour vous remettre aux Hommes du Chef ; vous aurez votre mot à dire quand il s'occupera de vous. Mais si vous voulez pas rester aux Troubliettes plus longtemps qu'i' faut, je m'la tiendrais bouclée, si j'étais vous. »

Au grand embarras des Connétables, Frodo et ses compagnons s'esclaffèrent d'un seul élan, riant à gorge déployée. « Ne dites pas de sottises ! répliqua Frodo. Je vais où je veux et au moment qui me plaît. Il se trouve que vais à Cul-de-Sac pour raisons personnelles, mais si vous insistez pour m'accompagner, eh bien, c'est votre affaire. »

« D'accord, monsieur Bessac, répondit le chef de troupe, écartant la barrière d'une poussée. Mais oubliez pas que je vous ai arrêté. »

« Je ne l'oublierai pas, dit Frodo. Jamais. Mais je vous le pardonnerai peut-être un jour. Cela dit, je ne vais pas plus loin pour aujourd'hui, et si vous aviez la gentillesse de m'escorter jusqu'à *La Bûche Flottante*, je vous serais bien obligé. »

« Ça je peux pas, monsieur Bessac. L'auberge est fermée.

Il y a une Maison des Connétables à l'autre bout du village. Je vais vous y conduire. »

« Entendu, dit Frodo. Partez devant et nous vous suivrons. »

Sam avait examiné chacun des Connétables et avait reconnu l'un d'eux. « Hé, viens par ici, Robin Petiterrier ! appela-t-il. J'ai deux mots à te dire. »

Avec un coup d'œil embarrassé à son chef de troupe, qui parut courroucé mais n'osa pas intervenir, le connétable Petiterrier ralentit le pas et marcha à côté de Sam, qui descendit de son poney.

« Écoute un peu, Robin, l'ami ! dit Sam. T'es de Hobbiteville et tu devrais avoir plus de bon sens, au lieu de venir apostropher M. Frodo comme ça. Et qu'est-ce que c'est que cette histoire, l'auberge fermée et tout ? »

« Elles le sont toutes, dit Robin. Le Chef aime pas trop la boisson, du moins c'est comme ça que ç'a commencé. Mais maintenant, j'ai idée que ce sont ses Hommes qui en profitent. Et il aime pas trop les gens qui se déplacent ; alors s'ils y tiennent ou qu'ils ont pas le choix, faut qu'ils aillent s'expliquer à la Maison des Connétables. »

« Tu devrais avoir honte d'être mêlé de près ou de loin à ce genre de bêtises, dit Sam. Toi-même, t'aimais toujours mieux le dedans d'une auberge que le dehors, y a pas si longtemps. T'étais tout le temps fourré là-bas, que tu sois ou non de service. »

« Et j'y serais encore, Sam, si je pouvais. Mais sois pas trop dur. Qu'est-ce que j'y peux ? Tu sais que ça fait sept ans que je me suis engagé dans les Connétables, avant que tout ça arrive. Ça me donnait l'occasion de sillonner le pays, de voir du monde, d'entendre les nouvelles, de savoir où était la bonne bière. Mais ce n'est plus comme avant. »

« Alors tu peux tout lâcher, arrêter de jouer les Connétables, si ça a cessé d'être un boulot convenable », dit Sam.

« On n'a pas le droit, c'est pas permis », dit Robin.

« Si j'entends *pas permis* encore bien souvent, dit Sam, je vais me mettre en colère. »

« Peux pas dire que je serais fâché de voir ça, dit Robin en baissant la voix. Si on se mettait tous en colère d'un coup, ça pourrait donner quelque chose. Mais il y a ces Hommes, Sam, les Hommes du Chef. Il les envoie partout, s'il y a un de nous autres qui cherche à défendre les droits des petites gens, ils l'emmènent aux Troubliettes. Ils ont commencé par notre Boulette Farineuse, le vieux maire Will Piéblanc, et ils en ont pris bien d'autres. Ça a empiré ces derniers temps. Souvent ils les battent, maintenant. »

« Alors pourquoi tu fais leur sale besogne ? dit Sam avec colère. Qui t'a envoyé à Grenouillers ? »

« Personne. On reste ici dans la grande Maison des Connétables. On forme la Première Troupe du Quartier Est, maintenant. Il y a des centaines de Connétables en tout, et ils en veulent plus, avec toutes ces nouvelles règles. La plupart y sont contre leur gré, mais pas tous. Même dans le Comté, il y en a qui aiment se mêler des affaires des autres et faire les importants. Pire, il y en a quelques-uns qui espionnent pour le Chef et ses Hommes. »

« Ah ! C'est comme ça que vous avez entendu parler de nous, hein ? »

« C'est juste. On n'a plus le droit de rien envoyer par ce service, mais ils utilisent l'ancienne Poste Rapide, et ils gardent des courriers spéciaux à différents endroits. L'un d'eux est arrivé de Blanc-Sillons la nuit dernière avec un "message secret", et un autre l'a relayé à partir d'ici. Et on a renvoyé un message cet après-midi, comme quoi il fallait vous arrêter et vous emmener à Belleau, pas directement aux Troubliettes. Le Chef veut vous voir au plus vite, de toute évidence. »

« L'envie lui passera quand M. Frodo en aura fini avec lui », dit Sam.

La Maison des Connétables de Grenouillers était aussi horrible que celle du Pont. Elle ne comptait qu'un étage, mais elle avait les mêmes fenêtres étroites, et elle était faite de briques pâles et laides et mal posées. L'intérieur était humide, sans charme, et le souper fut servi sur une longue table nue qui n'avait pas été frottée depuis plusieurs semaines. La nourriture ne méritait pas de meilleur décor, et les voyageurs furent bien contents de quitter l'endroit. Il y avait environ dix-huit milles à faire jusqu'à Belleau, et ils se mirent en route à dix heures du matin. Ils seraient partis plus tôt, si le retard n'avait si visiblement agacé le chef de troupe. Le vent d'ouest était passé au nord et devenait de plus en plus froid, mais la pluie avait cessé.

Ce fut une cavalcade plutôt comique qui quitta alors le village, bien que les rares personnes venues observer l'« attifage » des voyageurs ne fussent pas trop sûres s'il était permis de rire. Une douzaine de Connétables avaient été désignés pour escorter les « prisonniers » ; mais Merry les fit marcher en tête, tandis que Frodo et ses amis chevauchaient en queue. Merry, Pippin et Sam étaient donc confortablement assis, riant, chantant et bavardant, pendant que les Connétables avançaient à pas lourds d'un air qui se voulait sérieux et important. Frodo se tenait néanmoins silencieux, la mine plutôt triste et songeuse.

La dernière personne qu'ils passèrent était un solide petit vieux occupé à tailler une haie. « Tiens, tiens ! fit-il, gouailleur. Qui c'est qui a arrêté qui ? »

Deux des Connétables quittèrent immédiatement la file pour aller vers lui. « Chef de troupe ! dit Merry. Ramenez tout de suite vos compères à leurs rangs, si vous ne voulez pas que je m'occupe d'eux ! »

Les deux hobbits, sèchement rappelés par leur chef, obéirent de mauvais gré. « Allons, en route ! » ordonna Merry, après quoi les voyageurs s'assurèrent que le train des poneys soit assez vif pour faire avancer les Connétables aussi vite qu'ils le pouvaient. Le soleil reparut et, malgré la fraîcheur du vent, ils ne tardèrent pas à suer et à souffler.

À la Pierre des Trois Quartiers, ils renoncèrent. Ils avaient marché sur près de quatorze milles avec une seule pause à midi. Il était à présent trois heures. Ils avaient faim, leurs pieds les faisaient souffrir, et ils ne pouvaient tenir l'allure.

« Eh bien, venez à votre rythme ! dit Merry. Nous, nous continuons. »

« Salut, l'ami Robin ! dit Sam. Je t'attends à la porte du *Dragon Vert*, si t'as pas oublié où c'est. Essaie de pas traîner en chemin ! »

« C'est un bris d'arrestation, voilà ce que c'est, dit le chef de troupe, tout penaud. Je ne peux répondre de vous. »

« Nous briserons encore pas mal de choses, et vous n'aurez pas à répondre non plus, dit Pippin. Bonne chance à vous ! »

Les voyageurs continuèrent au trot, et tandis que le soleil descendait à l'ouest vers les Coteaux Blancs à l'horizon, ils arrivèrent à Belleau près de son grand étang ; et c'est alors que vint le premier choc vraiment douloureux. C'était le pays de Frodo et de Sam, et ils surent à ce moment que cet endroit leur était plus cher que tout autre au monde. Nombre de maisons qu'ils connaissaient avaient disparu. Certaines semblaient avoir été brûlées. Les vieux trous de hobbits joliment alignés dans le talus du côté nord de l'Étang étaient à l'abandon, et leurs petits jardins qui égayaient autrefois la rive étaient envahis par les mauvaises herbes. Pire, il y avait une rangée entière de ces affreuses nouvelles constructions tout le long du Bord-de-l'Eau, où la Route de Hobbiteville passait près du rivage. Il y avait eu là une avenue d'arbres. Aucun n'y était plus. Enfin, suivant la route des yeux en direction de Cul-de-Sac, ils furent consternés de voir au loin une haute cheminée de brique. Elle déversait une fumée noire dans l'air du soir.

Sam était hors de lui. « Je file tout droit, monsieur Frodo ! s'écria-t-il. Je m'en vais voir ce qui se passe. Je veux trouver mon ancêtre. »

« Il faudrait d'abord savoir ce qui nous attend, Sam, dit Merry. Je suppose que le "Chef" aura une armée de bandits à portée de main. On ferait mieux de trouver quelqu'un qui pourra nous dire à quoi nous en tenir. »

Mais au village de Belleau, toutes les maisons et tous les trous étaient fermés, et personne ne vint les accueillir. Ils s'en étonnèrent, mais ils ne tardèrent pas à découvrir pourquoi. Parvenus au *Dragon Vert*, la dernière maison du côté de Hobbiteville, à présent vide derrière ses fenêtres cassées, ils eurent la mauvaise surprise de voir une demi-douzaine d'Hommes de forte carrure, au visage disgracié, paresseusement appuyés contre le mur de l'auberge : ils avaient le teint cireux, et ils louchaient.

« Comme cet ami de Bill Fougeard à Brie », dit Sam.

« Comme beaucoup d'autres que j'ai vus à Isengard », murmura Merry.

Les bandits avaient des gourdins à la main et des cors à la ceinture, mais ils n'avaient aucune autre arme à première vue. À l'arrivée des voyageurs sur leurs poneys, ils s'éloignèrent du mur et se mirent en travers de la route.

« Où c'est que vous croyez aller ? dit l'un, le plus gros et le plus menaçant de la bande. Pour vous, la route va pas plus loin. Et où sont ces messieurs les Connétables ? »

« Ils sont en bonne voie, dit Merry. Un peu mal aux pieds, peut-être. Nous avons promis de les attendre ici. »

« Bah, qu'est-ce que je disais ? lança le bandit à ses camarades. J'avais bien dit à Charquin qu'on pouvait pas se fier à ces petits idiots. Il aurait fallu envoyer de nos gars. »

« Et quelle différence cela aurait-il fait, je vous prie ? répliqua Merry. On n'a pas l'habitude des bandits de grand chemin dans ce pays, mais on sait comment s'en occuper. »

« Bandits de grand chemin, hein ? répondit l'homme. C'est ce ton-là que vous prenez ? Eh bien changez-en, ou on le changera pour vous. Vous poussez un peu loin, vous autres petits chenapans. Fiez-vous pas trop à la bonté du Patron. Charquin vient d'arriver, et il va faire ce que Charquin lui demande. »

« Et que demande-t-il donc ? » dit posément Frodo.

« Ce pays a besoin d'être réveillé et ramené à la règle, dit le bandit, et Charquin va s'en occuper ; et il va pas être tendre si vous le provoquez. Il vous faut un plus grand

Patron. Et vous en aurez un avant la fin de l'année si vous faites encore des problèmes. Puis vous apprendrez une ou deux choses, sales petits rats. »

« Sans aucun doute. Je suis content que vous me fassiez part de vos plans, dit Frodo. Je m'en vais rendre visite à M. Lotho, et il se peut qu'ils l'intéressent aussi. »

Le bandit se mit à rire. « Lotho ! Vous en faites pas, il est parfaitement au courant. Il va faire ce que Charquin lui demande. Parce que si un Patron fait des problèmes, il peut être remplacé, compris ? Et si des petites gens veulent s'inviter où ils sont pas les bienvenus, on peut les mettre hors d'état de nuire. Comprenez ? »

« Oui, je comprends, dit Frodo. Je comprends surtout que vous retardez : vous ne semblez pas au fait. Il s'est passé bien des choses depuis que vous avez quitté le Sud. Vos jours sont terminés, et ceux de tous les autres bandits. La Tour Sombre est tombée, et il y a un Roi au Gondor. Et Isengard a été détruit, et votre cher maître est réduit à mendier dans les terres sauvages. Je l'ai passé en venant. Ce sont les messagers du Roi qui monteront le Chemin Vert désormais, non plus des grosses brutes d'Isengard. »

L'homme le dévisagea en souriant. « Mendier dans les terres sauvages ! Ah, vraiment ! Plastronnez, plastronnez, petit freluquet. Mais ça nous empêchera pas de vivre dans ce petit pays bien gras où vous paressez depuis trop longtemps. Et puis – il claqua des doigts au visage de Frodo – les messagers du Roi ! Voilà pour eux ! Quand j'en verrai un, j'aviserai, peut-être. »

C'en était trop pour Pippin. Il se rappela le Champ de Cormallen ; et voici qu'une fripouille aux yeux louches traitait le Porteur de l'Anneau de « petit freluquet ». Il rejeta sa cape en arrière, tira l'épée en un éclair, et l'argent et noir du Gondor étincelèrent sur son vêtement comme il s'avançait sur sa monture.

« Je suis un messager du Roi, dit-il. Vous parlez à l'un de ses amis, l'un des plus renommés dans toutes les terres de l'Ouest. Vous êtes un bandit et un sot. À genoux sur la chaussée, et demandez pardon, ou je vous plante ce fléau de troll en pleine chair ! »

La lame étincela dans le soleil couchant. Merry et Sam dégainèrent à leur tour et vinrent prêter leur appui à Pippin ; mais Frodo ne bougea pas. Les bandits reculèrent. Faire peur aux paysans du Pays-de-Brie et brutaliser des hobbits hébétés, voilà ce à quoi ils s'employaient. Des hobbits intrépides aux traits sévères et aux épées brillantes les surprenaient beaucoup. Et il y avait dans la voix de ces nouveaux venus une note qu'ils ne connaissaient pas. Elle les emplit d'une peur glaciale.

« Allez-vous-en ! dit Merry. Si vous troublez encore ce village, vous le regretterez. » Les trois hobbits s'avancèrent encore ; alors les bandits tournèrent les talons et s'enfuirent sur la Route de Hobbiteville ; mais tout en courant, ils firent résonner leurs cors.

« Eh bien, nous ne sommes pas revenus trop tôt », dit Merry.

« Pas un jour trop tôt. Peut-être trop tard, du moins pour sauver Lotho, dit Frodo. Le pauvre idiot ; mais je le plains. »

« Sauver Lotho ? Mais que veux-tu dire ? demanda Pippin. Le démolir, plutôt. »

« Je crois que tu n'as pas bien compris, Pippin, répondit Frodo. Lotho n'a jamais voulu qu'on en vienne à cette extrémité. Il s'est comporté en sombre imbécile, mais le voilà pris au piège. Les bandits ont pris le dessus : ils recueillent, volent, brutalisent, et ils mènent ou détruisent toutes choses à leur guise, en son nom. En son nom, mais même plus pour très longtemps. Il est prisonnier à Cul-de-Sac, je dirais, et il a très peur. Il faudra bien essayer de le secourir. »

« Eh bien on aura tout vu ! dit Pippin. Je me suis toujours demandé comment notre voyage finirait, mais jamais je n'aurais pensé à cela : devoir se battre contre des semi-orques et des bandits au cœur même du Comté – pour sauver Lotho les Boutons ! »

« Se battre ? dit Frodo. Enfin, je suppose que les choses peuvent en arriver là. Mais rappelez-vous : aucun hobbit ne doit être tué, pas même ceux qui sont passés dans l'autre camp. Je veux dire, vraiment passé dans l'autre camp, pas seulement forcés de se plier aux ordres des bandits parce qu'ils ont peur. Aucun hobbit n'en a jamais tué un autre à dessein dans le Comté, et on ne va pas commencer maintenant. Et personne ne doit être tué, s'il y a moyen de l'éviter. Gardez votre calme et retenez votre bras jusqu'au dernier moment possible ! »

« Mais s'il y a un grand nombre de ces bandits, objecta Merry, il faudra certainement nous battre. Tu ne sauveras pas Lotho, ni le Comté, rien qu'en étant choqué et triste, mon cher Frodo. »

« Non, renchérit Pippin. Il ne sera pas aussi facile de leur faire peur une deuxième fois. On les a eus par surprise. Tu as entendu leurs cors ? De toute évidence, il y a d'autres bandits dans les environs. Ils seront beaucoup plus hardis quand ils se seront rassemblés. Il faudrait penser à nous mettre à couvert quelque part pour la nuit. Après tout, nous sommes seulement quatre, même si nous sommes armés. »

« J'ai une idée, dit Sam. Allons voir le vieux Tom Casebonne sur le Chemin Sud ! Ç'a toujours été un brave type. Et ses gars sont tous des amis à moi. »

« Non ! dit Merry. Ça ne sert à rien de se "mettre à couvert". C'est exactement ce que les gens ont fait, et exactement ce qui convient à ces bandits. Ils vont simplement venir en force, nous acculer, puis nous faire sortir ou nous brûler à l'intérieur. Non, il faut faire quelque chose immédiatement. »

« Faire quoi ? » demanda Pippin.

« Soulever le Comté ! dit Merry. Maintenant ! Réveiller tous nos gens ! Ils détestent tout cela, on le voit bien : tous, sauf peut-être un ou deux vauriens, et quelques imbéciles qui veulent se sentir importants, mais qui ne comprennent pas du tout ce qui se passe en réalité. Mais les gens du Comté sont si habitués au confort, et depuis si longtemps, qu'ils ne savent pas quoi faire. Il leur faut rien qu'une étincelle, cependant, pour les enflammer. Les Hommes du Chef doivent bien le savoir. Ils vont essayer de nous piétiner pour éteindre les flammes au plus vite. Nous avons très peu de temps pour agir.

« Sam, tu peux faire un crochet par la ferme de Casebonne, si tu veux. C'est la personne la plus importante du coin, et la plus énergique. Allons ! Je vais sonner du cor du Rohan, et leur donner une musique comme ils n'en ont jamais entendu. »

Ils revinrent jusqu'au centre du village. Puis Sam partit au galop le long du chemin qui descendait au sud jusque chez Casebonne. Il n'était pas allé bien loin qu'il entendit soudain le clair appel d'un cor montant dans le ciel. Son cri retentit loin par-là les collines et les champs ; et cet appel était si impérieux que Sam lui-même fut tenté de rebrousser chemin. Son poney hennit et se cabra.

« Hue, mon gars ! Hue ! cria-t-il. On va revenir bien vite. »

Alors, il entendit Merry changer de note, et la Sonnerie du Pays-de-Bouc s'éleva, secouant l'air.

Debout ! Debout ! Alerte, Au feu, Aux ennemis ! Debout !
Au feu, Aux ennemis ! Debout !

Derrière lui, Sam entendit un brouhaha de voix et une grande confusion de bruits et de claquements de portes. Devant lui, des lumières surgirent dans le crépuscule ; des chiens aboyaient, des pas accouraient. Avant d'arriver au bout du chemin, il vit le fermier Casebonne se hâter vers lui avec trois de ses garçons, Tom le Jeune, Jolly et Nick. Ils brandissaient chacun une hache et lui barraient la route.

« Non ! C'est pas un de ces bandits, entendit-il dire le fermier. C'est un hobbit d'après la taille, mais tout bizarrement habillé. Hé ! cria-t-il. Qui êtes-vous, et qu'est-ce que tout ce raffut ? »

« C'est Sam, Sam Gamgie. Je suis revenu. »

Le fermier Casebonne s'approcha et le dévisagea dans la pénombre. « Eh bien ! s'exclama-t-il. Ta voix me revient, et ta figure est pas pire qu'avant, Sam. Mais je t'aurais pas reconnu sur la rue dans c't'accoutrement. Tu t'es trimballé à l'étranger, on dirait. Tout le monde te croyait mort. »

« Pour ça non ! dit Sam. M. Frodo non plus. Il est ici avec ses amis. Et c'est ça le raffut. Ils soulèvent le Comté. On se débarrasse de ces bandits et puis de leur Chef. On vient de commencer. »

« Bon, bon ! s'écria le fermier Casebonne. Enfin, ça y est ! Depuis le début de l'année que ça me démange de faire du grabuge, mais les gens voulaient rien savoir. Et puis y a la patronne et Rosie à qui penser. Ces bandits reculent devant rien. Mais là, allons-y, les gars ! Belleau est debout ! Faut être de la partie ! »

« Et Mme Casebonne, et Rosie ? dit Sam. C'est encore risqué pour elles de rester toutes seules. »

« Mon Nibs est avec elles. Mais tu peux aller lui donner un coup de main, si t'as envie », dit le fermier Casebonne avec un grand sourire. Puis lui et ses fils s'en furent en courant vers le village.

Sam s'élança vers la maison. Près de la grande porte ronde, au haut de l'escalier qui montait de la vaste cour se tenaient Mme Casebonne et Rosie, et Nibs montait la garde devant elles avec une fourche à foin.

« C'est moi ! leur cria Sam, arrivant au trot. Sam Gamgie ! Alors essaie pas de me piquer, Nibs. De toute façon, j'ai une chemise de mailles sur le dos. »

Il sauta à bas de son poney et grimpa les marches. Ils le dévisagèrent en silence. « Bonsoir, madame Casebonne ! dit-il. Salut, Rosie ! »

« Salut, Sam ! dit Rosie. Où étais-tu passé ? Les gens disaient que tu étais mort ; mais je t'attends depuis le printemps. Tu ne t'es pas trop dépêché, hein ? »

« Peut-être pas, répondit Sam, penaud. Mais là, je suis obligé. On va attaquer les bandits, et il faut que j'aille retrouver M. Frodo. Mais je me disais que je viendrais voir comment va Mme Casebonne, et toi aussi, Rosie. »

« Très bien, merci, dit Mme Casebonne. Du moins, s'il y avait pas tous ces coquins de bandits. »

« Eh bien, vas-y donc ! dit Rosie. Si tu veilles sur M. Frodo depuis tout ce temps, pourquoi que tu le laisses tout seul sitôt que ça devient dangereux ? »

C'en était trop pour Sam. Il lui faudrait une semaine pour répondre, ou s'abstenir. Il se détourna et monta sur son poney. Mais comme il allait repartir, Rosie descendit les marches en courant.

« Je te trouve très bien, Sam, dit-elle. Vas-y, maintenant ! Mais prends soin de toi, et reviens aussitôt que t'auras réglé leur compte à ces bandits ! »

À son retour, Sam trouva le village tout en ébullition. Déjà, outre bien des jeunes garçons, plus d'une centaine de vigoureux hobbits s'étaient assemblés avec des haches, de lourds marteaux, de longs couteaux et de gros bâtons ; et quelques-uns avaient des arcs de chasse. D'autres continuaient d'affluer de fermes plus éloignées.

Des villageois avaient allumé un grand feu, histoire d'égayer l'atmosphère, et parce que c'était l'une des choses interdites par le Chef. Il brûlait d'un vif éclat dans la nuit tombante. D'autres, sur l'ordre de Merry, étaient occupés à dresser des barrières en travers de la route à chaque extrémité du village. Les Connétables, lorsqu'ils arrivèrent à la plus basse, furent abasourdis ; mais dès qu'ils virent de quoi il retournait, la plupart retirèrent leurs plumes et se joignirent à la rébellion. Les autres s'éclipsèrent.

Sam trouva Frodo et ses amis près du feu, en grande conversation avec le vieux Tom Casebonne, pendant qu'une foule d'admirateurs, tous des gens de Belleau, était massée autour d'eux pour les observer.

« Bon, et maintenant, qu'est-ce qu'on fait ? » demanda le fermier Casebonne.

« Je ne saurais dire avant d'être mieux renseigné, répondit Frodo. Combien sont ces bandits ? »

« C'est difficile à dire, commença Casebonne. Tantôt ils sont ici, tantôt là ; ils vont et viennent. Ils peuvent être une cinquantaine dans leurs baraques sur le chemin de Hobbiteville ; mais ils sortent souvent vadrouiller, voler ou "recueillir", comme ils disent. N'empêche qu'il y en a quasiment toujours une vingtaine autour du Patron, comme qu'ils l'appellent. Il est à Cul-de-Sac, ou il l'était ; mais il sort plus jamais de la propriété, ces temps-ci. Plus personne l'a vu, en fait, depuis une semaine ou deux ; mais les Hommes laissent personne s'approcher. »

« Hobbiteville n'est pas leur seul repaire, n'est-ce pas ? » demanda Pippin.

« Non, c'est bien le pire, dit Casebonne. Il y en a pas mal dans le sud, à Fondreaulong et dans le coin du Gué de Sarn, à ce que j'entends, et d'autres qui rôdent dans la Pointe-aux-Bois, et ils ont des baraques à Carrefour. Et puis il y a les Troubliettes, comme ils disent : les vieux tunnels-entrepôts à Grande-Creusée, qu'ils ont changés en prisons pour ceux qui leur tiennent tête. Mais, à mon avis, il y en a pas plus de trois cents dans le Comté en tout et pour tout, peut-être moins. On peut les mater, si on se tient les coudes. »

« Ont-ils des armes ? » demanda Merry.

« Des fouets, des couteaux et des gourdins, assez pour expédier leur sale besogne : c'est tout ce qu'ils ont montré jusqu'à maintenant, dit Casebonne. Mais je parie qu'ils ont autre chose, si on en vient aux coups. Il y en a qui ont des arcs, en tout cas. Ils ont tiré un ou deux de nos gens. »

« Et voilà, Frodo ! dit Merry. Je savais qu'il faudrait nous battre. Et puis bon, ce sont eux qui ont commencé à tuer. »

« Pas tout à fait, dit Casebonne. En tout cas, pas les tirs. Ce sont les Touc qui ont commencé ça. Je veux dire, vot' papa, monsieur Peregrin, il a jamais rien voulu savoir de ce

Lotho, et ça, dès le départ : il disait que si quelqu'un voulait jouer au chef à ce moment ici, ce serait le vrai Thain du Comté et pas un parvenu. Et quand Lotho a envoyé ses Hommes, ils ont pas pu lui tirer grand-chose. Ces Touc ont bien de la chance, ils ont ces profonds trous dans les Côtes Vertes, les Grands Smials et tout, et les bandits peuvent pas leur tomber dessus ; et ils les laissent pas entrer sur leurs terres. Sinon, ils les prennent en chasse. Les Touc en ont tué trois qu'ils ont surpris à rôder et à voler. Après ça, les bandits sont devenus plus mauvais. Et ils surveillent le Pays-de-Touc d'assez près. Plus personne peut y entrer ou en sortir, maintenant. »

« Bravo pour les Touc ! s'exclama Pippin. Mais quelqu'un va de nouveau entrer, à présent. Je m'en vais aux Smials. Qui vient avec moi à Tocquebourg ? »

Pippin partit avec une douzaine de gars sur des poneys. « À bientôt ! cria-t-il. C'est seulement à quatorze milles d'ici à travers champs. Je vous rejoins demain matin avec une armée de Touc. » Merry sonna du cor après eux comme ils s'éloignaient dans l'obscurité grandissante. Les gens poussèrent des acclamations.

« Tout de même, dit Frodo à ceux qui se tenaient près de lui, je voudrais qu'il n'y ait pas de morts ; pas même chez les bandits, sauf s'il le faut, pour les empêcher de faire du mal à des hobbits. »

« D'accord ! dit Merry. Mais la bande de Hobbiteville nous fera très bientôt une petite visite, je pense. Ils ne viendront pas pour bavarder. On va essayer d'éviter les débordements, mais il faut se préparer au pire. Or moi, j'ai un plan. »

« Parfait, dit Frodo. Prends tes dispositions. »

À cet instant, quelques hobbits que l'on avait dépêchés

vers Hobbiteville revinrent en courant. « Ils arrivent ! dirent-ils. Une vingtaine ou plus. Mais deux s'en sont allés vers l'ouest à travers champs. »

« À Carrefour, sûrement, dit Casebonne, pour aller en chercher d'autres de leur bande. Eh bien, ça fait quinze milles dans chaque direction. On n'a pas à se soucier d'eux pour l'instant. »

Merry alla rapidement donner des ordres. Le fermier Casebonne fit vider la rue, renvoyant tout le monde à l'intérieur, sauf les hobbits plus âgés qui disposaient d'une arme quelconque. Ils n'eurent pas à attendre longtemps. Ils ne tardèrent pas à entendre des voix fortes, et bientôt des pas lourds battant la chaussée. Un instant après, une escouade de bandits apparut sur la route. Ils virent la barrière et se mirent à rire. Ils ne pouvaient imaginer que quoi que ce soit dans ce petit pays pût résister à une vingtaine des leurs réunis en bande.

Les hobbits ouvrirent la barrière et s'écartèrent. « Merci ! se moquèrent les Hommes. Maintenant, rentrez vite vous coucher avant de goûter au fouet. » Puis ils descendirent le long de la rue en criant : « Éteignez ces lumières ! Rentrez chez vous et restez-y ! Ou cinquante des vôtres iront aux Troubliettes pour un an. Rentrez ! Le Patron commence à s'énerver. »

Personne ne fit attention à leurs ordres ; mais tandis que passaient les bandits, tous s'approchèrent discrètement pour les suivre. Au centre du village, les Hommes trouvèrent le fermier Casebonne seul autour du feu, en train de se réchauffer les mains.

« Qui êtes-vous, et qu'est-ce que vous croyez que vous faites ? » demanda le chef des bandits.

Le fermier Casebonne tourna lentement la tête. « J'allais

justement vous poser la question, dit-il. Vous êtes pas chez vous, et personne ne vous veut ici. »

« Nous, on vous veut, dit le chef. Mort ou vif. Emmenez-le, les gars. Aux Troubliettes, et donnez-lui une raison de se tenir tranquille ! »

Les Hommes firent un pas en avant et s'arrêtèrent court. Un grondement de voix s'éleva tout autour d'eux, et soudain, ils s'aperçurent que le fermier Casebonne n'était pas tout seul. Ils étaient encerclés. Dans la pénombre, juste en dehors de la lueur du feu, un anneau de hobbits surgis des ténèbres s'était refermé sur eux. Ils étaient près de deux cents, tous munis d'une arme quelconque.

Merry s'avança. « Nous nous sommes déjà vus, dit-il au chef, et je vous avais prévenu de ne pas revenir ici. Je vous préviens encore : vous êtes en pleine lumière et des archers vous ont à l'œil. Si vous touchez à ce fermier, ou à qui que ce soit d'autre, vous serez aussitôt abattu. Déposez toutes les armes en votre possession ! »

Le chef regarda autour de lui. Il était pris au piège. Mais il n'avait pas peur, plus maintenant, avec une vingtaine de ses compagnons pour le soutenir. Il connaissait trop peu les hobbits pour comprendre le danger qui le guettait. Il décida stupidement de se battre. Il serait facile de se frayer un chemin.

« Allons, les gars ! cria-t-il. Rentrez-leur dedans ! »

Un long couteau dans la main gauche et un gourdin dans l'autre, il se rua sur l'anneau afin de passer à travers et ainsi regagner Hobbiteville. Il voulut porter un coup sauvage à Merry qui se dressait sur son chemin. Il s'écroula avec quatre flèches dans le corps.

Ce fut assez pour convaincre les autres de se rendre. Leurs armes leur furent confisquées ; et ils furent attachés ensemble et conduits à une baraque qu'ils avaient eux-mêmes construite pour y être emprisonnés, pieds et poings liés, et tenus sous bonne garde. Le corps du chef tué fut traîné à l'écart et enterré.

« C'est presque trop facile en fin de compte, dit Casebonne. Je savais qu'on pouvait les mater. Mais il fallait quelqu'un pour nous rallier. Vous êtes revenu juste à temps, monsieur Merry. »

« Il y a encore beaucoup à faire, dit Merry. Si vous avez bien compté, nous n'en avons pas vu le dixième. Mais il fait noir, à présent. Je crois que le prochain coup doit attendre à demain. Puis il faudra aller voir le Chef. »

« Pourquoi pas tout de suite ? dit Sam. Il est pas bien plus tard que six heures. Et je veux voir mon ancêtre. Savez-vous ce qu'il devient, monsieur Casebonne ? »

« Il va pas trop bien, ni trop mal, Sam, dit le fermier. Ils ont creusé toute la rue du Jette-Sac, et ça lui a fait un sacré choc, le pauvre. Il vit dans une de ces nouvelles maisons que les Hommes du Chef construisaient, du temps où ils faisaient autre chose qu'incendier et voler : à moins d'un mille de Belleau. Mais il vient par chez nous quand il en a l'occasion, et je vois à ce qu'il soit mieux nourri que d'autres pauvres petits vieux. Tout ça en violation des *Règles*, naturellement. Je l'aurais pris chez moi, mais c'était pas permis. »

« J'vous remercie beaucoup, monsieur Casebonne, et j'l'oublierai pas, dit Sam. Mais je veux le voir. Ce Patron et ce Charquin à eux, ils pourraient faire un mauvais coup là-haut avant demain. »

« C'est d'accord, Sam, dit Casebonne. Choisis-toi un ou deux gars et va le porter jusque chez moi. T'auras pas besoin de passer l'Eau ni d'approcher le vieux Hobbiteville. Mon Jolly va te montrer. »

Sam s'en fut. Merry posta des guetteurs autour du village et des gardes aux barrières pour la nuit. Frodo et lui partirent ensuite avec le fermier Casebonne. Ils s'assirent avec la famille, bien au chaud dans la cuisine, et les Casebonne leur posèrent poliment quelques questions au sujet de leurs voyages, sans guère écouter les réponses : ils étaient beaucoup plus préoccupés par les événements du Comté.

« Tout a commencé avec le Boutonneux, comme on l'appelle, dit le fermier Casebonne ; et ç'a commencé aussitôt que vous êtes parti, monsieur Frodo. Il avait de drôles d'idées, l'Boutonneux. On aurait dit qu'il voulait tout avoir pour lui, pour ensuite mener les gens à la baguette. On s'est vite aperçus qu'il possédait déjà bien plus que ce qui était bon pour lui ; et il continuait de mettre la main sur un tas de choses, sans qu'on sache d'où lui venait son argent : des moulins, des germoirs et des auberges, et des fermes et des plantations de feuille. Il avait déjà acheté le moulin de Sablonnier avant d'arriver à Cul-de-Sac, apparemment.

« Naturellement, il a commencé avec un tas de propriétés dans le Quartier Sud qu'il avait héritées de son père ; et semblerait qu'il vendait beaucoup de notre meilleure feuille, qui partait en douce à l'étranger depuis un an ou deux. Mais vers la fin de l'année passée, il s'est mis à envoyer des tonnes de choses, pas seulement de la feuille. Il y a eu des pénuries, avec l'hiver qui approchait et tout. Les gens se sont fâchés, mais il avait sa réponse. Beaucoup d'hommes sont arrivés, des bandits pour la plupart, avec de grands chariots, certains pour emporter la marchandise là-bas au sud, d'autres pour rester. Et il en venait toujours plus. Et avant qu'on ait trop su ce qui nous arrivait, ils s'étaient implantés ici et là aux quatre coins du Comté : ils abattaient des arbres, creusaient, se construisaient des baraques et des maisons tant qu'ils voulaient. Au début, l'Boutonneux payait pour les biens saisis et les dégâts causés ; mais ils ont pas tardé à s'ériger en grands seigneurs et à faire main basse sur tout ce qu'ils voulaient.

« À ce moment-là, il y a eu un peu de grabuge, mais pas suffisamment. Le vieux Will le Maire a voulu aller protester à Cul-de-Sac, mais il n'y est jamais arrivé. Des bandits lui ont mis la main au collet, puis ils l'ont emmené et ils l'ont jeté dans un trou à Grande-Creusée, et il y est encore. Et depuis, ça nous amène un peu après le Nouvel An, il y a plus eu de maire, et l'Boutonneux a commencé à se faire appeler le Connétable en Chef, ou simplement le Chef, et il faisait comme il l'entendait ; et s'il y en avait un qui "poussait" un peu trop, comme qu'ils disaient, il s'en allait rejoindre Will. Puis ç'a été de mal en pis. Il y avait plus rien à fumer, sauf pour les Hommes ; et le Chef qu'aimait pas trop la boisson, sauf pour ses Hommes, a fermé toutes les auberges ; et tout le reste – sauf les Règles – s'est fait de plus en plus rare, sauf si vous trouviez le moyen de cacher un peu de votre bien avant que les bandits viennent recueillir toutes vos récoltes pour "leur juste redistribution", c'est-à-dire : tout pour eux et rien pour nous, sauf les restes, disponibles dans les Maisons des Connétables, à supposer que vous puissiez les digérer. Exécrable. Mais depuis la venue de Charquin, c'est tout bonnement la catastrophe. »

« Qui est ce Charquin ? demanda Merry. J'ai entendu ce nom-là dans la bouche d'un des bandits. »

« Le plus gros bandit du lot, apparemment, répondit Casebonne. C'était à la dernière récolte, fin septembre peut-être, qu'on a entendu son nom la première fois. On l'a jamais vu, mais il est à Cul-de-Sac ; et maintenant, c'est lui le vrai Chef, je suppose. Tous les bandits font ce qu'il dit, et ce qu'il dit surtout, c'est : tailladez, brûlez, détruisez ; et v'là qu'on en arrive à tuer des gens. Ça n'a pas plus de bon sens que de mauvais. Ils coupent des arbres et les laissent pourrir là ; ils brûlent des maisons sans rien construire à la place.

« Prenez le moulin de Sablonnier, tiens. L'Boutonneux l'a jeté à terre presque aussitôt arrivé à Cul-de-Sac. Après, il a fait venir une bande d'Hommes crasseux pour en construire un plus grand, tout plein de rouages et de machins pas possibles. Y a que cet imbécile de Ted qui y a vu du bon, et il travaille là-bas à nettoyer les roues pour le compte des Hommes, là où son père était meunier et son propre maître. L'idée du Boutonneux, soi-disant, était de moudre plus, plus vite ; et il en a d'autres, des moulins ; mais il faut du blé avant de moudre, et le nouveau moulin avait rien de plus à faire que l'ancien. Mais depuis que Charquin est là, ils ont arrêté de moudre du blé. Ils sont toujours à donner du marteau, à nous enfumer et à nous empester, et on n'a plus une minute de tranquillité à Hobbiteville, même la nuit. Et ils déversent leur saleté par exprès ; ils ont souillé tout le cours inférieur de l'Eau, et ça descend jusqu'au Brandivin. S'ils veulent transformer le Comté en désert, ils sont drôlement bien partis. M'étonnerait que c't'imbécile de Boutonneux soit derrière tout ça. C'est Charquin, que je dis. »

« Exactement ! intervint Tom le Jeune. Pensez, ils ont même emmené sa vieille maman, cette Lobelia ; et l'Boutonneux tenait beaucoup à elle, quoiqu'il était peut-être le seul. Ce sont des gens de Hobbiteville, ils ont tout vu. Alors elle descend dans le chemin avec son vieux parapluie, et y a quelques bandits qui montent avec une grosse charrette.

« "Où est-ce que vous allez ?" qu'elle dit.

« "À Cul-de-Sac", qu'ils répondent.

« "Pour quoi faire ?" qu'elle demande.

« "Construire des baraques pour Charquin", qu'ils disent.

« "Qui vous a permis de faire ça ?" qu'elle leur dit.

« "Charquin. Alors ôtez-vous du chemin, vieille pie-grièche !"

« "Je vais vous en donner, moi, du Charquin, sales voleurs ! bandits !" qu'elle fait, et de brandir son parapluie en s'en prenant au chef, quasiment deux fois plus grand qu'elle. Alors ils l'ont emmenée. Ils l'ont traînée de force jusqu'aux Troubliettes, à son âge, vous imaginez. Ils en ont pris d'autres et de plus regrettés, mais il faut bien admettre qu'elle a montré plus de courage que la plupart. »

Sam surgit au beau milieu de la conversation, arrivant avec son ancêtre. Le vieux Gamgie ne paraissait pas beaucoup plus vieux, mais il était un peu plus sourd.

« Bonsoir, monsieur Bessac ! dit-il. Vraiment content de vous revoir ici sain et sauf. Mais j'ai un compte à régler avec vous, façon de parler, si je puis me permettre. Z'auriez jamais dû vendre Cul-de-Sac, comme je l'ai toujours dit. C'est ça qu'a commencé toute la bisbille. Et pendant que vous vous trimballiez en pays étranger, à pourchasser des Hommes en noir au haut des montagnes d'après ce que dit mon Sam — pour quoi faire il a pas su dire —, ils sont allés creuser la rue du Jette-Sac et ravager mes pétates ! »

« Je suis profondément navré, monsieur Gamgie, dit

Frodo. Mais maintenant que je suis rentré, je vais faire de mon mieux pour me racheter. »

« Ah çà ! vous pourriez pas dire plus joliment, répondit l'Ancêtre. M. *Frodo* Bessac est un véritable gentilhobbit, je l'ai toujours dit, quoi qu'on puisse penser des autres du même nom, sauf vot' respect. Et j'espère que mon Sam s'est bien t'nu et qu'il vous a donné satisfaction ? »

« Entière satisfaction, monsieur Gamgie, dit Frodo. En fait, si vous pouvez le croire, il est devenu l'un des personnages les plus célèbres de toutes les terres, et ses exploits sont chantés partout, d'ici à la Mer et au-delà du Grand Fleuve. » Sam rougit, mais il se tourna vers Frodo avec gratitude, car les yeux de Rosie étaient tout brillants et elle lui souriait.

« Ça fait beaucoup à craire, dit l'Ancêtre, mais je vois qu'il a eu de drôles de fréquentations. Où est-ce qu'est passé son gilet ? J'suis pas friand de toute c'te quincaillerie, qu'elle fasse de l'usage ou pas. »

La maisonnée du fermier Casebonne et tous ses invités se levèrent tôt le lendemain. On n'avait rien entendu cette nuit-là, mais il y aurait certainement d'autres ennuis avant la fin de la journée. « Semble qu'aucun bandit soit resté à Cul-de-Sac, dit Casebonne ; mais la bande de Carrefour se pointera d'une minute à l'autre. »

Après le petit déjeuner, un messager du Pays-de-Touc arriva à cheval. Il exultait. « Le Thain a soulevé tout notre pays, dit-il, et la nouvelle se répand en tous sens comme une traînée de poudre. Les bandits qui surveillaient nos terres ont fui vers le sud, ceux qui ont pu s'échapper vivants. Le Thain les a pris en chasse, pour mieux contrecarrer toute la bande qui se tient là-bas ; mais il vous renvoie M. Peregrin avec tous ces gens dont il peut se passer. »

Les autres nouvelles furent moins bonnes. Merry, resté dehors toute la nuit, revint au galop vers dix heures. « Une bande importante se trouve à environ quatre milles d'ici, dit-il. Ils suivent la route venant de Carrefour, mais bon nombre de brigands errants les ont rejoints. Ils doivent être près d'une centaine, et ils mettent le feu partout sur leur passage, maudits soient-ils ! »

« Ah ! Ces gens-là vont pas rester pour bavarder, ils vont nous tuer s'ils le peuvent, dit le fermier Casebonne. Si les Touc arrivent pas bientôt, on ferait mieux de se mettre à couvert et de tirer sans discuter. Il va forcément y avoir de la bagarre avant que tout soit réglé, monsieur Frodo. »

Mais les Touc arrivèrent bientôt. Ils entrèrent au village avant peu, forts d'une bonne centaine, marchant de Tocquebourg et des Côtes Vertes avec Pippin à leur tête. Merry disposait à présent d'une hobbiterie assez nombreuse et solide pour s'occuper des bandits. Ceux-ci, rapportèrent les éclaireurs, formaient un groupe serré. Ils savaient que la campagne s'était soulevée contre eux, une insurrection qu'ils entendaient visiblement écraser sans état d'âme, en son centre à Belleau. Mais si déterminés qu'ils étaient, ils ne semblaient compter aucun chef dans leurs rangs qui comprît l'art de la guerre. Ils avançaient sans la moindre précaution. Merry eut tôt fait d'établir ses plans.

Les bandits arrivèrent, martelant la Route de l'Est ; et sans s'arrêter, ils s'engagèrent sur la Route de Belleau qui montait sur une certaine distance entre de hauts talus, eux-mêmes surmontés de haies basses. Derrière un tournant, à environ un furlong de la grand-route, ils tombèrent sur une forte barricade, faite de vieilles voitures de ferme renversées. Celle-ci les arrêta. Au même moment, ils s'avisèrent que les haies des deux côtés, juste au-dessus de leur tête, étaient entièrement bordées de hobbits. Derrière eux, d'autres hobbits sortirent encore quelques charrettes dissimulées dans un champ, leur coupant ainsi la retraite. Une voix les interpella d'en haut.

« Il semble que vous ayez donné dans un piège, dit Merry. Vos camarades de Hobbiteville ont fait de même : l'un d'eux est mort et les autres sont prisonniers. Déposez vos armes ! Puis reculez de vingt pas et asseyez-vous. Quiconque essaiera de fuir recevra une flèche. »

Mais les bandits n'étaient pas hommes à s'en laisser imposer si facilement. Quelques-uns s'exécutèrent, mais furent aussitôt mis à mal par leurs compagnons. Au moins une vingtaine firent volte-face et se ruèrent contre les charrettes. Six furent abattus, mais les autres percèrent la barricade, tuant deux hobbits, puis se débandèrent à travers la campagne en direction de la Pointe-aux-Bois. Deux autres tombèrent en pleine course. Merry fit retentir son cor, et il y eut au loin des sonneries de réponse.

« Ils n'iront pas loin, dit Pippin. Tout ce pays fourmille de nos chasseurs, à présent. »

Plus près, les Hommes pris au piège dans le chemin, encore environ quatre-vingts, tentèrent d'escalader la barricade et les talus, et les hobbits n'eurent d'autre choix que de tirer sur eux ou de les attaquer à coups de hache. Mais les plus forts et les plus désespérés furent nombreux à s'échapper du côté ouest, et ils assaillirent brutalement leurs adversaires, car ils ne cherchaient plus tant à fuir qu'à tuer. Plusieurs hobbits tombèrent, et le reste vacillait quand Merry et Pippin, qui se trouvaient du côté est, traversèrent pour donner l'assaut aux bandits. Merry tua lui-même leur chef, une grosse brute aux yeux louches semblable à un grand orque. Puis il rappela toutes ses forces, enfermant ce qui restait des Hommes dans un vaste anneau d'archers.

Peu après, tout était fini. Du côté des bandits, près de soixante-dix gisaient morts sur le champ de bataille, et une douzaine étaient prisonniers. Dix-neuf hobbits avaient été tués, et une trentaine, blessés. Les corps des Hommes furent empilés sur des chariots, emportés et enterrés dans une vieille sablonnière toute proche : la Fosse de la Bataille, comme on l'appela par la suite. Les hobbits tombés furent allongés ensemble dans une tombe à flanc de colline, où l'on érigea plus tard une grande pierre entourée d'un jardin. Ainsi finit la Bataille de Belleau de 1419, la dernière bataille à s'être déroulée dans le Comté, et la seule depuis celle des Champs-Verts en 1147, aux confins du Quartier Nord. Pour cette raison, bien qu'heureusement elle n'eût fait que très peu de victimes, un chapitre entier lui est consacré dans le Livre Rouge ; et les noms de tous les participants furent consignés dans un Rôle et appris par cœur par les historiens du Comté. La fulgurante ascension des Casebonne, en fortune et en notoriété, date de cette époque ; mais tous les récits font figurer en tête du Rôle les noms des capitaines Meriadoc et Peregrin.

Frodo avait assisté à la bataille, mais il n'avait pas tiré l'épée et s'était surtout employé à contenir les hobbits qui auraient, dans la colère soulevée par leurs pertes, tué ceux de leurs adversaires ayant déposé les armes. Au terme des hostilités, et une fois ordonnés les travaux subséquents, Merry, Pippin et Sam le rejoignirent, et ils rentrèrent à cheval avec les Casebonne. Ils prirent leur repas de midi avec quelque retard, puis Frodo dit avec un soupir : « Eh bien, je suppose qu'il est temps de nous occuper du "Chef". »

« Assurément oui ; le plus tôt sera le mieux, dit Merry. Et ne sois pas trop indulgent. C'est lui qui a fait venir tous ces bandits, et c'est lui le responsable de tout le mal qu'ils ont causé. »

Le fermier Casebonne assembla une escorte de quelque deux douzaines de vigoureux hobbits. « Car on n'est pas vraiment sûr qu'il n'y a plus de bandits à Cul-de-Sac, dit-il. On n'en sait rien. » Puis ils partirent à pied. Frodo, Sam, Merry et Pippin ouvrirent la marche.

Ce fut l'une des heures les plus tristes de toute leur vie. La grande cheminée s'éleva devant eux ; et comme ils approchaient du vieux village de l'autre côté de l'Eau, entre des rangées d'affreuses nouvelles maisons de part et d'autre de la route, ils virent le nouveau moulin dans toute sa laideur sordide et repoussante : un grand bâtiment de brique à cheval sur le cours d'eau, qu'il salissait d'un écoulement fumant et nauséabond. Tout le long de la Route de Belleau, les arbres avaient été abattus.

Traversant le pont et levant les yeux vers la Colline, ils eurent le souffle coupé. Même la vision de Sam dans le Miroir ne l'avait pas préparé au spectacle qui s'offrit à eux. La Vieille Ferme du côté ouest avait été démolie, et remplacée par des rangées de baraques goudronnées. Tous les châtaigniers avaient disparu. Les talus et les haies étaient défoncés. De grands chariots gisaient en pagaille dans un champ piétiné jusqu'à faire disparaître le moindre brin d'herbe. La rue du Jette-Sac n'était qu'un trou béant, une carrière de sable et de gravier. En haut, Cul-de-Sac était cachée par un amoncellement de grosses cabanes.

« Ils l'ont coupé ! s'écria Sam. Ils ont coupé l'Arbre de la Fête ! » Il montra l'endroit où se trouvait auparavant l'arbre sous lequel Bilbo avait fait son Discours d'Adieu. Il gisait mort et en rondins au beau milieu du champ. Comme si c'était le comble de l'infamie, Sam fondit en larmes.

Un rire mit fin à ses pleurs. Un hobbit inamical était paresseusement accoudé sur le mur bas qui enfermait la cour du moulin. Il avait le visage crasseux et les mains noires. « Quoi, t'aimes pas, Sam ? ricana-t-il. Mais t'as toujours été un tendre. Je pensais que t'étais parti sur un de ces navires qui voguent-voguent et dont tu nous rebattais sans cesse les oreilles. Pourquoi que t'es revenu ? On a du travail, nous maintenant, dans le Comté. »

« Je vois bien ça, dit Sam. Pas le temps de vous laver, mais encore le temps de vous prélasser. Mais écoute un peu, mon petit Sablonnier. J'ai un compte à régler dans ce village, et si tu continues à m'embêter avec ta gouaille, tu vas ramasser une note trop salée pour toi. »

Ted Sablonnier cracha par-dessus le mur. « Va donc ! s'écria-t-il. Tu peux pas me toucher. Je suis un ami du Patron. Mais lui va te toucher pour de vrai si tu rabats pas ton caquet. »

« Ne gaspille pas ta salive pour cet imbécile, Sam ! dit Frodo. J'espère que les hobbits ne sont pas nombreux à être devenus comme lui. Ce serait plus dommageable que tout ce que les Hommes ont pu causer. »

« Tu es grossier et insolent, Sablonnier, dit Merry. Et tu ne sais pas de quoi tu parles. Nous montons justement à la Colline pour destituer ton cher Patron. Nous nous sommes occupés de ses Hommes. »

Ted resta bouche bée, car il n'avait pas encore remarqué l'escorte qui, sur un geste de Merry, franchit alors le pont. Il regagna le moulin à toutes jambes et en ressortit avec un cor, dont il sonna bruyamment.

« Ne t'essouffle pas pour rien ! lui lança Merry en riant. J'ai mieux. » Levant alors son cor d'argent, il le fit retentir, et son clair appel résonna par-delà la Colline ; et dans les trous, les baraques et les tristes maisons de Hobbiteville, les hobbits répondirent et affluèrent en nombre, et avec force cris et acclamations, ils suivirent la compagnie sur la route montant à Cul-de-Sac.

Au bout du chemin, le groupe s'arrêta, mais Frodo et ses amis continuèrent ; et ils parvinrent enfin à la demeure naguère si appréciée. Le jardin était rempli de cabanes et de baraques, dont certaines se trouvaient si près des vieilles fenêtres sur l'ouest qu'elles leur bloquaient toute lumière. Il y avait des tas d'ordures un peu partout. La porte était tailladée ; la chaîne pendait lâchement à côté de la porte, et la sonnette ne tintait plus. Ils frappèrent mais n'eurent aucune réponse. Enfin, ils poussèrent et la porte céda. Ils entrèrent. L'endroit empestait, rempli d'ordures et d'un incroyable fouillis : il paraissait inhabité depuis un bon moment.

« Mais où se cache ce misérable Lotho ? » dit Merry. Ils avaient fouillé chaque pièce et n'avaient pas trouvé âme qui vive, hormis des rats et des souris. « Faut-il demander aux autres de fouiller les baraques ? »

« C'est pire que le Mordor ! dit Sam. Bien pire, d'une certaine façon. Ça vous touche intimement, parce que c'est chez vous, et vous vous rappelez comment c'était avant que tout soit gâté. »

« Oui, c'est le Mordor, dit Frodo. Encore une de ses œuvres. Saruman aussi faisait son œuvre, même quand il croyait travailler pour lui-même. Et c'est aussi vrai pour ceux que Saruman a dupés, comme Lotho. »

Merry regarda autour de lui avec tristesse et dégoût. « Sortons d'ici ! dit-il. Si j'avais su tout le mal que Saruman avait causé, je lui aurais enfoncé ma blague dans la gorge. »

« Sans doute, sans doute ! Mais vous ne l'avez pas fait, et je puis donc vous souhaiter la bienvenue chez vous. » Debout à la porte se tenait Saruman en personne, l'air bien nourri et content de lui ; ses yeux étincelaient de plaisir et de méchanceté.

Un éclair se fit jour dans l'esprit de Frodo. « Charquin ! » s'écria-t-il.

Saruman rit. « Alors le nom vous est connu, hein ? Tous mes sujets m'appelaient ainsi à Isengard, je pense. Une marque d'affection, sans doute[1]. Mais de toute évidence, vous ne vous attendiez pas à me voir ici. »

« Non, dit Frodo. Mais j'aurais dû m'en douter. Quelques mauvais tours en passant, par pure mesquinerie : Gandalf m'avait prévenu que vous en étiez encore capable. »

« Parfaitement capable, dit Saruman, et plus qu'en passant. Vous m'avez fait rire, vous autres petits seigneurs hobbits, chevauchant avec tous ces grands personnages, si assurés et si contents de vous-mêmes. Vous croyiez vous en être remarquablement bien tirés, et pouvoir simplement rentrer chez vous à votre aise, profitant d'un tranquille et agréable petit séjour à la campagne. La maison de Saruman pouvait être jetée sens dessus dessous, et on pouvait

---

1. Probablement d'origine orque : *sharkû*, « vieil homme ».

l'évincer, mais personne ne toucherait à la vôtre. Oh non !
Gandalf veillerait sur vos intérêts. »

Saruman rit de nouveau. « Lui ? Non ! Quand ses instruments ont rempli leur usage, il les lâche. Mais il fallait que vous traîniez après lui, flânant et jacassant, prenant une route deux fois plus longue qu'il n'était nécessaire. "Eh bien, me suis-je dit, s'ils sont si bêtes, je vais les devancer et leur donner une bonne leçon. À malin, malin et demi." La leçon eût été plus dure si seulement vous m'aviez laissé un peu plus de temps et d'Hommes. Reste que j'ai déjà fait beaucoup, et vous aurez du mal à le réparer ou à le défaire de votre vivant. Et il sera agréable d'y penser au regard des préjudices qui m'ont été causés. »

« Eh bien, si vous tirez agrément de ce genre de choses, dit Frodo, vous me faites pitié. Seul le souvenir vous en restera, j'en ai peur. Partez immédiatement et ne revenez plus jamais ! »

Les hobbits des alentours avaient vu sortir Saruman de l'une des cabanes, et ils se massèrent aussi contre la porte de Cul-de-Sac. Entendant l'injonction de Frodo, ils grondèrent avec colère : « Ne le laissez pas partir ! Tuez-le ! C'est un bandit et un assassin. Tuez-le ! »

Saruman promena son regard sur les visages hostiles et sourit. « Tuez-le ! dit-il, moqueur. Tuez-le, si vous croyez être assez nombreux, mes courageux hobbits ! » Il se dressa de toute sa hauteur et les dévisagea sinistrement de ses yeux noirs. « Mais n'allez pas croire qu'en perdant tous mes biens j'aie aussi perdu tout mon pouvoir ! Quiconque me frappera sera maudit. Et si mon sang souille le Comté, votre pays se fanera et jamais plus il ne guérira. »

Les hobbits reculèrent. Mais Frodo dit : « Ne croyez pas ce qu'il dit ! Il a perdu tout pouvoir, sauf sa voix qui peut encore vous intimider et vous duper, si vous la laissez agir. Mais je ne veux pas qu'il soit tué. Il est inutile de punir la vengeance par la vengeance : cela ne guérit rien. Partez, Saruman, par le chemin le plus court ! »

« Serpent ! Serpent ! appela Saruman ; et Langue de Serpent sortit alors d'une cabane voisine, rampant sur le sol, presque comme un chien. On reprend la route, Serpent ! dit Saruman. Ces braves gens et leurs petits seigneurs nous mettent encore à la porte. Dépêche-toi ! »

Saruman se retourna, prêt à partir, et Langue de Serpent se traîna après lui. Mais alors que Saruman passait devant Frodo, un couteau luisit dans sa main, et il frappa subitement. La lame dévia sur la cotte de mailles dissimulée et se cassa. Une douzaine de hobbits, Sam à leur tête, s'élancèrent avec un cri et jetèrent le gredin au sol. Sam tira l'épée.

« Non, Sam ! dit Frodo. Ne le tue pas, même maintenant. Car il ne m'a fait aucun mal. Et de toute manière, je ne voudrais pas qu'il meure dans ce sinistre état d'esprit. Il était grand autrefois, d'une noble espèce contre laquelle nous ne devrions pas lever la main. Il est déchu, et sa guérison est au-dessus de nos moyens ; mais je voudrais quand même l'épargner dans l'espoir qu'il puisse la trouver. »

Saruman se releva et fixa sur Frodo un regard mêlé d'étonnement, de respect et de haine. « Tu as grandi, Demi-Homme, dit-il. Oui, tu as beaucoup grandi. Tu es sage, sage et cruel. Tu as ôté toute douceur à ma revanche, et maintenant je dois partir dans l'amertume, redevable à ta clémence. Je la hais, et je te hais toi ! Eh bien, je m'en vais et je ne te tourmenterai plus. Mais ne compte pas sur moi pour te souhaiter bonne santé et longue vie. Tu n'auras ni l'une ni l'autre. Mais cela n'est pas de mon fait. Je le prédis seulement. »

Il s'éloigna, et les hobbits s'écartèrent de part et d'autre pour le laisser passer ; mais les phalanges blanchirent sur leurs mains crispées tandis que chacun agrippait son arme. Langue de Serpent hésita, puis il suivit son maître.

« Langue de Serpent ! appela Frodo. Vous n'avez pas à le suivre. Je ne sache pas que vous m'ayez causé aucun tort. Vous pouvez rester ici pour quelque temps, manger et vous reposer jusqu'à ce que vous ayez repris des forces et soyez en mesure de suivre votre propre route. »

Langue de Serpent s'arrêta, tourna la tête et le regarda, presque tenté d'accepter. Saruman se retourna. « Aucun tort ? gloussa-t-il. Lui, non ! Même quand il rôde la nuit, c'est seulement pour admirer les étoiles. Mais n'ai-je pas entendu quelqu'un demander où se cache ce pauvre Lotho ? Tu le sais, n'est-ce pas, Serpent ? Veux-tu le leur dire ? »

Langue de Serpent se recroquevilla contre le sol. « Non, non ! » geignit-il.

« Dans ce cas, je m'en charge, dit Saruman. Serpent a tué votre Chef, le pauvre petit bougre, votre gentil petit Patron. Pas vrai, Serpent ? Poignardé dans son sommeil, si ma mémoire est bonne. Enterré, j'espère ; mais Serpent est affamé ces temps-ci. Non, Serpent n'est pas très gentil. Vous feriez mieux de me le laisser. »

Une haine farouche parut dans les yeux rouges de Langue de Serpent. « C'est vous qui m'avez dit... c'est vous qui m'avez demandé », siffla-t-il.

Saruman rit. « Tu fais ce que Charquin te demande, toujours, hein Serpent ? Eh bien maintenant, il dit : viens ! » Il donna un coup de pied au visage de Langue de Serpent, couché à plat ventre, puis il lui tourna le dos et se mit en route. Mais quelque chose céda à ce moment : Langue de Serpent se releva tout à coup, sortant un poignard caché ;

puis, grondant comme un chien enragé, il sauta sur le dos de Saruman, tira brusquement sa tête en arrière, lui trancha la gorge et détala en hurlant dans le chemin. Avant que Frodo eût pu se ressaisir ou prononcer une parole, trois arcs de hobbits vibrèrent et Langue de Serpent tomba mort.

Au grand désarroi de ceux qui se trouvaient là, une brume grise se forma autour du corps de Saruman, puis, montant à grande hauteur comme la fumée d'un incendie, elle se dressa au-dessus de la Colline, telle une vague silhouette dans un pâle linceul. Pendant un instant, elle hésita, se tournant vers l'Ouest ; mais de l'Ouest vint un vent froid, et elle fléchit et se dissipa en un soupir, bientôt réduite à néant.

Frodo abaissa sur le cadavre un regard de pitié et d'horreur, car en le regardant, il lui sembla que de longues années de mort se révélaient soudain en lui : il se racornit, et le visage ratatiné se réduisit à des lambeaux de peau sur un crâne hideux. Soulevant un pan du manteau crasseux qui s'étalait à côté, il recouvrit le corps et se détourna.

« Eh bien, c'est la fin de cette histoire-là, dit Sam. Une vilaine fin, et j'aurais préféré ne jamais voir ça ; mais c'est un bon débarras. »

« Et aussi la toute fin de la Guerre, j'ose espérer », dit Merry.

« Je l'espère, dit Frodo – et il soupira. Le tout dernier sursaut. Et dire que c'est arrivé ici même, devant la porte de Cul-de-Sac ! Parmi tous mes espoirs et toutes mes craintes, je ne me serais jamais attendu à cela, c'est le moins qu'on puisse dire. »

« Pour moi, ce sera pas la fin avant qu'on ait nettoyé tous les dégâts, dit Sam d'un air sombre. Et ça prendra beaucoup de temps et de travail. »

9

Les Havres Gris

Le nettoyage demanda en effet beaucoup de travail, mais prit moins de temps que Sam ne l'avait craint. Au lendemain de la bataille, Frodo chevaucha jusqu'à Grande-Creusée et libéra les prisonniers des Troubliettes. L'un des premiers découverts n'était autre que Fredegar Bolgeurre, n'ayant plus de Gros-lard que le nom. Il avait été pris à la tête d'une bande de rebelles débusquée par les bandits dans leur repaire à Blaireautières, près des collines de Scarrie.

« Tu aurais mieux fait de venir avec nous finalement, pauvre vieux Fredegar ! » dit Pippin comme ils le transportaient au-dehors, trop faible pour marcher.

Il ouvrit un œil et esquissa bravement un sourire. « Qui est ce jeune géant à la voix tonitruante ? Pas le petit Pippin ! Tu portes du combien en chapeaux, maintenant ? »

Puis ce fut le tour de Lobelia. Elle semblait très vieille et très frêle, la pauvre, quand ils la délivrèrent de la sombre et étroite cellule où elle était confinée. Elle insista pour sortir toute seule, clopinant sur ses jambes ; et elle reçut un tel accueil, et il y eut tant d'applaudissements et de hourras quand elle apparut, appuyée sur le bras de Frodo, mais toujours avec son parapluie à la main, qu'elle en fut toute retournée, et elle fondit en larmes quand la voiture l'emmena. Jamais de toute sa vie elle n'avait été populaire. Mais elle fut anéantie par la nouvelle de l'assassinat de Lotho, et elle ne voulut pas retourner à Cul-de-Sac. Elle rendit le trou à Frodo et retourna vivre auprès des siens, les Serreceinture de Bourdedure.

À la mort de la pauvre femme au printemps suivant – elle avait après tout plus de cent ans –, Frodo fut surpris et très ému : elle lui avait laissé tout ce qui restait de sa fortune et de celle de Lotho, afin de venir en aide aux hobbits laissés sans foyer par les troubles. Ainsi, ce fut la fin de leur querelle.

Le vieux Will Piéblanc était resté aux Troubliettes plus longtemps que quiconque, et bien qu'il eût peut-être été traité moins durement que d'autres, en sa qualité de maire, il lui faudrait passablement s'engraisser avant d'avoir de nouveau la tête de l'emploi ; ainsi, Frodo accepta de lui servir d'adjoint, jusqu'à ce que M. Piéblanc eût retrouvé la forme. La seule mesure qu'il adopta en tant que maire adjoint fut de ramener les Connétables à leur nombre et à leurs fonctions d'avant. On laissa à Merry et à Pippin le soin de débusquer les derniers bandits qui restaient, ce qu'ils ne tardèrent pas à faire. Les bandes du Sud, en apprenant ce qui s'était passé à la Bataille de Belleau, fuirent le pays et n'offrirent guère de résistance au Thain. Avant la Fin de l'Année, les quelques survivants furent encerclés dans les bois, et ceux qui se rendirent furent reconduits aux frontières.

Entre-temps, le travail de restauration avança rondement, et Sam resta fort occupé. Les Hobbits peuvent s'affairer comme des abeilles quand l'humeur les en prend et que le besoin se fait sentir. Des milliers de mains volontaires se mirent alors à l'œuvre parmi toutes les tranches d'âge, de celles, petites mais agiles, des garçons et des filles hobbits, à celles, usées et noueuses, des grands-pères et grand-mères. Dès avant Yule, plus une seule brique des nouvelles Maisons des Connétables ou de toute autre construction des « Hommes à Charquin » n'était encore debout ; mais les briques servirent à rénover de nombreux trous anciens, qui devinrent plus douillets et plus secs. On découvrit de grandes réserves de marchandises, de denrées et de bière, cachées par les bandits dans des baraques, des granges et des trous abandonnés, en particulier dans les tunnels de Grande-Creusée et dans les vieilles carrières de Scarrie ; si bien que la fête de Yule cette année-là fut beaucoup plus gaie qu'on ne l'espérait.

L'une des premières choses entreprises à Hobbiteville, avant même la destruction du nouveau moulin, fut le nettoyage de la Colline et de Cul-de-Sac, et la réfection de la rue du Jette-Sac. Le devant de la nouvelle sablonnière fut entièrement aplani et transformé en un grand jardin abrité, et de nouveaux trous furent creusés sur la face sud, dans la Colline même, et revêtus de briques. L'Ancêtre retrouva son logis au Numéro Trois ; et il répétait souvent sans se soucier à qui :

« Aucun vent n'est si mauvais qu'il n'amène rien de bon à personne, comme je dis toujours. Et Tout est bien qui finit Mieux ! »

Il y eut quelque discussion sur le nom à donner à la nouvelle rue. *Jardins de la Bataille* fut envisagé, ou *Meilleurs Smials*. Mais au bout d'un moment, suivant leur bon sens habituel, les hobbits l'appelèrent simplement *Nouvelle Rue*. Il était de bon ton, chez les plaisantins de Belleau, de lui donner le nom de Cul-de-Charquin.

Les arbres représentaient la plus grande perte et les plus gros dégâts, car, sur l'ordre de Charquin, ils avaient été coupés sans discernement un peu partout à travers le Comté ; et c'est ce qui affligea Sam plus que toute autre chose. D'abord, cette blessure serait longue à guérir, et seuls ses arrière-petits-enfants, se disait-il, verraient le Comté comme il devait être.

Puis, un jour, après des semaines de labeur où il n'avait pas eu une seconde pour se remémorer ses aventures, il se rappela soudain le cadeau de Galadriel. Il sortit le petit écrin et le montra aux autres Voyageurs (car tout le monde les appelait ainsi, à présent), et il leur demanda conseil.

« Je me demandais quand tu finirais par y penser, dit Frodo. Ouvre-le ! »

Il était rempli d'une poudre grise, douce et fine, au milieu de laquelle se trouvait une graine, comme une petite noix à écale d'argent. « Qu'est-ce que je peux en faire ? » dit Sam.

« Lance-la dans l'air par un jour de vent et laisse-la faire son œuvre ! » dit Pippin.

« Sur quoi ? » demanda Sam.

« Choisis un endroit comme pépinière, et tu verras ce qui arrive aux plantes qui y poussent », dit Merry.

« Mais je suis sûr que la Dame m'en voudrait de tout garder pour mon propre jardin, vu qu'il y a tellement de gens qui ont souffert », dit Sam.

« Sers-toi de ta tête et de toutes les connaissances que tu as déjà, Sam, dit Frodo, puis utilise ce qu'elle t'a donné pour t'aider dans ton travail et l'améliorer. Uses-en avec parcimonie. Il n'y a pas grand-chose dans cette boîte, et je suppose que chaque grain est précieux. »

Sam planta donc de jeunes arbres partout où il y avait eu des spécimens particulièrement beaux ou appréciés, et il déposa un grain de la précieuse poudre dans la terre au pied de chacun d'eux. Il sillonna tout le Comté dans l'accomplissement de cette tâche ; mais s'il prêta une attention particulière à Hobbiteville et à Belleau, personne ne le lui reprocha. Et quand il eut terminé, il s'aperçut qu'il lui restait encore un peu de poudre ; aussi se rendit-il à la Pierre des Trois Quartiers, qui ne pouvait pas être plus centrale, et il jeta dans l'air tout ce qui lui restait, avec sa bénédiction. Il planta la petite noix argentée dans le Champ de la Fête où l'arbre poussait autrefois ; et il se demanda ce qui en sortirait. Pendant tout l'hiver, il s'efforça de son mieux à la patience, et il dut se retenir pour ne pas aller constamment vérifier s'il se passait quelque chose.

Le printemps surpassa ses espoirs les plus fous. Ses arbres se mirent à pousser et à grandir, comme si le temps était pressé et voulait condenser en un an le travail de vingt autres. Dans le Champ de la Fête jaillit un bel et jeune arbre : il avait une écorce argentée et de longues feuilles ; et en avril, il était couvert de fleurs d'or. C'était en fait un *mallorn*, et il fit l'émerveillement du voisinage. Au cours des années suivantes, il crût en grâce et en beauté ; sa renommée s'étendit de par les terres, et les gens faisaient de longs voyages pour venir l'admirer : l'unique *mallorn* à l'ouest des Montagnes et à l'est de la Mer, et l'un des plus beaux du monde.

L'an 1420, dans le Comté, fut remarquable à tous points de vue. Non seulement il y eut un soleil magnifique et de délicieuses pluies, en temps voulu et en parfait équilibre, mais l'on eût dit qu'il y avait autre chose : un air de richesse et de croissance, et l'éclat d'une beauté plus grande que celle des étés de contrées mortelles qui viennent et passent en cette Terre du Milieu. Tous les enfants nés cette année-là, et ils furent nombreux, étaient beaux et en santé, et la plupart avaient une opulente chevelure dorée, rare autrefois chez les hobbits. Il y eut une telle abondance de fruits que les jeunes hobbits étaient bien près de nager dans les fraises et la crème ; et plus tard, ils s'asseyaient dans la pelouse sous les pruniers et mangeaient, jusqu'à ce que les noyaux fussent comme de petites pyramides, ou des tas de crânes amassés par un conquérant, puis ils reprenaient leur chemin. Et nul n'était malade, et tous étaient heureux, sauf ceux qui avaient pour devoir de tondre le gazon.

Dans le Quartier Sud, les vignes étaient chargées de fruits, et la récolte de « feuille » fut ahurissante ; et il poussa partout tant de blé qu'à la Moisson, toutes les granges étaient bourrées. L'orge du Quartier Nord fut d'un si bon cru que l'on se souvint longtemps de la bière du malt de 1420, qui devint synonyme d'excellence. De fait, une génération après, on pouvait encore entendre à l'auberge, après une bonne pinte de bière bien méritée, un vieux grand-père poser sa chope avec un soupir de satisfaction : « Ah ! c'était de la vraie quatorze cent vingt, ça ! »

Sam demeura tout d'abord chez les Casebonne avec Frodo ; mais quand la Nouvelle Rue fut terminée, il s'y installa avec l'Ancêtre. En plus de toutes ses autres occupations, il s'employa à superviser le nettoyage et la restauration de Cul-de-Sac ; mais il partait souvent dans le Comté pour ses travaux de sylviculture. Il n'était donc pas chez lui début mars et ne sut pas que Frodo avait été malade. Le treize de ce mois, le fermier Casebonne trouva Frodo étendu sur son lit : il serrait dans le creux de sa main une gemme blanche suspendue à une chaîne autour de son cou, et semblait rêver à demi.

« Il est parti à jamais, disait-il, et maintenant, tout est sombre et vide. »

Mais l'accès lui passa, et, quand Sam rentra le vingt-cinq, Frodo s'était entièrement remis et ne lui dit rien de son état. Entre-temps, Cul-de-Sac avait été remis en ordre, et Merry et Pippin arrivèrent de Creux-le-Cricq avec tous ses effets et ses anciens meubles, si bien que le vieux trou retrouva très vite son aspect d'antan.

Quand tout fut enfin prêt, Frodo dit : « Quand donc viendras-tu habiter avec moi, Sam ? »

Sam eut l'air un peu gêné.

« Tu n'es pas obligé d'emménager tout de suite, si tu ne veux pas, dit Frodo. Mais tu sais que l'Ancêtre reste tout près, et la veuve Rombelle va très bien s'en occuper. »

« C'est pas ça, monsieur Frodo », dit Sam, et son visage s'empourpra.

« Mais enfin, qu'est-ce qu'il y a ? »

« C'est Rosie, Rose Casebonne, dit Sam. On dirait qu'elle a pas du tout aimé que je parte à l'étranger, la pauvre ; mais comme j'avais pas parlé, elle pouvait rien dire. Et j'ai pas parlé, parce que j'avais quelque chose à faire avant. Mais là, j'ai parlé, et elle a dit : "Eh bien, t'as perdu un an, alors pourquoi attendre encore ?" "Perdu ? que j'ai fait. Je dirais pas ça." N'empêche, je vois ce qu'elle veut dire. Je me sens déchiré en deux, si vous me passez l'expression. »

« Je vois, dit Frodo : tu veux te marier, mais tu veux aussi vivre avec moi à Cul-de-Sac ? Mais mon cher Sam, quoi de plus facile ! Marie-toi au plus vite, puis emménage chez moi avec Rosie. Il y a assez de place à Cul-de-Sac pour toute ta famille, aussi grande que tu le désires. »

Ainsi, tout était entendu. Sam Gamgie épousa Rose Casebonne au printemps de l'an 1420 (reconnu aussi pour ses mariages), et ils s'installèrent à Cul-de-Sac. Et si Sam s'estimait chanceux, Frodo savait qu'il l'était lui-même davantage ; car aucun hobbit, dans tout le Comté, n'avait droit à autant de prévenances que lui. Une fois tous les travaux de restauration planifiés et mis en train, il adopta une existence paisible, où il passa beaucoup de temps à écrire et à relire ses notes. Il quitta ses fonctions de maire adjoint lors de la Foire Libre de la Mi-Été, et ce cher vieux Will Piéblanc passa encore sept autres années à présider aux Banquets.

Merry et Pippin vécurent quelque temps ensemble à Creux-le-Cricq, et il y eut beaucoup d'allées et venues entre le Pays-de-Bouc et Cul-de-Sac. Les deux jeunes Voyageurs firent grand effet dans le Comté, avec leurs chansons, leurs récits et leur parure, sans oublier leurs merveilleuses fêtes. On les qualifiait de « princiers », toujours en bonne part ; car tous les cœurs se réchauffaient à les voir passer à cheval avec leurs si brillantes mailles et leurs boucliers si somptueux, riant et chantant des airs des pays lointains ; et s'ils étaient devenus de grands et magnifiques personnages, ils demeuraient inchangés par ailleurs, s'ils n'étaient pas effectivement plus courtois, plus joviaux et plus enjoués qu'ils ne l'avaient jamais été.

Frodo et Sam reprirent toutefois un habillement ordinaire, sauf qu'en cas de besoin ils portaient tous deux de longues capes grises, finement tissées et fermées à la gorge par de jolies broches; et M. Frodo portait toujours sur une chaîne un joyau blanc qu'il avait coutume de tripoter entre ses doigts.

Toutes choses allaient bien à présent, et il y avait toujours espoir qu'elles pussent encore s'améliorer; et Sam fut aussi occupé et comblé que même un hobbit eût pu le souhaiter. Rien ne vint assombrir toute cette année pour lui, hormis une vague inquiétude au sujet de son maître. Frodo délaissa tranquillement toutes les affaires du Comté, et Sam fut peiné de voir le peu d'honneur qui lui était rendu dans son propre pays. Peu de gens savaient ou voulaient savoir ce qu'il avait accompli, et quelles aventures il avait vécues; leur respect et leur admiration allaient surtout à M. Meriadoc, à M. Peregrin et (sans qu'il s'en doutât) à Sam lui-même. Et à l'automne reparut l'ombre de vieux soucis.

Un soir, Sam entra dans le bureau, et il trouva son maître très étrange. Il était extrêmement pâle, et ses yeux semblaient voir des choses très lointaines.

« Qu'avez-vous, monsieur Frodo? » demanda Sam.

« Je suis blessé, répondit-il, blessé; je ne guérirai jamais réellement. »

Mais alors, il se leva; la crise sembla passer et, dès le lendemain, il semblait tout à fait lui-même. Ce n'est que par la suite que Sam se rappela la date : le six d'octobre. Deux ans plus tôt, ce jour-là, il faisait noir dans le vallon au pied de Montauvent.

Les jours passèrent, et 1421 arriva. En mars, Frodo fut de nouveau malade, mais il le cacha à grand-peine, car

Sam avait d'autres préoccupations. Le premier enfant de Sam et Rosie naquit le 25 mars, date que Sam ne manqua pas de remarquer.

« Pour tout vous dire, monsieur Frodo, dit-il, je suis un peu embêté. Rose et moi, on s'était entendus pour l'appeler Frodo, avec votre permission ; sauf que c'est pas *lui*, c'est *elle*. Mais c'est la plus jolie petite fille qu'on puisse souhaiter, vu qu'elle ressemble à Rose plus qu'à moi, heureusement. Alors, on ne sait trop que faire. »

« Eh bien, Sam, dit Frodo, en aurais-tu contre les vieilles coutumes ? Choisis un nom de fleur comme Rose. La moitié des filles du Comté ont reçu un nom de ce genre, et que pourrait-on demander de mieux ? »

« Je suppose que vous avez raison, monsieur Frodo, dit Sam. J'ai entendu de jolis noms durant mes voyages, mais j'imagine qu'ils sont un peu ronflants pour l'usage de tous les jours, si vous me comprenez. L'Ancêtre, il me dit : "Fais ça court, comme ça, t'auras pas à le raccourcir avant de pouvoir t'en servir." Mais si c'est pour être un nom de fleur, je me fiche qu'il soit court ou long : il faut que ce soit une belle fleur, parce que voyez, je la trouve très belle, et je pense qu'elle le deviendra encore plus. »

Frodo réfléchit un moment. « Eh bien, Sam, que dirais-tu d'*elanor*, l'étoile-soleil – tu te souviens, la petite fleur dorée dans l'herbe de la Lothlórien ? »

« Vous avez encore raison, monsieur Frodo ! s'écria Sam, ravi. C'est exactement ça. »

La petite Elanor avait près de six mois, et l'an 1421 était dans son automne, quand Frodo fit venir Sam dans le bureau.

« Jeudi, ce sera l'Anniversaire de Bilbo, Sam, dit-il. Alors, il surpassera le Vieux Touc : il aura cent trente et un ans ! »

« C'est bien vrai ! dit Sam. Il est incroyable ! »

« Alors, Sam, dit Frodo, j'aimerais que tu ailles trouver Rose pour voir si elle peut se passer de toi, afin que nous partions ensemble. Tu ne peux pas partir bien loin, ni trop longtemps maintenant, je le sais bien », dit-il avec quelque mélancolie dans la voix.

« Non, pas tellement, monsieur Frodo. »

« Bien sûr que non. Mais qu'importe. Tu peux faire un bout de chemin avec moi. Dis à Rose que tu ne seras pas très longtemps parti, pas plus d'une quinzaine, et que tu rentreras sain et sauf. »

« J'aimerais pouvoir aller avec vous jusqu'à Fendeval, monsieur Frodo, et voir M. Bilbo, dit Sam. Mais en même temps, le seul endroit où j'ai envie d'être, c'est ici. Je suis déchiré à ce point-là. »

« Pauvre Sam ! J'ai bien peur que tu doives en pâtir, dit Frodo. Mais tu en guériras. Tu es fait pour être solide et entier, et tu le seras. »

Au cours des deux jours suivants, Frodo passa en revue tous ses écrits et documents en compagnie de Sam, et il lui remit ses clefs. Il y avait là un grand livre à simple reliure de cuir rouge : ses hautes pages étaient presque remplies, à présent. Les premières étaient couvertes de l'écriture de Bilbo, frêle et serpentine ; mais la plus grande part était de la plume toujours coulante et assurée de Frodo. Tout était divisé en chapitres ; mais le quatre-vingtième était inachevé, et suivi de quelques pages blanches. La page de titre suggérait différentes formules, biffées l'une après l'autre, comme suit :

Mon Journal. Mon Voyage inattendu. Un Aller et Retour. Et ce qui arriva après. Aventures de cinq hobbits. Le Conte du Grand Anneau, compilé par Bilbo Bessac à partir de ses propres observations et des relations de ses amis. Ce que nous avons fait dans la Guerre de l'Anneau.

La main de Bilbo s'arrêtait là, et Frodo avait écrit :

LA CHUTE
DU
SEIGNEUR DES ANNEAUX
ET LE
RETOUR DU ROI

(tels que vus par les Petites Gens ;
ou mémoires de Bilbo et Frodo du Comté,
complétés par les relations de leurs amis
et l'érudition des Sages)
Avec des extraits des Livres de Traditions
traduits par Bilbo à Fendeval.

« Ma foi, vous avez presque fini, monsieur Frodo ! s'exclama Sam. Mais vous avez pas chômé, il faut dire. »

« J'ai bel et bien fini, Sam, dit Frodo. Les dernières pages t'appartiennent. »

Le 21 septembre, ils partirent ensemble, Frodo sur le poney qui l'avait emmené depuis Minas Tirith, et qu'il appelait désormais l'Arpenteur ; et Sam sur son cher Bill. C'était un beau matin doré, et Sam ne demanda pas où ils allaient : il croyait pouvoir deviner.

Ils prirent la Route d'Estoc à travers les collines et se

dirigèrent vers la Pointe-aux-Bois, laissant leurs poneys marcher à leur gré. Ils campèrent sur les Côtes Vertes, et, le 22 septembre, ils descendirent lentement vers l'orée des bois, alors que l'après-midi touchait à sa fin.

« Eh bien, si c'est pas derrière cet arbre-là que vous vous êtes caché quand le Cavalier Noir est apparu la première fois, monsieur Frodo ! dit Sam en montrant l'endroit sur sa gauche. On dirait un rêve, maintenant. »

Le soir était tombé, et les étoiles scintillaient dans le ciel de l'est lorsqu'ils passèrent le chêne décrépit et descendirent la colline entre les fourrés de noisetiers. Sam était silencieux, plongé dans ses souvenirs. Bientôt, il s'aperçut que Frodo chantait doucement pour lui-même : c'était la vieille chanson de marche, mais les mots n'étaient plus tout à fait les mêmes.

> *Pourrait encor surgir au détour du sentier*
> *Une nouvelle route, une porte cachée,*
> *Et si je dus passer chaque fois mon chemin,*
> *Bientôt viendra le jour où je prendrai enfin*
> *Ces sentiers dérobés qui promettent merveilles,*
> *Qui à l'ouest de la Lune, qui à l'est du Soleil.*

Et comme en réponse, venues d'en bas, sur la route qui montait hors de la vallée, leur parvinrent des voix qui chantaient :

> *A ! Elbereth Gilthoniel !*
> *silivren penna míriel*
> *o menel aglar elenath !*

> *Gilthoniel, A! Elbereth!*
> *Il demeure en nous, éternel,*
> *Même en ces contrées éloignées,*
> *Le souvenir de ta lumière,*
> *Clarté étoilée sur les Mers.*

Frodo et Sam s'arrêtèrent et s'assirent en silence parmi les ombres douces, jusqu'au moment où une vague lueur les avertit que les voyageurs approchaient.

Gildor était là, et beaucoup d'autres belles gens du peuple elfique; et Sam s'étonna de voir Elrond et Galadriel chevauchant parmi eux. Elrond portait un manteau de gris, et il avait une étoile au front et une harpe d'argent à la main, et à son doigt était un anneau d'or serti d'une grande pierre bleue, Vilya, le plus puissant des Trois. Mais Galadriel était montée sur un palefroi blanc, et elle miroitait dans sa robe blanche comme des nuages devant la lune; car une douce lumière semblait émaner de sa personne. À son doigt brillait Nenya, l'anneau fait de *mithril*, orné d'une unique pierre blanche qui scintillait comme une étoile de givre. Cheminant derrière eux sur un petit poney gris, et paraissant dodeliner de la tête dans son sommeil, venait Bilbo lui-même.

Elrond les accueillit avec gravité et courtoisie, et Galadriel leur sourit. « Eh bien, maître Samsaget, dit-elle. Vous avez fait bon usage de mon cadeau, à ce que j'entends – et à ce que je vois. Le Comté sera, maintenant et plus que jamais, béni et bien-aimé. » Sam s'inclina, mais ne trouva rien à dire. Il avait oublié combien la Dame était belle.

Alors, Bilbo s'éveilla et ouvrit les yeux. « Salut, Frodo! dit-il. Tu sais quoi, j'ai dépassé le Vieux Touc aujourd'hui. C'est au moins ça de réglé. Maintenant, je me sens tout à fait prêt pour un autre voyage. Tu viens avec moi ? »

« Oui, bien sûr, dit Frodo. Les Porteurs de l'Anneau devraient partir ensemble. »

« Où allez-vous, Maître ? » s'écria Sam ; mais il comprit enfin ce qui se passait.

« Aux Havres, Sam », répondit Frodo.

« Et je peux pas venir. »

« Non, Sam. Pas pour l'instant en tout cas, pas plus loin que les Havres. Même si tu as été aussi un Porteur de l'Anneau, quoique pour un court moment. Ton heure viendra peut-être. Ne t'afflige pas trop, Sam. Tu ne peux être toujours déchiré en deux. Il te faudra être un et entier, pendant de nombreuses années. Tu as tant de choses à goûter et à être, et tant à faire. »

« Mais…, fit Sam — et les larmes lui montèrent aux yeux. Je croyais que vous alliez goûter les joies du Comté, vous aussi, pendant des années encore, après tout ce que vous avez fait. »

« Je l'ai cru aussi, il fut un temps. Mais ma blessure est trop profonde, Sam. J'ai voulu sauver le Comté, et il l'a été, mais pas pour moi. Il en va souvent ainsi, Sam, quand les choses sont en péril : quelqu'un doit y renoncer, les perdre, afin que d'autres puissent en jouir. Mais tu es mon héritier : tout ce que j'avais et que j'aurais pu avoir, je te le laisse. Et tu as Rose aussi, et Elanor ; et le petit Frodo viendra, et la petite Rosie, et Merry, et Boucles-d'or et Pippin ; et peut-être d'autres que je ne puis voir. Tes mains et ton jugement seront sollicités de partout. Tu seras maire, bien entendu, aussi longtemps que tu le désireras, et le plus célèbre jardinier de toute l'histoire ; et tu liras des passages du Livre Rouge, et tu entretiendras le souvenir de l'âge qui n'est plus, de sorte que les gens se rappelleront le Grand Péril et chériront d'autant plus le pays qu'ils aiment tant. Et ce faisant, tu seras aussi occupé et aussi heureux qu'on peut l'être, tant que continuera ta partie de l'Histoire.

« Allons, viens avec moi ! »

Alors, Elrond et Galadriel poursuivirent leur chevauchée ; car le Troisième Âge s'était achevé, les Jours des Anneaux étaient révolus, et c'en était fait de l'histoire et du chant de ces années. À leurs côtés venaient de nombreux Elfes du Haut Peuple qui ne voulaient plus rester en Terre du Milieu ; et parmi eux, remplis d'une tristesse pourtant bienheureuse et sans amertume, se trouvaient Sam, et Frodo, et Bilbo, et tous les Elfes ravis de leur faire honneur.

Et s'ils voyagèrent à travers le Comté toute la soirée et toute la nuit durant, nul ne les vit passer, hormis les bêtes sauvages ; ou çà et là un vagabond apercevant parmi les ombres une rapide lueur sous les arbres, ou un clair-obscur filant dans l'herbe, tandis que la Lune descendait à l'ouest. Et quand ils eurent quitté le Comté, suivant la lisière sud des Coteaux Blancs, ils arrivèrent aux Coteaux du Lointain, puis aux Tours, et ils contemplèrent au loin la Mer ; et ils descendirent enfin jusqu'au Mithlond, aux Havres Gris sur le long estuaire du Loune.

À leur arrivée aux portes, Círdan le Constructeur de Navires vint les accueillir. Grand il était, et sa barbe était longue ; et lui-même était gris et vieux, hormis ses yeux perçants comme des étoiles ; et il les regarda et s'inclina, puis il dit : « Tout est maintenant prêt. »

Círdan les conduisit alors aux Havres, où un navire

blanc était au mouillage. Sur le quai, à côté d'un grand cheval gris, se tenait une forme tout de blanc vêtue qui les attendait. Elle se retourna et, comme elle venait à leur rencontre, Frodo vit que Gandalf portait désormais ouvertement le Troisième Anneau, Narya le Grand, dont la pierre rutilait comme du feu sur sa main. Alors, ceux qui devaient partir furent heureux, car ils surent que Gandalf prendrait la mer avec eux.

Mais Sam avait le cœur en peine, songeant que, si la séparation serait amère, le long chemin de retour serait plus pénible encore. Or tandis qu'ils se tenaient là, que les Elfes montaient à bord et que l'on s'apprêtait au départ, Merry et Pippin arrivèrent en toute hâte sur leurs montures. Et Pippin riait au milieu de ses larmes.

« Tu as déjà essayé de nous fausser compagnie, Frodo, et ça n'a pas marché, dit-il. Cette fois, tu as presque réussi, mais pas tout à fait. Ce n'est pas Sam qui t'a vendu cette fois, mais Gandalf en personne ! »

« Oui, dit Gandalf, car il sera mieux de rentrer à trois plutôt que seul. Eh bien… ici, chers amis, sur les rivages de la Mer, s'achève enfin notre fraternité en Terre du Milieu. Allez en paix ! Je ne dirai pas : ne pleurez point ; car toutes les larmes ne sont pas un mal. »

Frodo embrassa alors Merry et Pippin, et en tout dernier lieu, Sam, puis il s'embarqua ; et les voiles furent hissées, et le vent se leva, et le navire glissa lentement sur le long estuaire gris ; et la lumière de la fiole de Galadriel que portait Frodo clignota et disparut. Et le navire gagna la Haute Mer et passa doucement dans l'Ouest, jusqu'à ce qu'enfin, par une nuit pluvieuse, Frodo perçût dans l'air une douce fragrance, et le son de chants portés sur l'eau. Puis il lui sembla, comme dans le rêve qu'il avait eu dans la maison de Bombadil, que le rideau de pluie grise se faisait tout de verre argenté ; et il contempla des rivages blancs, et au-delà, une contrée verdoyante et lointaine sous un rapide lever de soleil.

Mais pour Sam, resté debout au Havre, le soir laissa place aux ténèbres ; et, contemplant la mer grise, il vit seulement une ombre flottant sur les eaux, bientôt perdue dans l'Ouest. Il y resta jusque tard dans la nuit, n'écoutant que le soupir et le murmure des vagues sur les rivages de la Terre du Milieu, et ce son lui descendit aux profondeurs de l'âme. À ses côtés se tenaient Merry et Pippin, en silence.

Les trois compagnons se détournèrent enfin, puis, sans jamais plus regarder en arrière, ils chevauchèrent lentement vers la maison ; et ils ne prononcèrent aucune parole avant d'avoir regagné le Comté, mais chacun trouva grand réconfort auprès de ses amis sur le long chemin gris.

Enfin, ils traversèrent les coteaux et prirent la Route de l'Est, puis Merry et Pippin continuèrent vers le Pays-de-Bouc ; et tous deux chantaient déjà chemin faisant. Mais Sam se tourna vers Belleau et bientôt remonta la Colline, tandis que le jour baissait encore. Et, arrivant, il vit une lueur jaune, et du feu à l'intérieur ; car le repas du soir était prêt, et on l'attendait. Et Rose l'accueillit et l'installa dans son fauteuil, et elle mit la petite Elanor sur ses genoux.

Il respira profondément. « Eh bien, je suis de retour », dit-il.

Appendices

Appendice A

Annales des rois et dirigeants

Concernant les sources utilisées pour la plus grande partie du matériau que l'on trouve dans ces Appendices, en particulier ceux de A à D, voir la note à la fin du Prologue[1]. La section A III, *Le Peuple de Durin*, nous vient probablement de Gimli le Nain, qui demeura ami avec Peregrin et Meriadoc et les revit souvent au Gondor et au Rohan.

Les légendes, les chroniques et le savoir ancien contenus dans ces sources représentent une somme considérable de matière. Seuls des morceaux choisis, le plus souvent très abrégés, seront donnés ici. Ils visent essentiellement à illustrer la Guerre de l'Anneau et ses origines, et à combler certaines lacunes du récit principal. Les légendes anciennes du Premier Âge, auxquelles Bilbo s'est avant tout intéressé, sont évoquées très brièvement, puisqu'elles touchent à l'ascendance d'Elrond ainsi qu'aux rois et aux chefs númenóréens. Les passages directement extraits de plus longs récits ou annales sont donnés entre guillemets, et les ajouts ultérieurs placés entre crochets. Les notes entre guillemets figurent dans les sources d'origine. Les autres sont des ajouts éditoriaux[2].

---

1. Tome 1, p. 43 (*N.d.É.*).
2. On trouvera notamment quelques renvois à la présente édition du *Seigneur des Anneaux*, ainsi qu'à l'édition brochée du *Hobbit* (C. Bourgois Éd., 2012).

Les dates données ici sont celles du Troisième Âge, sauf si elles sont suivies de l'indication D.A. (Deuxième Âge) ou Q.A. (Quatrième Âge). Traditionnellement, on considère que le Troisième Âge a pris fin quand les Trois Anneaux sont passés au-delà, en septembre 3021 ; mais aux fins des archives du Gondor, le début de 1 Q.A. est fixé au 25 mars 3021. Sur l'équivalence entre les dates du Gondor et le Comput du Comté, voyez I, 26 et III, 661. Dans les listes, les dates qui suivent les noms des rois et des souverains sont celles de leur mort, lorsqu'une seule est donnée. Le signe † dénote une mort prématurée, au combat ou autrement, bien que l'événement en question ne soit pas toujours recensé dans les présentes annales.

I
Les Rois númenóréens

(i)
Númenor

Fëanor était le plus grand des Eldar en savoir et en artifice, mais aussi le plus fier et le plus entêté. Il fabriqua les Trois Joyaux, les *Silmarilli*, et les emplit de la lumière des deux Arbres, Telperion et Laurelin[1], lesquels éclairaient le pays des Valar. Les Joyaux furent convoités par Morgoth l'Ennemi, qui les déroba et, après avoir détruit les Arbres, les emporta en Terre du Milieu pour les conserver dans sa grande forteresse du Thangorodrim[2]. Contre la volonté des

---

1. Cf. I 438, II 345, III 414 : aucun arbre à la ressemblance de Laurelin le Doré ne subsistait en Terre du Milieu.
2. I 435, II 545.

Valar, Fëanor quitta le Royaume Béni et s'exila en Terre du Milieu, entraînant une grande partie de son peuple à sa suite ; car dans son orgueil, il se proposait de reprendre les Joyaux à Morgoth par la force. S'ensuivit alors la guerre désespérée des Eldar et des Edain contre le Thangorodrim, dans laquelle ils finirent par être complètement défaits. Les Edain (*Atani*) sont les trois peuples des Hommes qui, arrivés les premiers dans l'Ouest de la Terre du Milieu et aux rivages de la Grande Mer, se firent les alliés des Eldar contre l'Ennemi.

Il y eut trois unions entre Eldar et Edain : Lúthien et Beren, Idril et Tuor, enfin Arwen et Aragorn. Par cette dernière union, les rameaux longtemps séparés des Semi-Elfes furent réunis, et leur lignée rétablie.

Lúthien Tinúviel était la fille du roi Thingol Cape-grise du Doriath au Premier Âge, mais sa mère était Melian du peuple des Valar. Beren était le fils de Barahir de la Première Maison des Edain. Ensemble, ils arrachèrent un *silmaril* de la Couronne de Fer de Morgoth[1]. Lúthien devint mortelle et fut perdue pour la gent elfique. Elle eut Dior comme fils, et lui eut une fille, Elwing, qui conserva le *silmaril*.

Idril Celebrindal était la fille de Turgon, roi de la cité cachée de Gondolin[2]. Tuor était le fils de Huor de la Maison de Hador, la Troisième Maison des Edain et la plus renommée dans les guerres contre Morgoth. Eärendil le Marinier était leur fils.

Eärendil épousa Elwing et, avec le pouvoir du *silmaril*, il traversa les Ombres[3] et vint dans l'Ouest Absolu, et, parlant en qualité d'ambassadeur tant pour les Elfes que pour les

1. I 353, II 545.
2. *Le Hobbit*, p. 77 ; *Le Seigneur des Anneaux*, I 564.
3. I 419-423.

Hommes, il obtint l'aide qui permit de renverser Morgoth. Eärendil n'eut pas la permission de retourner dans les terres mortelles, et son navire portant le *silmaril* fut lancé au firmament pour y naviguer, comme une étoile et un signe d'espoir pour les habitants de la Terre du Milieu qui vivaient sous le joug du Grand Ennemi ou de ses serviteurs[1]. Seuls les *silmarilli* préservaient l'ancienne lumière des Deux Arbres de Valinor, avant que Morgoth n'eût empoisonné ceux-ci ; mais les deux autres joyaux furent perdus à la fin du Troisième Âge. Le récit complet de ces événements, et bien d'autres choses encore au sujet des Elfes et des Hommes, sont racontés dans *Le Silmarillion*.

Les fils d'Eärendil étaient Elros et Elrond, les *Peredhil* ou Semi-Elfes. Eux seuls perpétuèrent la lignée des chefs héroïques des Edain au Premier Âge ; et après la chute de Gil-galad[2], leurs descendants furent aussi les seuls représentants de la lignée des Rois haut-elfiques en Terre du Milieu.

À la fin du Premier Âge, les Valar présentèrent aux Semi-Elfes un choix qui les lierait irrévocablement à un peuple ou à l'autre. Elrond choisit le Peuple des Elfes, et il devint un maître de sagesse. On lui accorda ainsi la même grâce qu'à ceux des Hauts Elfes qui demeuraient encore en Terre du Milieu, celle de pouvoir quitter les terres mortelles lorsque enfin ils seraient las : prendre la mer aux Havres Gris et passer dans l'Ouest Absolu ; et cette grâce subsista après que le monde fut changé. Mais les enfants d'Elrond se virent également imposer un choix : soit de quitter avec lui les cercles du monde, soit d'y demeurer pour devenir mortels, et mourir

---

1. I 642, 648, II 545, 559, III 313, 325.
2. I 107, 338-339.

en Terre du Milieu. Aussi toutes les issues de la Guerre de l'Anneau étaient-elles, pour Elrond, autant de pénibles dénouements[1].

Elros choisit le Peuple des Hommes et demeura parmi les Edain ; mais une grande longévité lui fut conférée, bien au-delà de celles des hommes moindres.

En compensation des souffrances endurées dans la lutte contre Morgoth, les Valar, les Gardiens du Monde, offrirent aux Edain une terre où ils pourraient vivre, loin des périls de la Terre du Milieu. La plupart d'entre eux prirent donc la Mer, et, guidés par l'Étoile d'Eärendil, ils arrivèrent à la grande île d'Elenna, la plus occidentale des terres mortelles, où ils fondèrent le royaume de Númenor.

Au centre du pays se dressait une montagne, le Meneltarma ; et au sommet, ceux qui avaient la vue longue pouvaient discerner la tour blanche du Havre des Eldar à Eressëa. De là, les Eldar se rendirent auprès des Edain et les enrichirent de leur savoir, ainsi que de nombreux présents ; mais les Númenóréens étaient soumis à un commandement, l'« Interdit des Valar » : en aucun cas ils ne devaient faire voile à l'ouest jusqu'à perdre de vue leurs propres rivages, ni tenter de débarquer sur les Terres Immortelles. Car bien qu'une grande longévité leur eût été octroyée, à l'origine trois fois plus grande que celle des Hommes moindres, ils étaient contraints de demeurer mortels, les Valar n'étant pas autorisés à leur retirer le Don des Hommes (ou le Destin des Hommes, comme on l'appela par la suite).

Elros fut le premier Roi de Númenor, et connu désormais sous le nom haut-elfique de Tar-Minyatur. Ses descendants,

---

1. Voir III 418, 424.

s'ils avaient la longévité, n'en étaient pas moins mortels. Plus tard, quand ils devinrent puissants, ils vinrent à regretter le choix de leur ancêtre, désirant l'immortalité pour la durée du monde, soit le sort réservé aux Eldar, et murmurant contre l'Interdit. Ainsi naquit leur rébellion qui, nourrie par les mauvais enseignements de Sauron, amena la Chute de Númenor et la ruine du monde ancien, comme il est raconté dans l'*Akallabêth*.

Voici les noms des Rois et des Reines de Númenor : Elros Tar-Minyatur, Vardamir, Tar-Amandil, Tar-Elendil, Tar-Meneldur, Tar-Aldarion, Tar-Ancalimë (la première Reine régnante), Tar-Anárion, Tar-Súrion, Tar-Telperiën (la deuxième Reine), Tar-Minastir, Tar-Ciryatan, Tar-Atanamir le Grand, Tar-Ancalimon, Tar-Telemmaitë, Tar-Vanimeldë (la troisième Reine), Tar-Alcarin, Tar-Calmacil, Tar-Ardamin.

Après Ardamin, les Rois prirent le sceptre sous un nom en langue númenóréenne (ou adûnaïque) : Ar-Adûnakhôr, Ar-Zimrathôn, Ar-Sakalthôr, Ar-Gimilzôr, Ar-Inziladûn. Inziladûn changea son nom en Tar-Palantir, « la Longue-Vue ». Sa fille aurait dû être la quatrième Reine, Tar-Míriel, mais le neveu du Roi usurpa son sceptre et devint Ar-Pharazôn le Doré, dernier Roi des Númenóréens.

Les premiers navires númenóréens revinrent en Terre du Milieu à l'époque de Tar-Elendil. L'aînée de ses enfants était une fille, Silmariën. Elle eut un fils, Valandil, premier des Seigneurs d'Andúnië à l'ouest du continent, connus pour leur amitié avec les Eldar. Parmi les descendants de Valandil, on compte Amandil, le dernier seigneur, et son fils Elendil le Grand.

Le sixième Roi ne produisit qu'un enfant, une fille. Elle devint la première Reine ; car la maison royale décréta alors une loi voulant que l'aîné des enfants du Roi, homme ou femme, reçût le sceptre.

Le royaume de Númenor subsista jusqu'à la fin du Deuxième Âge sans jamais cesser de croître en puissance et en splendeur ; et dans la première moitié de l'Âge, les Númenóréens gagnèrent aussi en sagesse et en félicité. Le premier signe de l'ombre qui devait s'abattre sur eux fit son apparition à l'époque de Tar-Minastir, le onzième Roi. Ce fut lui qui envoya une grande force au secours de Gil-galad. Il aimait les Eldar mais les enviait. Les Númenóréens étaient alors devenus de grands marins, explorant toutes les mers à l'est, mais ils soupiraient de plus en plus après l'Ouest et les eaux interdites ; et plus leur vie était bienheureuse, plus ils aspiraient à l'immortalité des Eldar.

En outre, après Minastir, les Rois se firent plus avides de pouvoir et de richesses. Au début, les Númenóréens étaient venus en amis dans la Terre du Milieu, pour enseigner aux Hommes moins fortunés qui vivaient sous le joug de Sauron ; mais à présent, ils érigèrent leurs havres en forteresses, plaçant de vastes régions côtières sous leur sujétion. Atanamir et ses successeurs levaient un lourd tribut, et leurs navires rentraient à Númenor chargés de butin.

Ce fut Tar-Atanamir qui le premier s'éleva contre l'Interdit, déclarant que la vie des Eldar lui revenait de droit. Ainsi, l'ombre s'épaissit, et l'idée de la mort vint assombrir le cœur des gens. Puis les Númenóréens se divisèrent. D'un côté, il y avait les Rois et leurs suivants, éloignés des Eldar et des Valar ; de l'autre, il y avait ceux qui s'appelaient les Fidèles : ils étaient peu nombreux, et ils vivaient surtout dans l'ouest du pays.

Les Rois et leurs suivants délaissèrent peu à peu l'usage des langues eldarines ; et le vingtième Roi finit par adopter son nom royal sous forme númenóréenne, se faisant appeler

Ar-Adûnakhôr, « Seigneur de l'Ouest ». Ce nom était de sinistre augure aux yeux des Fidèles, car jusque-là il n'avait servi qu'à désigner l'un des Valar, ou le Roi Vénérable en personne[1]. Et en effet, Ar-Adûnakhôr se mit à persécuter les Fidèles et à punir ceux qui usaient ouvertement des langues elfiques ; et les Eldar ne vinrent plus à Númenor.

La puissance et la richesse des Númenóréens continuèrent néanmoins de croître ; mais leurs années s'amenuisèrent à mesure qu'augmentait chez eux la peur de la mort, et leur joie se ternit. Tar-Palantir tenta de redresser le mal ; mais il était trop tard, et Númenor fut la proie de soulèvements et de conflits. À sa mort, son neveu, le chef de la rébellion, s'empara du sceptre et devint le roi Ar-Pharazôn. Ar-Pharazôn le Doré se révéla le plus fier et le plus puissant de tous les Rois, et il ne désirait rien de moins que la souveraineté du monde.

Il résolut de défier la suprématie de Sauron le Grand en Terre du Milieu, et il finit par partir lui-même avec une grande flotte, débarquant à Umbar. Telles furent la puissance et la splendeur des Númenóréens que Sauron se trouva déserté par ses propres serviteurs ; et il se prosterna devant le Roi et lui rendit hommage, implorant son pardon. Alors Ar-Pharazôn, dans la folie de son orgueil, le ramena à Númenor comme prisonnier. Il ne mit pas longtemps à ensorceler le Roi et à se rendre maître de son conseil ; et, hormis ce qui restait des Fidèles, il eut tôt fait de dévoyer les cœurs des Númenóréens vers les ténèbres.

Et Sauron berna le Roi, soutenant que la vie éternelle viendrait à qui prendrait possession des Terres Immortelles, et que l'Interdit n'avait été imposé que pour empêcher les

1. I 422.

Rois des Hommes de surpasser les Valar. « Mais les grands Rois prennent ce qui leur revient de droit », lui dit-il.

Ar-Pharazôn finit par suivre ce conseil, car il sentait ses jours décliner, et sa peur de la Mort l'avait abêti. Il prépara alors le plus grand armement que le monde eût jamais vu, et quand tout fut prêt, il fit sonner ses trompettes et prit la mer ; et il viola l'Interdit des Valar, partant en guerre pour arracher la vie éternelle aux Seigneurs de l'Ouest. Mais sitôt qu'il mit le pied sur les rivages d'Aman le Béni, les Valar se démirent de leur Intendance et en appelèrent à l'Unique, et le monde fut transformé. Númenor fut renversée et engloutie par les flots, et les Terres Immortelles furent soulevées à jamais hors des cercles du monde. Ainsi périt la gloire de Númenor.

Les derniers à la tête des Fidèles, Elendil et ses fils, échappèrent à la Chute de Númenor sur neuf navires, emportant un semis de Nimloth et les Sept Pierres de Vision (cadeaux des Eldar offerts à leur Maison)[1] ; et portés par un vent de tempête, ils furent rejetés sur les rivages de la Terre du Milieu. Là, dans le Nord-Ouest, ils établirent les royaumes númenóréens de l'exil, l'Arnor et le Gondor[2]. Elendil en fut le Grand Roi et vécut dans le Nord à Annúminas ; tandis que le gouvernement du Sud fut confié à ses fils, Isildur et Anárion. Ils fondèrent là-bas Osgiliath, entre Minas Ithil et Minas Anor[3], non loin des confins du Mordor. Car ils croyaient que la ruine avait amené au moins un bienfait, en ce que Sauron lui-même avait péri.

Mais il n'en était rien. S'il fut pris dans le naufrage de Númenor, en sorte qu'il perdit la forme corporelle qu'il avait

---

1. II 342, III 414.
2. I 435.
3. I 438.

longtemps assumée, Sauron retourna néanmoins en Terre du Milieu, esprit de haine porté par un vent de ténèbres. Il fut à jamais incapable de reprendre une forme qui parût agréable aux yeux des Hommes, aussi prit-il un aspect noir et repoussant, et son pouvoir ne s'exerça plus que par la terreur. Il revint au Mordor et s'y terra longtemps en silence. Mais sa colère fut immense lorsqu'il apprit qu'Elendil, qu'il détestait par-dessus tout, lui avait échappé, et qu'il ordonnait à présent un royaume sur ses frontières.

Ainsi, au bout d'un certain temps, il décida de faire la guerre aux Exilés avant qu'ils ne prennent racine. L'Orodruin s'enflamma de nouveau, et il reçut au Gondor un nouveau nom, Amon Amarth, le Mont Destin. Mais Sauron frappa trop tôt, avant que sa propre puissance fût restaurée, tandis que celle de Gil-galad n'avait cessé de croître en son absence ; et quand la Dernière Alliance s'éleva contre lui, Sauron fut renversé et l'Anneau Unique lui fut dérobé[1]. Ainsi s'acheva le Deuxième Âge.

(ii)
Les Royaumes de l'Exil

La lignée du Nord
Héritiers d'Isildur

Arnor. Elendil †3441 D.A., Isildur †2, Valandil 249[2], Eldacar 339, Arantar 435, Tarcil 515, Tarondor 602, Valandur †652, Elendur 777, Eärendur 861.

---

1. I 436.
2. Quatrième fils d'Isildur, né à Imladris. Ses frères furent tués aux Champs de Flambes.

Arthedain. Amlaith de Fornost[1] (fils aîné d'Eärendur) 946, Beleg 1029, Mallor 1110, Celepharn 1191, Celebrindor 1272, Malvegil 1349[2], Argeleb Ier †1356, Arveleg Ier 1409, Araphor 1589, Argeleb II 1670, Arvegil 1743, Arveleg II 1813, Araval 1891, Araphant 1964, Arvedui le Dernier †1975. Fin du Royaume du Nord.

Chefs. Aranarth (fils aîné d'Arvedui) 2106, Arahael 2177, Aranuir 2247, Aravir 2319, Aragorn Ier †2327, Araglas 2455, Arahad Ier 2523, Aragost 2588, Aravorn 2654, Arahad II 2719, Arassuil 2784, Arathorn Ier †2848, Argonui 2912, Arador †2930, Arathorn II †2933, Aragorn II 120 Q.A.

La lignée du Sud
Héritiers d'Anárion

Rois du Gondor. Elendil, (Isildur et) Anárion †3440 D.A., Meneldil fils d'Anárion 158, Cemendur 238, Eärendil 324, Anardil 411, Ostoher 492, Rómendacil Ier (Tarostar) †541, Turambar 667, Atanatar Ier 748, Siriondil 830. Vinrent ensuite les quatre « Rois-Navigateurs » :

Tarannon Falastur 913. Il fut le premier roi sans postérité, et ce fut le fils de son frère Tarciryan qui lui succéda. Eärnil Ier †936, Ciryandil †1015, Hyarmendacil Ier (Ciryaher) 1149. Le Gondor était alors au faîte de sa puissance.

---

1. Après Eärendur, les Rois cessèrent de se donner des noms en haut-elfique.
2. Après Malvegil, les Rois de Fornost revendiquèrent de nouveau la suzeraineté de tout l'Arnor, et ils ajoutèrent le préfixe *ar(a)* à leurs noms afin de dénoter cela.

Atanatar II Alcarin « le Glorieux » 1226, Narmacil Ier 1294. Il fut le deuxième roi sans postérité, et son frère cadet lui succéda. Calmacil 1304, Minalcar (régent 1240-1304), couronné sous le nom de Rómendacil II 1304, mort 1366, Valacar 1432. Le premier désastre du Gondor, la Lutte Fratricide, débuta sous son règne.

Eldacar fils de Valacar (d'abord appelé Vinitharya) déposé 1437. Castamir l'Usurpateur †1447. Restauration d'Eldacar, mort 1490.

Aldamir (deuxième fils d'Eldacar) †1540, Hyarmendacil II (Vinyarion) 1621, Minardil †1634, Telemnar †1636. Telemnar et tous ses enfants moururent de la peste ; son neveu lui succéda, le fils de Minastan, deuxième fils de Minardil. Tarondor 1798, Telumehtar Umbardacil 1850, Narmacil II †1856, Calimehtar 1936, Ondoher †1944. Ondoher et ses deux fils moururent au combat. Un an après, en 1945, on remit la couronne au général victorieux Eärnil, un descendant de Telumehtar Umbardacil. Eärnil II 2043, Eärnur †2050. Ici, la lignée des rois s'éteignit, avant d'être rétablie par Elessar Telcontar en 3019. Dans l'intervalle, le royaume fut dirigé par les Intendants.

Intendants du Gondor. La Maison de Húrin : Pelendur 1998. Il régna une année après la chute d'Ondoher et conseilla au Gondor de rejeter les prétentions d'Arvedui à la couronne. Vorondil le Chasseur 2029[1]. Mardil Voronwë « le Loyal », premier des Intendants Régnants. Ses successeurs ne prirent plus de noms en haut-elfique.

---

1. Voir III 38. Selon la légende, les bœufs blancs que l'on trouvait encore à l'état sauvage près de la Mer du Rhûn étaient des descendants des Bœufs d'Araw, le chasseur des Valar, seul d'entre eux à avoir souvent visité la Terre du Milieu au temps des Jours Anciens. La forme haut-elfique de son nom est *Oromë* (III 184).

Intendants régnants. Mardil 2080, Eradan 2116, Herion 2148, Belegorn 2204, Húrin Ier 2244, Túrin Ier 2278, Hador 2395, Barahir 2412, Dior 2435, Denethor Ier 2477, Boromir 2489, Cirion 2567. À son époque, les Rohirrim entrèrent au Calenardhon. Hallas 2605, Húrin II 2628, Belecthor Ier 2655, Orodreth 2685, Ecthelion Ier 2698, Egalmoth 2743, Beren 2763, Beregond 2811, Belecthor II 2872, Thorondir 2882, Túrin II 2914, Turgon 2953, Ecthelion II 2984, Denethor II. Il fut le dernier des Intendants Régnants. Son deuxième fils, Faramir, Seigneur des Emyn Arnen, lui succéda en qualité d'Intendant du roi Elessar, 82 Q.A.

<h2 style="text-align:center">(iii)</h2>

L'Eriador, l'Arnor et les héritiers d'Isildur

« Eriador était le nom donné à l'ensemble des terres entre les Montagnes de Brume et les Montagnes Bleues ; au sud, elles étaient bornées par le Grisfleur et la Glanduin, qui s'y jette en amont de Tharbad.

« À son apogée, l'Arnor comprenait tout l'Eriador, hormis les régions situées au-delà du Loune, et les terres à l'est du Grisfleur et de la Bruyandeau, où se trouvaient Fendeval et la Houssière. Au-delà du Loune était un pays d'Elfes, verdoyant et calme, où les Hommes n'allaient pas ; mais des Nains habitaient, et habitent encore, sur le versant est des Montagnes Bleues, en particulier dans les régions au sud du golfe du Loune, où ils exploitent encore des mines. C'est pourquoi ils avaient l'habitude de se rendre dans l'Est en passant par la Grande Route, comme ils l'avaient fait de longues années durant avant que nous arrivions dans le Comté. Aux Havres Gris vivait Círdan le Constructeur de Navires, et certains disent qu'il y vit encore, tant que le Dernier Navire n'aura pas vogué dans l'Ouest. À l'époque des Rois, la plupart des Hauts Elfes qui s'attardaient encore en Terre du Milieu vivaient auprès de Círdan ou dans les terres maritimes du Lindon. S'il en reste aujourd'hui, ils sont peu nombreux. »

Le Royaume du Nord et les Dúnedain

Après Elendil et Isildur, il y eut huit Grands Rois de l'Arnor. Après Eärendur, en raison des dissensions qui déchiraient ses fils, leur royaume fut divisé en trois : l'Arthedain, le Rhudaur et le Cardolan. L'Arthedain se trouvait au nord-ouest et englobait les terres entre le Brandivin et le Loune, de même que celles au nord de la Grande Route jusqu'aux Collines du Vent. Le Rhudaur, au nord-est, s'étendait entre les Landes d'Etten, les Collines du Vent et les Montagnes de Brume, mais comprenait également la Fongrège et la Bruyandeau. Le Cardolan était situé au sud, borné par le Brandevin, le Grisfleur et la Grande Route.

La lignée d'Isildur fut maintenue en Arthedain, et elle y subsista, tandis qu'elle ne tarda pas à périr au Cardolan et au Rhudaur. Il y eut de nombreuses querelles entre les royaumes, ce qui eut pour effet d'accélérer le déclin des Dúnedain. Le principal contentieux était la possession des Collines du Vent et du pays situé à l'ouest, vers Brie. Le Rhudaur et le Cardolan convoitaient chacun Amon Sûl (Montauvent), lequel se trouvait à la frontière des deux royaumes ; car la Tour d'Amon Sûl renfermait le Palantír le plus puissant du Nord, les deux autres étant en possession de l'Arthedain.

« C'est au commencement du règne de Malvegil de l'Arthedain que le mal arriva en Arnor. Car à cette époque, le royaume d'Angmar se forma dans le Nord au-delà des Landes d'Etten. Son territoire s'étendait des deux côtés des Montagnes, et des hommes mauvais s'y trouvaient rassemblés en grand nombre, de même que des Orques et d'autres terribles créatures. [Le seigneur de ce royaume se faisait appeler le Roi-Sorcier, mais c'est seulement plus tard que l'on apprit qu'il s'agissait en vérité du chef des Spectres de l'Anneau, venu dans le Nord dans l'intention d'anéantir les Dúnedain en Arnor, espérant profiter de leur désunion, tandis que le Gondor demeurait puissant.] »

Au temps d'Argeleb fils de Malvegil, alors qu'il ne restait plus aucun descendant d'Isildur dans les autres royaumes, les rois de l'Arthedain voulurent reprendre la suzeraineté de tout l'Arnor. Le Rhudaur s'opposa à leur revendication. Les Dúnedain y étaient peu nombreux, et un seigneur des Montagnards s'était emparé du pouvoir, un homme mauvais et un allié secret de l'Angmar. Ainsi, Argeleb fortifia les Collines du Vent[1] ; mais il tomba au combat dans la guerre contre le Rhudaur et l'Angmar.

Arveleg fils d'Argeleb, avec l'aide du Cardolan et du Lindon, expulsa ses ennemis des Collines ; et durant maintes années, l'Arthedain et le Cardolan défendirent une frontière le long des Collines du Vent, de la Grande Route et du cours inférieur de la Fongrège. Il est dit que Fendeval fut assiégé à cette époque.

Une grande armée marcha hors de l'Angmar en 1409. Franchissant la rivière, elle entra au Cardolan et encercla Montauvent. Les Dúnedain furent vaincus et Arveleg tomba. La Tour d'Amon Sûl fut incendiée et rasée ; mais le *palantír* survécut, emporté dans la retraite vers Fornost. Le Rhudaur

---

1. I 338.

fut occupé par des Hommes mauvais soumis à l'Angmar[1], et les Dúnedain qui y demeuraient furent tués ou s'enfuirent vers l'ouest. Le Cardolan fut ravagé. Araphor fils d'Arveleg n'était pas encore adulte, mais n'en était pas moins vaillant ; et avec l'aide de Círdan, il bouta l'ennemi hors de Fornost et des Coteaux du Nord. Un dernier bastion de fidèles, composés de Dúnedain du Cardolan, résista également à Tyrn Gorthad (les Coteaux des Tertres) ou se réfugia dans la Forêt avoisinante.

On dit que l'Angmar fut un temps contenu par Ceux des Elfes venus du Lindon – et aussi de Fendeval, car Elrond fit venir des renforts de la Lórien au-delà des Montagnes. À cette époque, les Fortauds qui s'étaient établis dans l'Angle (entre la Fongrège et la Bruyandeau) s'enfuirent à l'ouest et au sud, à cause des guerres et de la terreur de l'Angmar, mais aussi en raison de la détérioration des terres et du climat de l'Eriador, devenus hostiles, en particulier dans l'est. Certains regagnèrent la Contrée Sauvage, s'installant aux abords de la Rivière aux Flambes, et ils devinrent un peuple de riverains et de pêcheurs.

Durant le règne d'Argeleb II, la peste arriva en Eriador par le Sud-Est et décima la population du Cardolan, et celle du Minhiriath en particulier. Les Hobbits et tous les autres peuples en pâtirent beaucoup, mais l'épidémie diminua en progressant au nord, et les régions septentrionales de l'Arthedain ne furent guère touchées. Cette époque signala la fin des Dúnedain du Cardolan, et de mauvais esprits venus de l'Angmar et du Rhudaur investirent les tertres désertés et y élurent domicile.

---

1. I 366.

« On dit que les monticules de Tyrn Gorthad, comme on appelait jadis les Coteaux des Tertres, sont très anciens : bon nombre auraient été élevés à l'époque du monde antique, au Premier Âge, par les ancêtres des Edain, avant qu'ils ne franchissent les Montagnes Bleues jusqu'au Beleriand, dont le Lindon est la seule partie qui subsiste de nos jours. Aussi les Dúnedain, à leur retour, regardèrent-ils ces collines avec la plus grande révérence ; et ils y enterrèrent bon nombre de leurs seigneurs et de leurs rois. [Le tertre où fut emprisonné le Porteur de l'Anneau aurait été, selon certains, la tombe du dernier prince du Cardolan, tombé durant la guerre de 1409.] »

« En 1974, la puissance de l'Angmar se manifesta de nouveau, et le Roi-Sorcier envahit l'Arthedain avant la fin de l'hiver. Il s'empara de Fornost et chassa la plupart des Dúnedain restant au-delà du Loune ; les fils du roi étaient de ce nombre. Mais le roi Arvedui tint les Coteaux du Nord jusqu'à la toute fin, puis il s'enfuit vers le nord avec quelques-uns de son escorte ; et la rapidité de leurs chevaux les sauva.

« Arvedui se cacha pour un temps dans les galeries des anciennes mines naines à l'extrémité des Montagnes, mais la faim le poussa à chercher assistance auprès des Lossoth, les Hommes des Neiges du Forochel[1]. Il en trouva quelques-uns

---

1. « Il s'agit là d'un peuple étrange et hostile, dernier représentant des Forodwaith, ces Hommes d'une époque reculée, accoutumés aux grands froids du royaume de Morgoth. De fait, ce froid subsiste encore dans la région, encore qu'elle ne se trouve qu'à une centaine de lieues au nord du Comté. Les Lossoth habitent dans la neige, et l'on dit qu'ils courent sur la glace en s'attachant des os aux pieds, et qu'ils ont des voitures dépourvues de roues. Ils vivent pour la plupart, hors d'atteinte de leurs ennemis, sur le grand Cap de Forochel qui défend au nord-ouest l'immense baie du même nom ; mais il leur arrive souvent de camper sur les rives au sud de la baie, au pied des Montagnes. »

bivouaquant au bord de la mer; mais ils ne l'aidèrent pas volontiers, car le roi n'avait rien à leur offrir, hormis quelques joyaux sans valeur à leurs yeux; et ils craignaient le Roi-Sorcier, qui pouvait (disaient-ils) commander le gel et le dégel par sa seule volonté. Mais tant par compassion envers le roi hâve et ses hommes que par crainte de leurs armes, ils leur offrirent un peu de nourriture et leur construisirent des huttes de neige. Là, Arvedui fut contraint d'attendre et d'espérer qu'une aide lui parvînt du sud; car ses chevaux avaient péri.

«Sitôt que Círdan apprit par Aranarth, fils d'Arvedui, la fuite de ce dernier dans le Nord, il envoya un navire au Forochel afin d'aller à sa recherche. Après bien des jours, en raison de vents contraires, le navire arriva enfin à destination, et les marins virent au loin le petit feu de bois flotté que les hommes égarés s'efforçaient de maintenir. Mais cette année-là, l'hiver mit longtemps à relâcher son étreinte; et bien qu'on fût alors en mars, la débâcle commençait à peine, et la glace s'étendait encore loin des rives.

«Les Hommes des Neiges, apercevant le navire, furent en même temps ébahis et effrayés, car jamais de mémoire d'homme ils n'avaient vu un tel navire sur les flots; mais ils étaient entre-temps devenus plus amicaux, et ils s'aventurèrent sur la banquise avec le roi et les survivants de son escorte, aussi loin qu'ils l'osèrent dans leurs voitures glissantes. Ainsi, une barque du navire fut en mesure d'aller les recueillir.

«Mais les Hommes des Neiges étaient inquiets, car ils disaient flairer un danger sur le vent. Et le chef des Lossoth dit à Arvedui : "Ne montez pas sur ce monstre des mers ! Que les marins nous apportent des vivres et d'autres choses qui nous font défaut, s'ils les ont, et vous pourrez rester ici jusqu'à ce que le Roi-Sorcier soit rentré chez lui. Car en été, son pouvoir diminue ; mais son souffle est mortel à présent, et son bras est long et froid."

« Mais Arvedui ne suivit pas son conseil. Il le remercia, et lorsqu'ils se séparèrent, il lui donna son anneau, disant : "Cet objet a plus de valeur que vous ne pouvez le concevoir. Par sa seule origine. Il n'a aucun pouvoir, sinon le prix que lui accordent ceux qui tiennent ma maison en honneur. Il ne vous aidera pas, mais si jamais vous êtes dans le besoin, les miens vous le rachèteront avec quantité de choses que vous pourriez désirer[1]."

« Or, le conseil de Lossoth était bon, par hasard ou par clairvoyance ; car le navire n'avait pas encore gagné la haute mer qu'une grande tempête de vent se leva avec un blizzard venu du Nord ; et elle repoussa le navire sur la banquise et entassa de la glace contre ses flancs. Même les marins de Círdan ne purent rien faire, et, à la nuit, la glace défonça la coque et le navire périt. Ainsi finit Arvedui le Dernier, et les *palantíri* s'abîmèrent avec lui dans la mer[2]. Ce n'est que bien plus tard que l'on apprit des Hommes des Neiges la nouvelle du naufrage de Forochel. »

---

1. « Ainsi, l'anneau de la Maison d'Isildur fut sauvé ; car il fut plus tard racheté par les Dúnedain. On dit que cet anneau n'était autre que celui offert à Barahir par Felagund de Nargothrond, que Beren recouvra au péril de sa vie. »

2. « Les Pierres en question étaient celles d'Annúminas et d'Amon Sûl. Dans le Nord, il n'en resta alors qu'une seule : la Pierre de la Tour des Emyn Beraid qui regarde sur le golfe du Loune. Celle-ci était en possession des Elfes, et bien que nous n'en ayons jamais rien su, elle y demeura jusqu'à ce que Círdan la mît dans le navire d'Elrond à son départ (I 94, 206). Toutefois, selon ce qui nous est rapporté, elle n'était pas comme les autres, ni en accord avec elles : elle regardait seulement vers la Mer. Elendil l'y avait placée pour retrouver la « vue droite » et contempler Eressëa dans l'Ouest évanoui ; mais au-dessous, les mers fléchies recouvraient Númenor pour toujours.

Les gens du Comté survécurent, mais la guerre balaya leur pays, si bien que la plupart durent fuir pour se cacher. Ils envoyèrent au secours du roi quelques archers qui ne revinrent jamais ; et d'autres se rendirent aussi à la bataille qui entraîna la chute de l'Angmar (bataille relatée dans les annales du Sud). Puis, dans la paix qui s'ensuivit, les gens du Comté devinrent maîtres d'eux-mêmes, et ils prospérèrent. Ils se choisirent un Thain en lieu et place du Roi et s'estimèrent heureux ; encore qu'ils aient longtemps été nombreux à attendre le retour du Roi. Mais cet espoir finit par disparaître des mémoires, et ne subsista plus que dans l'adage *Quand le Roi reviendra*, qui se disait d'une chose bonne mais irréalisable, ou d'un mal qu'on ne pouvait réparer. Le premier Thain du Comté fut un certain Bucca de la Marêche, dont les Vieilbouc se réclamaient d'être les descendants. Il devint Thain en 379 de notre comput (1979).

Après Arvedui, le Royaume du Nord prit fin, car les Dúnedain étaient désormais peu nombreux, et tous les peuples de l'Eriador se trouvaient diminués. La lignée des rois se perpétua néanmoins à travers les Chefs des Dúnedain, dont Aranarth fils d'Arvedui fut le premier. Arahael, son fils, fut élevé à Fendeval, comme tous les fils de chef qui vinrent après lui ; et leurs biens de famille, héritage de la maison, furent également conservés là-bas : les fragments de Narsil, l'étoile d'Elendil et le sceptre d'Annúminas[1].

---

1. « Le sceptre était l'insigne royal par excellence à Númenor, nous dit le Roi ; et c'était aussi le cas en Arnor, dont les rois ne portaient nulle couronne, mais plutôt une unique gemme blanche, l'Elendilmir, l'Étoile d'Elendil, sur un bandeau d'argent dont ils se ceignaient le front » (I 270, III 200, 223, 406). En faisant allusion à une couronne (I 312, 444), Bilbo entendait sans doute celle du Gondor ;

« Quand le royaume fut déchu, les Dúnedain passèrent dans l'ombre, vivant dans la clandestinité et le vagabondage. Rien, ou presque, ne fut jamais chanté ou consigné de leurs exploits et de leurs labeurs ; et le souvenir de ces choses ne s'est guère perpétué, depuis le départ d'Elrond. Et même si les créatures mauvaises, avant même la fin de la Paix Vigilante, avaient déjà recommencé à attaquer l'Eriador ou à l'envahir secrètement, les Chefs des Dúnedain furent pour la plupart à même de jouir de leurs longues existences. Aragorn Ier, dit-on, fut tué par les loups, qui depuis lors ne cessèrent d'être une menace en Eriador, et ils le sont encore de nos jours. Au temps d'Arahad Ier, les Orques, qui jusque-là occupaient, comme on le vit plus tard, des forteresses secrètes dans les Montagnes de Brume, se manifestèrent soudain. En 2509, Celebrían, épouse d'Elrond, fut prise en embuscade dans le Col de Cornerouge alors qu'elle se rendait en Lórien. Voyant son escorte dispersée par leur soudain assaut, les Orques la saisirent et l'enlevèrent. Elladan et Elrohir allèrent à sa poursuite et la secoururent, mais seulement après qu'on lui eut infligé des tourments et une blessure empoisonnée[1]. On la ramena à Imladris, et bien qu'Elrond fût à même de guérir

---

vers la fin de sa vie, il semblait très au fait de tout ce qui concernait la lignée d'Aragorn. « Le sceptre de Númenor aurait disparu avec Ar-Pharazôn. Celui d'Annúminas était la verge d'argent ouvré des Seigneurs d'Andúnië, et c'est peut-être l'objet le plus ancien façonné de main d'homme qui subsiste encore en Terre du Milieu. Il avait déjà plus de cinq mille ans le jour où Elrond le remit à Aragorn (III 416). La couronne du Gondor imitait la forme d'un heaume de guerre númenóréen. Au début, il ne s'agissait en vérité que d'un simple heaume ; et l'on dit que c'était celui qu'avait porté Isildur à la Bataille de Dagorlad (le heaume d'Anárion ayant été écrasé par la pierre jetée depuis Barad-dûr qui entraîna sa mort). Mais à l'époque d'Atanatar Alcarin, celui-ci fut remplacé par le heaume incrusté de pierreries qui servit au couronnement d'Aragorn. »
1. I 408.

son corps, elle perdit toute joie en la Terre du Milieu et se rendit aux Havres dès l'année suivante, traversant la Mer. Et plus tard, au temps d'Arassuil, les Orques, proliférant à nouveau dans les Montagnes de Brume, se mirent à ravager les terres, et les Dúnedain et les fils d'Elrond les combattirent. C'est à cette époque qu'une bande nombreuse fit une grande incursion à l'ouest, au point d'entrer dans le Comté pour en être chassée par Bandobras Touc[1]. »

Il n'y eut pas moins de quinze Chefs avant la naissance du seizième, Aragorn II, qui assuma de nouveau la royauté, tant du Gondor que de l'Arnor. « Nous l'appelons notre Roi ; et lorsqu'il vient dans le Nord et regagne sa demeure d'Annúminas aujourd'hui refondée pour séjourner un temps au bord du lac du Crépuscule, tous se réjouissent dans le Comté. Mais il n'entre pas dans ce pays et s'en tient à la loi qu'il a lui-même prescrite, qu'aucun des Grandes Gens n'en passe jamais les frontières. Il n'empêche qu'on le voit souvent mener une belle suite jusqu'au Grand Pont, où il salue ses amis et tous ceux qui désirent le voir ; et d'aucuns prennent la route avec lui et partent vivre sous son toit aussi longtemps qu'ils en ont envie. Peregrin le Thain y a séjourné à maintes reprises, ainsi que maître Samsaget le Maire. Sa fille Elanor la Belle compte parmi les demoiselles d'honneur de la reine Étoile du Soir. »

La Lignée du Nord pouvait s'enorgueillir sinon s'émerveiller du fait que, malgré leur puissance déchue et leur population diminuée, la succession de père en fils se maintint, ininterrompue, tout au long des générations. De même, si la longévité des Dúnedain ne cessa de s'amenuiser en Terre du Milieu, le déclin fut plus rapide au Gondor dès lors que leurs rois firent

---

1. I 27, III 491.

défaut ; cependant que maints Chefs du Nord vivaient encore deux fois plus vieux que les autres Hommes, c'est-à-dire bien au-delà des jours octroyés à nos plus vénérables. Aragorn vécut d'ailleurs deux cent dix ans, plus longtemps qu'aucun autre de sa lignée depuis le roi Arvegil ; mais en Aragorn Elessar fut renouvelée la dignité des rois d'autrefois.

(iv)
Le Gondor et les héritiers d'Anárion

Trente et un rois se succédèrent au Gondor après Anárion, tombé devant la Barad-dûr. Sur plus d'un millénaire, bien que la guerre n'ait jamais cessé d'assaillir leurs bornes, les Dúnedain du Sud acquirent puissance et richesse sur terre et sur mer, jusqu'au règne d'Atanatar II, surnommé Alcarin, le Glorieux. Mais même alors, on entrevoyait déjà les signes du déclin ; car les nobles du Sud se mariaient tardivement, et ils avaient peu d'enfants. Le premier roi sans postérité fut Falastur, et le second Narmacil Ier, fils d'Atanatar Alcarin.

Ce fut Ostoher, le septième roi, qui rebâtit Minas Anor, où les rois eurent dès lors coutume de passer l'été, la préférant à Osgiliath. En son temps, le Gondor essuya la première attaque des hommes sauvages de l'Est. Mais Tarostar, son fils, les vainquit et les expulsa, et il prit le nom de Rómendacil, « Vainqueur de l'Est ». Il tomba par ailleurs au combat contre de nouvelles hordes d'Orientais. Turambar son fils le vengea et conquit de grands territoires à l'est.

Ce fut avec Tarannon, le douzième roi, que commença la lignée des Rois-Navigateurs, qui constituèrent des forces navales afin d'accroître l'empire du Gondor le long des côtes, à l'ouest et au sud des Bouches de l'Anduin. Pour commémorer ses victoires en tant que Capitaine des Armées, Tarannon ceignit la couronne sous le nom de Falastur, « Seigneur des Côtes ».

Eärnil Ier, son neveu, qui lui succéda, réhabilita l'ancien port de Pelargir et se fit construire une grande escadre. Il assiégea Umbar par mer et par terre et s'en empara, et ce devint un port important et une grande place forte au sein du Gondor[1]. Mais Eärnil ne survit pas longtemps à son triomphe. Il périt avec maints navires et maints hommes dans une terrible tempête au large d'Umbar. Ciryandil son fils poursuivit la construction de navires ; mais les Hommes du Harad, sous la conduite des seigneurs qui avaient été chassés d'Umbar, marchèrent en grande force sur cette place, et Ciryandil tomba sous leur glaive au Haradwaith.

Umbar fut investi de nombreuses années durant, mais la puissance navale du Gondor tint le Harad en échec. Ciryaher fils de Ciryandil attendit son heure, puis, ayant enfin rassemblé une force suffisante, il descendit du nord par terre et par mer et, franchissant le fleuve Harnen, ses armées écrasèrent complètement les Hommes du Harad, et leurs rois furent forcés de reconnaître la souveraineté du Gondor (1050). Ciryaher prit alors le nom de Hyarmendacil, « Vainqueur du Sud ».

Nul n'osa plus défier la puissance de Hyarmendacil tant que dura son règne. Celui-ci dura cent trente-quatre ans, le plus long de toute la Lignée d'Anárion, hormis un seul. En

---

1. Le long cap d'Umbar et sa grande rade étaient une possession númenóréenne de fort longue date ; mais elle servait de place forte aux Hommes du Roi, que l'on nomma plus tard les Númenóréens Noirs, corrompus par Sauron, et qui vouaient la plus grande haine aux suivants d'Elendil. Après la chute de Sauron, ils connurent une rapide décroissance ou vinrent à se mêler aux Hommes de la Terre du Milieu, mais la haine du Gondor demeura intacte chez tous leurs descendants. La prise d'Umbar ne se fit donc qu'au prix de grands sacrifices.

son temps, la puissance du Gondor atteignit son zénith. Le royaume s'étendait alors, au nord, jusqu'au champ de la Celebrant et aux lisières sud de Grand'Peur, jusqu'au Grisfleur à l'ouest, à l'est jusqu'à la Mer intérieure du Rhûn, et au sud jusqu'au fleuve Harnen, et de là le long de la côte jusqu'à la péninsule du port d'Umbar. Les Hommes des Vaux de l'Anduin reconnaissaient son autorité ; et les rois du Harad rendaient hommage au Gondor, eux dont les fils vivaient en otages à la cour du Roi. Le Mordor était désolé, mais sous la surveillance de grandes places fortes gardant les cols.

Ainsi prit fin la lignée des Rois-Navigateurs. Atanatar Alcarin fils de Hyarmendacil vécut dans un grand faste, et les gens disaient : *Les pierres précieuses au Gondor sont des cailloux qui servent aux jeux des enfants*. Mais Atanatar aimait l'aisance et ne fit rien pour sauvegarder la puissance dont il avait hérité, et ses deux fils étaient de même tempérament. Le déclin du Gondor était déjà amorcé avant sa mort, et ses ennemis ne purent manquer de l'observer. La surveillance du Mordor fut négligée. Mais ce ne fut pas avant le règne de Valacar que s'abattit sur le Gondor une première grande calamité : la guerre civile qui prit le nom de Lutte Fratricide, à la source de grandes pertes et dommages considérables qui ne furent jamais pleinement réparés.

Minalcar fils de Calmacil était un homme d'une grande vigueur et, en 1240, Narmacil, voulant s'affranchir de toute responsabilité, le nomma Régent du royaume. Il assuma dès lors le gouvernement du Gondor au nom des rois, jusqu'au jour où il succéda à son père. Son souci premier tenait aux Hommes du Nord.

Ceux-ci s'étaient beaucoup multipliés à la faveur de la paix que la puissance du Gondor avait amenée. Ils étaient en grâce auprès des rois, car leur ascendance les plaçait au plus près des Dúnedain parmi les Hommes moindres (remontant aux mêmes peuples dont étaient issus les Edain de jadis) ; et les rois leur concédèrent de vastes territoires par-delà l'Anduin au sud de Vertbois-le-Grand, afin qu'ils leur servent de défense contre les hommes de l'Est. Car les attaques des Orientais, par le passé, étaient venues surtout de la plaine entre la Mer Intérieure et les Montagnes de Cendre.

Sous le règne de Narmacil Ier, ces attaques reprirent, quoique peu appuyées au début ; mais il vint aux oreilles du régent que les Hommes du Nord n'étaient pas toujours demeurés fidèles au Gondor ; ainsi d'aucuns s'alliaient parfois aux Orientais, ou par soif de butin, ou pour servir leurs intérêts dans leurs querelles de princes. Ainsi, en 1248, Minalcar se porta à la tête d'une grande force et vainquit une grande armée d'Orientais entre le Rhovanion et la Mer Intérieure, détruisant tous leurs campements et leurs villages à l'est de la Mer. Il prit alors le nom de Rómendacil.

À son retour, Rómendacil fortifia la rive occidentale de l'Anduin jusqu'au confluent avec la Limeclaire et interdit à tout étranger de descendre le Fleuve au-delà des Emyn Muil. Ce fut lui qui érigea les piliers des Argonath à l'entrée du Nen Hithoel. Mais comme il lui fallait des hommes, et qu'il désirait consolider le lien entre le Gondor et les Hommes du Nord, il prit bon nombre d'entre eux à son service, dont certains à qui il conféra de hauts grades au sein de ses armées.

Rómendacil montra une faveur toute particulière à Vidugavia, qui l'avait aidé à la guerre. Lui se proclama Roi du Rhovanion, et c'était en vérité le plus puissant des princes du Nord, bien que son royaume se limitât au territoire entre

Vertbois et la rivière Celduin[1]. En 1250, Rómendacil envoya son fils Valacar auprès de Vidugavia en qualité d'ambassadeur, afin qu'il se familiarise avec la langue, les manières et les politiques des Hommes du Nord. Mais Valacar outrepassa les desseins de son père. Il finit par s'attacher aux terres du Nord et à leur peuple, et il épousa Vidumavi, fille de Vidugavia. Ce mariage devait être l'élément déclencheur de la Lutte Fratricide.

« Car les nobles du Gondor regardaient avec suspicion les Hommes du Nord qui allaient et venaient parmi eux ; et c'était une chose inouïe que l'héritier de la couronne, ou l'un quelconque des fils du roi, dût épouser une femme de race étrangère et de moindre ascendance. Il y avait déjà des soulèvements dans les provinces du Sud quand le roi Valacar se fit vieux. Sa reine avait été une belle et noble dame mais n'avait pas vécu longtemps, comme le voulait le sort des Hommes moindres ; et les Dúnedain craignaient que sa descendance ne soit affligée de la même tare et n'ait pas la majesté des Rois des Hommes. Ils refusaient également de reconnaître son fils comme leur seigneur, car, bien qu'ayant pris le nom d'Eldacar, il était né en pays étranger sous le nom de Vinitharya, qu'il tenait du peuple de sa mère.

« Ainsi, lorsque Eldacar succéda à son père, la guerre éclata au Gondor. Mais Eldacar ne se laissa pas facilement dépouiller de son héritage. Au lignage du Gondor s'ajoutait chez lui l'esprit intrépide des Hommes du Nord. Il était beau et courageux, et ne semblait pas devoir vieillir plus rapidement que son père. Quand les insurgés sous la conduite des descendants des rois se soulevèrent contre lui, il leur résista jusqu'au bout de ses forces. Enfin, il fut assiégé à Osgiliath, et

---

1. Autrement appelée la Rivière Courante.

il la tint longtemps, jusqu'à ce que la faim et les forces supérieures des rebelles l'en chassent, livrant la cité aux flammes. Au cours de ce siège et dans l'incendie qui s'ensuivit, la Tour du Dôme d'Osgiliath fut détruite, et le *palantír* perdu au fond des eaux.

« Mais Eldacar échappa à ses adversaires et se réfugia dans le Nord auprès de ses parents du Rhovanion. Nombreux sont ceux qui alors se rallièrent à lui, Hommes du Nord au service du Gondor, mais aussi Dúnedain des provinces septentrionales du royaume. Car ceux-ci étaient nombreux à l'avoir pris en estime, mais bien d'autres encore vinrent à haïr son usurpateur. Ce n'était autre que Castamir, le petit-fils de Calimehtar, cadet de Rómendacil II. Non seulement figurait-il, de par son extraction, parmi les plus proches prétendants à la couronne, mais il était celui des rebelles qui comptait le plus de partisans ; car il était Capitaine de Navires, soutenu par les habitants des côtes et des grands havres de Pelargir et d'Umbar.

« Castamir n'était pas monté depuis bien longtemps sur le trône qu'il se révéla hautain et inclément. C'était un homme cruel, ce qui s'était déjà vérifié lors de la prise d'Osgiliath. Ornendil fils d'Eldacar, capturé par l'assiégeant, fut mis à mort sur son commandement ; et dans la cité, le massacre et les ravages perpétrés en son nom allèrent bien au-delà des impératifs de la guerre. Les gens de Minas Tirith et d'Ithilien s'en souvinrent longtemps ; et leur amour pour Castamir tiédit encore davantage, quand on vit qu'il se souciait fort peu des terres et songeait uniquement aux flottes, et projetait de déplacer le siège du royaume à Pelargir.

« Ainsi, il n'était roi que depuis dix ans quand Eldacar, voyant son heure arriver, descendit du Nord à la tête d'une grande armée ; et les gens du Calenardhon, de l'Anórien et de l'Ithilien affluèrent sous son drapeau. Il y eut une grande bataille au Lebennin et aux Passages de l'Erui, où fut versé une bonne part du plus noble sang du Gondor. Eldacar tua lui-même Castamir en combat singulier et fut ainsi vengé de la mort d'Ornendil ; mais les fils de Castamir prirent la fuite et, avec quelques autres de leurs parents et nombre de gens des navires, ils résistèrent longtemps à Pelargir.

« Lorsqu'ils y eurent rassemblé toutes les forces possibles (car Eldacar ne disposait d'aucune flotte pour les assaillir par mer), ils mirent les voiles et allèrent s'établir à Umbar. Là, ils fondèrent un refuge pour tous les ennemis du roi et une seigneurie indépendante de sa couronne. Umbar fit la guerre au Gondor durant maintes générations encore, une menace pour ses côtes et pour tout trafic maritime. Il ne fut de nouveau complètement soumis qu'à l'époque d'Elessar ; et le Gondor du Sud devint une terre disputée entre les Corsaires et le Rois. »

« La perte d'Umbar fut désastreuse pour le Gondor, non seulement parce que le royaume se trouvait amoindri au sud, et du même coup son ascendant sur les Hommes du Harad, mais aussi parce que c'était le lieu où Ar-Pharazôn le Doré, dernier Roi de Númenor, avait débarqué pour rabattre les prétentions de Sauron. Même les suivants d'Elendil, malgré la tragédie qui devait s'ensuivre, se rappelaient avec fierté la grande armée d'Ar-Pharazôn venue là-bas des confins de la Mer ; et sur la plus haute colline du promontoire surplombant le Havre, ils avaient érigé une grande colonne blanche en guise de monument. Elle était couronnée d'un globe de cristal qui accrochait les rayons du Soleil et de la Lune, et ce globe luisait comme une brillante étoile qui se voyait, par temps clair, jusque sur les rivages du Gondor ou sur la mer de l'Ouest, loin au large des côtes. Elle demeura jusqu'au jour où, après la deuxième résurgence de Sauron, alors imminente, Umbar tomba sous la domination de ses serviteurs, qui renversèrent la stèle commémorant sa défaite. »

Après le retour d'Eldacar, le sang de la maison royale et des autres maisons des Dúnedain se mêla encore de celui d'Hommes moindres. Car les grands avaient péri en nombre lors de la Lutte Fratricide ; mais Eldacar était favorable aux Hommes du Nord qui l'avaient aidé à reprendre la couronne, et le Gondor fut repeuplé de ces hommes qui affluaient du Rhovanion.

Ce métissage ne parut pas, au début, précipiter le déclin des Dúnedain comme on l'avait craint ; mais ce déclin se poursuivit tout de même peu à peu, comme il avait commencé. Car il y a fort à croire qu'il tenait à la Terre du Milieu elle-même, et au fait que les descendants de Númenor, conséquence de la chute du Pays de l'Étoile, se voyaient lentement dépossédés de leurs dons. Eldacar vécut jusque dans sa deux cent trente-cinquième année, et son règne dura cinquante-huit ans, dont dix passées en exil.

La seconde et la pire des calamités s'abattit sur le Gondor durant le règne de Telemnar, le vingt-sixième roi, après que son père Minardil, fils d'Eldacar, eut été tué à Pelargir par les Corsaires d'Umbar (avec à leur tête Angamaitë et Sangahyando, les arrière-petits-fils de Castamir). Une peste mortelle survint peu après, amenée par des vents sombres venus de l'Est. Elle emporta le Roi et tous ses enfants, et de larges pans de la population, à Osgiliath en particulier. Alors, par lassitude et par pénurie d'hommes, la surveillance des frontières du Mordor cessa, et les forteresses gardant les cols furent laissées sans garnison.

Comme on le remarqua par la suite, ces événements survenaient alors même que l'Ombre s'épaississait à Vertbois, et que reparaissaient quantité de choses mauvaises, signes de la résurgence de Sauron. Vrai, les ennemis du Gondor souffraient eux aussi, sans quoi ils n'auraient pas manqué de l'écraser dans sa faiblesse ; mais Sauron, lui, pouvait attendre, et peut-être n'avait-il d'autre souhait que de voir le Mordor s'ouvrir.

À la mort du roi Telemnar, l'Arbre Blanc de Minas Anor se fana également et mourut. Mais Tarondor, son neveu et son successeur, replanta un semis dans la Citadelle. Ce fut sous son règne que la maison du Roi se transporta définitivement à Minas Anor, car Osgiliath était en partie déserte et de plus en plus délabrée. Ceux qui, pour fuir la peste, s'étaient établis en Ithilien ou dans les vaux de l'ouest étaient peu nombreux à vouloir y retourner.

Tarondor, couronné fort jeune, connut le plus long règne de tous les Rois du Gondor ; mais il ne parvint guère qu'à réorganiser l'intérieur du royaume et à rebâtir lentement sa puissance. Mais son fils Telumehtar, se rappelant la mort de Minardil, et déplorant l'insolence des Corsaires, rassembla ses forces et se lança à l'assaut d'Umbar en 1810. Les derniers descendants de Castamir périrent dans cette guerre, et Umbar retourna un temps en possession des rois. Telumehtar adjoignit alors à son nom le titre d'Umbardacil. Mais les nouveaux malheurs qui affligèrent bientôt le Gondor lui ravirent Umbar une fois de plus, et il tomba aux mains des Hommes du Harad.

La troisième calamité fut l'invasion des Chariotiers, qui engloutit la puissance déclinante du Gondor dans des guerres qui s'étalèrent sur près de cent ans. Les Chariotiers étaient un peuple, ou une confédération de peuples, originaire de l'Est; mais ils étaient plus forts et mieux armés qu'aucun de ceux rencontrés jusque-là. Ils voyageaient dans de grandes voitures, et leurs chefs se battaient dans des chars. Soulevés, comme on le vit plus tard, par les émissaires de Sauron, ils lancèrent un soudain assaut contre le Gondor, et le roi Narmacil II mourut en les combattant au-delà de l'Anduin en 1856. Les gens de l'est et du sud du Rhovanion furent réduits en esclavage, et les frontières du Gondor ramenées à la hauteur de l'Anduin et des Emyn Muil, tant que dura cette occupation. [On croit qu'à cette époque, les Spectres de l'Anneau entrèrent de nouveau au Mordor.]

Calimehtar, fils de Narmacil II, à la faveur de révoltes sévissant au Rhovanion, vengea son père en remportant une éclatante victoire contre les Orientaux sur la plaine de Dagorlad, en 1899; ainsi, la menace fut un temps écartée. C'est sous le règne d'Araphant, dans le Nord, et d'Ondoher fils de Calimehtar, dans le Sud, que les deux royaumes reprirent conseil ensemble, après des siècles de silence et d'éloignement. Car enfin ils perçurent qu'un seul et unique pouvoir, une seule et unique volonté dirigeait l'offensive qui s'abattait de toutes parts contre les survivants de Númenor. Et à cette époque, Arvedui, héritier d'Araphant, épousa Fíriel, fille d'Ondoher (1940). Mais aucun royaume ne put venir au secours de l'autre; car l'Angmar renouvela son assaut contre l'Arthedain au moment même ou les Chariotiers revenaient en force.

Cette fois, les Chariotiers passèrent en nombre au sud du Mordor, s'alliant aux hommes du Khand et du Proche-Harad; et, pris d'assaut au nord comme au sud, le Gondor fut bien près d'être anéanti. En 1944, le roi Ondoher et ses deux fils, Artamir et Faramir, tombèrent au nord de la Morannon, et l'ennemi se déversa en Ithilien. Mais Eärnil, Capitaine de l'Armée du Midi, triompha sur lui en Ithilien du Sud, écrasant les troupes du Harad qui avaient franchi le fleuve Poros. Se hâtant vers le nord, il rassembla tout ce qu'il put des débris de l'Armée du Nord qui battait alors en retraite, puis ils tombèrent sur le premier campement des Chariotiers alors qu'ils célébraient et festoyaient, croyant le Gondor vaincu et le butin prêt à être cueilli. Eärnil prit le campement d'assaut et mit le feu aux chariots, et il bouta l'ennemi en déroute hors de l'Ithilien. Une grande partie des fuyards périrent dans les Marais Morts.

« À la mort d'Ondoher et de ses fils, Arvedui du Royaume du Nord revendiqua la couronne du Gondor en tant que descendant direct d'Isildur et époux de Fíriel, seule survivante des enfants d'Ondoher. Sa revendication fut rejetée. Pelendur, l'Intendant du roi Ondoher, eut la plus grande part dans cette décision.

« Le Conseil du Gondor répondit : "La couronne et la royauté du Gondor reviennent aux seuls héritiers de Meneldil, fils d'Anárion, à qui Isildur a abandonné ce royaume. Au Gondor, cet héritage n'est reconnu qu'aux fils ; et nous ne sachions pas qu'il en soit autrement en Arnor."

« Arvedui eut cette réplique : "Elendil eut deux fils, Isildur étant l'aîné et l'héritier de son père. Pour ce que nous en savons, le nom d'Elendil figure encore en tête de la lignée des Rois du Gondor, car il était reconnu comme le grand roi de toutes les terres des Dúnedain. Du vivant d'Elendil, ses fils se virent confier le gouvernement conjoint du Sud ; mais quand Elendil tomba, Isildur partit assumer l'autorité suprême de son père, confiant à son tour le gouvernement du Sud au fils de son frère. Il n'est pas dit qu'il abandonna la royauté du

Gondor, pas plus qu'il ne souhaitait que le royaume d'Elendil fût à jamais divisé.

« "Non seulement cela, mais, dans l'ancienne Númenor, le sceptre passait à l'aîné des enfants du roi, homme ou femme. Il est vrai que cette loi ne fut pas observée dans les terres d'exil toujours en proie aux guerres ; mais telle était la loi de notre peuple, que nous invoquons à présent, puisque les fils d'Ondoher sont morts sans postérité[1]."

« À cela, le Gondor ne fit aucune réponse. La couronne fut revendiquée par Eärnil, le capitaine victorieux ; et elle lui fut concédée avec l'assentiment de tous les Dúnedain du Gondor, puisqu'il appartenait à la maison royale. Eärnil était le fils de Siriondil, fils de Calimmacil, fils d'Arciryas frère de Narmacil II. Arvedui se garda de réitérer sa demande, car il n'avait ni le pouvoir ni la volonté de s'opposer au choix des Dúnedain du Gondor ; toutefois, ses descendants n'oublièrent jamais cette revendication, même quand leur royauté eut passé. Car l'heure approchait où le Royaume du Nord ne serait plus qu'un souvenir.

« Arvedui fut en vérité le dernier roi, comme son nom l'indique. On dit qu'il lui fut donné à sa naissance par Malbeth le Voyant, qui dit à son père : "Tu l'appelleras *Arvedui*, car il sera le dernier en Arthedain. Mais les Dúnedain seront placés devant un choix, et s'ils choisissent la voie qui semble la moins prometteuse, ton fils prendra un nouveau nom et deviendra maître d'un grand royaume. Autrement, bien des

---

1. Cette loi fut adoptée à Númenor (comme nous l'a appris le Roi) par Tar-Aldarion, le sixième roi, qui ne laissa qu'une fille. Elle devint la première Reine régnante, Tar-Ancalimë. Mais une autre loi avait prévalu avant elle. À Tar-Elendil, le quatrième roi, succéda son fils Tar-Meneldur, bien que sa fille Silmariën eût été l'aînée. Elendil était toutefois un descendant de cette même Silmariën.

souffrances et des générations se succéderont, avant que les Dúnedain ne se relèvent et soient de nouveau unis."

« De même, au Gondor, il y eut seulement un roi après Eärnil. Peut-être la royauté eût-elle été maintenue, et de grands malheurs évités, si la couronne et le sceptre avaient été unis. Mais Eärnil était un homme sage, et nullement arrogant ; encore que, pour lui comme pour la plupart des hommes du Gondor, le royaume d'Arthedain parût chose négligeable, malgré le noble lignage de ses seigneurs.

« Il manda à Arvedui qu'il ceindrait la couronne du Gondor suivant les lois et la nécessité du Royaume du Sud ; "Mais, dit-il, je n'oublie pas la royauté de l'Arnor, et je ne renie pas notre parenté, pas plus que je ne souhaite la désunion entre les royaumes d'Elendil. J'enverrai pour vous des secours quand vous en aurez besoin, dans la mesure de mes capacités."

« Toutefois, il fallut longtemps avant qu'Eärnil n'ait suffisamment assuré sa propre sécurité pour tenir sa promesse. Le roi Araphant, toujours s'affaiblissant, continua de repousser les assauts de l'Angmar, et Arvedui, quand il lui succéda, fit de même ; mais enfin, à l'automne 1973, des messages parvinrent au Gondor disant que l'Arthedain était à toute extrémité, et que le Roi-Sorcier s'apprêtait à livrer sa dernière offensive. Eärnil mit alors son fils Eärnur à la tête d'une grande flotte, et, distrayant toutes les forces dont il pouvait se passer, les envoya au nord avec la plus grande célérité possible. Trop tard. Avant qu'Eärnur n'eût atteint les havres du Lindon, le Roi-Sorcier avait conquis l'Arthedain et Arvedui avait péri.

« Mais l'arrivée d'Eärnur aux Havres Gris suscita la joie et l'émerveillement, tant chez les Elfes que chez les Hommes. Sa flotte était si nombreuse, et ses bâtiments si imposants qu'ils eurent peine à trouver leur mouillage, bien que le Harlond et le Forlond fussent aussi à pleine capacité ; et il en débarqua une armée toute-puissante, avec tout l'armement et les provisions pour une guerre de grands rois. Telle fut du moins l'impression des gens du Nord, encore que ce ne fût là qu'un petit détachement, au regard de l'ensemble des forces du Gondor. On loua spécialement les chevaux, car nombre d'entre eux étaient des Vaux de l'Anduin, montés par de beaux et grands cavaliers et par des princes du Rhovanion.

« Círdan appela alors tous ceux qui voudraient bien se joindre à lui, du Lindon à l'Arnor, et quand l'armée fut enfin prête, elle franchit le Loune et marcha sur le Nord contre le Roi-Sorcier de l'Angmar. Celui-ci, disait-on, s'était désormais établi à Fornost, qu'il avait rempli de choses maléfiques, usurpant la maison et l'autorité des rois. Dans son orgueil, il n'attendit pas l'assaut de ses ennemis dans sa forteresse, mais alla plutôt à leur rencontre, croyant pouvoir les repousser, comme d'autres avant eux, dans les eaux du Loune.

« Mais l'Armée de l'Ouest fondit sur lui depuis les Collines du Crépuscule, et une grande bataille se déroula sur la plaine entre le Nenuial et les Coteaux du Nord. Les forces de l'Angmar battaient déjà en retraite vers Fornost quand le gros de la cavalerie qui avait contourné les collines les assaillit par le nord et les mit en déroute. Alors le Roi-Sorcier, rassemblant tous ceux qu'il put sauver de la débâcle, s'enfuit vers le nord, cherchant à rallier son propre royaume d'Angmar. Avant qu'il n'ait pu gagner la sécurité de Carn Dûm, la cavalerie du Gondor le rattrapa, menée par Eärnur en personne. Au même moment, une force dirigée par le seigneur elfe Glorfindel arriva de Fendeval. La défaite de l'Angmar fut alors si totale qu'il ne resta plus un homme, ni un seul orque de ce royaume à l'ouest des Montagnes.

« Mais l'on dit qu'à l'heure de la défaite, le Roi-Sorcier parut alors soudain, manteau et masque noirs sur une monture noire. Tous ceux qui le virent furent saisis d'effroi ; mais sa haine entière se porta sur le Capitaine du Gondor, qu'il chargea avec un terrible cri. Eärnur entendait l'affronter ; mais son cheval ne put souffrir cet assaut, et il vira brusquement et emporta son cavalier avant que celui-ci ne l'ait maîtrisé.

« Alors le Roi-Sorcier éclata de rire, et quiconque l'entendit n'oublia jamais l'horreur de ce cri. Mais Glorfindel s'avança alors sur son cheval blanc, et, au milieu de son rire, le Roi-Sorcier prit la fuite et se perdit dans les ombres. Car la nuit tombait sur le champ de bataille, et il disparut, et nul ne vit où il s'en était allé.

« Eärnur revint à présent, mais Glorfindel, scrutant les ténèbres qui s'amoncelaient, dit : "Ne le poursuivez pas ! Il ne reviendra plus dans ces terres. Sa fin est encore lointaine, et il ne tombera pas par la main d'un homme." Beaucoup se souvinrent de ces mots ; mais Eärnur était furieux, et ne pensait qu'à se venger de son déshonneur.

« Ainsi finit le sinistre royaume d'Angmar, et ainsi Eärnur, Capitaine du Gondor, s'attira-t-il la haine suprême du Roi-Sorcier ; mais de nombreuses années devaient s'écouler avant que celle-ci n'éclate au grand jour. »

Ce fut donc au temps du roi Eärnil, comme on le vit plus tard, que le Roi-Sorcier s'échappa du Nord et revint au Mordor, où il rassembla les autres Spectres de l'Anneau dont il était le chef. Mais ce ne fut pas avant l'an 2000 qu'ils sortirent par le col de Cirith Ungol et assiégèrent Minas Ithil. Ils prirent cette tour en 2002 et s'emparèrent de son *palantír*. Ils ne devaient pas en être chassés de tout le Troisième Âge ;

et Minas Ithil devint un endroit redouté, désormais connu sous le nom de Minas Morgul. Nombre de ceux qui habitaient encore en Ithilien désertèrent alors ce pays.

« Eärnur était l'égal de son père en valeur, mais non en sagesse. C'était un homme de forte constitution et de tempérament violent ; mais il ne voulait prendre aucune femme, car son seul plaisir était dans le combat ou dans l'exercice des armes. Ses prouesses étaient telles que nul ne pouvait rivaliser avec lui dans ces sports de combat qu'il affectionnait, et l'on eût dit un champion plutôt qu'un capitaine ou un roi ; de fait, il conserva sa vigueur et son habileté jusqu'à un âge plus avancé qu'il n'était alors habituel. »

Quand Eärnur reçut la couronne en 2043, le roi de Minas Morgul le défia en combat singulier, raillant son adversaire de n'avoir pas voulu l'affronter dans la bataille du Nord. Pour cette fois, Mardil l'Intendant contint la colère du roi. Minas Anor, principale cité du royaume depuis l'époque du roi Telemnar, et résidence des rois, fut alors rebaptisée Minas Tirith, en raison de sa veille constante contre le pouvoir maléfique de Morgul.

Eärnur ne détenait la couronne que depuis sept ans lorsque le Seigneur de Morgul réitéra son défi, raillant le roi de ce qu'à la couardise de la jeunesse il avait ajouté la faiblesse de l'âge. Alors Mardil ne put le contenir plus longtemps, et il se rendit devant la porte de Minas Morgul avec une maigre escorte de chevaliers. Aucun d'eux n'en revint jamais. On croyait au Gondor que le roi, piégé par son perfide ennemi, avait péri sous la torture à Minas Morgul ; mais, nul n'ayant été témoin de sa mort, Mardil le Bon Intendant dirigea le Gondor en son nom durant de longues années.

Or, les descendants du roi étaient désormais fort peu

nombreux. La Lutte Fratricide en avait emporté beaucoup ; et depuis ce temps-là, les rois s'étaient montrés jaloux et méfiants de ceux qui se réclamaient de ces origines. Et ceux qui s'étaient attirés de tels soupçons, souvent avaient fui à Umbar pour se joindre aux rebelles ; tandis que d'autres avaient renoncé à leur lignage, épousant des femmes qui n'étaient pas de sang númenóréen.

C'est pourquoi l'on ne put trouver un seul prétendant au trône dont le sang ait été pur, ou dont le privilège aurait fait l'unanimité ; et tous étaient hantés par le souvenir de la Lutte Fratricide, et savaient que le Gondor périrait, si de telles dissensions devaient survenir une nouvelle fois. Ainsi, les années s'allongèrent, l'Intendant continua de régner sur le Gondor, et la couronne d'Elendil demeura dans le giron du roi Eärnil, dans les Maisons des Morts où Eärnur l'avait laissée.

Les Intendants

La Maison des Intendants était connue sous le nom de Maison de Húrin, car ses membres étaient issus de l'Intendant du roi Minardil (1621-1634), Húrin des Emyn Arnen, un homme d'ascendance númenóréenne. Après lui, les rois choisirent toujours leurs intendants parmi ses descendants ; et après Peneldur, l'Intendance devint héréditaire au même titre que la royauté, passant du père au fils ou au plus proche parent.

Chaque nouvel Intendant endossait d'ailleurs sa charge en jurant « de tenir la verge de l'autorité au nom du roi, jusqu'à son retour ». Mais ce devint bientôt des paroles rituelles, guère observées dans les faits, car les Intendants exerçaient tous les pouvoirs des rois. Bien des gens du Gondor croyaient cependant qu'un roi reviendrait bel et bien dans les temps à venir ; et d'aucuns se souvenaient de l'ancienne lignée du Nord, laquelle survivait parmi les ombres, disait-on. Mais les Intendants régnants se refusaient à pareilles idées.

Néanmoins, les Intendants n'occupèrent jamais le trône ancien, ne portant aucune couronne ni aucun sceptre. Ils avaient, pour seul insigne de leur charge, une verge blanche qu'ils tenaient à la main ; et leur bannière était blanche et dénuée de tout emblème ; mais sur la bannière fleurissait autrefois un arbre blanc en champ de sable, couronné de sept étoiles.

Après Mardil Voronwë, considéré comme le premier de sa lignée, le Gondor connut vingt-quatre Intendants régnants, et ce, jusqu'au temps de Denethor II, le vingt-sixième et dernier. Leurs règnes furent tranquilles au début, car c'était l'époque de la Paix Vigilante, qui vit Sauron reculer devant le pouvoir du Conseil Blanc et les Spectres de l'Anneau se terrer dans le Val de Morgul. Mais dès l'époque de Denethor Ier, il n'y eut plus jamais de véritable paix ; et même lorsque le Gondor n'était pas ouvertement ou sérieusement en guerre, ses frontières demeuraient constamment menacées.

Vers la fin du règne de Denethor Ier, la race des uruks, des orques noirs d'une force exceptionnelle, surgit du Mordor pour la première fois : en 2475, ils balayèrent l'Ithilien et prirent Osgiliath. Boromir fils de Denethor (de qui Boromir des Neuf Marcheurs tenait son nom) les écrasa et reconquit l'Ithilien ; mais la ruine d'Osgiliath était désormais complète, et son grand pont de pierre était rompu. Dès lors, la cité fut désertée. Boromir était un grand capitaine, et même le Roi-Sorcier le craignait. Il était beau et noble de visage, et sa vigueur n'avait d'égale que sa volonté, mais une blessure de Morgul lui fut infligée dans cette guerre qui écourta grandement ses jours. Amenuisé par la souffrance, il mourut douze ans après son père.

Alors débuta le long règne de Cirion. C'était un homme vigilant et circonspect, mais l'emprise du Gondor était considérablement réduite, et il ne pouvait guère qu'assurer la défense de ses frontières, pendant que ses ennemis (ou le pouvoir qui les dirigeait) préparaient contre lui des coups qu'il ne pouvait contrecarrer. Les Corsaires harcelaient ses côtes, mais son plus grave péril se trouvait au nord. Dans les vastes terres du Rhovanion, entre Grand'Peur et la Rivière Courante, vivait désormais un peuple farouche, entièrement sous la domination de l'ombre de Dol Guldur. Ils faisaient souvent incursion à travers la forêt, si bien que la vallée de l'Anduin fut bientôt pratiquement déserte au sud de la Rivière aux Flambes. Ces Balchoth se voyaient constamment grossis par d'autres gens de même espèce qui affluaient de l'Est, tandis que le Calenardhon était dépeuplé. Cirion eut fort à faire pour tenir le front de l'Anduin.

« Voyant venir l'orage, Cirion manda à ses alliés du Nord de lui envoyer de l'aide, mais c'était trop tard ; car en cette même année 2510, les Balchoth, qui avaient construit quantité d'embarcations et de radeaux de grandes dimensions sur les rives orientales de l'Anduin, franchirent le Fleuve en masse et balayèrent la défense. Une armée qui venait du sud se trouva alors coupée des autres et chassée au-delà de la Limeclaire, où elle fut soudainement attaquée par une horde d'Orques des Montagnes et repoussée vers l'Anduin. Puis du Nord vint un secours inespéré, et les cors des Rohirrim retentirent pour la première fois au Gondor. Eorl le Jeune arriva avec ses cavaliers, balayant l'ennemi, et les Balchoth furent pourchassés à mort à travers les champs du Calenardhon. Cirion concéda ces terres à Eorl afin qu'il s'y établisse, et celui-ci prononça le Serment d'Eorl, jurant son amitié aux seigneurs du Gondor en quelque nécessité ou sollicitation. »

Au temps de Beren, le dix-neuvième Intendant, le Gondor se trouva face à un péril encore plus grave. Trois grandes flottes, préparées de longue date, remontèrent d'Umbar et d'autres endroits du Harad, et assaillirent en force les côtes du Gondor ; et l'ennemi débarqua en de nombreux endroits, aussi loin au nord que la bouche de l'Isen. Au même moment, les Rohirrim furent attaqués à l'est et à l'ouest, et, leur pays occupé, ils se réfugièrent dans les vallées des Montagnes Blanches. Cette année-là (2758), le Long Hiver amena un froid extrême et de fortes chutes de neige en provenance du Nord et de l'Est, sur une période de près de cinq mois. Helm du Rohan et ses deux fils périrent au cours de cette guerre ; et la mort et la misère sévirent en Eriador et au Rohan. Mais au Gondor, au sud des montagnes, ce ne fut pas si pénible, et avant la venue du printemps, Beregond fils de Beren avait vaincu les envahisseurs. Il envoya aussitôt des secours au Rohan. C'était le plus grand capitaine que le Gondor eût connu depuis Boromir ; et lorsqu'il succéda à son père (2763), le Gondor commença à reprendre des forces. Mais le Rohan mit plus longtemps à se relever des blessures qu'il avait subies. Voilà pourquoi Beren accueillit Saruman et lui remit les clefs d'Orthanc ; et dès lors (2759), Saruman eut sa résidence à Isengard.

C'est sous le règne de Beregond qu'eut lieu, dans les Montagnes de Brume, la Guerre des Nains et des Orques (2793-2799), dont seule une rumeur parvint au sud jusqu'au jour où les Orques, fuyant Nanduhirion, tentèrent de traverser le Rohan et de s'établir dans les Montagnes Blanches. On combattit de nombreuses années dans les vallées pour mettre fin à cette menace.

À la mort de Belecthor II, vingt et unième Intendant du Gondor, l'Arbre Blanc mourut également à Minas Tirith; mais on le laissa en place « jusqu'au retour du roi », car il ne s'en trouvait plus aucun semis.

À l'époque de Túrin II, les ennemis du Gondor s'agitèrent de nouveau; car Sauron avait recouvré sa puissance et le jour de sa résurgence approchait. Tous sauf les plus hardis de ses habitants avaient déserté l'Ithilien, se retirant au-delà de l'Anduin, car le pays était infesté d'orques du Mordor. Ce fut Túrin qui construisit en Ithilien des refuges pour ses soldats, dont Henneth Annûn fut le plus longtemps maintenu. Il fortifia également l'île de Cair Andros[1] afin de défendre l'Anórien. Mais pour lui, le plus grave péril était ailleurs : les Haradrim occupaient le Gondor du Sud, et les combats se multipliaient le long du Poros. Lorsqu'une force nombreuse envahit l'Ithilien, le roi Folcwine du Rohan respecta le Serment d'Eorl et s'acquitta de sa dette envers Beregond, envoyant à son tour de nombreux hommes au secours du Gondor. Avec l'aide du Rohan, Túrin remporta la victoire au passage du Poros; mais les fils de Folcwine tombèrent tous deux au combat. Les Cavaliers les ensevelirent selon la coutume de leur peuple, et on les allongea sous un même monticule, car ils étaient jumeaux. Longtemps se dressa ce tertre, *Haudh in Gwanûr*, sur la haute berge du fleuve, et les ennemis du Gondor craignaient de le passer.

Turgon succéda à Túrin, mais l'on se souvient surtout de lui que Sauron resurgit deux ans avant sa mort et se déclara

---

1. Son nom signifie « Navire de Longue-Écume », car cette île avait la forme d'un grand navire dont la haute proue pointait au nord, et où l'écume blanche de l'Anduin se brisait contre des rochers acérés.

ouvertement; et il entra de nouveau au Mordor, préparé de longue date en prévision de son retour. Alors, la Barad-dûr fut érigée une seconde fois, le Mont Destin s'embrasa, et les derniers habitants de l'Ithilien s'enfuirent au loin. À la mort de Turgon, Saruman s'empara d'Isengard et le fortifia.

« Ecthelion II, fils de Turgon, était un homme de sagesse. Usant du pouvoir qui lui restait, il entreprit de fortifier son royaume contre l'assaut du Mordor. Il exhorta tous les hommes de valeur, d'ici, de là ou de là-bas, à s'engager à son service, et donna haut rang et privilèges à ceux qui firent honneur à sa confiance. Il bénéficia, dans la plupart de ses entreprises, de l'aide et des conseils d'un grand capitaine qu'il aimait plus que tout autre. Les hommes du Gondor l'appelaient Thorongil, l'Aigle de l'Étoile, car il était vif et d'un regard perçant, et il portait une étoile d'argent sur son manteau; mais nul ne connaissait son véritable nom, ni son pays d'origine. Lorsqu'il se présenta devant Ecthelion, il arrivait du Rohan, où il s'était mis au service de Thengel, Roi des Rohirrim; mais il n'était pas de ce peuple. C'était un grand meneur d'hommes, sur terre comme en mer, mais il repartit dans les ombres d'où il était venu, avant que le règne d'Ecthelion fût achevé.

« Thorongil insistait souvent auprès d'Ecthelion, disant que la force des rebelles d'Umbar représentait un grave péril pour le Gondor, et un danger mortel pour les fiefs du sud si Sauron décidait d'entrer en guerre ouverte. Enfin, il obtint la permission de l'Intendant et réunit une modeste flotte, puis, arrivant de nuit, il prit Umbar à l'improviste et incendia une bonne part des navires des Corsaires. Combattant sur les quais, il terrassa lui-même le Capitaine du Havre et se retira alors avec sa flotte, n'essuyant que des pertes minimes.

Mais, de retour à Pelargir, au grand désespoir et à la surprise de tous, il ne voulut pas rentrer à Minas Tirith, où de grands honneurs l'attendaient.

« Il fit parvenir un message d'adieu à Ecthelion, disant : "D'autres devoirs m'appellent à présent, seigneur, et un long temps et de nombreux périls viendront à passer avant que je retourne au Gondor, si mon destin est tel." Et bien que nul ne pût deviner quels étaient ces devoirs, ni quelle injonction il avait reçue, l'on sut par où il partit. Car il s'embarqua et franchit l'Anduin, et là, il dit adieu à ses compagnons et poursuivit sa route en solitaire ; et lorsqu'on le vit pour la dernière fois, son visage était tourné vers les Montagnes de l'Ombre.

« Le départ de Thorongil sema le désarroi dans la Cité, et tous y virent une bien grande perte, sauf peut-être Denethor, le fils d'Ecthelion, désormais mûr pour l'Intendance, à laquelle il accéda quatre ans plus tard à la mort de son père.

« Denethor II était un homme fier, vaillant, de haute stature et de plus royale apparence qu'aucun autre des fils du Gondor, et ce, depuis maintes générations ; de plus, il était sage et clairvoyant, et versé dans la tradition ancienne. En fait, sa ressemblance avec Thorongil était celle d'un proche parent, pourtant il venait toujours en second après l'étranger, dans le cœur des hommes et dans l'estime de son père. À l'époque, on était nombreux à penser que Thorongil était parti avant que son rival ne devînt son maître ; bien que Thorongil ne l'eût jamais disputé à Denethor, et qu'il n'eût d'autres prétentions que de servir son père. Et leurs conseils à l'Intendant ne différèrent jamais qu'en un point : Thorongil disait souvent à Ecthelion de ne point s'en remettre à Saruman le Blanc à Isengard, mais de favoriser plutôt Gandalf le Gris. Toutefois, il n'y avait guère de sympathie entre

Denethor et Gandalf, et après le règne d'Ecthelion, le Pèlerin Gris trouva moins bon accueil à Minas Tirith. Ainsi, des années après, quand tout fut éclairci, il s'en trouva beaucoup pour penser que Denethor, doué d'un esprit subtil et d'une vue plus longue et plus profonde que celle de ses contemporains, avait découvert la véritable identité de cet étranger du nom de Thorongil, et soupçonnait que Mithrandir et lui conspiraient pour le supplanter.

« Quand Denethor devint Intendant (2984), il se révéla un seigneur autoritaire, aimant à garder bien en main la maîtrise de toutes choses. C'était un homme de peu de mots. Il prêtait l'oreille aux conseils puis suivait son propre avis. Il s'était marié tardivement (2976), prenant pour épouse Finduilas, fille d'Adrahil de Dol Amroth. C'était une dame d'une grande beauté, au cœur tendre, mais elle n'était pas mariée depuis douze ans qu'elle mourut. Denethor l'aimait, à sa manière, plus que tout autre au monde, sauf l'aîné des deux fils qu'elle lui donna. Mais elle paraissait s'étioler dans la cité gardée, comme une fleur des vallées côtières transplantée sur un rocher nu. Elle était horrifiée par l'ombre qui planait à l'est, et ses regards se tournaient constamment vers la mer dont elle se languissait.

« Après sa mort, Denethor se fit plus sévère et plus silencieux qu'auparavant, et souvent il s'asseyait seul dans sa tour et méditait longuement, pressentant que l'assaut du Mordor surviendrait sous son règne. L'on conclut par la suite qu'ayant besoin de savoir, et n'écoutant que son orgueil et sa grande force de volonté, il s'aventura à regarder dans le *palantír* de la Tour Blanche. Aucun Intendant ne l'avait jamais osé, pas même les rois Eärnil et Eärnur, depuis la chute de Minas Ithil, quand le *palantír* d'Isildur tomba aux mains de l'Ennemi ; car celui de Minas Tirith était la Pierre d'Anárion, fortement en accord avec celle dont Sauron s'était emparée.

« C'est de là que Denethor tenait sa grande connaissance de tout ce qui se passait dans son royaume, et bien au-delà ses frontières, ce qui en étonnait plus d'un ; mais il paya chèrement cette connaissance, car il vieillit prématurément, à force de lutter contre la volonté de Sauron. Ainsi, l'orgueil se gonfla chez lui en proportion de son désespoir, si bien que, dans tous les événements de cette époque, il ne finit par voir qu'un combat singulier entre le Seigneur de la Tour Blanche et le Seigneur de la Barad-dûr ; et il se méfiait de tous les autres qui s'opposaient à Sauron, s'ils n'étaient pas entièrement voués à le servir lui-même.

« Ainsi passèrent les années jusqu'à la Guerre de l'Anneau, et les fils de Denethor atteignirent l'âge d'homme. Boromir, de cinq ans l'aîné, très cher à son père, lui ressemblait trait pour trait, et orgueil pour orgueil, mais là s'arrêtait leur ressemblance. C'était plutôt un homme de la tournure du ci-devant roi Eärnur, peu soucieux de prendre femme et se passionnant surtout pour les armes ; intrépide et fort, mais peu attaché au savoir ancien, sauf pour les récits d'antiques batailles. Faramir, le plus jeune, lui ressemblait par les traits mais non par l'esprit. Il lisait dans le cœur des hommes à la manière de son père et avec la même perspicacité ; mais ce qu'il y découvrait l'incitait davantage à la pitié qu'au mépris. Il était d'un naturel doux, féru de musique et de savoir ancien, et pour cette raison, on lui prêtait souvent moins de courage qu'à son frère. Mais il n'en était rien, sinon qu'il ne recherchait pas le danger sans autre dessein, par pure gloriole. Il faisait bon accueil à Gandalf quand celui-ci venait dans la Cité et s'instruisait auprès de lui comme il le pouvait ; et en cela comme en bien d'autres choses, il s'attirait le mécontentement de son père.

« Mais les deux frères s'aimaient d'un grand amour, et ce, depuis l'enfance, Boromir ayant toujours aidé et protégé Faramir. Nulle jalousie, nulle rivalité n'était survenue entre eux depuis, que ce fût pour la faveur de leur père ou pour les louanges des hommes. Faramir ne pouvait envisager que quiconque au Gondor pût rivaliser avec Boromir, héritier de Denethor et Capitaine de la Tour Blanche ; et Boromir n'en pensait pas moins. Toutefois, les événements devaient prouver le contraire. Mais ce qu'il advint de ces trois-là dans la Guerre de l'Anneau est longuement raconté ailleurs. Et au terme de cette Guerre, l'époque des Intendants régnants prit fin ; car l'héritier d'Isildur et d'Anárion revint et la royauté fut rétablie, et l'étendard de l'Arbre Blanc flotta de nouveau au sommet de la Tour d'Ecthelion. »

(v)
Est donné ci-après un fragment du conte d'Aragorn et d'Arwen

« Arador était le grand-père du Roi. Son fils Arathorn voulait épouser Gilraen la Belle, fille de Dírhael, lui-même un descendant d'Aranarth. Dírhael s'opposait à cette union ; car Gilraen était jeune, n'ayant pas encore atteint l'âge où les femmes des Dúnedain avaient coutume de se marier.

« "De plus, disait-il, Arathorn est un homme sévère dans la maturité de l'âge, et il sera chef plus tôt que l'on ne s'y attendait ; mais mon cœur m'avertit que sa vie sera brève."

« Mais Ivorwen, son épouse, elle aussi douée de prescience, répondit :

« "D'où la nécessité d'agir ! Les jours s'assombrissent avant l'orage, et de grands événements sont à venir. S'ils deviennent sitôt mari et femme, un espoir naîtra peut-être pour notre peuple ; mais s'ils attendent, il n'en viendra aucun tant que durera cet âge."

« De fait, Arathorn et Gilraen n'étaient mariés que depuis un an, quand Arador fut assailli par des trolls des collines dans les Froides-Landes au nord de Fendeval, et y trouva la mort ; et Arathorn devint Chef des Dúnedain. L'année suivante, Gilraen lui donna un fils du nom d'Aragorn. Mais Aragorn n'avait que deux ans lorsque Arathorn, parti chevaucher contre les Orques avec les fils d'Elrond, mourut d'une flèche orque qui lui transperça l'œil ; et il eut en effet la vie brève pour quelqu'un de sa race, car il n'avait que soixante ans le jour où il tomba.

« Aragorn, devenu l'Héritier d'Isildur, fut alors conduit à la maison d'Elrond pour y vivre avec sa mère ; et Elrond prit la place de son père et vint à l'aimer comme son propre fils. Mais on l'appela alors Estel, c'est-à-dire "Espoir", et son nom et ses origines véritables furent tenus secrets sur l'ordre d'Elrond ; car les Sages savaient désormais que l'Ennemi cherchait à découvrir l'Héritier d'Isildur, s'il en restait un seul sur terre.

« Mais un jour qu'Estel n'avait encore que vingt ans d'âge, il se trouva rentrer à Fendeval en compagnie des fils d'Elrond après bien des hauts faits ; et Elrond le regarda avec fierté, car il vit qu'il était beau, et noble, et déjà venu à l'âge d'homme, bien qu'il dût encore grandir de corps et d'esprit. Ce jour-là, donc, Elrond l'appela par son vrai nom, et lui révéla son identité et celle de son père ; et il remit tous les biens de sa maison entre ses mains.

« "Voici l'anneau de Barahir, lui dit-il, symbole de notre lointaine parenté ; et voici également les fragments de Narsil. Ceux-ci pourraient t'amener à d'insignes exploits ; car je te prédis une plus grande longévité que celle accordée aux Hommes, à moins qu'il ne t'arrive malheur ou que tu ne passes pas l'épreuve. Mais cette épreuve sera longue et ardue. Je garderai par-devers moi le Sceptre d'Annúminas, car tu devras d'abord le mériter."

« Le lendemain, à l'heure du couchant, Aragorn se promenait seul dans les bois, le cœur exalté ; et il chantait, car l'espoir avait jailli en lui et le monde était beau. Et soudain, tandis qu'il chantait, il vit une jeune femme entre les bouleaux blancs, marchant sur une pelouse verte ; et il s'arrêta, stupéfait, croyant avoir pénétré dans un rêve, ou reçu un don des ménestrels elfes, capables de montrer les choses qu'ils chantent à ceux qui écoutent.

« Car Aragorn chantait alors un passage du Lai de Lúthien, celui-là même où Lúthien et Beren se rencontrent dans la forêt de Neldoreth. Et voici que Lúthien marchait devant lui dans cette clairière de Fendeval, avec, sur ses épaules, une mante d'argent et de bleu, belle comme le crépuscule dans la Patrie des Elfes ; un vent soudain éparpillait sa noire chevelure, et des gemmes pareilles à des étoiles brillaient sur son front.

« Aragorn la regarda un moment en silence, mais, craignant qu'elle ne s'éloigne et qu'elle ne disparaisse à jamais, il l'appela, criant : *Tinúviel ! Tinúviel !* comme l'avait fait Beren aux Jours Anciens, longtemps auparavant.

« Alors, la jeune femme se tourna vers lui et dit : "Qui êtes-vous ? Et pourquoi m'appelez-vous par ce nom ?"

« Et il répondit : "Parce que j'ai cru que vous étiez vraiment Lúthien Tinúviel, dont je chantais la beauté. Mais si vous n'êtes pas Lúthien, vous êtes tout à son image."

« "On l'a dit tant de fois, répondit-elle d'un air grave. Son nom n'est pourtant pas le mien. Encore que mon destin pourrait ressembler au sien. Mais qui êtes-vous ?"

« "On m'appelait Estel, dit-il ; mais je suis Aragorn, fils d'Arathorn, Héritier d'Isildur, Seigneur des Dúnedain." Mais ce disant, il sentit que ce haut lignage dont il s'était félicité n'était plus que de faible valeur, et ne comptait pour rien devant la dignité et la joliesse de la jeune femme.

« Mais elle eut un rire joyeux et dit : "Dans ce cas, nous sommes de lointains parents. Car je suis Arwen fille d'Elrond, et je me nomme aussi Undómiel."

« "Souvent, dit Aragorn, en des jours périlleux, les hommes vont cacher leur plus grand trésor. Mais je m'étonne d'Elrond et de vos frères ; car bien que j'aie demeuré en cette maison depuis l'enfance, je n'ai jamais entendu parler de vous. Comment se fait-il que nous ne nous soyons jamais rencontrés ? Votre père ne vous tenait sûrement pas enfermée dans sa trésorerie ?"

« "Non, répondit-elle, levant les yeux vers les Montagnes qui s'élevaient à l'est. J'ai vécu un temps auprès des parents de ma mère, dans la lointaine Lothlórien. Je ne suis revenue que dernièrement pour rendre visite à mon père. Il y a maintes années que je n'ai pas marché à Imladris."

« Aragorn s'étonna alors, car elle ne semblait pas beaucoup plus vieille que lui, et il n'avait encore passé qu'une vingtaine d'années en Terre du Milieu. Mais Arwen le regarda dans les yeux et dit : "Ne vous surprenez pas ! Car les enfants d'Elrond jouissent de la vie des Eldar."

« Alors, Aragorn fut honteux, car il perçut la lueur elfique dans son regard et la sagesse de nombreux jours ; dès lors, pourtant, il aima Arwen Undómiel fille d'Elrond.

« Dans les jours qui suivirent, Aragorn s'enferma dans le silence, et sa mère comprit qu'une curieuse chose lui était arrivée ; et il finit par céder à ses interrogations et lui raconta sa rencontre dans la pénombre des arbres.

« "Mon fils, dit Gilraen, tes visées sont hautes, même pour le descendant de nombreux rois. Car cette dame est la plus noble et la plus belle qui soit aujourd'hui sur cette terre. Et il ne convient pas qu'un mortel se marie avec la gent elfique."

« "Pourtant, nous sommes en partie de cette famille, dit Aragorn, si l'histoire de mes ancêtres est vraie, telle que je l'ai apprise."

« "Elle l'est, dit Gilraen, mais c'était il y a longtemps, dans un autre âge au monde, avant que notre race ne soit diminuée. C'est pourquoi j'ai peur; car sans la bonne volonté d'Elrond, les Héritiers d'Isildur ne tarderont pas à disparaître. Mais je ne pense pas que la bonne volonté d'Elrond te soit acquise à cet égard."

« "Alors, amers seront mes jours, et j'irai seul de par les terres sauvages", dit Aragorn.

« "En effet, je crains que ce ne soit ton lot", dit Gilraen; mais bien qu'elle eût hérité dans une certaine mesure de la prévoyance que l'on connaissait aux gens de son peuple, elle ne lui parla plus de son pressentiment, pas plus qu'elle ne dit à personne ce que son fils lui avait confié.

« Mais Elrond voyait bien des choses et pouvait lire dans bien des cœurs. Ainsi, un jour, avant le déclin de l'année, il appela Aragorn à sa chambre et dit : "Aragorn, fils d'Arathorn, Seigneur des Dúnedain, écoute-moi ! Un lourd destin t'attend, soit de t'élever au-dessus de tous tes pères depuis l'époque d'Elendil, soit de sombrer dans les ténèbres avec tout ce qui reste des tiens. De nombreuses années d'épreuves sont devant toi. Tu n'auras point d'épouse, et nulle femme ne sera ta promise, jusqu'à ce que ton heure vienne et que tu en sois trouvé digne."

« Alors, Aragorn eut le cœur troublé, et il dit : "Se pourrait-il que ma mère ait parlé de cela ?"

« "Non point, dit Elrond. Ton propre regard t'a trahi. Mais je ne parle pas seulement de ma fille. Tu ne te fianceras à l'enfant d'aucun homme, pour le moment. Mais pour ce qui est d'Arwen la Belle, Dame d'Imladris et de Lórien, l'Étoile du Soir de son peuple, elle est d'un plus haut lignage que toi, et elle vit en ce monde depuis si longtemps déjà que, pour elle, tu sembles une pousse d'une année à côté d'un jeune bouleau de maints étés. Elle est trop au-dessus de toi. Et il se pourrait bien, je pense, que ce soit là son sentiment. Mais même s'il n'en était rien, et que son cœur se tournait vers toi, je n'en serais pas moins peiné, de par le destin qui pèse sur nous."

« "Quel est donc ce destin ?" demanda Aragorn.

« "Eh bien, tant que je demeurerai ici, elle aura la jeunesse des Eldar, répondit Elrond, et quand je partirai, elle viendra avec moi, si elle en décide ainsi."

« "Je vois, dit Aragorn, que mon regard s'est porté sur un trésor non moins précieux que celui que Beren désirait de Thingol. Tel est mon lot." Puis la prévoyance des gens de son peuple lui vint soudainement, et il dit : "Mais voyez ! maître Elrond, toutes vos années passées ici arrivent enfin à leur terme, et vos enfants devront bientôt choisir, soit de se séparer de vous, soit de la Terre du Milieu."

« "Vrai, dit Elrond. Bientôt à notre façon de voir, bien qu'il doive encore s'écouler de nombreuses années des Hommes. Mais aucun choix ne viendra troubler Arwen, ma bien-aimée, à moins que toi, Aragorn, fils d'Arathorn, ne te mettes entre nous et n'amènes l'un de nous, toi ou moi, à une pénible séparation au-delà de la fin du monde. Tu ne sais pas encore ce que tu désires de moi." Il soupira et, au bout d'un moment, observant le jeune homme d'un air grave, il ajouta : "Les ans amèneront ce qu'ils amèneront. Nous ne parlerons plus de cela avant qu'un bon nombre ne se soient écoulés. Les jours s'assombrissent, et bien des malheurs sont à venir."

« Aragorn prit alors congé d'Elrond avec grande affection ; et le lendemain, il fit ses adieux à sa mère, à la maisonnée d'Elrond, et à Arwen, et il s'en fut dans les terres sauvages. Durant près de trente ans, il se consacra à la lutte contre Sauron ; et il devint l'ami de Gandalf le Sage, tirant de cette amitié une grande sagesse. Il entreprit avec lui de nombreux et périlleux voyages, mais, à mesure que les années passaient, il alla plus souvent seul. Son chemin fut long et ardu, et il devint quelque peu sinistre à regarder, sauf quand il lui arrivait de sourire ; mais il n'en paraissait pas moins digne d'honneur au regard des Hommes, tel un roi en exil, lorsqu'il ne cachait pas sa véritable apparence. Car il allait sous plusieurs formes, et il acquit la renommée sous maints noms différents. Il chevaucha au sein de l'ost des Rohirrim, et combattit pour le Seigneur du Gondor, sur terre et en mer ; puis, à l'heure de la victoire, il passa hors de la connaissance des Hommes de l'Ouest et, seul, il s'aventura loin dans l'Est dans les profondeurs du Sud, explorant le cœur des Hommes, bons ou mauvais, exposant les complots et les artifices de Sauron.

« Ainsi, il finit par devenir le plus hardi des Hommes de son temps, versé dans leurs arts et leur savoir, tout en étant plus grand ; car il avait la sagesse des Elfes, et il y avait dans son regard une lueur que peu de gens arrivaient à soutenir lorsqu'il s'allumait. Son visage était d'une tristesse et d'une sévérité qui tenaient au destin qui pesait sur lui, mais toujours l'espoir résidait au fond de son cœur, d'où sourdait parfois une joie comme une source jaillit du rocher.

« Il advint que, lorsque Aragorn eut quarante-neuf ans, il revint de périls aux sombres confins du Mordor, où Sauron s'était de nouveau établi pour y accomplir ses mauvais desseins. Fatigué de ses labeurs, il comptait retourner à Fendeval pour s'y reposer un moment, avant d'entreprendre son voyage dans les contrées lointaines ; et, en chemin, il se rendit aux frontières de la Lórien et fut admis dans le pays caché par la dame Galadriel.

« Il ne le savait pas, mais Arwen Undómiel s'y trouvait également, séjournant de nouveau un temps auprès des parents de sa mère. Elle n'avait guère changé, car les années mortelles avaient passé sans la frôler ; mais son visage était plus grave, et son rire ne tintait plus que rarement. Aragorn, pour sa part, avait atteint sa pleine stature, tant de corps que d'esprit, et Galadriel lui fit retirer ses habits usés, et elle le vêtit d'argent et de blanc, et elle posa une cape de gris-elfique sur ses épaules, et une brillante gemme sur son front. Plus grand qu'aucun roi des Hommes parut-il alors, semblable à un seigneur elfe des Îles de l'Ouest. Ce fut ainsi qu'Arwen le revit pour la première fois depuis leur longue séparation ; et en le voyant marcher vers elle sous les arbres de Caras Galadhon chargés de fleurs d'or, elle sut que son choix était fait et son destin scellé.

« Alors, durant une saison, ils se promenèrent ensemble dans les clairières de la Lothlórien, jusqu'à ce qu'il fût temps pour lui de partir. Et à la veille de la Mi-Été, le soir venu, Aragorn fils d'Arathorn et Arwen fille d'Elrond se rendirent à la belle colline, Cerin Amroth, au mitan du pays, et ils marchèrent pieds nus dans l'herbe immortelle semée d'elanor et de niphredil. Et là, sur cette colline, ils se tournèrent à l'est, vers l'Ombre, et à l'ouest, vers le Crépuscule, et ils échangèrent leur promesse et furent heureux.

« Et Arwen dit : "Noire est l'Ombre, pourtant mon cœur

se réjouit, car vous, Estel, ferez partie des grands qui, par leur valeur, amèneront sa destruction."

« Mais Aragorn répondit : "Hélas ! Je ne puis l'entrevoir, et les circonstances d'une telle victoire me sont encore cachées. Mais avec votre espoir, j'espérerai. Et l'Ombre, je la rejette entièrement. Mais le Crépuscule, chère dame, n'est pas pour moi non plus ; car je suis mortel, et si vous vous attachez à moi, Étoile du Soir, vous devrez y renoncer aussi."

« Et elle se tint alors immobile, tel un arbre blanc face à l'Ouest, et elle dit enfin : « Je m'attacherai à vous, Dúnadan, et me détournerai du Crépuscule. Pourtant c'est là que se trouve le pays des miens, et le long séjour de tous mes parents." Elle aimait tendrement son père.

« Elrond, lorsqu'il apprit le choix de sa fille, demeura silencieux, mais il eut le cœur en peine ; et il vit que ce destin, longtemps redouté, n'en était pas moins pénible à supporter. Mais quand Aragorn fut de retour à Fendeval, il l'appela à lui, et il dit :

« "Mon fils, des années s'en viennent où l'espoir s'évanouira, et au-delà desquelles je ne puis voir clairement. Et voici qu'une ombre s'étend entre nous. Peut-être en a-t-il été décidé ainsi : que soit rétablie, à travers ma perte, la royauté des Hommes. Aussi te dis-je, malgré l'amour que j'ai pour toi : Arwen Undómiel ne verra pas la grâce de sa vie diminuée dans un dessein moindre. Si elle doit épouser un Homme, il ne sera rien moins que le Roi du Gondor et de l'Arnor. Notre victoire ne sera alors, pour moi, que chagrin et séparation – mais pour toi, l'espoir d'une joie éphémère. Hélas, mon fils ! Je crains que, pour Arwen, le Destin des Hommes ne semble impitoyable à la toute fin."

« Les choses en restèrent là entre Elrond et Aragorn, et ils ne reparlèrent plus de cela par la suite ; mais Aragorn reprit son périlleux labeur. Et tandis que le monde s'obscurcissait et que la peur s'emparait de la Terre du Milieu, à mesure que grandissait le pouvoir de Sauron, et que la Barad-dûr s'élevait toujours plus haute et plus forte, Arwen demeura à Fendeval, et, cependant qu'Aragorn était absent, elle le guettait de loin et veillait sur lui en pensée ; et sans laisser d'espérer, elle lui cousit un grandiose et royal étendard, tel que n'en pourrait montrer celui-là seul qui pût revendiquer la suzeraineté des Númenóréens et l'héritage d'Elendil.

« Quelques années après, Gilraen prit congé d'Elrond et retourna auprès des siens en Eriador, où elle vécut dans la solitude ; et elle revit rarement son fils, car il passa de nombreuses années dans des pays lointains. Mais il arriva un jour qu'Aragorn, de retour dans le Nord, vint la trouver, et elle lui dit avant qu'il ne repartît :

« "Ceci est notre dernière séparation, Estel, mon fils. Les soucis m'ont amenée tôt à la vieillesse, comme il en va chez les Hommes moindres ; et maintenant qu'elles approchent, je ne puis faire face aux ténèbres de notre époque, que je vois s'amonceler sur la Terre du Milieu. Je la quitterai bientôt."

« Aragorn voulut la rassurer, disant : "Il est peut-être une lumière au-delà des ténèbres ; et si tel est le cas, j'aimerais que vous puissiez la voir et être heureuse."

« Mais elle répondit seulement par ce *linnod* :

Ónen i-Estel Edain, ú-chebin estel anim[1],

et Aragorn s'en fut le cœur lourd. Gilraen mourut avant le printemps suivant.

---

1. « J'ai donné Espoir aux Dúnedain, je n'ai gardé aucun espoir pour moi-même. »

« Ainsi, les années passèrent jusqu'au temps de la Guerre de l'Anneau, longuement racontée ailleurs : comment fut révélé le moyen d'action imprévu par lequel il devenait possible de vaincre Sauron, et comment l'espoir triompha contre tout espoir. Et il advint qu'à l'heure de la défaite, Aragorn arriva de la mer et déploya l'étendard d'Arwen à la bataille des Champs du Pelennor, et en ce jour, il fut reconnu comme roi pour la première fois. Et lorsque enfin tout fut terminé, il entra dans l'héritage de ses pères et reçut la couronne du Gondor et le sceptre de l'Arnor ; et à la Mi-Été de l'année de la Chute de Sauron, il reçut la main d'Arwen Undómiel, et ils furent mariés dans la cité des Rois.

« Le Troisième Âge s'acheva ainsi dans la victoire et l'espoir ; mais l'une des grandes peines de cet Âge fut la séparation d'Elrond et d'Arwen, car la Mer les divisa, et un destin qui devait perdurer au-delà de la fin du monde. Quand le Grand Anneau fut détruit et que les Trois furent dépouillés de leur pouvoir, Elrond se sentit enfin las, et il renonça à la Terre du Milieu pour ne plus jamais y revenir. Mais Arwen assuma l'existence d'une femme mortelle ; pourtant, elle ne devait pas mourir avant d'avoir perdu tout ce qu'elle avait gagné.

« Comme Reine des Elfes et des Hommes, elle demeura auprès d'Aragorn pendant cent vingt années de gloire et de félicité ; mais lui sentit enfin l'approche du grand âge, et il sut que l'espace de ses jours arrivait enfin à son terme, si long qu'il eût été. Alors, Aragorn dit à Arwen :

« "Enfin, dame de l'Étoile du Soir, la plus belle en ce monde et la plus adorée, mon monde s'évanouit. Voyez ! nous avons reçu, nous avons dépensé, et voici que l'heure du paiement approche."

« Arwen savait bien ce qu'il comptait faire et l'avait longtemps pressenti ; néanmoins, elle fut terrassée par l'émotion.

"Voudriez-vous donc, seigneur, avant votre temps, quitter votre peuple qui vit de votre parole ?" demanda-t-elle.

« "Non pas avant mon temps, répondit-il. Car si je ne pars pas maintenant, je devrai bientôt partir par nécessité. Et Eldarion, notre fils, est fin mûr pour la royauté."

« Alors, s'étant rendu à la Maison des Rois dans la Rue Silencieuse, Aragorn s'allongea sur la longue couche que l'on avait préparée pour lui. Là, il dit adieu à Eldarion, et il lui remit la couronne ailée du Gondor et le sceptre de l'Arnor ; puis tous le quittèrent, sauf Arwen, et elle se tint seule auprès de son lit. Et, pour si sage et si noble qu'elle fût, elle ne put s'abstenir de le supplier de demeurer encore un peu. Elle n'était point encore lasse de ses jours, aussi percevait-elle enfin le goût amer de la mortalité qu'elle avait endossée.

« "Dame Undómiel, dit Aragorn, l'heure est certes éprouvante, mais elle fut décidée le jour même où nous nous sommes rencontrés sous les bouleaux blancs dans le jardin d'Elrond, où nul ne se promène plus. Et sur la colline de Cerin Amroth, en renonçant à l'Ombre et au Crépuscule, nous avons pris ce destin sur nous. Cherchez en vous-même, ma bien-aimée, et demandez-vous si vous préféreriez vraiment me voir attendre jusqu'à ce que je tombe de mon haut siège, sénile et dépourvu. Non, madame, je suis le dernier des Númenóréens et l'ultime Roi des Jours Anciens ; et l'on m'a donné non seulement une vie trois fois plus longue que celle des Hommes de la Terre du Milieu, mais aussi la grâce de partir à mon gré et de rendre le don. C'est pourquoi, maintenant, je vais dormir.

« "Je ne vous consolerai pas, car il n'est aucun réconfort pour une telle douleur à l'intérieur des cercles du monde. Le choix ultime s'offre à vous, soit de vous repentir, d'aller aux Havres, et d'emporter avec vous dans l'Ouest le souvenir de notre vie ensemble qui, là-bas, sera impérissable, mais ne sera jamais qu'un souvenir ; soit d'accepter le Destin des Hommes."

« "Non, seigneur bien-aimé, dit-elle, ce choix est arrêté depuis longtemps. Il n'est plus aucun navire qui puisse m'emporter d'ici, et je suis bel et bien tenue d'accepter le Destin des Hommes, bon gré mal gré ; cette perte et ce silence. Mais je vous le dis, Roi des Númenóréens : c'est aujourd'hui seulement que je comprends l'histoire de votre peuple, et celle de leur chute. Comme de pauvres fous, je les méprisais, mais enfin j'ai pitié d'eux. Car s'il s'agit là en vérité, comme disent les Eldar, du don de l'Unique aux Hommes, il est amer à recevoir."

« On le dirait, répondit-il. Mais ne cédons pas devant l'épreuve finale, nous qui, autrefois, avons renoncé à l'Ombre et à l'Anneau. Il nous faut partir dans la tristesse, mais non dans le désespoir. Voyez ! nous ne sommes pas éternellement confinés aux cercles du monde ; et au-delà, il y a pour nous davantage que le souvenir. Adieu !"

« "Estel ! Estel !" cria-t-elle, sur quoi, alors même qu'il lui prenait la main et la baisait, il s'abandonna au sommeil. Une grande beauté se révéla alors en lui, à tel point que tous ceux qui vinrent ensuite au sépulcre s'émerveillèrent de le voir, percevant que la grâce de sa jeunesse, la force de sa maturité, et la sagesse et la majesté de son vieil âge se trouvaient mêlées en lui. Et il resta longtemps étendu là, image de la splendeur des Rois des Hommes dans leur gloire inaltérée, avant que le monde fût brisé.

« Mais Arwen quitta la Maison, et on eût dit que la lumière de ses yeux s'était éteinte ; et aux gens de son peuple, elle parut désormais froide et grise, comme un soir d'hiver qui ne voit poindre aucune étoile. Alors, elle dit adieu à Eldarion, et à ses filles, et à tous ceux qu'elle avait aimés ; et elle quitta la cité de Minas Tirith et s'en fut vers le pays de Lórien, où elle demeura, seule sous les arbres brunissants, jusqu'à la venue de l'hiver. Galadriel était passée au-delà, Celeborn aussi était parti, et le pays était silencieux.

« Là, enfin, alors que tombaient les feuilles de mallorn, sans avoir attendu le printemps[1], elle s'allongea sur le Cerin Amroth pour son dernier repos ; et là se trouve sa verte sépulture, jusqu'à ce que le monde soit changé, que tous les jours de sa vie aient complètement disparu de la mémoire des générations, et que ne fleurissent plus les boutons d'elanor et de niphredil à l'est de la Mer.

« Ici s'achève ce récit, tel qu'il nous est venu du Sud ; et avec le départ de l'Étoile du Soir, plus rien n'est dit dans ce livre au sujet des jours anciens. »

II

La Maison d'Eorl

« Eorl le Jeune était seigneur des Hommes de l'Éothéod. Ce pays se trouvait près des sources de l'Anduin, entre la chaîne supérieure des Montagnes de Brume et les régions septentrionales de la forêt de Grand'Peur. Les Éothéod s'étaient établis dans ces contrées au temps du roi Eärnil II, ayant quitté leurs terres dans les vaux de l'Anduin entre le Carroc et la Rivière aux Flambes ; et ils étaient à l'origine fort apparentés aux Béorniens et aux hommes de la lisière ouest de la forêt. Les ancêtres d'Eorl se réclamaient de la lignée des rois du Rhovanion, dont le royaume s'étendait au-delà de Grand'Peur avant les invasions des Chariotiers, aussi s'estimaient-ils parents

---

1. I 595.

des rois du Gondor issus d'Eldacar. Grands amateurs de chevaux et de prouesses cavalières, ils préféraient avant tout les plaines ; mais les régions moyennes de l'Anduin étaient fort peuplées à cette époque, et l'ombre de Dol Guldur s'allongeait ; ainsi donc, lorsqu'ils eurent vent de la chute du Roi-Sorcier, ils montèrent au nord en quête de plus grands espaces, et ils chassèrent ce qui restait des hordes de l'Angmar de leur côté des Montagnes. Mais au temps de Léod, père d'Eorl, ils étaient devenus un peuple nombreux et se trouvaient de nouveau quelque peu à l'étroit dans leur propre pays.

« En l'an deux mille cinq cent dix du Troisième Âge, le Gondor se vit confronté à une nouvelle menace. Une grande armée d'hommes sauvages du Nord-Est envahit le Rhovanion et, descendant par les Terres Brunes, franchit l'Anduin sur des radeaux. Au même moment, par hasard ou à dessein, les Orques (qui à cette époque, avant leur guerre contre les Nains, étaient fort nombreux) descendirent des Montagnes et firent incursion dans les terres. Les envahisseurs occupèrent le Calenardhon, et Cirion, Intendant du Gondor, envoya quérir de l'aide au nord ; car une longue amitié s'était développée entre les Hommes de la Vallée de l'Anduin et le peuple du Gondor. Mais dans la vallée du Fleuve, les hommes étaient désormais rares et dispersés, et lents à prodiguer l'aide qu'ils étaient à même d'apporter. Eorl finit par être informé de la nécessité du Gondor, et bien que l'heure parût tardive, il partit à la tête d'une grande armée de cavaliers.

« Ainsi, il arriva à la bataille du Champ de la Celebrant, du nom des terres verdoyantes qui s'étendaient entre l'Argentine et la Limeclaire. Là, l'armée septentrionale du Gondor était aux abois. Défaite sur le Wold et coupée de sa retraite au sud, elle avait été refoulée au-delà de la Limeclaire, où les troupes d'Orques l'avaient soudainement assaillie, la poussant vers l'Anduin. Tout espoir était perdu lorsque, contre toute attente, les Cavaliers surgirent du Nord et s'abattirent sur les arrières de l'ennemi. Alors, la fortune des armes se retourna, et l'ennemi fut chassé au-delà de la Limeclaire avec grand massacre. Eorl mena ses hommes à la poursuite des assaillants, et une si grande peur les précédait que les envahisseurs du Wold furent eux aussi mis en déroute, et les Cavaliers les pourchassèrent à travers les plaines du Calenardhon. »

Cette région s'était fort dépeuplée durant la Peste, et la plupart des survivants avaient été massacrés par les sauvages Orientais. Alors Cirion, en récompense du secours offert, concéda à Eorl et à son peuple les plaines du Calenardhon, entre l'Anduin et l'Isen ; et ils envoyèrent quérir au nord leurs épouses et enfants et tous leurs biens, et s'établirent dans ce pays. Ils lui donnèrent un nouveau nom, la Marche des Cavaliers, et se nommèrent eux-mêmes les Eorlingas ; mais au Gondor, leur pays s'appelait le Rohan, et son peuple, les Rohirrim (c'est-à-dire les Seigneurs des Chevaux). Eorl devint ainsi le premier Roi de la Marche, et il élut domicile sur une éminence verte au pied des Montagnes Blanches qui bordaient son pays au sud. Les Rohirrim y vécurent dès lors en hommes libres, sous leurs propres rois, et suivant leurs propres lois, bien qu'en éternelle alliance avec le Gondor.

« Maints seigneurs et guerriers, et maintes belles et vaillantes femmes figurent dans les chansons qui se rappellent encore le Nord. Frumgar, dit-on, était le nom du chef qui mena son peuple en Éothéod. De son fils Fram, on dit qu'il fut le pourfendeur de Scatha, le grand dragon des Ered Mithrin, et les longs-serpents ne devaient plus troubler la paix de ce pays par la suite. Fram s'attira par là une grande richesse, en même temps que l'hostilité des Nains, car ceux-ci revendiquaient le trésor de Scatha. Fram ne voulut pas leur céder un sou, mais il leur envoya plutôt les dents de Scatha montées en collier, disant : "Vous ne trouverez pas semblables perles dans vos trésors, car ce sont de rares objets." D'aucuns disent que Fram paya de sa vie cet outrage. Il n'y avait guère d'amitié entre l'Éothéod et les Nains.

« Léod était le nom du père d'Eorl. C'était un dresseur de chevaux sauvages ; car ils étaient nombreux à cette époque dans le pays. Il captura un poulain blanc qui donna très rapidement un beau cheval, fort et fier. Nul ne pouvait l'apprivoiser. Quand Léod se décida enfin à le monter, il fut emporté, et bientôt jeté bas, et sa tête heurta un rocher et il mourut ainsi. Il n'avait alors que quarante et deux ans, et son fils encore garçon en avait seize.

« Eorl jura qu'il vengerait la mort de son père. Il rechercha longtemps la bête et finit par l'apercevoir ; et ses compagnons croyaient qu'il s'avancerait à portée de tir dans l'espoir de le tuer. Mais lorsqu'ils approchèrent, Eorl se dressa sur ses étriers et appela d'une voix forte : "Viens ici, Fléau d'Homme, et reçois un nouveau nom !" À leur grand étonnement, le cheval se tourna vers Eorl, et il s'approcha et se tint devant lui, puis Eorl dit : "Je te nomme Felaróf. Tu chérissais ta liberté, et je ne t'en fais pas grief. Mais tu me dois une lourde compensation pour prix de l'homme que tu as tué, et tu me céderas ta liberté jusqu'à la fin de tes jours."

« Sur ce, Eorl le monta, et Felaróf se soumit. Sans mors ni bride, il ramena son cavalier jusque chez lui, et Eorl devait toujours l'enfourcher ainsi par la suite. Le cheval comprenait tout ce que les hommes disaient, bien qu'il ne permît à quiconque de le monter, sauf Eorl. C'est sur le dos de Felaróf qu'Eorl descendit au Champ de la Celebrant ; car ce cheval se révéla doté d'une longévité comparable à l'Homme, ce qui fut aussi le cas de ses descendants. C'étaient les *mearas*, qui ne voulurent jamais porter quiconque, hormis le Roi de la Marche ou ses fils, jusqu'au temps de Scadufax. Chez les Hommes, on disait d'eux que Béma (Oromë pour les Eldar) avait dû apporter leur ancêtre de l'Ouest-outre-Mer.

« Des Rois de la Marche qui vinrent entre Eorl et Théoden, Helm Mainmarteau est certainement le plus fameux. C'était un homme sévère et d'une grande vigueur. Il fut un temps où vivait un homme du nom de Freca, et il se réclamait de la lignée du roi Fréawine, encore qu'il eût beaucoup de sang dunlandais, disait-on, et du reste ses cheveux étaient sombres. Il devint riche et puissant, possédant de vastes domaines de chaque côté de l'Adorn[1]. Non loin de sa source, il se construisit une forteresse et ne prêtait guère attention au roi. Helm s'en méfiait, mais l'invitait tout de même en conseil ; et lui, venait quand bon lui semblait.

« À l'un de ces conseils, Freca se présenta avec bon nombre d'hommes, et il demanda à Helm la main de sa fille pour son propre fils, Wulf. Mais Helm dit : "Tu as pris de l'envergure depuis la dernière fois qu'on t'a vu ici ; mais c'est surtout de la graisse, je suppose" ; et cela fit rire, car Freca était de forte taille.

« Alors Freca entra dans une rage folle et honnit le roi, et il acheva en disant : "Un vieux roi qui refuse le bâton qu'on lui tend peut se retrouver à genoux." Ce à quoi Helm répondit : "Allons ! Le mariage de ton fils est une bagatelle. Helm et Freca en discuteront plus tard. Entre-temps, le roi et son conseil doivent s'occuper des affaires de poids."

« Le conseil terminé, Helm se leva et posa sa grande main sur l'épaule de Freca, disant : "Le roi ne tolère pas la bagarre

1. Cette rivière coule de l'ouest des Ered Nimrais et se jette dans l'Isen.

entre ses murs, mais les hommes sont plus libres dehors"; et il obligea Freca de marcher devant lui et le mena hors d'Edoras jusque dans la prairie. Aux hommes de Freca qui se proposaient de les suivre, il dit : "Allez-vous-en ! Nous n'avons pas besoin d'auditeurs. Nous allons discuter entre nous d'une affaire privée. Allez vous entretenir avec mes gens !" Et, se tournant de ce côté, ils virent que les hommes et l'entourage du roi étaient beaucoup plus nombreux, et ils s'écartèrent.

« "Eh bien, Dunlandais, tu n'as plus que Helm devant toi, seul et non armé. Mais tu en as déjà beaucoup parlé, et c'est à mon tour. Freca, ta folie a grandi en proportion de ta bedaine. Tu parlais d'un bâton. Si Helm voit un bâton crochu qui le harcèle, il le casse ! Comme suit !" Et ce disant, il assena à Freca un si grand coup de poing que celui-ci tomba assommé, et mourut sur ces entrefaites.

« Helm nomma alors le fils de Freca et ses proches parents et les déclara les ennemis du roi ; et ils prirent la fuite, car Helm dépêcha aussitôt de nombreux cavaliers sur les marches de l'Ouest. »

Quatre ans plus tard (2758), le Rohan connut de grands troubles, et le Gondor ne put envoyer aucune aide, car trois flottes de Corsaires l'assaillaient, et la guerre était sur toutes ses côtes. Au même moment, le Rohan était de nouveau envahi à l'est, et les Dunlandais, sautant sur l'occasion, franchirent l'Isen, descendant d'Isengard. L'on apprit bientôt que Wulf était leur chef. Leur force était nombreuse, car ils furent rejoints par des ennemis du Gondor, débarqués aux bouches du Lefnui et de l'Isen.

Les Rohirrim furent vaincus et leur pays occupé ; et ceux qui échappèrent à la mort ou à l'esclavage se réfugièrent dans les vallées montagneuses. Helm fut repoussé des Passages de l'Isen avec de lourdes pertes, et il se retrancha dans la Ferté-au-Cor et le ravin situé derrière (que l'on nomma dès lors la Gorge de Helm), où il fut bientôt assiégé. Wulf prit Edoras, s'installa à Meduseld et se proclama roi. Là tomba Haleth fils de Helm, le dernier de tous, dans la défense des portes.

« Le Long Hiver débuta peu après, et le Rohan demeura sous la neige pendant près de cinq mois (novembre à mars 2758-2759). Les Rohirrim et leurs adversaires pâtirent tous deux du froid, mais aussi de la disette qui dura encore plus longtemps. À la Gorge de Helm, une grande famine s'abattit après Yule ; et dans son désespoir, malgré les admonitions du roi, Háma, son fils cadet, prit la tête d'un petit groupe afin de tenter une sortie et une razzia ; mais ils moururent perdus dans la neige. Poussé à bout par la famine et le deuil, Helm devint hâve et redoutable ; et la peur qu'il inspirait valait bien des hommes à elle seule dans la défense de la Ferté. Il avait coutume de s'envelopper de blanc et de sortir en solitaire, rôdant comme un troll des neiges dans les camps ennemis, et tuant quantité d'hommes à mains nues. On croyait que s'il ne portait aucune arme, aucune ne pourrait le toucher. Et les Dunlandais racontaient que, s'il ne trouvait pas de quoi manger, il dévorait des hommes. Cette fable eut la vie dure en Dunlande. Helm avait un grand cor, et l'on ne tarda pas à constater qu'avant de s'aventurer au-dehors il lançait une sonnerie qui faisait retentir la Gorge ; et une si grande terreur s'emparait alors de ses ennemis qu'au lieu de se rallier pour le prendre ou le tuer, ils se sauvaient en bas de la Combe.

« Une nuit, l'on entendit cette sonnerie, mais Helm ne se remontra pas. Au matin, il y eut une lueur de soleil, la première depuis bien des jours, et ils virent une forme blanche debout derrière le Fossé, seule, car aucun Dunlandais n'osa s'approcher. Là se tenait Helm, roide comme une pierre ;

mort, mais ses genoux ne ployaient pas. Mais l'on dit que le cor retentissait encore parfois dans la Gorge ; et le spectre de Helm allait parmi les rangs des ennemis du Rohan, et les hommes en mouraient d'épouvante.

« L'hiver se retira peu après. Alors Fréaláf, fils de Hild, sœur de Helm, descendit de Dunhart, où bien des gens s'étaient réfugiés ; et avec une maigre compagnie de désespérés, il surprit Wulf à Meduseld, le tua, et reprit Edoras. La fonte des neiges amena des inondations, et la vallée de l'Entévière devint un grand marécage. Les envahisseurs de l'Est périrent ou s'en allèrent ; et le Gondor envoya enfin de l'aide par les routes, à l'est et à l'ouest des montagnes. Avant la fin de l'année (2759), les Dunlandais furent expulsés, et même chassés d'Isengard ; alors, Fréaláf devint roi.

« On emporta le corps de Helm de la Ferté-au-Cor, après quoi on l'ensevelit sous le neuvième tertre. Dès lors, les *simbelmynë* blancs y poussèrent plus densément que partout ailleurs, si bien que le tertre parut couvert de neige. À la mort de Fréaláf, l'on commença une nouvelle rangée de tertres. »

Les Rohirrim avaient été décimés par la guerre, la famine, et la perte de bétail et de chevaux ; et il est heureux qu'aucune menace sérieuse ne se soit présentée à eux pendant de longues années, car ce ne fut pas avant l'époque du roi Folcwine qu'ils retrouvèrent leur force d'antan.

Au couronnement de Fréaláf, Saruman parut pour la première fois, apportant des présents, et faisant grand éloge de la valeur des Rohirrim. Tous se félicitaient de sa venue. Peu de temps après, il élut domicile à Isengard. Ce fut Beren, l'Intendant du Gondor, qui le lui permit, car le Gondor considérait toujours Isengard comme une forteresse du royaume, et non une possession du Rohan. Beren confia du même coup à

Saruman la garde des clefs d'Orthanc. Aucun ennemi n'avait réussi à entrer dans cette tour ni à lui porter atteinte.

Saruman commença alors à se comporter comme un seigneur des Hommes ; car dans un premier temps, il s'installa à Isengard en tant que lieutenant de l'Intendant et gardien de la tour. Mais Fréaláf se réjouit tout autant que Beren de cette situation, content de savoir qu'Isengard était entre les mains d'un solide allié. Il parut longtemps un allié, et peut-être en était-il réellement un, au début ; encore que, bien plus tard, il n'y en eût guère pour douter que Saruman se fût établi à Isengard dans l'espoir d'y trouver la Pierre encore à sa place, et dans l'intention de se donner un pouvoir à lui. Ce qui est certain, c'est qu'après le dernier Conseil Blanc (2953), ses desseins envers le Rohan, bien qu'il les cachât, étaient devenus mauvais. Il prit alors possession d'Isengard et en fit progressivement une place forte et un lieu d'épouvante, comme pour rivaliser avec la Barad-dûr. Il recruta dès lors ses alliés et ses serviteurs parmi tous ceux qui haïssaient le Gondor et le Rohan, Hommes ou autres créatures plus malfaisantes.

Les Rois de la Marche

Première Lignée

Années[1]

2485-2545 1. *Eorl le Jeune*. Surnommé tel parce qu'il succéda à son père dans sa jeunesse et demeura blond et rougeaud jusqu'à la fin de ses jours, écourtés par une nouvelle

---

1. Les dates indiquées suivent le comput du Gondor (Troisième Âge). Celles qui figurent en retrait sont les dates de naissance et de décès.

attaque des Orientais. Eorl tomba en combattant sur le Wold, et le premier tertre fut alors levé. Felaróf y fut également enseveli.

2512-2570 2. *Brego*. Il chassa l'ennemi du Wold, et le Rohan ne fut plus assailli durant de longues années. En 2569, il acheva la construction de la grand-salle de Meduseld. Au festin qui marqua l'événement, son fils Baldor fit vœu de passer « les Chemins des Morts », mais n'en revint jamais[1]. Brego mourut de chagrin l'année suivante.

2544-2645 3. *Aldor l'Ancien*. Deuxième fils de Brego. Il fut surnommé l'Ancien, car il vécut à un âge avancé et fut roi pendant soixante-quinze ans. Sous son règne, les Rohirrim se multiplièrent, et ils chassèrent ou soumirent les derniers vestiges du peuple dunlandais qui demeuraient à l'est de l'Isen. Le Val de Hart de même que d'autres vallées montagneuses furent colonisés. Il est dit peu de chose des trois prochains rois, car le Rohan connut la paix et prospéra sous leur règne.

2570-2659 4. *Fréa*. Fils aîné, mais quatrième enfant d'Aldor ; il était déjà vieux lorsqu'il ceignit la couronne.

2594-2680 5. *Fréawine*.

2619-2699 6. *Goldwine*.

2644-2718 7. *Déor*. Sous son règne, les Dunlandais firent souvent incursion par-delà l'Isen. En 2710, ils occupèrent l'anneau déserté d'Isengard et ne purent en être délogés.

2668-2741 8. *Gram*.

2691-2759 9. *Helm Mainmarteau*. À la fin de son règne, le Rohan essuya de lourdes pertes lors d'invasions, suivies du Long Hiver. Helm et ses fils Haleth et Háma périrent. Fréaláf, fils de sœur de Helm, lui succéda.

---

1. III 95, 112.

2726-2798 10. *Fréaláf Hildeson*. Sous son règne, Saruman s'établit à Isengard, dont les Dunlandais avaient entre-temps été chassés. Les Rohirrim profitèrent un temps de son amitié, lors des jours de disette et de faiblesse qui s'ensuivirent.

2752-2842 11. *Brytta*. Son peuple le surnomma *Léofa*, car il était aimé de tous ; il avait le cœur sur la main et venait en aide à tous les nécessiteux. Son règne fut marqué par la guerre faite aux Orques qui, chassés du Nord, s'étaient réfugiés dans les Montagnes Blanches[1]. À sa mort, on crut qu'ils avaient tous été débusqués ; mais il n'en était rien.

2780-2851 12. *Walda*. Son règne ne dura que neuf ans. Il fut tué avec tous ses compagnons, pris en embuscade par des Orques dans les chemins de montagne partant de Dunhart.

2804-2864 13. *Folca*. C'était un grand chasseur, mais il fit vœu de ne chasser aucune bête sauvage tant qu'il resterait un seul Orque au Rohan. Une fois le dernier repaire orque trouvé et détruit, il alla chasser le grand sanglier d'Eofer-holt dans le Bois de Firien. Il tua la bête, mais mourut des blessures infligées par ses défenses.

2830-2903 14. *Folcwine*. Lorsqu'il ceignit la couronne, les Rohirrim avaient recouvré leurs forces. Il reconquit la marche de l'ouest (entre l'Adorn et l'Isen) que les Dun-landais avaient occupée. Le Gondor avait été d'un grand secours au Rohan lors des jours funestes. Aussi, lors-qu'il apprit que les Haradrim avaient assailli le Gondor en force, il envoya de nombreux hommes au secours de

---

1. III 562.

l'Intendant. Il souhaitait chevaucher à leur tête, mais on l'en dissuada; et ses deux fils Folcred et Fastred (nés en 2858) partirent à sa place. Ils tombèrent côte à côte dans la bataille qu'ils livrèrent en Ithilien (2885). Pour prix de la mort de ses fils, Túrin II du Gondor envoya à Folcwine une riche compensation en or.

2870-2953 15. *Fengel.* Troisième fils et quatrième enfant de Folcwine. Son souvenir est peu honoré. Il était avare de nourriture et d'or, et en conflit avec ses maréchaux et avec ses enfants. Thengel, son troisième enfant et son unique fils, quitta le Rohan au seuil de l'âge d'homme et vécut longtemps au Gondor, s'illustrant au service de Turgon.

2905-2980 16. *Thengel.* Il mit longtemps à prendre femme, mais en 2943, il épousa Morwen du Lossarnach au Gondor, bien qu'elle fût de dix-sept ans sa cadette. Elle lui donna trois enfants au Gondor, dont Théoden, le deuxième, son unique fils. À la mort de Fengel, les Rohirrim le rappelèrent à eux et il rentra à contrecœur. Mais il se révéla un roi sage et bon; encore que le parler du Gondor fût en usage dans sa maison, et tous ne voyaient pas cela d'un bon œil. Morwen lui donna deux autres filles au Rohan; Théodwyn, la dernière, était la plus belle, bien que tardivement née (2963), l'enfant de son vieil âge. Son frère l'aimait tendrement.

Ce fut peu après le retour de Thengel que Saruman se proclama Seigneur d'Isengard et se mit à causer des ennuis au Rohan, empiétant sur ses frontières et soutenant ses ennemis.

2948-3019 17. *Théoden.* Surnommé Théoden Ednew dans la tradition du Rohan, car il tomba en déclin sous les sortilèges de Saruman, mais fut ensuite guéri par Gandalf; et dans la dernière année de sa vie, il se leva et mena ses hommes à la victoire à la Ferté-au-Cor, et peu après sur les Champs du Pelennor, la plus grande bataille de cet Âge. Il tomba devant les Portes de Mundburg. Il reposa un temps dans sa terre natale, parmi les Rois défunts du Gondor, mais fut bientôt ramené à Edoras et, là, enseveli sous le huitième tertre de sa lignée. Une nouvelle commença alors.

Troisième Lignée

En 2989, Théodwyn épousa Éomund de l'Estfolde, premier Maréchal de la Marche. Son fils Éomer naquit en 2991, et sa fille Éowyn en 2995. À cette époque, Sauron avait fait résurgence, et l'ombre du Mordor s'étendit jusqu'au Rohan. Des Orques se mirent à faire incursion dans les régions orientales, tuant ou volant des chevaux. D'autres descendirent également des Montagnes de Brume, souvent de grands uruks au service de Saruman, bien qu'on mît du temps à le soupçonner. Éomund avait principalement la charge des marches de l'est ; et c'était un grand amoureux des chevaux et un ennemi juré des Orques. Lorsqu'il avait vent d'une incursion, il entrait dans une bouillante colère et chevauchait souvent à leur encontre, peu entouré et sans grande prudence. Ainsi donc, il périt en l'an 3002 ; car il pourchassa une faible bande jusqu'à la lisière des Emyn Muil, où il fut surpris par une grande force embusquée parmi les rochers.

Peu de temps après, Théodwyn tomba malade et mourut, au grand chagrin du roi. Il prit les enfants de sa sœur dans sa maison, qui devinrent pour lui fils et fille. Il n'eut lui-même qu'un enfant, son fils Théodred, alors âgé de vingt-quatre ans ; car la reine Elfhild était morte en couches, et Théoden ne se remaria jamais. Éomer et Éowyn grandirent à Edoras et virent l'ombre s'allonger sur les salles de Théoden.

Éomer était à l'image de ses pères ; mais Éowyn, grande et mince, avait un port gracieux et fier qui lui venait du Sud, de Morwen du Lossarnach, que les Rohirrim avaient surnommée Lustre-d'Acier.

2991-63 Q.A. (3084) *Éomer Éadig.* Il devint jeune encore un Maréchal de la Marche (3017) et hérita de la charge de son père sur les marches de l'est. Lors de la Guerre de l'Anneau, Théodred périt dans la lutte contre Saruman aux Passages de l'Isen. Ainsi, avant de mourir sur les Champs du Pelennor, Théoden fit d'Éomer son héritier et le déclara roi. Ce même jour, Éowyn s'attira elle aussi gloire et renom, car elle prit part à cette bataille déguisée en cavalier ; et dès lors, elle fut connue dans la Marche comme la Dame-du-Bras-de-l'Écu[1].

Éomer devint un grand roi, et, comme il succéda à Théoden en pleine jeunesse, il régna pendant soixante-cinq ans, plus longtemps qu'aucun de ses prédécesseurs hormis Aldor l'Ancien. Au cours de la Guerre de l'Anneau, il se lia d'amitié avec le roi Elessar et avec Imrahil de Dol Amroth ; et il chevauchait souvent au Gondor. Dans la dernière année du Troisième Âge, il épousa Lothíriel, fille d'Imrahil. Leur fils Elfwine le Beau régna après lui.

---

1. « Car le bras dont elle portait son bouclier fut brisé par la masse d'armes du Roi-Sorcier ; mais lui fut réduit à néant, et ainsi, les paroles que Glorfindel avait adressées au roi Eärnur, longtemps auparavant, prédisant que le Roi-Sorcier ne tomberait pas par la main d'un homme, furent réalisées. Car il est dit dans les chants de la Marche qu'Éowyn fut aidée dans cet exploit par l'écuyer de Théoden, et que lui non plus n'était pas un Homme, mais bien un Demi-Homme venu d'un lointain pays, bien qu'Éomer lui rendît beaucoup d'honneur au sein de la Marche, lui donnant le nom de Holdwine.

[Ce Holdwine n'était autre que Meriadoc le Magnifique, Maître du Pays-de-Bouc.] »

Dans la Marche, au temps d'Éomer, ceux qui le souhaitaient connurent la paix, et les gens se multiplièrent dans les vallées comme dans les plaines, et leurs chevaux proliférèrent. Le roi Elessar régnait à présent au Gondor, de même qu'en Arnor. Il était roi de toutes les terres de ces royaumes d'autrefois, hormis celles du Rohan ; car il renouvela à ce peuple le don de Cirion, et Éomer réitéra le Serment d'Eorl, qu'il accomplit à de nombreuses reprises. Car bien que Sauron eût péri, les antagonismes et les maux qu'il avait semés n'étaient pas morts avec lui, et le Roi de l'Ouest dut soumettre bon nombre d'ennemis avant que l'Arbre Blanc pût croître dans la paix. Et partout où le roi Elessar allait en guerre, le roi Éomer était à ses côtés ; et au-delà de la Mer du Rhûn et sur les lointaines prairies du Sud, l'on entendit tonner la cavalerie de la Marche, et le Cheval Blanc sur Vert flotta aux vents de tous bords jusqu'à ce qu'Éomer se fît vieux.

III

Le Peuple de Durin

Sur la genèse des Nains, on trouve d'étranges récits tant chez les Eldar que chez les Nains eux-mêmes ; mais, puisque ces questions remontent à une époque très lointaine de la nôtre, elles ne seront ici que brièvement abordées. Durin est le nom que donnaient les Nains à l'aîné des Sept Pères de leur race, et qui est l'ancêtre de tous les rois des Longues-barbes[1]. Il dormit seul, jusqu'au jour où, aux profondeurs du temps, à l'éveil de son peuple, il vint à Azanulbizar et, dans

---

1. *Le Hobbit*, p. 79.

les cavernes au-dessus du Kheled-zâram sur la face orientale des Montagnes de Brume, il établit sa résidence, là où furent plus tard les Mines de la Moria célébrées dans les chants.

Là, il vécut si longtemps que sa renommée s'étendit de par les terres, et on le surnomma Durin l'Immortel. Il mourut pourtant, avant la fin des Jours Anciens, et sa tombe se trouve à Khazad-dûm, mais sa lignée ne s'éteignit jamais, et par cinq fois naquit dans sa Maison un héritier si semblable à son Aïeul qu'il reçut le nom de Durin. Les Nains le prenaient en fait pour une nouvelle incarnation de l'Immortel ; car ils ont d'étranges récits et croyances au sujet de leur propre race, et du sort qui leur est réservé dans le monde.

À la fin du Premier Âge, la puissance et la richesse de Khazad-dûm s'accrurent de manière considérable ; car le royaume bénéficia de la connaissance et du savoir-faire de nombreuses gens, quand disparurent, dans la ruine du Thangorodrim, les antiques cités de Nogrod et de Belegost au cœur des Montagnes Bleues. La puissance de la Moria se perpétua à travers les Années Sombres et sous la domination de Sauron, car bien que l'Eregion fût dévasté et les portes de la Moria refermées, les salles de Khazad-dûm était trop profondes et trop fortes, leur peuple si nombreux et d'une telle hardiesse, que Sauron ne pouvait les conquérir de l'extérieur. Ainsi, ses richesses demeurèrent longtemps inviolées, bien que sa population fût alors en déclin.

Il advint qu'au milieu du Troisième Âge, Durin, sixième du nom, y fut de nouveau roi. Le pouvoir de Sauron, serviteur de Morgoth, était alors en recrudescence, encore que l'Ombre dans la Forêt qui faisait face à la Moria ne fût pas, pour lors, comprise pour ce qu'elle était. Toutes choses mauvaises se remuaient. Les Nains creusaient profondément à cette époque, forant sous le Barazinbar en quête de *mithril*, ce métal sans prix qui devenait chaque année plus difficile à obtenir[1]. Ainsi, ils réveillèrent une chose terrible[2] qui, ayant fui le Thangorodrim, était restée cachée aux fondations de la terre depuis la venue de l'Armée de l'Ouest : un Balrog de Morgoth. Il tua Durin, et, l'année suivante, son fils Náin Ier ; puis la gloire de la Moria s'évanouit, et ses habitants furent décimés ou bien s'enfuirent.

La plupart des survivants cherchèrent refuge dans le Nord, et Thráin Ier, fils de Náin, gagna l'Erebor, la Montagne Solitaire, à la lisière orientale de Grand'Peur, et il entreprit là-bas de nouvelles œuvres et devint Roi sous la Montagne. À Erebor, il découvrit un suprême joyau, la Pierre Arcane, Cœur de la Montagne[3]. Mais son fils Thorin Ier émigra vers les Montagnes Grises dans le Nord lointain, où convergeait alors une grande partie du peuple de Durin ; car ces montagnes étaient riches et peu explorées. Mais les étendues désertes au-delà étaient peuplées de dragons ; et bien des années plus tard, ils revinrent en force et proliférèrent, et ils firent la guerre aux Nains et pillèrent leurs œuvres. Enfin, Dáin Ier, avec Frór, son deuxième fils, tomba aux portes de sa salle, terrassé par un grand drac-froid.

Bientôt, le Peuple de Durin abandonna massivement les Montagnes Grises. Grór, fils de Dáin, partit pour les Collines de Fer avec bon nombre de suivants ; mais Thrór, l'héritier de Dáin, ainsi que Borin, le frère de son père,

---

1. I 566-567.

2. Ou la délivrèrent de sa prison ; car peut-être la malice de Sauron l'avait-elle déjà réveillée.

3. *Le Hobbit*, p. 298.

rentrèrent à Erebor avec le reste des Nains. Thrór ramena la Pierre Arcane dans la Grand-Salle de Thráin, et lui et ses gens prospérèrent et s'enrichirent, et ils gagnèrent l'amitié des Hommes de la région. Car ils ne fabriquaient pas seulement de beaux et merveilleux objets, mais aussi des armes et des armures de grande valeur ; et il y avait grand commerce de minerai entre eux et leurs parents dans les Collines de Fer. Ainsi les Hommes du Nord, qui vivaient entre la Celduin (la Rivière Courante) et la Carnen (l'Eau Rouge), devinrent de puissants guerriers, et ils chassèrent de l'Est tous les ennemis ; et les Nains vécurent dans l'abondance, et les Salles d'Erebor retentissaient du son des chants et des réjouissances[1].

La rumeur de l'opulence d'Erebor se répandit alors à travers les terres et vint à l'oreille des dragons, et c'est ainsi que Smaug le Doré, le plus puissant dragon de son époque, prit enfin les airs ; et sans prévenir, il assaillit le roi Thrór et descendit sur la Montagne en flammes. Tout ce royaume ne tarda pas à disparaître, et la ville voisine, le Val, fut laissée à l'état de ruines et vidée de ses habitants ; mais Smaug entra dans la Grand-Salle et s'allongea sur un grand amas d'or.

De nombreux parents de Thrór échappèrent aux flammes et à la mise à sac ; et, dernier de tous, par une porte secrète conduisant hors des salles, vint Thrór lui-même avec son fils Thráin II. Ils partirent au sud avec leur famille[2], sans asile,

---

1. *Ibid.*, p. 39-40.
2. Dont les enfants de Thráin II : Thorin (Lécudechesne), Frerin et Dís. Thorin n'était qu'un jeune garçon à cette époque, à l'échelle des Nains. On découvrit plus tard qu'il s'était échappé plus de Gens de la Montagne qu'on ne l'avait d'abord cru ; mais la plupart de ceux-là se rendirent dans les Collines de Fer.

dans de longues errances. Quelques-uns de leurs parents et de leurs plus fidèles suivants étaient également avec eux.

Des années plus tard, Thrór, désormais vieux, appauvri et au désespoir, remit à son fils Thráin le seul véritable trésor qui lui restait, le dernier des Sept Anneaux, puis il partit avec un seul vieux compagnon, du nom de Nár. Au sujet de l'Anneau, il dit à Thráin, le jour de leur séparation :

«Ceci pourrait être pour toi l'assise d'une nouvelle fortune, bien que la chose soit peu probable. Mais il faut de l'or pour engendrer de l'or.»

«Vous ne songez tout de même pas à retourner à Erebor ?» dit Thráin.

«Pas à mon âge, dit Thrór. Notre vengeance contre Smaug, je te la lègue à toi et à tes fils. Mais je ne supporte plus la pauvreté et le mépris des Hommes. Je m'en vais voir ce que je puis trouver.» Il ne dit pas où.

Peut-être le vieil âge l'avait-il rendu un peu fou, l'âge, l'infortune, et sa trop longue rumination des splendeurs de la Moria du temps de ses ancêtres ; ou peut-être était-ce l'Anneau qui, dès lors que s'éveillait son maître, exerçait sa nocive influence, l'amenant à la folie et à la destruction. Quittant la Dunlande où il s'était établi, il s'en fut vers le nord avec Nár, et ils franchirent tous deux le Col de Cornerouge et descendirent à Azanulbizar.

En arrivant à la Moria, Thrór trouva la Porte béante. Nár le supplia de prendre garde, mais Thrór ne fit pas attention à lui et entra la tête haute, tel un héritier retrouvant son domaine. Toutefois, il ne reparut pas. Nár demeura sur place pendant bien des jours, mais il resta caché. Un jour, il entendit un cri féroce et le hurlement d'un cor, puis quelqu'un jeta au-dehors un cadavre qui vint rouler au milieu des marches.

Craignant que ce ne fût Thrór, Nár s'avança discrètement, mais une voix jaillit de l'intérieur :

« Viens-t'en petit barbu ! On te voit. Mais tu n'as rien à craindre aujourd'hui. Tu dois nous servir de messager. »

Nár s'approcha alors, et il vit que le corps était bien celui de Thrór ; mais la tête était tranchée et gisait face contre terre. S'agenouillant auprès, il entendit des rires d'Orques parmi les ombres, et la voix poursuivit :

« Quand des gueux ne peuvent attendre à la porte, mais entrent en catimini pour essayer de nous voler, voilà ce qu'on leur fait. S'il y en a encore parmi vous qui viennent traîner leur sale barbe par ici, ils connaîtront le même sort. Va en informer tes gens ! Mais si sa famille désire savoir qui est le roi de nos jours en ces lieux, regarde son visage : le nom est écrit dessus. C'est moi qui l'ai écrit ! C'est moi qui l'ai tué. C'est moi le maître ! »

Nár retourna alors la tête, et il vit marqué au fer rouge sur le front, en runes naines pour qu'il puisse le lire, le nom AZOG. Ce nom devait rester marqué dans son cœur, comme dans celui de tous les Nains. Nár se baissa pour ramasser la tête, mais la voix d'Azog[1] dit :

« Lâche ça ! Va-t'en ! Voici tes honoraires, barbe-gueuse ! » Une petite bourse vint le heurter. Elle renfermait quelques pièces de peu de valeur.

En pleurs, Nár s'enfuit le long de l'Argentine ; mais il se retourna une fois et vit que des Orques étaient sortis pour tailler le cadavre en pièces, qu'ils jetaient aux corneilles noires.

Tel fut le récit que Nár rapporta à Thráin ; et Thráin, quand il eut fini de pleurer et de s'arracher la barbe, se réfugia

---

1. Azog était le père de Bolg ; voir *Le Hobbit*, p. 43.

dans le silence. Sept jours durant, il resta assis sans mot dire. Puis il se leva et s'écria : « Ceci est intolérable ! » Ainsi commença la Guerre des Nains et des Orques, longue et meurtrière, livrée en grande partie dans les profondeurs de la terre.

Thráin envoya aussitôt des messagers au nord, à l'est et à l'ouest afin de propager cette histoire ; mais il fallut trois ans aux Nains pour rassembler leurs forces. Le Peuple de Durin rallia tous ses soldats, rejoints par de grandes forces venant des Maisons des autres Pères ; car l'outrage subi par l'héritier de l'Aîné des leurs les avait mis en grand courroux. Quand tout fut prêt, ils assaillirent et saccagèrent, l'une après l'autre, toutes les places fortes des Orques qu'ils purent trouver entre le Gundabad et la Rivière aux Flambes. Les deux camps furent sans merci, semant la mort et multipliant les actes cruels, dans le noir comme à la lumière. Mais les Nains eurent le dessus grâce à leur force, leurs armes hors pair, et l'ardeur de leur courroux ; et ils fouillèrent tous les repaires sous les montagnes à la recherche d'Azog.

Enfin, tous les Orques qui les avaient fuis se trouvèrent réunis en Moria, et l'armée naine à leur poursuite vint à Azanulbizar. Cette grande vallée, qui s'étendait entre les épaulements des montagnes autour du lac de Kheled-zâram, avait fait partie autrefois du royaume de Khazad-dûm. Apercevant l'entrée de leurs anciens palais au flanc de la colline, ils poussèrent un grand cri qui gronda comme le tonnerre dans la vallée. Mais une grande armée était déployée sur les pentes au-dessus d'eux ; et une multitude d'Orques, tenus en réserve par Azog, se déversa des portes pour l'ultime confrontation.

Au début, la fortune tourna contre les Nains, car c'était un sombre jour d'hiver sans soleil, et les Orques n'hésitèrent point : ils étaient les plus nombreux, et ils occupaient les hauteurs. Ainsi commença la Bataille d'Azanulbizar (ou Nanduhirion en langue elfique), dont le souvenir fait encore frémir les Orques et pleurer les Nains. Le premier assaut de l'avant-garde, sous le commandement de Thráin, fut repoussé avec pertes, et Thráin fut refoulé dans un bois de haut fût qui se dressait encore à cette époque non loin du Kheled-zâram. Là, tomba son fils Frerin et Fundin son cousin, ainsi que de nombreux autres, et Thráin et Thorin furent tous deux blessés[1]. Sur les autres fronts, la bataille penchait d'un côté puis de l'autre, causant grand massacre ; mais elle prit une tournure décisive avec l'arrivée tardive de troupes fraîches venues des Collines de Fer : les guerriers de Náin, fils de Grór, dans leurs fières cottes de mailles. Au cri de « Azog ! Azog ! », ils fendirent la presse d'Orques jusqu'au seuil même de la Moria, terrassant de leurs pioches tous ceux qu'ils trouvaient sur leur chemin.

Alors Náin se tint devant la Porte et cria d'une voix puissante : « Azog ! Si vous êtes là, sortez ! Ou la joute est-elle trop rude pour vous dans la vallée ? »

Azog apparut sur ces entrefaites, et c'était un grand Orque à tête immense, casqué de fer, fort, mais d'une grande agilité. De nombreux autres, semblables à lui, l'accompagnaient, les combattants de sa garde ; et tandis qu'ils engageaient le fer avec la compagnie de Náin, Azog se tourna vers lui et dit :

« Quoi ? Encore un gueux à ma porte ? Faut-il que je te marque toi aussi ? » Sur ce, il se rua sur Náin et ils combattirent.

---

1. « Le bouclier de Thorin aurait été fendu en deux. On dit qu'il le jeta et qu'il tailla avec sa hache une branche de chêne, qu'il tint dans sa main gauche afin de parer les coups de ses adversaires, ou en guise de massue. C'est ce qui lui valut son surnom. »

Mais la rage de Náin le rendait quasi aveugle et le combat l'avait épuisé, tandis qu'Azog était frais, féroce, et plein de ruse. Bientôt, Náin porta un grand coup avec toute la force qui lui restait, mais Azog se jeta de côté et renversa Náin d'un coup de pied à la jambe ; le fer de la pioche se brisa contre la pierre et Náin s'affala sur le sol. Alors, Azog frappa vivement pour lui trancher le cou. Le collet de mailles de Náin repoussa le tranchant, mais le coup était si violent qu'il lui brisa la nuque, et il mourut.

Alors, Azog rit, et il leva la tête, prêt à hurler de triomphe ; mais le cri mourut dans sa gorge. Car il vit que toute son armée se débandait dans la vallée, et les Nains allaient de-ci de-là, massacrant à leur guise, et ceux qui trouvaient moyen de leur échapper fuyaient vers le sud, courant à toutes jambes et poussant des cris aigus. Et auprès, tous les soldats de sa garde gisaient morts. Il tourna les talons et s'enfuit vers la Porte.

Dans les marches, bondit après lui un Nain à la hache sanglante. C'était Dáin Piédefer, fils de Náin. Il saisit Azog juste devant les portes, et là, il le tua, et lui trancha la tête. Ce fut considéré comme une grande prouesse, car Dáin n'était alors qu'un tout jeune Nain, selon l'appréciation de ses semblables. Mais une longue vie l'attendait, et de nombreuses batailles, jusqu'au jour où, encore droit comme un chêne, il tomba enfin dans la Guerre de l'Anneau. Et pourtant l'on dit que, si intrépide et emporté qu'il fût, son visage était livide lorsqu'il redescendit de la Porte, comme quelqu'un qui aurait éprouvé une grande peur.

Quand la victoire fut enfin acquise, les Nains qui restaient se réunirent à Azanulbizar. Ils prirent la tête d'Azog et lui enfoncèrent dans la bouche la bourse de menue monnaie qu'il leur avait remise, puis ils plantèrent la tête sur un pieu. Mais il n'y eut cette nuit-là ni festin ni chanson ; car le nombre de leurs morts était plus incommensurable que le deuil. À peine la moitié d'entre eux, dit-on, pouvait encore tenir debout ou aspirer à la guérison.

Au matin, toutefois, Thráin se tint devant eux. Il était éborgné, et une blessure à la jambe le faisait boiter ; mais il dit : « Bien ! La victoire est à nous. Khazad-dûm aussi ! »

Mais ils répondirent : « Vous êtes peut-être l'Héritier de Durin, mais, même borgne, vous devriez voir plus clairement. Nous avons livré cette guerre par vengeance, et nous l'avons obtenue. Mais elle n'est pas douce. Si c'est là une victoire, nos mains sont trop petites pour la saisir. »

Et ceux qui n'étaient pas du Peuple de Durin dirent en outre : « Khazad-dûm n'a jamais été la maison de nos Pères. Qu'avons-nous gagné, sinon un espoir de richesses ? Mais s'il nous faut maintenant partir sans récompense, et sans compensation pour nos pertes, plus tôt nous aurons regagné nos foyers, plus nous serons satisfaits. »

Alors, Thráin se tourna vers Dáin : « Serai-je donc abandonné par mes propres parents ? » demanda-t-il. « Non, répondit Dáin. Vous être l'ancêtre de notre Peuple. Nous avons saigné pour vous, et nous saignerons encore. Mais nous n'entrerons pas à Khazad-dûm. Vous-même n'y entrerez pas. Moi seul ai regardé dans l'ombre de la Porte. Au-delà de cette ombre, il vous attend encore : le Fléau de Durin. Le monde devra changer, et voir un nouveau pouvoir apparaître, autre que le nôtre, avant que le Peuple de Durin ne revienne en Moria. »

Ainsi, après Azanulbizar, les Nains se dispersèrent de nouveau. Mais d'abord, ils entreprirent la pénible tâche de dépouiller tous leurs morts, afin que les Orques ne puissent venir faire provision d'armes et d'armures. Tous les Nains qui rentrèrent de ce champ de bataille, raconte-t-on, ployaient sous un lourd fardeau. Puis ils élevèrent maints bûchers et y incinérèrent les corps de leurs semblables. Bon nombre d'arbres furent abattus dans la vallée, qui demeura à jamais nue ; et la fumée du brasier fut aperçue en Lórien[1].

Les horribles feux réduits à l'état de cendres, les alliés regagnèrent chacun leur pays, et Dáin Piédefer ramena les gens de son père jusqu'aux Collines de Fer. Alors, debout près du grand pieu, Thráin dit à Thorin Lécudechesne : « D'aucuns diraient que cette tête fut chèrement payée ! Nous, du moins, l'avons payée de notre royaume. Reviendras-tu avec moi à l'enclume ? Ou iras-tu quémander ton pain aux plus augustes portes ? »

« À l'enclume, répondit Thorin. Le marteau tout au moins préserve la force des bras, jusqu'au jour où ils pourront manier de plus tranchants outils. »

Or donc, Thráin et Thorin, avec ce qui restait de leurs suivants (parmi lesquels se trouvaient Balin et Glóin), retournèrent en Dunlande ; mais ils repartirent peu après, errant de par l'Eriador, avant de poursuivre leur exil dans une nouvelle demeure à l'est des Ered Luin, au-delà du Loune. Et

---

1. « Les Nains se désolèrent de ce traitement réservé à leurs morts, contraire à leur coutume ; mais il aurait fallu plusieurs années pour aménager des tombes comme celles qu'ils construisaient d'ordinaire (car ils n'ensevelissaient leurs morts que dans la pierre, non dans la terre). Ils eurent donc recours au feu, plutôt que de laisser leurs semblables à la merci des bêtes, des oiseaux et des orques charognards. Mais le souvenir des morts d'Azanulbizar était honoré ; ainsi, encore de nos jours, un Nain dira fièrement de l'un de ses ancêtres : "C'est un Nain brûlé", et cela veut tout dire. »

s'ils forgeaient surtout le fer à cette époque, ils prospérèrent comme ils purent, et leur population s'accrut lentement[1]. Mais comme l'avait dit Thrór, il fallait à l'Anneau de l'or pour engendrer de l'or ; et de ce métal, comme de tout autre métal précieux, ils étaient largement, sinon entièrement dépourvus.

Il convient de parler ici de cet Anneau en bref. Les Nains du Peuple de Durin croyaient qu'il s'agissait du premier des Sept à avoir été forgés ; et ils disent qu'il fut offert au Roi de Khazad-dûm, Durin III, par les forgerons elfes eux-mêmes, et non par Sauron, bien qu'il fût sans doute imprégné de son pouvoir maléfique, car il prit part à la façon de tous les Sept. Mais ceux qui le détenaient ne le montraient jamais et n'en parlaient pas, et la plupart ne s'en séparaient qu'à l'article de la mort, si bien qu'on ne savait jamais vraiment qui en était le dépositaire. Certains croyaient qu'il était resté à Khazad-dûm, dans les tombeaux secrets des rois, à supposer qu'ils n'eussent pas été découverts et pillés ; mais chez les proches de l'Héritier de Durin, on croyait (à tort) que Thrór le portait le jour où il eut l'imprudence de retourner là-bas ; et on ignorait ce qu'il était devenu. Il ne fut pas retrouvé sur le corps d'Azog[2].

Il se peut bien toutefois, comme les Nains le pensent aujourd'hui, que Sauron, par le biais de ses artifices, ait découvert qui était en possession de cet Anneau, le dernier qui demeurât libre ; et que la singulière infortune des

---

1. Ils comptaient très peu de femmes parmi eux. Dís, fille de Thráin, vivait là-bas. Elle donna naissance à Fíli et Kíli dans les Ered Luin. Thorin n'avait pas d'épouse.
2. I 481.

héritiers de Durin ait été due en grande partie à sa malveillance. Car les Nains s'étaient révélés indomptables par ce moyen. Le seul pouvoir que les Anneaux exerçaient sur eux consistait à attiser en leur cœur la convoitise de l'or et d'objets précieux, de sorte que, à défaut de ceux-ci, toutes les autres bonnes choses paraissaient sans valeur, et ils ressentaient une vive colère et un désir de vengeance contre tous ceux qui les spoliaient. Mais ils sont, depuis leur commencement, car c'est ainsi qu'ils ont été faits, d'une trempe farouchement résistante à toute domination. On pouvait les tuer ou les mutiler, mais on ne pouvait les réduire à des ombres soumises à une autre volonté ; et aucun Anneau, pour cette même raison, n'avait d'effet sur leur longévité, en l'augmentant ou en l'écourtant. Sauron n'en haïssait que davantage leurs détenteurs et cherchait d'autant plus à les déposséder.

Peut-être le pouvoir maléfique de l'Anneau est-il donc en partie responsable de l'agitation et du mécontentement que l'on observa chez Thráin au bout de quelques années. La convoitise de l'or hantait sans cesse ses pensées. Enfin, n'y tenant plus, il tourna ses pensées vers Erebor et résolut d'y retourner. Il ne dit rien à Thorin du trouble qui l'agitait ; mais avec Balin, Dwalin et quelques autres, il se leva, fit ses adieux et s'en alla.

On sait peu de chose de ce qu'il advint de lui ensuite. Il apparaît aujourd'hui que, aussitôt parti de chez lui avec ses quelques compagnons, il fut pourchassé par les émissaires de Sauron. Poursuivi par des loups, assailli par des Orques, traqué du haut des airs par des oiseaux funestes, il s'efforça d'aller au nord, mais ses malheurs ne firent qu'empirer. Il vint une nuit sombre où lui et ses compagnons se trouvaient à errer dans le pays au-delà de l'Anduin, lorsqu'une pluie noire les poussa à chercher refuge sous les frondaisons de Grand'Peur. Au matin, Thráin avait disparu du campement, et ses compagnons l'appelèrent en vain. Ils le cherchèrent pendant bien des jours, après quoi ils perdirent espoir et rentrèrent finalement auprès de Thorin. Ce fut seulement bien plus tard que l'on apprit que Thráin avait été capturé vivant, emmené et jeté dans les culs-de-basse-fosse de Dol Guldur. Là-bas, il fut torturé, dépouillé de l'Anneau, et livré enfin à la mort.

Ainsi, Thorin Lécudechesne devint l'Héritier de Durin, mais un héritier sans espoir d'héritage. Quand disparut Thráin, il avait quatre-vingt-quinze ans, et c'était un Nain illustre et de fière allure ; mais il paraissait satisfait de demeurer en Eriador. Là, il travailla dur et s'enrichit tant qu'il le put par le commerce ; et son peuple s'accrut dans l'affluence des Gens de Durin qui avaient entendu parler de son établissement dans l'ouest et qui vinrent à lui dans leurs errances. Et voilà qu'ils avaient de belles demeures dans les montagnes, et abondance de biens, et leurs jours ne leur semblaient pas si sombres, bien qu'ils n'aient cessé d'évoquer dans leurs chants la Montagne Solitaire au loin.

Les années s'accumulèrent. Et dans le cœur de Thorin, les braises s'attisaient lorsqu'il ruminait l'injure faite à sa maison et le devoir de vengeance dont il avait hérité à l'encontre du Dragon. Et tandis que résonnait la forge sous les coups de son puissant marteau, il rêvait d'armes, d'armées, d'alliances ; mais les armées étaient dispersées, les alliances rompues, et peu nombreuses les haches de son peuple ; et une grande colère sans espoir le consumait comme il frappait le fer rougi sur l'enclume.

Puis survint par le plus grand des hasards cette fameuse rencontre entre Gandalf et Thorin, rencontre qui devait bouleverser les destinées de la Maison de Durin et conduire également à d'autres fins, plus grandes encore. Un jour[1] Thorin, rentrant dans l'Ouest au terme d'un de ses voyages, décida de passer la nuit à Brie. Gandalf aussi y séjournait : il se rendait dans le Comté, qu'il n'avait pas visité depuis une vingtaine d'années. Il était las et comptait s'y reposer quelque temps.

Parmi ses nombreux soucis, il s'inquiétait du danger qui planait sur le Nord ; car il savait déjà alors que Sauron préparait la guerre, et que son intention, dès qu'il s'en sentirait les moyens, était d'attaquer Fendeval. Mais pour résister à toute attaque venue de l'Est dans le but de reprendre le pays d'Angmar et les passages du nord des montagnes, il n'y avait plus que les Nains des Collines de Fer. Et au pied de celles-ci s'étendait la désolation du Dragon. Ce Dragon, Sauron pourrait en faire un terrible usage. Comment donc mettre fin à la menace de Smaug ?

Gandalf était précisément assis à méditer ces questions lorsque Thorin se tint devant lui et dit : « Maître Gandalf, je ne vous connais que de vue, mais aujourd'hui, j'aimerais vivement m'entretenir avec vous. Car mes pensées se sont souvent tournées vers vous ces derniers temps, comme si l'on m'enjoignait de vous rechercher. En vérité, je l'aurais fait, si j'avais su où vous trouver. »

Gandalf le regarda avec étonnement. « Voilà qui est étrange, Thorin Lécudechesne, dit-il. Car j'ai pensé à vous également ; et si je me rends à présent dans le Comté, il ne m'a pas échappé que c'est aussi la route qui conduit à vos grandes salles. »

---

1. Le 15 mars 2941.

« Libre à vous de les appeler ainsi, dit Thorin. Ce ne sont que de pauvres demeures d'exil. Mais vous y seriez le bienvenu, si vous y veniez. Car on dit que vous êtes sage et que vous savez mieux que quiconque ce qui se passe dans le monde ; et j'ai de nombreux soucis que vos conseils pourraient alléger. »

« Je viendrai, dit Gandalf, car je devine que nous avons au moins un souci en commun. Le Dragon d'Erebor me préoccupe, et je ne pense pas que le petit-fils de Thrór l'aura oublié. »

Ce qu'il advint de cette rencontre est raconté ailleurs : comment Gandalf accoucha d'un étrange stratagème pour venir en aide à Thorin, et comment Thorin et ses compagnons quittèrent le Comté pour entreprendre la quête de la Montagne Solitaire aux répercussions aussi importantes qu'imprévues. Seules les choses qui touchent au Peuple de Durin seront évoquées ici.

Bard d'Esgaroth terrassa le Dragon, mais le Val fut le théâtre de combats. Car les Orques marchèrent sur l'Erebor sitôt qu'ils eurent vent du retour des Nains ; et leur chef n'était autre que Bolg, le fils d'Azog tué par Dáin dans son jeune temps. Dans cette première Bataille du Val, Thorin fut blessé à mort ; et on l'ensevelit dans une tombe sous la Montagne avec la Pierre Arcane sur son sein. Fíli et Kíli, ses fils de sœur, y périrent également. Mais Dáin Piédefer, son cousin, qui vint à son secours des Collines de Fer, et qui était aussi son légitime héritier, devint alors le roi Dáin II ; et le Royaume sous la Montagne fut rétabli comme Gandalf l'avait recherché. Dáin se révéla un grand roi et un homme de sagesse, et les Nains retrouvèrent puissance et prospérité sous son règne.

À la fin de l'été de la même année (2941), Gandalf réussit enfin à persuader Saruman et le Conseil Blanc d'attaquer Dol Guldur, et Sauron se retira et s'enfuit au Mordor, afin d'y être protégé, croyait-il, de tous ses ennemis. Ainsi donc, quand la Guerre arriva enfin, le principal assaut fut dirigé vers le sud ; mais même alors, Sauron, de sa main droite tendue au loin, eût pu causer de grands ravages dans le Nord, si le roi Dáin et le roi Brand ne s'étaient mis en travers de sa route. C'est là précisément ce que Gandalf dit à Frodo et à Gimli, lorsque après la Guerre ils séjournèrent un temps ensemble à Minas Tirith. Des nouvelles étaient parvenues quelques jours avant au Gondor, en rapport avec ces lointains événements.

«La chute de Thorin m'avait beaucoup peiné, dit Gandalf ; et maintenant, nous apprenons que Dáin est tombé à son tour, au Val encore une fois, alors même que nous combattions ici. Je dirais que c'est une lourde perte, si ce n'était pas un pur émerveillement de savoir que, dans son grand âge, il ait encore pu manier la hache aussi puissamment qu'on le décrit, debout sur le corps du roi Brand devant la Porte d'Erebor, jusqu'à la venue des ténèbres.

«Mais les choses auraient pu tourner autrement, et bien plus mal. Quand vous songerez à la grande Bataille du Pelennor, n'oubliez pas les batailles du Val et la valeur du Peuple de Durin. Songez à ce qui aurait pu advenir. Feu de dragon et coups d'épées barbares en Eriador ; la nuit à Fendeval. Le Gondor pourrait ne pas avoir de Reine. Nous n'aurions plus qu'à rentrer, après notre victoire ici, vers un pays de cendre et de ruine. Mais cela fut évité – parce que je rencontrai Thorin Lécudechesne, un soir au seuil du printemps, à Brie. Une pure rencontre de hasard, comme on dit en Terre du Milieu.»

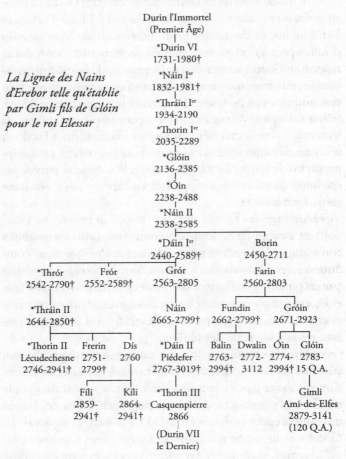

La Lignée des Nains d'Erebor telle qu'établie par Gimli fils de Glóin pour le roi Elessar

Durin l'Immortel
(Premier Âge)

*Durin VI
1731-1980†

*Náin Iᵉʳ
1832-1981†

*Thráin Iᵉʳ
1934-2190

*Thorin Iᵉʳ
2035-2289

*Glóin
2136-2385

*Óin
2238-2488

*Náin II
2338-2585

*Dáin Iᵉʳ
2440-2589†

Borin
2450-2711

*Thrór
2542-2790†

Frór
2552-2589†

Grór
2563-2805

Farin
2560-2803

*Thráin II
2644-2850†

Náin
2665-2799†

Fundin
2662-2799†

Gróin
2671-2923

*Thorin II
Lécudechesne
2746-2941†

Frerin
2751-
2799†

Dís
2760

*Dáin II
Piédefer
2767-3019†

Balin
2763-
2994†

Dwalin
2772-
3112

Óin
2774-
2994†

Glóin
2783-
15 Q.A.

Fíli
2859-
2941†

Kíli
2864-
2941†

*Thorin III
Casquenpierre
2866

Gimli
Ami-des-Elfes
2879-3141
(120 Q.A.)

(Durin VII
le Dernier)

Fondation d'Erebor, 1999.
Dáin Iᵉʳ tué par un dragon, 2589.
Retour à Erebor, 2590.
Mise à sac d'Erebor, 2770.
Meurtre de Thrór, 2790.
Rassemblement des Nains, 2790-2793.
Guerre entre Nains et Orques, 2793-2799.

Bataille de Nanduhirion, 2799.
Thráin part en errance, 2841.
Mort de Thráin et perte de son Anneau, 2850.
Bataille des Cinq Armées et mort de Thorin II, 2941.
Balin se rend en Moria, 2989.

Dís était la fille de Thráin II. Elle est la seule femme du peuple nain à être nommée dans ces récits. D'après ce que rapportait Gimli, les femmes naines sont peu nombreuses, ne constituant pas plus du tiers de la population, selon toute vraisemblance. Elles sortent peu au-dehors, sauf en cas d'extrême nécessité. Elles sont, par la voix et l'apparence, et par leur costume lorsqu'elles doivent voyager, si semblables à leurs pendants masculins que les yeux et les oreilles des autres peuples n'arrivent pas à les distinguer. Ceci est à l'origine de l'absurde croyance, fort répandue chez les Hommes, voulant qu'il n'y ait pas de femmes naines, et que les Nains soient « issus de la pierre ».

C'est à cause de la rareté de ses femmes que le peuple des Nains s'accroît avec lenteur, et qu'il est en péril lorsqu'ils ne disposent pas d'habitations sûres. Car les Nains ne prennent jamais qu'une seule femme ou un seul mari au cours de leur existence, et ils sont jaloux, comme dans tout ce qui touche à leurs droits. Chez eux, la proportion d'hommes mariés est en fait de moins d'un tiers. Car toutes les femmes ne prennent pas mari : certaines n'en veulent pas ; d'autres en désirent un qu'elles ne peuvent obtenir, et ne veulent d'aucun autre. Quant aux hommes, ils sont aussi fort nombreux à ne pas s'intéresser au mariage, trop absorbés par le travail manuel.

---

* Les noms ainsi marqués [ci-contre] sont ceux des Nains considérés comme ayant été rois du Peuple de Durin, en exil ou non. Parmi les autres compagnons de Thorin Lécudechesne lors du voyage à Erebor, Ori, Nori et Dori étaient également de la Maison de Durin et des parents plus éloignés de Thorin ; Bifur, Bofur et Bombur étaient des descendants des Nains de la Moria, mais non de la lignée de Durin. Pour le signe †, voir p. 522.

Gimli fils de Glóin jouit d'une grande renommée, car il était des Neuf Marcheurs qui partirent avec l'Anneau ; et il demeura aux côtés d'Elessar tout au long de la Guerre. Il fut surnommé Ami-des-Elfes à cause du profond attachement qui se développa entre lui et Legolas, le fils du roi Thranduil, et de son adoration pour la dame Galadriel.

Après la chute de Sauron, Gimli fit venir une partie du peuple d'Erebor dans le Sud, et il devint Seigneur des Brillantes Cavernes. Lui et ses gens accomplirent de grands travaux, tant au Gondor qu'au Rohan. À Minas Tirith, ils façonnèrent des portes de *mithril* et d'acier en remplacement des anciennes, renversées par le Roi-Sorcier. Son ami Legolas fit également venir des Elfes de Vertbois, et ils vécurent en Ithilien, et ce devint comme autrefois le plus beau pays de toutes les terres de l'ouest.

Mais quand le roi Elessar renonça à la vie, Legolas suivit enfin le désir de son cœur et fit voile outre-Mer.

Suit l'une des dernières notes du Livre Rouge

On a entendu raconter que Legolas emmena Gimli fils de Glóin avec lui en raison de leur grande amitié, plus forte que toutes celles qui ont pu exister entre Elfe et Nain. Si cela est vrai, c'est pour le moins étonnant : qu'un Nain ait consenti à quitter la Terre du Milieu pour une quelconque amitié, que les Eldar aient voulu l'accueillir, ou que les Seigneurs de l'Ouest l'aient autorisé. Mais il est dit que Gimli s'en fut également par désir de revoir la beauté de Galadriel ; et il se peut que la Dame, puissante parmi les Eldar, lui ait obtenu cette faveur. Il est impossible d'en dire plus à ce sujet.

Appendice B

Le Compte des Années
(chronologie des Terres de l'Ouest)

Le *Premier Âge* se termina avec la Grande Bataille, au cours de laquelle l'Armée du Valinor brisa le Thangorodrim[1] et renversa Morgoth. Alors, la plupart des Noldor rentrèrent dans l'Extrême-Ouest[2] et vécurent à Eressëa, en vue du Valinor; et nombre de Sindar franchirent également la Mer.

Le *Deuxième Âge* prit fin avec la première défaite de Sauron, serviteur de Morgoth, et la prise de l'Anneau Unique.

Le *Troisième Âge* s'acheva en même temps que la Guerre de l'Anneau; mais le *Quatrième Âge* n'était pas réputé avoir commencé avant le départ de maître Elrond, signalant le début de la domination des Hommes et le déclin de tous les autres «peuples de la parole» en Terre du Milieu[3].

Au Quatrième Âge, les âges précédents étaient souvent regroupés sous l'appellation de *Jours Anciens*; bien que ce nom, à proprement parler, ne se rapportât qu'aux jours d'avant le bannissement de Morgoth. Les événements de cette époque ne sont pas relatés ici.

---

1. I 435.
2. II 343 ; *Le Hobbit*, p. 219.
3. III 412-413.

Le Deuxième Âge

Années sombres pour les Hommes de la Terre du Milieu, années de gloire pour Númenor. Les événements de la Terre du Milieu ne sont que rarement et brièvement documentés, et les dates souvent incertaines.

Au commencement de cet âge, bon nombre de Hauts Elfes demeuraient encore. La plupart d'entre eux vivaient au Lindon à l'ouest des Ered Luin ; mais avant l'érection de la Barad-dûr, de nombreux Sindar passèrent à l'est, et quelques-uns fondèrent des royaumes dans les lointaines forêts, royaumes surtout peuplés d'Elfes sylvains. Le roi Thranduil, établi dans le nord de Vertbois-le-Grand, était de ceux-là. Au Lindon, dans les terres au nord du Loune, vivait Gil-galad, dernier héritier des rois des Noldor en exil. Il était reconnu comme le Grand Roi des Elfes de l'Ouest. Au sud du Loune vécut un temps Celeborn, parent de Thingol ; il avait pour épouse Galadriel, la plus grande dame des Elfes. Elle était la sœur de Finrod Felagund, Ami-des-Hommes, ci-devant roi de Nargothrond, qui donna sa vie pour sauver Beren fils de Barahir.

Plus tard, une partie des Noldor se rendit en Eregion, à l'ouest des Montagnes de Brume, aux abords de la Porte Ouest de la Moria ; car ils avaient appris qu'on avait découvert du *mithril* en Moria[1]. Les Noldor étaient de grands artisans, moins hostiles aux Nains que pouvaient l'être les Sindar ; mais l'amitié qui se développa entre le Peuple de Durin et les forgerons elfes de l'Eregion fut la plus étroite jamais tissée entre ces deux races. Celebrimbor, Seigneur de l'Eregion, avait aussi le plus grand savoir-faire, comptant parmi les descendants de Fëanor.

---

1. I 566-567.

Année

1 Fondation des Havres Gris et du Lindon.

32 Les Edain arrivent à Númenor.

v. 40 De nombreux Nains délaissent leurs anciennes cités des Ered Luin, se rendent en Moria et viennent grossir sa population.

442 Mort d'Elros Tar-Minyatur.

v. 500 Sauron refait lentement surface en Terre du Milieu.

521 Naissance de Silmariën à Númenor.

600 Les premiers navires númenóréens apparaissent au large des côtes.

750 Fondation de l'Eregion par les Noldor.

v. 1000 Sauron, craignant la montée en puissance des Númenóréens, choisit le Mordor comme territoire afin d'y établir sa place forte. Il entreprend la construction de Barad-dûr.

1075 Tar-Ancalimë devint la première Reine régnante de Númenor.

1200 Sauron tente de séduire les Eldar. Gil-galad refuse de traiter avec lui ; mais les forgerons de l'Eregion sont persuadés. Les Númenóréens commencent à établir des havres permanents.

v. 1500 Les forgerons elfes, instruits par Sauron, atteignent leur plus haut degré de savoir-faire. Ils commencent à forger les Anneaux de Pouvoir.

v. 1590 L'ouvrage des Trois Anneaux est achevé en Eregion.

v. 1600 Sauron forge l'Anneau Unique à Orodruin. Parachèvement de Barad-dûr. Celebrimbor perce à jour les desseins de Sauron.

1693 Début de la guerre opposant les Elfes à Sauron. Les Trois Anneaux sont cachés.

1695	Les forces de Sauron envahissent l'Eriador. Gilgalad envoie Elrond au secours de l'Eregion.
1697	L'Eregion est dévasté. Mort de Celebrimbor. Les portes de la Moria sont fermées. Elrond se retire avec les débris des Noldor et fonde le refuge d'Imladris.
1699	Sauron occupe l'Eriador.
1700	Tar-Minastir de Númenor envoie une grande force navale au Lindon. Sauron est défait.
1701	Sauron est chassé de l'Eriador. Les Terres de l'Ouest connaissent une longue paix.
v. 1800	Dès lors, les Númenóréens commencent à asseoir leurs possessions dans les régions côtières. Sauron déploie son pouvoir à l'est. L'ombre s'étend sur Númenor.
2251	Mort de Tar-Atanamir. Tar-Ancalimon prend le sceptre. Début de la rébellion et de la division des Númenóréens. À cette même époque, les Nazgûl ou Spectres de l'Anneau, esclaves des Neuf Anneaux, font leur première apparition.
2280	Umbar devient une grande place forte de Númenor.
2350	Construction de Pelargir. Elle devient le principal havre des Fidèles de Númenor.
2899	Ar-Adûnakhôr prend le sceptre.
3175	Repentance de Tar-Palantir. Númenor en proie à la guerre civile.
3255	Ar-Pharazôn le Doré accède au sceptre.
3261	Ar-Pharazôn prend la mer et débarque à Umbar.
3262	Sauron est fait prisonnier et emmené à Númenor ; 3262-3310 Sauron enjôle le Roi et corrompt les Númenóréens.
3310	Ar-Pharazôn entreprend la construction du Grand Armement.

3319	Ar-Pharazôn assaille le Valinor. Chute de Númenor. Elendil et ses fils fuient l'île.
3320	Fondation des Royaumes en Exil, l'Arnor et le Gondor. Les Pierres sont réparties en différents endroits (II, 343). Sauron rentre au Mordor.
3429	Sauron attaque le Gondor, prend Minas Ithil et brûle l'Arbre Blanc. Isildur s'échappe sur l'Anduin et se rend auprès d'Elendil dans le Nord. Anárion défend Minas Anor et Osgiliath.
3430	Formation de la Dernière Alliance des Elfes et des Hommes.
3431	Gil-galad et Elendil marchent à l'est, vers Imladris.
3434	L'armée de la Dernière Alliance franchit les Montagnes de Brume. Bataille de Dagorlad et défaite de Sauron. Début du siège de Barad-dûr.
3440	Anárion tué.
3441	Sauron est renversé par Elendil et Gil-galad; tous deux périssent. Isildur s'empare de l'Anneau Unique. Sauron trépasse et les Spectres de l'Anneau se retirent dans les ombres. Fin du Deuxième Âge.

Le Troisième Âge

Pour les Eldar, ce furent les années du déclin. Sauron était en sommeil, l'Anneau Unique était perdu, et ils jouirent d'une longue paix, usant des Trois Anneaux ; mais ils n'entreprirent rien de neuf, se berçant de souvenirs. Les Nains se terrèrent dans les profondeurs, protégeant leurs richesses ; mais lorsque le mal se réveilla et que les dragons reparurent, leurs trésors anciens, les uns après les autres, furent livrés au pillage, et ils devinrent un peuple d'errants. La Moria demeura longtemps à l'abri ; mais sa population diminua, ses vastes palais se vidèrent un à un, et maints d'entre eux furent abandonnés aux ténèbres. La sagesse et la longévité des Númenóréens déclinèrent également de par leur mélange avec les Hommes moindres.

Quand il se fut écoulé environ un millénaire, et que les premiers signes de l'Ombre se furent manifestés à Vertbois-le-Grand, les *Istari* ou Magiciens firent leur apparition en Terre du Milieu. Il fut plus tard rapporté que ces émissaires, venus de l'Extrême-Ouest, avaient pour mission de contester le pouvoir de Sauron, et d'unir tous ceux qui avaient encore la volonté de lui résister ; mais il leur était interdit de chercher à lui opposer un pouvoir égal, ou à dominer les Elfes ou les Hommes par la force et la peur.

C'est pourquoi ils se présentèrent sous l'apparence d'Hommes, encore qu'ils n'aient jamais paru jeunes et n'aient vieilli que très lentement, et bien qu'ils eussent aussi de nombreux pouvoirs, tant de corps que d'esprit. Leurs noms véritables, ils ne les révélèrent qu'à quelques-uns[1], usant plutôt des noms qu'on leur donnait. Les deux plus éminents de cet ordre (que l'on disait compter cinq membres) étaient connus chez les Eldar sous les noms de Curunír, « l'Homme Habile », et de Mithrandir, « le Pèlerin Gris », mais chez les Hommes du Nord, ils étaient Saruman et Gandalf. Curunír voyagea souvent dans l'Est, mais il finit par s'établir à Isengard. Mithrandir était plus proche des Eldar ; il errait surtout dans l'Ouest et ne se fixa jamais longtemps dans une quelconque demeure.

Tout au long du Troisième Âge, les dépositaires des Trois Anneaux ne furent jamais connus que d'eux-mêmes. Mais l'on sut à la toute fin que leurs premiers détenteurs avaient été les trois plus grands des Eldar : Gil-galad, Galadriel et

---

1. II 470.

Círdan. Gil-galad, avant de mourir, avait remis son anneau à Elrond, et Círdan confia plus tard le sien à Mithrandir. Círdan avait en effet la vue la plus longue et la plus profonde de tous les habitants de la Terre du Milieu, et ce fut lui qui accueillit Mithrandir aux Havres Gris, sachant d'où il venait et où il retournerait.

« Prenez cet anneau, Maître, dit-il, car vos labeurs seront grands ; mais il pourra remédier à la lassitude que vous vous êtes imposée. Car ceci est l'Anneau de Feu, et il vous aidera à réchauffer les cœurs dans un monde gagné par le froid. Mais mon cœur, lui, est auprès de la Mer, et je resterai sur ses rivages gris jusqu'au départ du dernier navire. Je vous attendrai. »

Année

2 Isildur plante un semis de l'Arbre Blanc à Minas Anor. Il confie le Royaume du Sud à Meneldil. Désastre des Champs de Flambes ; Isildur et ses trois fils aînés sont tués.

3 Ohtar apporte les fragments de Narsil à Imladris.

10 Valandil devient Roi de l'Arnor.

109 Elrond épouse Celebrían, fille de Celeborn.

130 Naissance d'Elladan et d'Elrohir, fils d'Elrond.

241 Naissance d'Arwen Undómiel.

420 Le roi Ostoher rebâtit Minas Anor.

490 Première invasion des Orientais.

500 Rómendacil Ier vainc les Orientais.

541 Rómendacil tué au combat.

830 Falastur amorce la lignée des Rois Navigateurs au Gondor.

861 Mort d'Eärendur et morcellement de l'Arnor.

833 Le roi Eärnil Ier s'empare d'Umbar, qui devient une place forte du Gondor.

936   Eärnil périt en mer.

1015   Le roi Ciryandil tué lors du siège d'Umbar.

1050   Hyarmendacil conquiert le Harad. Le Gondor arrive au faîte de sa puissance. Environ à cette époque, une ombre s'étend sur Vertbois-le-Grand, et les Hommes commencent à l'appeler Grand'Peur. Les Periannath font leur première apparition dans les chroniques avec l'arrivée des Piévelus en Eriador.

v. 1100   Les Sages (Istari et principaux Eldar) découvrent qu'un pouvoir maléfique a élu domicile à Dol Guldur, érigé en place forte. On croit qu'il s'agit de l'un des Nazgûl.

1149   Début du règne d'Atanatar Alcarin.

v. 1150   Les Peaublêmes entrent en Eriador. Les Fortauds franchissent le Col de Cornerouge et s'installent dans l'Angle, ou encore en Dunlande.

v. 1300   Les créatures mauvaises prolifèrent de nouveau. Les Orques se multiplient dans les Montagnes de Brume et attaquent les Nains. Les Nazgûl reparaissent. Le plus puissant d'entre eux gagne le Nord et le pays d'Angmar. Les Periannath émigrent à l'ouest ; nombre d'entre eux s'installent à Brie.

1356   Le roi Argeleb Ier tué en combattant contre le Rhudaur. Environ à cette époque, les Fortauds quittent l'Angle et certains retournent dans la Contrée Sauvage.

1409   Le Roi-Sorcier de l'Angmar envahit l'Arnor. Le roi Arveleg Ier tué. Défense de Fornost et de Tyrn Gorthad. Destruction de la Tour d'Amon Sûl.

1432   Mort du roi Valacar au Gondor et début de la guerre civile connue sous le nom de Lutte Fratricide.

1437	Osgiliath est incendiée et le *palantír* est perdu. Eldacar s'enfuit au Rhovanion ; son fils Ornendil est assassiné.
1447	Eldacar rentre au Gondor et en chasse son usurpateur, Castamir. Bataille des Passages de l'Erui. Siège de Pelargir.
1448	Les rebelles s'échappent et s'emparent d'Umbar.
1540	Le roi Aldamir tué dans la guerre contre le Harad et les Corsaires d'Umbar.
1551	Hyarmendacil II défait les Hommes du Harad.
1601	Bon nombre de Periannath de Brie émigrent au-delà du Baranduin dans des terres concédées par Argeleb II.
v. 1630	Ils sont rejoints par des Fortauds venus de Dunlande.
1634	Les Corsaires ravagent Pelargir et tuent le roi Minardil.
1636	Le Gondor dévasté par la Grande Peste. Mort du roi Telemnar et de ses enfants. L'Arbre Blanc meurt à Minas Anor. La peste se répand au nord et à l'ouest, semant la désolation dans de nombreuses régions de l'Eriador. Au-delà du Baranduin, les Periannath survivent, mais subissent de grandes pertes.
1640	Le roi Tarondor transfère la Maison du Roi à Minas Anor et y plante un semis de l'Arbre Blanc. Osgiliath tombe peu à peu en ruine. Le Mordor est laissé sans surveillance.
1810	Le roi Telumehtar Umbardacil reprend Umbar et en chasse les Corsaires.
1851	Les Chariotiers commencent à assaillir le Gondor.
1856	Le Gondor perd ses territoires de l'est ; Narmacil II tombe au combat.

1899 Le roi Calimehtar vainc les Chariotiers sur Dagorlad.

1900 Calimehtar construit la Tour Blanche à Minas Anor.

1940 Le Gondor et l'Arnor renouent le dialogue et forment une alliance. Arvedui épouse Fíriel, fille d'Ondoher du Gondor.

1944 Ondoher tombe au combat. Eärnil défait l'ennemi en Ithilien du Sud. Il gagne ensuite la Bataille du Campement et repousse les Chariotiers dans les Marais Morts. Arvedui revendique la Couronne du Gondor.

1945 Eärnil II reçoit la couronne.

1974 Fin du Royaume du Nord. Le Roi-Sorcier envahit l'Arthedain et s'empare de Fornost.

1975 Arvedui meurt noyé dans la baie de Forochel. Les *palantíri* d'Annúminas et d'Amon Sûl sont perdus dans le naufrage. Eärnur mène une flotte au Lindon. Le Roi-Sorcier est vaincu à la Bataille de Fornost et pourchassé dans les Landes d'Etten. Il disparaît du Nord.

1976 Aranarth se donne le titre de Chef des Dúnedain. Les héritiers de l'Arnor confiés à la garde d'Elrond.

1977 Frumgar conduit les Éothéod dans le Nord.

1979 Bucca de la Marêche devient le premier Thain du Comté.

1980 Le Roi-Sorcier se rend au Mordor et y rassemble les Nazgûl. Un Balrog apparaît en Moria et entraîne la mort de Durin IV.

1981 Náin Iᵉʳ tué à son tour. Les Nains fuient la Moria. De nombreux Elfes sylvains s'enfuient dans le Sud. Disparition d'Amroth et de Nimrodel.

1999   Thráin Ier se rend à Erebor et fonde le royaume des Nains « sous la Montagne ».

2000   Les Nazgûl surgissent du Mordor et assiègent Minas Tirith.

2002   Chute de Minas Ithil, désormais appelée Minas Morgul. L'ennemi s'empare du *palantír*.

2043   Eärnur est proclamé Roi du Gondor et mis au défi par le Roi-Sorcier.

2050   De nouveau mis au défi, Eärnur se rend à Minas Morgul pour ne jamais revenir. Mardil devient le premier Intendant régnant.

2060   Le pouvoir de Dol Guldur s'accroît. Les Sages craignent qu'il s'agisse de Sauron en voie de reprendre forme.

2063   Gandalf se rend à Dol Guldur. Sauron se retire dans l'Est et y reste caché. Début de la Paix Vigilante. Les Nazgûl demeurent cois à Minas Morgul.

2210   Thorin Ier quitte Erebor et se rend au nord dans les Montagnes Grises, où la plupart des vestiges du Peuple de Durin sont en train de se rassembler.

2340   Isumbras Ier devient le treizième Thain et le premier de la lignée des Touc. Les Vieilbouc occupent le Pays-de-Bouc.

2460   Fin de la Paix Vigilante. Sauron revient en force à Dol Guldur.

2463   Formation du Conseil Blanc. Environ à cette époque, Déagol le Fortaud trouve l'Anneau Unique et est assassiné par Sméagol.

v. 2470   Sméagol-Gollum se cache dans les Montagnes de Brume.

2475   Nouvelle attaque contre le Gondor. Osgiliath est enfin ruinée et son pont de pierre jeté bas.

v. 2480	Les Orques commencent à édifier des places secrètes dans les Montagnes de Brume afin de bloquer les cols qui mènent en Eriador. À l'instigation de Sauron, ses créatures commencent à investir la Moria.
2509	Attaque de Celebrían, en route vers la Lórien, dans le Col de Cornerouge. Elle reçoit une blessure empoisonnée.
2510	Départ de Celebrían, qui franchit la Mer. Les Orques et les Orientais envahissent le Calenardhon. Eorl le Jeune remporte la victoire au Champ de la Celebrant. Les Rohirrim s'installent au Calenardhon.
2545	Eorl meurt en combattant sur le Wold.
2569	Brego fils d'Eorl achève l'érection de la Salle Dorée.
2570	Baldor fils de Brego passe la Porte Interdite et ne revient pas. Environ à cette époque, les Dragons reparaissent dans le Nord reculé et se mettent à accabler les Nains.
2589	Dáin Ier tué par un Dragon.
2590	Thrór retourne à Erebor. Son frère Grór se rend dans les Collines de Fer.
v. 2670	Tobold plante de l'« herbe à pipe » dans le Quartier Sud.
2683	Isengrim II devient le dixième Thain et entreprend l'excavation de Grands Smials.
2698	Ecthelion Ier reconstruit la Tour Blanche à Minas Tirith.
2740	Nouvelles invasions d'Orques en Eriador.
2747	Bandobras Touc défait une bande d'Orques dans le Quartier Nord.

2758   Le Rohan est attaqué de l'est et de l'ouest, puis occupé. Le Gondor assailli par les forces navales des Corsaires. Helm du Rohan se réfugie dans la Gorge de Helm. Wulf s'empare d'Edoras.

2758-2759   Le Long Hiver cause des souffrances énormes et un grand nombre de victimes chez les populations de l'Eriador et du Rohan. Gandalf vient en aide aux Gens du Comté.

2759   Mort de Helm. Fréaláf chasse Wulf et ouvre la deuxième lignée des Rois de la Marche. Saruman s'établit à Isengard.

2770   Smaug le Dragon s'abat sur Erebor. Le Val est détruit. Thrór s'échappe avec Thráin II et Thorin II.

2790   Thrór est tué par un Orque en Moria. Les Nains se rallient pour une guerre de vengeance. Naissance de Gerontius, surnommé plus tard le Vieux Touc.

2793   Début de la Guerre des Nains et des Orques.

2799   Bataille de Nanduhirion devant la Porte Est de la Moria. Dáin Piédefer regagne les Collines de Fer. Thráin II et son fils Thorin s'acheminent vers l'ouest. Ils s'installent dans le sud des Ered Luin au-delà du Comté (2802).

2800-2864   Des Orques du Nord sèment la confusion au Rohan. Ils tuent le roi Walda (2861).

2841   Thráin II part pour Erebor, mais est pourchassé par les serviteurs de Sauron.

2845   Thráin le Nain est emprisonné à Dol Guldur ; le dernier des Sept Anneaux lui est dérobé.

2850   Gandalf entre de nouveau à Dol Guldur. Il découvre que le maître des lieux est bel et bien Sauron, qui rassemble à lui tous les Anneaux et est à la recherche de l'Unique et de l'héritier d'Isildur. Gandalf trouve Thráin et reçoit la clef d'Erebor. Mort de Thráin à Dol Guldur.

2851   Le Conseil Blanc se réunit. Gandalf plaide en faveur d'un assaut contre Dol Guldur. Saruman l'emporte sur lui[1]. Saruman commence ses recherches aux environs des Champs de Flambes.

2872   Mort de Belecthor II du Gondor. L'Arbre Blanc meurt, aucun semis ne se trouve pour le remplacer. L'Arbre Mort reste debout dans la cour.

2885   Soulevés par les émissaires de Sauron, les Haradrim franchissent le Poros et attaquent le Gondor. Les fils de Folcwine du Rohan trouvent la mort au service du Gondor.

2890   Naissance de Bilbo dans le Comté.

2901   Des attaques d'Uruks du Mordor chassent la plupart des derniers habitants de l'Ithilien. Établissement du refuge secret de Henneth Annûn.

2907   Naissance de Gilraen, mère d'Aragorn II.

2911   Le Rude Hiver. Les glaces envahissent le Baranduin et d'autres cours d'eau. Des Loups Blancs venus du Nord font incursion en Eriador.

2912   L'Enedwaith et le Minhiriath sont dévastés par d'importantes inondations. Tharbad, en ruine, se vide de tous ses habitants.

2920   Mort du Vieux Touc.

2929   Arathorn fils d'Arador des Dúnedain épouse Gilraen.

2930   Arador tué par des Trolls. Naissance de Denethor II fils d'Ecthelion II à Minas Tirith.

---

1. On découvrit plus tard que Saruman avait commencé à désirer s'emparer lui-même de l'Anneau Unique ; et il espérait que celui-ci se révélerait, cherchant à retrouver son maître, si rien n'était fait pour déranger Sauron dans l'immédiat.

2931 Naissance d'Aragorn fils d'Arathorn II le 1er mars.

2933 Arathorn II tué par les Orques. Gilraen emmène Aragorn à Imladris. Elrond le prend comme fils adoptif et lui donne le nom d'Estel (Espoir) ; son ascendance est tenue secrète.

2939 Saruman apprend que les serviteurs de Sauron explorent l'Anduin à la hauteur des Champs de Flambes ; il conclut que Sauron sait désormais comment a fini Isildur et devient fort inquiet, mais n'en souffle mot au Conseil.

2941 Thorin Lécudechesne et Gandalf se présentent chez Bilbo dans le Comté. Bilbo rencontre Sméagol-Gollum et trouve l'Anneau. Le Conseil Blanc se réunit ; Saruman consent à un assaut contre Dol Guldur, souhaitant mettre fin aux recherches de Sauron aux alentours du Fleuve. Sauron, après avoir mûri ses plans, abandonne Dol Guldur. Bataille des Cinq Armées au Val. Mort de Thorin II. Bard d'Esgaroth tue Smaug. Dáin des Collines de Fer devient Roi sous la Montagne (Dáin II).

2942 Bilbo rentre dans le Comté avec l'Anneau. Sauron retourne secrètement au Mordor.

2944 Bard reconstruit le Val et devient Roi. Gollum quitte les Montagnes et part à la recherche du « voleur » de l'Anneau.

2948 Naissance de Théoden fils de Thengel, Roi du Rohan.

2949 Gandalf et Balin rendent visite à Bilbo dans le Comté.

2950 Naissance de Finduilas, fille d'Adrahil de Dol Amroth.

2951	Sauron se déclare ouvertement et rassemble des forces au Mordor. Il entreprend la reconstruction de Barad-dûr. Gollum se tourne vers le Mordor. Sauron envoie trois Nazgûl afin de réoccuper Dol Guldur.
2952	Elrond révèle à « Estel » son nom et son ascendance véritables et lui remet les fragments de Narsil. Arwen, rentrant tout juste de Lórien, rencontre Aragorn dans les bois d'Imladris. Aragorn part dans la Sauvagerie.
2953	Dernière réunion du Conseil Blanc. La question des Anneaux est débattue. Saruman feint d'avoir découvert que l'Anneau Unique a descendu l'Anduin jusqu'à la Mer. Saruman se retranche à Isengard. Il se l'approprie et le fortifie. Jaloux de Gandalf et le redoutant, il le fait surveiller par des espions et remarque alors son intérêt pour le Comté. Il dispose bientôt d'agents à Brie et dans le Quartier Sud.
2954	Le Mont Destin entre de nouveau en éruption. Les derniers habitants de l'Ithilien fuient au-delà de l'Anduin.
2956	Aragorn rencontre Gandalf et se lie d'amitié avec lui.
2957-2880	Aragorn entame ses longues années d'errance et de voyage. Sous l'identité de Thorongil, il se met au service de Thengel du Rohan puis d'Ecthelion II au Gondor.
2968	Naissance de Frodo.
2976	Denethor épouse Finduilas de Dol Amroth.
2977	Bain fils de Bard devient le Roi du Val.
2978	Naissance de Boromir fils de Denethor II.

2980	Aragorn entre en Lórien et retrouve Arwen Undómiel. Aragorn lui offre l'anneau de Barahir et ils échangent leur promesse sur la colline de Cerin Amroth. Environ à cette époque, Gollum atteint les frontières du Mordor et fait la connaissance d'Araigne. Théoden devient Roi du Rohan. Naissance de Samsaget.
2983	Naissance de Faramir fils de Denethor.
2984	Mort d'Ecthelion II. Denethor II devient Intendant du Gondor.
2988	Finduilas meurt prématurément.
2989	Balin quitte Erebor et se rend en Moria.
2991	Naissance d'Éomer fils d'Éomund au Rohan.
2994	Mort de Balin et fin de la colonie des Nains en Moria.
2995	Naissance d'Éowyn fille d'Éomer.
v. 3000	L'ombre du Mordor s'allonge. Saruman ose enfin se servir du *palantír* d'Orthanc mais est pris au piège par Sauron, qui possède la Pierre d'Ithil. Par sa perfidie, il devient traître au Conseil. Ses espions lui rapportent l'étroite surveillance du Comté par les Coureurs.
3001	Festin d'adieu de Bilbo. Gandalf commence à croire que son Anneau est peut-être l'Unique. La surveillance du Comté est redoublée. Gandalf, désireux d'obtenir des nouvelles de Gollum, demande l'assistance d'Aragorn.
3002	Bilbo devient l'hôte d'Elrond et s'établit à Fendeval.
3004	Gandalf rend visite à Frodo dans le Comté, visites qui se répètent au cours des quatre années suivantes.
3007	Brand fils de Bain devient le Roi du Val. Mort de Gilraen.

3008 À l'automne, Gandalf rend visite à Frodo pour la dernière fois.

3009 Durant huit ans, par intervalles, Gandalf et Aragorn reprennent leur traque de Gollum, le cherchant dans les vaux de l'Anduin, à Grand'Peur et au Rhovanion, jusqu'aux confins du Mordor. À un moment donné, au cours de cette même période, Gollum s'aventure lui-même au Mordor ; il est fait prisonnier par Sauron.

3016 Elrond fait mander Arwen, qui retourne à Imladris ; les Montagnes et toutes les terres situées à l'est sont de plus en plus dangereuses.

3017 Gollum est relâché du Mordor. Il est fait prisonnier par Aragorn dans les Marais Morts, puis emmené devant Thranduil à Grand'Peur. Gandalf se rend à Minas Tirith et lit le rouleau d'Isildur.

Les Années Glorieuses

3018

Avril

12 Gandalf arrive à Hobbiteville.

Juin

20 Sauron attaque Osgiliath. Thranduil est assailli à peu près au même moment, et Gollum en profite pour fuir.

Jour de la Mi-Année

Gandalf rencontre Radagast.

Juillet

4   Boromir quitte Minas Tirith.
10 Gandalf est emprisonné à Orthanc.

Août

On ne trouve plus trace de Gollum. Traqué en même temps par les Elfes et les serviteurs de Sauron, il se serait alors réfugié en Moria. Ayant enfin découvert le chemin de la Porte Ouest, il aurait été incapable de sortir.

Septembre

18 Gandalf s'échappe d'Orthanc aux premières heures du matin. Les Cavaliers Noirs franchissent les Gués de l'Isen.

19 Gandalf se présente à Edoras sous l'aspect d'un mendiant et se voit refuser l'entrée.

20 Gandalf entre à Edoras. Théoden lui ordonne de partir : « Prenez le cheval que vous voudrez, mais partez avant qu'il ne soit tard demain ! »

21 Gandalf fait la rencontre de Scadufax, mais celui-ci refuse de se laisser approcher. Il suit l'animal loin à travers champs.

22 Les Cavaliers Noirs atteignent le Gué de Sarn en soirée ; ils repoussent les Coureurs qui y montent la garde. Gandalf rejoint Scadufax.

23 Quatre Cavaliers entrent dans le Comté avant l'aube. Les autres poursuivent les Coureurs vers l'est, puis reviennent surveiller le Chemin Vert. Un Cavalier Noir parvient à Hobbiteville à la tombée de la nuit. Frodo quitte Cul-de-Sac. Gandalf, ayant apprivoisé Scadufax, traverse les plaines du Rohan.

24 Gandalf franchit l'Isen.

26 La Vieille Forêt. Frodo arrive chez Bombadil.

27 Gandalf franchit le Grisfleur. Deuxième nuit chez Bombadil.

28 Les Hobbits capturés par un Esprit des Tertres. Gandalf atteint le Gué de Sarn.

29 Frodo parvient à Brie dans la soirée. Gandalf rend visite à l'Ancêtre.

30 Creux-le-Cricq et l'Auberge de Brie sont attaqués aux premières heures du matin. Frodo quitte Brie. Gandalf passe à Creux-le-Cricq et parvient à Brie dans la soirée.

Octobre

1 Gandalf quitte Brie.

3 Il est assailli de nuit à Montauvent.

6 Le campement attaqué à la nuit, au pied de Montauvent. Frodo blessé.

9 Glorfindel quitte Fendeval.

11 Il chasse les Cavaliers du Pont de la Mitheithel.

13 Frodo franchit le Pont.

18 Glorfindel rencontre Frodo au crépuscule. Gandalf atteint Fendeval.

20 Fuite au Gué de la Bruinen.

24 Frodo se rétablit et reprend connaissance. Boromir arrive à Fendeval pendant la nuit.

25 Le Conseil d'Elrond.

Décembre

25 La Compagnie de l'Anneau quitte Fendeval au crépuscule.

3019

Janvier

8 La Compagnie atteint la Houssière.

11-12 Neiges sur le Caradhras.

13 La Compagnie atteint la Porte Ouest de la Moria à la tombée de la nuit. Gollum suit la piste du Porteur de l'Anneau.

14 Nuit dans la Vingt et Unième Salle.

15 Le Pont de Khazad-dûm et la chute de Gandalf. La Compagnie atteint la Nimrodel tard dans la soirée.

17 La Compagnie arrive à Caras Galadhon à la brune.

23 Gandalf poursuit le Balrog jusqu'à la cime du Zirakzigil.

25 Il terrasse le Balrog et périt. Son corps repose au sommet.

Février

15 Le Miroir de Galadriel. Gandalf revient à la vie et demeure dans un état de transe.

16 Adieu à la Lórien. Gollum, caché sur la rive ouest, observe le départ.

17 Gwaihir transporte Gandalf en Lórien.

23 Les embarcations attaquées de nuit près du Sarn Gebir.

25 La Compagnie passe les Argonath et campe à Parth Galen. Première Bataille des Gués de l'Isen ; Théodred fils de Théoden tué.

26 L'éclatement de la Fraternité. Mort de Boromir ; son cor est entendu à Minas Tirith. Meriadoc et Peregrin capturés. Frodo et Sam gagnent la partie orientale des Emyn Muil. Le soir venu, Aragorn se lance à la poursuite des Orques. Leur descente des Emyn Muil vient aux oreilles d'Éomer.

27 Aragorn atteint l'escarpement ouest au lever du soleil. Éomer défie les ordres de Théoden et, vers minuit, il quitte l'Estfolde à la poursuite des Orques.

28 Éomer rejoint les Orques à l'orée de la Forêt de Fangorn.

29 Meriadoc et Pippin parviennent à s'échapper et font la rencontre de Barbebois. Les Rohirrim attaquent au lever du soleil et écrasent les Orques. Frodo descend des Emyn Muil et rencontre Gollum. Faramir aperçoit l'embarcation funéraire de Boromir.

30 Début du Cercle des Ents. Éomer, rentrant à Edoras, rencontre Aragorn.

1   Frodo entreprend la traversée des Marais Morts
    à l'aube. Le Cercle des Ents se poursuit. Aragorn
    rencontre Gandalf le Blanc. Ils partent pour Edo-
    ras. Faramir quitte Minas Tirith pour une mission
    en Ithilien.

2   Frodo arrive à la fin des Marais. Gandalf entre à
    Edoras et guérit Théoden. Les Rohirrim chevau-
    chent vers l'ouest contre Saruman. Deuxième
    Bataille des Gués de l'Isen. Défaite d'Erkenbrand.
    Le Cercle des Ents prend fin dans l'après-midi.
    Les Ents marchent sur Isengard et y parviennent
    dans la nuit.

3   Théoden se réfugie dans la Gorge de Helm.
    Début de la Bataille de la Ferté-au-Cor. Les Ents
    achèvent la destruction d'Isengard.

4   Théoden et Gandalf quittent la Gorge de Helm
    en route pour Isengard. Frodo atteint les monti-
    cules de scories qui entourent la Désolation de la
    Morannon.

5   Théoden atteint Isengard à midi. Pourparlers
    avec Saruman à Orthanc. Un Nazgûl ailé survole
    le campement à Dol Baran. Gandalf prend le che-
    min de Minas Tirith avec Peregrin. Frodo se cache
    en vue de la Morannon et repart au crépuscule.

6   Aragorn rejoint par les Dúnedain aux premières
    heures du matin. Théoden quitte la Ferté-au-Cor
    en route pour le Val de Hart. Aragorn part
    quelque temps après.

7   Frodo emmené à Henneth Annûn par Faramir.
    Aragorn atteint Dunhart à la tombée de la nuit.

8   Aragorn prend les «Chemins des Morts» à l'aube; il atteint Erech à la minuit. Frodo quitte Henneth Annûn.

9   Gandalf entre à Minas Tirith. Faramir quitte Henneth Annûn. Aragorn, parti d'Erech, arrive à Calembel. Au crépuscule, Frodo atteint la route de Morgul. Théoden arrive à Dunhart. Les ténèbres du Mordor commencent à se répandre.

10 Le Jour sans Aube. Rassemblement du Rohan; les Rohirrim quittent le Val de Hart. Faramir secouru par Gandalf devant les portes de la Cité. Aragorn franchit le Ringló. Une armée de la Morannon s'empare de Cair Andros et entre en Anórien. Frodo passe la Croisée des Routes et assiste au déploiement de l'armée de Morgul.

11 Gollum rend visite à Araigne mais, trouvant Frodo endormi, passe près de se repentir. Denethor envoie Faramir à Osgiliath. Aragorn atteint Linhir et entre au Lebennin. L'est du Rohan est envahi par le nord. Premier assaut contre la Lórien.

12 Gollum entraîne Frodo dans le repaire d'Araigne. Faramir se replie sur les Forts de la Chaussée. Théoden campe sous le Min-Rimmon. Aragorn refoule l'ennemi vers Pelargir. Les Ents écrasent les envahisseurs du Rohan.

13 Frodo capturé par les Orques de Cirith Ungol. Le Pelennor est envahi. Faramir blessé. Aragorn atteint Pelargir et s'empare de la flotte. Théoden dans la Forêt de Drúadan.

14 Samsaget retrouve Frodo dans la Tour. Minas Tirith est assiégée. Les Rohirrim, guidés par les Hommes Sauvages, traversent le Bois Gris.

15 Aux premières heures du matin, le Roi-Sorcier brise les Portes de la Cité. Denethor s'immole par le feu. Les cors des Rohirrim retentissent au chant du coq. Bataille du Pelennor. Théoden périt. Aragorn déploie l'étendard d'Arwen. Frodo et Samsaget s'évadent et se dirigent au nord le long de la Morgai.

16 Délibérations des chefs. Des hauteurs de la Morgai, Frodo aperçoit les baraquements et contemple le Mont Destin.

17 Bataille du Val. Le roi Brand et le roi Dáin Piéde-fer tombent au combat. Bon nombre de Nains et d'Hommes se réfugient à Erebor et sont assiégés. Shagrat apporte la cape, la chemise de mailles et l'épée de Frodo à Barad-dûr.

18 L'Armée de l'Ouest quitte Minas Tirith. Frodo arrive en vue de la Gueule-de-Fer ; il est rattrapé par des Orques sur la route menant de Durthang à l'Udûn.

19 L'Armée atteint le Val de Morgul. Frodo et Samsaget s'échappent le long de la route conduisant à la Barad-dûr.

22 Le terrible soir. Frodo et Samsaget quittent la route et se dirigent au sud, vers le Mont Destin. Troisième assaut contre la Lórien.

23 L'Armée passe au nord, hors de l'Ithilien. Aragorn renvoie les timorés. Frodo et Samsaget jettent leurs armes et leur équipement.

24 Dernière marche de Frodo et Samsaget jusqu'au pied du Mont Destin. L'Armée bivouaque dans la Désolation de la Morannon.

25 L'Armée est encerclée sur les Monts de Scories. Frodo et Samsaget atteignent les Sammath Naur.

Gollum s'empare de l'Anneau et tombe dans les Failles du Destin. Chute de Barad-dûr et départ de Sauron.

Après la chute de la Tour Sombre et le départ de Sauron, l'Ombre quitta les cœurs de tous ceux qui s'opposaient à lui, mais la peur et le désespoir envahirent ses serviteurs et ses alliés. Par trois fois, la Lórien avait essuyé les assauts de Dol Guldur, mais outre la vaillance des Elfes de ce pays, il y avait là un pouvoir trop grand, impossible à vaincre pour quiconque, hormis Sauron en personne. Et si les jolis bocages aux frontières souffrirent de sérieux dégâts, les attaques furent repoussées ; et quand l'Ombre passa, Celeborn sortit avec l'armée de Lórien et franchit l'Anduin dans une multitude d'embarcations. Ils prirent Dol Guldur, et Galadriel abattit ses murailles et mit au jour ses basses-fosses, et la forêt fut nettoyée de sa souillure.

Dans le Nord, la guerre et le mal avaient également sévi. Le royaume de Thranduil fut envahi, il y eut de longs combats sous les arbres et de grands ravages par le feu ; mais Thranduil finit par remporter la victoire. Et au jour du Nouvel An des Elfes, Celeborn et Thranduil se rencontrèrent au milieu de la forêt ; et ils rebaptisèrent Grand'Peur *Eryn Lasgalen*, le Bois aux Vertes Feuilles. Thranduil prit toute la partie nord pour royaume, jusqu'aux montagnes qui se dressent là-bas en plein bois ; et Celeborn prit toute la portion au sud de l'Étranglement, qu'il nomma Lórien Est ; et toute la vaste forêt entre ces deux régions fut concédée au Béorniens et aux Hommes des Bois. Mais après le départ de Galadriel quelques années plus tard, Celeborn se lassa de son royaume et se rendit à Imladris, où il vécut auprès des fils d'Elrond. Au Vertbois, les Elfes sylvains poursuivirent leur tranquille existence, mais la Lórien endeuillée ne conservait qu'une fraction de ses habitants, et la lumière et les chants s'étaient éteints à Caras Galadhon.

Alors que Minas Tirith était assiégée de toutes parts, des alliés de Sauron, qui menaçaient depuis longtemps les frontières du roi Brand, menèrent une armée au-delà de la rivière Carnen, et Brand dut se replier sur le Val. Là-bas, il reçut l'assistance des Nains d'Erebor ; et il y eut une grande bataille au pied de la Montagne. Cette bataille dura trois jours et se solda en fin de compte par la mort des rois Brand et Dáin Piédefer. Ainsi, les Orientais furent victorieux, mais ils ne purent prendre la Porte ; et de nombreux défenseurs, Nains et Hommes, se réfugièrent à Erebor désormais en état de siège.

Puis la nouvelle des grandes victoires du Sud parvint à l'armée assiégeante, semant la consternation dans ses rangs ; et les assiégés tentèrent une sortie et la mirent en déroute, et ceux qui en réchappèrent s'enfuirent dans l'Est et ne revinrent jamais au Val. Alors Bard II, fils de Brand, fut proclamé Roi du Val, et Thorin III dit Casquenpierre, fils de Dáin, devint Roi sous la Montagne. Ils envoyèrent leurs ambassadeurs au couronnement du roi Elessar ; et leurs royaumes, tant qu'ils existèrent, demeurèrent amis du Gondor, toujours sous la couronne et sous la protection du Roi de l'Ouest.

Les jours mémorables depuis la chute de Barad-dûr jusqu'à la fin du Troisième Âge[1]

3019
1419 C.C.

27 mars	Bard II et Thorin III dit Casquenpierre chassent l'ennemi du Val.
28	Celeborn franchit l'Anduin ; la destruction de Dol Guldur commence.
6 avril	Rencontre de Celeborn et de Thranduil.
8	Les Porteurs de l'Anneau honorés au Champ de Cormallen.
1er mai	Couronnement du roi Elessar ; Elrond et Arwen quittent Fendeval.
8	Éomer et Éowyn partent pour le Rohan avec les fils d'Elrond.
20	Elrond et Arwen arrivent en Lórien.
27	L'escorte d'Arwen quitte la Lórien.
14 juin	Les fils d'Elrond rejoignent l'escorte et conduisent Arwen à Edoras.
16	Ils partent pour le Gondor.
25	Le roi Elessar trouve le semis de l'Arbre Blanc.
1er Lithe	Arwen entre dans la Cité.
Jour de la Mi-Année	Mariage d'Elessar et d'Arwen.
18 juil.	Éomer revient à Minas Tirith.
22	Départ du cortège funèbre de Théoden.
7 août	Le cortège arrive à Edoras.
10	Funérailles du roi Théoden.

---

1. Les mois et les jours se rapportent au Calendrier du Comté.

14	Les hôtes prennent congé du roi Éomer.
15	Barbebois libère Saruman.
18	Arrivée à la Gorge de Helm.
22	La compagnie arrive à Isengard ; elle prend congé du Roi de l'Ouest au coucher du soleil.
28	Elle rencontre Saruman, qui prend alors le chemin du Comté.
6 sept.	Elle s'arrête en vue des Montagnes de la Moria.
13	Celeborn et Galadriel quittent la compagnie, les autres se dirigent vers Fendeval.
21	Retour à Fendeval.
22	Cent vingt-neuvième anniversaire de Bilbo. Saruman arrive dans le Comté.
5 oct.	Gandalf et les Hobbits quittent Fendeval.
6.	Ils franchissent le Gué de la Bruinen ; Frodo sent la douleur revenir une première fois.
28	Ils atteignent Brie à la tombée de la nuit.
30	Départ de Brie. Les « Voyageurs » atteignent le Brandivin à la nuit.
1er nov.	Arrestation à Grenouillers.
2	Arrivée à Belleau et soulèvement des Gens du Comté.
3	Bataille de Belleau et Départ de Saruman. Fin de la Guerre de l'Anneau.

3020
420 C.C. : La Grande Année d'Abondance

13 mars	Frodo tombe malade (jour anniversaire de son empoisonnement par Araigne).
6 avril	Le mallorn est en fleur dans le Champ de la Fête.
1er mai	Samsaget épouse Rose.

Jour de la Mi-Année	Frodo quitte ses fonctions de maire et Will Piéblanc est réinstitué.
22 sept.	Cent trentième anniversaire de Bilbo.
6 oct.	Frodo tombe de nouveau malade.

3021
1421 C.C. : Dernière Année du Troisième Âge

13 mars	Frodo de nouveau malade.
25	Naissance d'Elanor la Belle[1], fille de Samsaget. Dans le comput du Gondor, ce jour marque le début du Quatrième Âge.
21	Frodo et Samsaget quittent Hobbiteville.
22	Ils se joignent à la Dernière Chevauchée des Gardiens des Anneaux à Pointe-aux-Bois.
29	Arrivée aux Havres Gris. Frodo et Bilbo franchissent la Mer avec les Trois Gardiens. Fin du Troisième Âge.
6 oct.	Samsaget rentre à Cul-de-Sac.

Autres événements concernant les membres de la Fraternité de l'Anneau

C.C.

1422	Début du Quatrième Âge au commencement de cette année, dans le compte des années du Comté. Le Comput du Comté s'est néanmoins poursuivi comme auparavant.

---

1. Elle devait ce surnom à sa grande beauté : de l'avis de plusieurs, elle ressemblait davantage à une jeune fille elfe qu'à une femme hobbite. Elle avait une chevelure d'or, couleur très rare jusque-là dans le Comté ; mais deux autres filles de Samsaget étaient également blondes, comme beaucoup d'autres enfants nés à cette époque.

1427   Démission de Will Piéblanc. Samsaget est élu Maire du Comté. Peregrin Touc épouse Diamant de Longue-Cluse. Un décret du roi Elessar interdit aux Hommes d'entrer dans le Comté, qui devient un Pays Franc sous la protection du Sceptre du Nord.

1430   Naissance de Faramir, fils de Peregrin.

1431   Naissance de Boucles-d'or, fille de Samsaget.

1432   Meriadoc dit le Magnifique devient Maître du Pays-de-Bouc. Il reçoit de somptueux présents de la part du roi Éomer et de la dame Éowyn d'Ithilien.

1434   Peregrin devient le Touc-et-Thain. Le Thain, le Maître et le Maire sont nommés Conseillers du Royaume du Nord par le roi Elessar. Maître Samsaget est élu maire pour la deuxième fois.

1436   Le roi Elessar se rend dans le Nord et séjourne quelque temps au lac du Crépuscule. Il se présente au Pont du Brandivin et y salue ses amis. Il remet l'Étoile des Dúnedain à maître Samsaget, et Elanor est nommée demoiselle d'honneur de la reine Arwen.

1441   Maître Samsaget devient maire pour la troisième fois.

1442   Maître Samsaget, son épouse et Elanor se rendent au Gondor et y séjournent un an. Maître Tolman Casebonne agit en qualité de maire adjoint.

1448   Maître Samsaget devient maire pour la quatrième fois.

1451   Elanor la Belle épouse Fastred de l'Isle-Verte sur les Coteaux du Lointain.

1452 La Marche-de-l'Ouest, des Coteaux du Lointain aux Collines des Tours (*Emyn Beraid*[1]), est rattachée au Comté, don du roi Elessar. De nombreux hobbits vont s'y établir.

1454 Naissance d'Elfstan Bellenfant, fils de Fastred et Elanor.

1455 Maître Samsaget devient maire pour la cinquième fois.

1462 Maître Samsaget devient maire pour la sixième fois. À sa demande, le Thain confère à Fastred le titre de Gardien de la Marche-de-l'Ouest. Fastred et Elanor fondent leur résidence à Sous-les-Tours, où leurs descendants, les Bellenfant des Tours, habiteront durant maintes générations.

1463 Faramir Touc épouse Boucles-d'or, fille de Samsaget.

1469 Maître Samsaget devient maire pour la septième et dernière fois, parvenu en 1476, à la fin de son mandat, à l'âge vénérable de quatre-vingt-seize ans.

1482 Mort de madame Rose, femme de maître Samsaget, au Jour de la Mi-Année. Le 22 septembre, maître Samsaget quitte Cul-de-Sac et se rend à cheval aux Collines des Tours. Elanor est la dernière à le voir : il lui remet le Livre Rouge, désormais sous la garde des Bellenfant. La tradition de cette famille, héritée d'Elanor, veut que Samsaget ait passé les Tours pour se rendre aux Havres Gris, où il s'en fut outre-Mer, dernier des Porteurs de l'Anneau.

---

1. I 30, III 539, note 2.

1484 Au printemps de cette année-là, un message arriva au Pays-de-Bouc en provenance du Rohan, disant que le roi Éomer souhaitait revoir maître Holdwine. Meriadoc, alors âgé (cent deux ans) mais encore vigoureux, consulta alors son ami le Thain. Peu après, ils transférèrent tous deux leurs biens et leur charge à leur héritier et passèrent le Gué de Sarn à cheval, pour n'être plus jamais revus dans le Comté. Il fut rapporté par la suite que maître Meriadoc se rendit à Edoras, retrouvant le roi Éomer avant sa mort à l'automne. Lui et le Thain Peregrin s'en furent alors au Gondor, où ils coulèrent ce qui restait de leurs jours, puis moururent, et ils furent inhumés à Rath Dínen parmi les grands personnages du Gondor.

1541 Cette année-là[1], le 1er mars, vint enfin le Départ du roi Elessar. Si l'on en croit la tradition, les lits de Meriadoc et de Peregrin auraient été placés à côté de celui du grand roi. Alors Legolas construisit en Ithilien une nef grise, à bord duquel il descendit l'Anduin et passa outre-Mer ; et avec lui, dit-on, alla Gimli le Nain. Et quand ce navire eut pris le large, c'en fut fait de la Fraternité de l'Anneau en Terre du Milieu.

---

1. L'an 120 du Quatrième Âge (au Gondor).

Appendice C

Arbres généalogiques

Les personnes dont les noms apparaissent dans ces Arbres ont été choisies parmi bien d'autres. La plupart sont soit des invités à la Fête d'Adieu de Bilbo, soit leurs ancêtres directs. Les noms soulignés sont ceux des invités à la Fête. Ceux de quelques autres personnes ayant pris part aux événements racontés figurent également dans ces Arbres. On trouvera en outre des éléments généalogiques concernant Samsaget, l'ancêtre fondateur de la célèbre et influente famille des *Jardinier*.

La date qui figure après le nom est celle de la naissance (celle du décès est donnée lorsqu'elle est connue). Les dates fournies suivent le Comput du Comté, dont le point de départ correspond à la traversée du Brandivin par les frères Marcho et Blanco en l'An 1 du Comté (An 1601 du Troisième Âge).

LES BESSAC DE HOBBITEVILLE

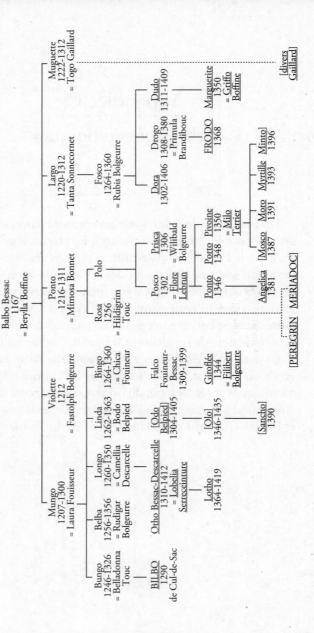

LES BOLGEURRE DE BOLLEGUÉ

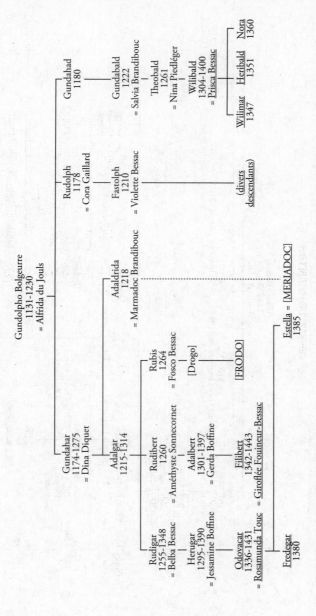

LES BOFFINE DU JOULS

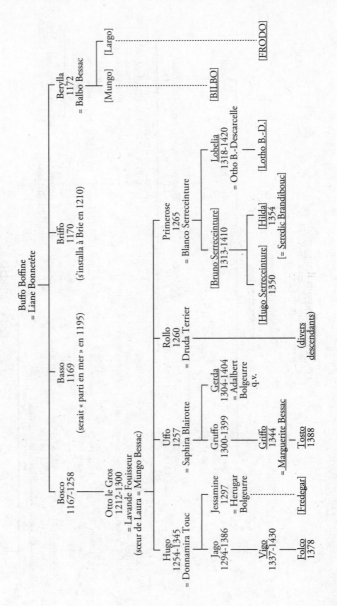

LES TOUC DE GRANDS SMIALS

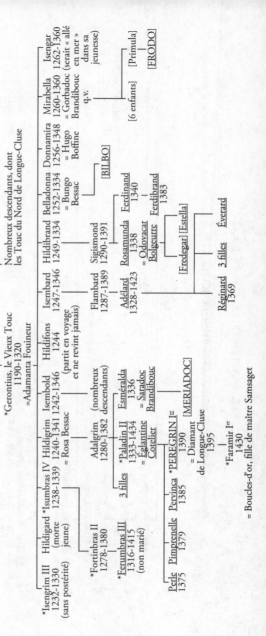

LES BRANDIBOUC DU PAYS-DE-BOUC

Gorhendad Vieilbouc de la Marêche, vers l'an 740, entreprit la construction de *Castel Brandy* et prit le nom de *Brandibouc*.

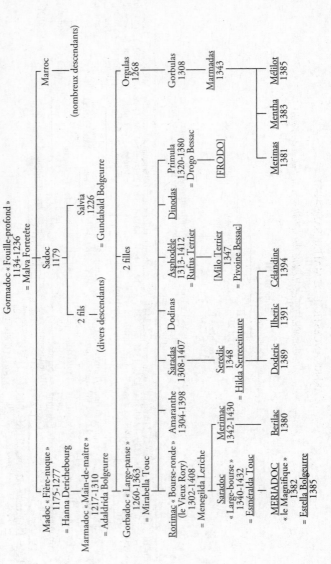

L'ARBRE ANCESTRAL DE MAÎTRE SAMSAGET

(lequel montre aussi l'ascension des familles Jardinier de la Colline et Bellenfant des Tours)

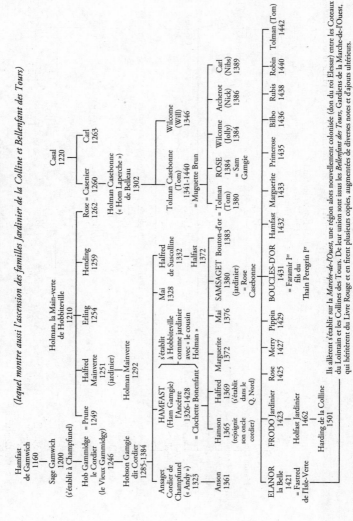

Ils allèrent s'établir sur la *Marche-de-l'Ouest*, une région alors nouvellement colonisée (don du roi Elessar) entre les Coteaux du Lointain et les Collines des Tours. De leur union sont issus les *Bellenfant des Tours*, Gardiens de la Marche-de-l'Ouest, qui héritèrent du Livre Rouge et en firent plusieurs copies, augmentées de diverses notes et d'ajouts ultérieurs.

Appendice D
Le Calendrier du Comté

VALABLE POUR TOUS LES ANS

(1) Après-Yule

YULE	7	14	21	28
1	8	15	22	29
2	9	16	23	30
3	10	17	24	–
4	11	18	25	–
5	12	19	26	–
6	13	20	27	–

(4) Astron

1	8	15	22	29
2	9	16	23	30
3	10	17	24	–
4	11	18	25	–
5	12	19	26	–
6	13	20	27	–
7	14	21	28	–

(7) Après-Lithe

LITHE	7	14	21	28
1	8	15	22	29
2	9	16	23	30
3	10	17	24	–
4	11	18	25	–
5	12	19	26	–
6	13	20	27	–

(10) Winterfilth

1	8	15	22	29
2	9	16	23	30
3	10	17	24	–
4	11	18	25	–
5	12	19	26	–
6	13	20	27	–
7	14	21	28	–

(2) Solmath

–	5	12	19	26
–	6	13	20	27
–	7	14	21	28
1	8	15	22	29
2	9	16	23	30
3	10	17	24	–
4	11	18	25	–

(5) Thrimidge

–	6	13	20	27
–	7	14	21	28
1	8	15	22	29
2	9	16	23	30
3	10	17	24	–
4	11	18	25	–
5	12	19	26	–

(8) Wedmath

–	5	12	19	26
–	6	13	20	27
–	7	14	21	28
1	8	15	22	29
2	9	16	23	30
3	10	17	24	–
4	11	18	25	–

(11) Blotmath

–	6	13	20	27
–	7	14	21	28
1	8	15	22	29
2	9	16	23	30
3	10	17	24	–
4	11	18	25	–
5	12	19	26	–

(3) Rethe

–	3	10	17	24
–	4	11	18	25
–	5	12	19	26
–	6	13	20	27
–	7	14	21	28
1	8	15	22	29
2	9	16	23	30

(6) Avant-Lithe

–	4	11	18	25
–	5	12	19	26
–	6	13	20	27
–	7	14	21	28
1	8	15	22	29
2	9	16	23	30
3	10	17	24	LITHE

Jour de la Mi-Année
(Grand Lithe)

(9) Halimath

–	3	10	17	24
–	4	11	18	25
–	5	12	19	26
–	6	13	20	27
–	7	14	21	28
1	8	15	22	29
2	9	16	23	30

(12) Avant-Yule

–	4	11	18	25
–	5	12	19	26
–	6	13	20	27
–	7	14	21	28
1	8	15	22	29
2	9	16	23	30
3	10	17	24	YULE

Chaque année débutait sur le premier jour de la semaine, le samedi, et se terminait sur le dernier, soit le vendredi. Le Jour de la Mi-Année, et, lors des années bissextiles, le Grand Lithe tombaient en dehors de la semaine. Le Lithe d'avant la Mi-Année se nommait 1er Lithe, et celui d'après, 2 Lithe. Le Yule de la fin de l'année était le 1er Yule, celui du Nouvel An, le 2 Yule. Le Grand Lithe était un jour de réjouissances spéciales, mais il ne survenait que tous les quatre ans, et aucune des années importantes dans l'histoire du Grand Anneau ne comportait cette fête. Elle fut toutefois observée en 1420, année de la fabuleuse récolte après un été hors du commun ; et l'on dit que ce fut l'occasion de réjouissances exceptionnelles, sans égales dans les mémoires et les annales du Comté.

Les calendriers

Le Calendrier du Comté se distinguait du nôtre à plusieurs égards. L'année avait assurément la même durée[1], car, si lointaine que nous semble aujourd'hui cette époque en nombre d'années et de générations, elle n'est pas très reculée à l'échelle de la mémoire terrestre. Les chroniques hobbites rappellent que, du temps de leurs errances, ils n'observaient pas la semaine, et que malgré leur observance des mois, plus ou moins dictée par la Lune, leur calcul des dates et leur notion du temps étaient, au mieux, vagues et imprécises. Lorsqu'ils eurent commencé à se fixer dans les terres de l'ouest, en Eriador, ils adoptèrent le Comput du Roi, emprunté aux Dúnedain, mais lui-même d'origine eldarine ; à la suite de quoi les Hobbits du Comté y apportèrent plusieurs modifications de détail. Ce calendrier, plus connu sous le nom de « Comput du Comté », finit par être adopté à Brie, hormis l'usage local faisant correspondre l'An 1 à celui de la colonisation du Comté.

---

1. 365 jours, 5 heures, 48 minutes et 46 secondes.

Il est souvent malaisé de tirer, à partir d'anciens récits et de vieilles traditions, des renseignements précis sur ce que les gens connaissaient bien et tenaient pour acquis à leur époque (les noms des lettres, ceux des jours de la semaine, ou encore les noms et la durée des mois, par exemple). Mais en raison de leur intérêt pour la généalogie, communément répandu, et de l'intérêt pour l'histoire ancienne qui se développa chez les plus érudits après la Guerre de l'Anneau, les Hobbits du Comté semblent avoir prêté une attention particulière aux dates : il leur arrivait même de dresser des tables d'une étonnante complexité, mettant leur propre système en rapport avec les autres usages. N'étant moi-même pas très savant en la matière, j'ai pu commettre beaucoup d'erreurs ; fort heureusement, la chronologie des années cruciales, 1418 et 1419 C.C., est si soigneusement délinéée dans le Livre Rouge qu'il ne peut guère y avoir de doute quant aux dates et aux circonstances de ces événements.

On peut affirmer que les Eldar de la Terre du Milieu, qui, comme le faisait remarquer Samsaget, disposaient d'un temps considérable, calculaient sur de plus longues périodes, aussi le mot quenya *yén*, souvent traduit par « an » (I, 671), correspond-il en réalité à 144 de nos années. Les Eldar calculaient, de préférence, par multiples de six et de douze. Ils disaient *ré* pour désigner le « jour » solaire, qui s'étendait du couchant au couchant. Le *yén* comptait 52 596 jours. À des fins plutôt rituelles que pratiques, les Eldar observaient une semaine – ou *enquië* – de six jours ; le *yén* comptait 8 766 de ces *enquier*, continûment dénombrés au cours de cette période.

En Terre du Milieu, les Eldar observaient une période courte équivalente à l'année solaire, appelée *coranar* ou

« tour de soleil » lorsque envisagée sous une perspective plus ou moins astronomique, mais le plus souvent appelée *loa* « croissance » (en particulier dans les régions du Nord-Ouest) lorsqu'ils se référaient plutôt aux rythmes saisonniers de la végétation, comme c'était généralement le cas chez les Elfes. La *loa* était divisée en périodes qui s'apparentaient à de longs mois ou encore à de courtes saisons. Elles différaient probablement selon les régions ; mais les écrits des Hobbits ne nous renseignent que sur le Calendrier d'Imladris. Dans ce calendrier, il y avait six « saisons » dont les noms quenya étaient *tuilë, lairë, yávië, quellë, hrívë* et *coirë*, que l'on pourrait traduire par : « printemps, été, automne, évanescence, hiver, renaissance ». Les noms sindarins allaient comme suit : *ethuil, laer, iavas, firith, rhîw, echuir*. L'« évanescence » se disait aussi *lasse-lanta* « chute des feuilles », ou encore, en sindarin, *narbeleth* « déclin du soleil ».

Les saisons de *lairë* et de *hrívë* comptaient 72 jours, les autres seulement 54 chacune. Le premier jour de la *loa* se nommait *yestarë* et précédait immédiatement la saison de *tuilë*, tandis que le dernier, *mettarë*, suivait immédiatement la saison de *coirë*. Entre les saisons de *yávië* et de *quellë* étaient intercalés trois *enderi* ou « jours mitoyens ». L'on obtenait ainsi une année de 365 jours, complétée par un redoublement des *enderi* (ajout de 3 jours) tous les douze ans.

Il reste à savoir comment l'on remédiait aux inexactitudes pouvant résulter de cet arrangement. En supposant que l'année fût alors de même durée qu'aujourd'hui, le *yén* eût comporté plus d'un jour de trop. Une note figurant dans les Calendriers du Livre Rouge montre bien qu'il y avait inexactitude : on y apprend que, dans le « Comput de Fendeval », la dernière année du *yén*, une fois sur trois, était écourtée de trois jours. Le redoublement des trois *enderi* prévu pour cette année-là était donc omis ; «mais pareille occurrence ne s'est pas produite de notre temps». Il n'est fait mention d'aucun autre ajustement visant à corriger toute inexactitude restante.

Les Númenóréens transformèrent ces conventions. Ils divisèrent la *loa* en périodes plus courtes et plus égales ; et ils préservèrent la tradition de commencer l'année à la mi-hiver, tradition héritée des Hommes du Nord-Ouest qui avaient été leurs ancêtres au Premier Âge. Plus tard, ils augmentèrent leur semaine à 7 jours, et ils firent commencer la journée avec le soleil (à son lever sur la mer de l'Est).

Le système númenóréen, en usage à Númenor, de même qu'en Arnor et au Gondor jusqu'à la fin des rois, était connu sous le nom de «Comput du Roi». L'année normale comportait 365 jours. Elle était divisée en douze *astar* ou mois, dont dix comptaient 30 jours et les deux autres 31. De ces deux *astar* de 31 jours, l'un précédait la Mi-Année et l'autre la suivait, ce qui en faisait plus ou moins les équivalents de nos mois de juin et juillet. Le premier jour de l'année se nommait *yestarë*, celui du mitan (le 183e) se nommait *loëndë*, et le dernier avait nom *mettarë* ; ces trois jours ne faisaient partie d'aucun mois. Tous les quatre ans, sauf dans la dernière année du siècle (*haranyë*), deux *enderi* ou «jours mitoyens» prenaient la place du *loëndë*.

Le calendrier de Númenor avait pour point d'origine l'An 1 D.A. Le *Déficit* entraîné par la suppression d'une journée à chaque fin de siècle n'était pas ajusté avant la dernière année du millénaire, ce qui laissait un *déficit millénaire* de 4 heures, 46 minutes et 40 secondes. À Númenor, ce déficit fut comblé aux ans 1000, 2000 et 3000 D.A. Après la Chute en 3319 D.A., le système númenóréen demeura en usage chez les exilés, non sans avoir été compromis par un nouveau compte des années au début du Troisième Âge, 3442 D.A. devenant alors 1 T.A. En désignant 4 T.A. comme année bissextile au lieu de 3 T.A. (3444 D.A.), une année supplémentaire de 365 jours se trouva être intercalée dans le cycle normal, entraînant un déficit de 5 heures, 48 minutes et 46 secondes. Les ajouts millénaires furent appliqués avec 441 ans de retard, aux ans 1000 T.A. (4441 D.A.) et 2000 T.A. (5441 D.A.). Afin de réduire les aberrations ainsi causées et le déficit millénaire accumulé, Mardil l'Intendant fit paraître un calendrier révisé qui prendrait effet en 2060 T.A., après un ajout extraordinaire de 2 jours à l'an 2059 (5500 D.A.), marquant cinq millénaires et demi depuis l'adoption du système númenóréen. Ces ajustements laissèrent tout de même un déficit d'environ 8 heures.

Hador, en 2360, fit ajouter 1 jour, bien que le déficit n'eût pas encore atteint cette ampleur. Il n'y eut pas d'autres ajustements. (En 3000 T.A., avec la menace d'une guerre imminente, ces questions ne retinrent pas l'attention.) À la fin du Troisième Âge, 660 années après, le Déficit n'avait pas encore atteint 1 jour.

Le Calendrier Révisé proposé par Mardil, appelé « Comput de l'Intendant », finit par être adopté par la plupart des usagers de la langue occidentalienne, sauf les Hobbits. Les mois comptaient tous 30 jours, et deux jours s'ajoutèrent en dehors des mois : le premier entre les troisième et quatrième mois (mars et avril), le second, entre les neuvième et dixième (septembre et octobre). Ces cinq jours à part, *yestarë*, *tuilérë*, *loëndë*, *yáviérë* et *mettarë*, étaient jours fériés.

Les Hobbits, plus conservateurs, continuèrent d'utiliser le Comput du Roi sous une forme adaptée à leurs propres usages. Leurs mois, tous de même longueur, comptaient 30 jours chacun ; mais ils ajoutaient 3 Jours d'Été, appelés Jours de Lithe (ou simplement Lithe) dans le Comté, entre juin et juillet. Le dernier jour de l'année et le premier de la suivante étaient les Jours de Yule. Les Jours de Yule et de Lithe restaient en dehors des mois ; ainsi, le 1er janvier était le deuxième et non le premier jour de l'année. Tous les quatre ans, sauf dans la dernière année du siècle[1], il y avait 4 Jours de Lithe. Les Jours de Lithe et de Yule étaient les principaux jours de vacances et de célébrations. Le Lithe supplémentaire suivait le Jour la Mi-Année, aussi le 184e jour des années bissextiles se nommait-il Grand Lithe ; et c'était l'occasion de réjouissances toutes spéciales. La période de Yule, en tout et pour tout, durait six jours, soit les trois derniers de l'année et les trois premiers de la suivante.

Les Gens du Comté introduisirent une légère innovation de leur cru (adoptée à Brie par la suite), appelée la Réforme du Comté. Pour eux, le fait que les jours de la semaine ne tombaient jamais à la même date d'une année à l'autre n'était ni élégant, ni très pratique. Ainsi, du temps d'Isengrim II, ils firent en sorte que le jour intrus, qui bouleversait toute la séquence, ne soit pas compté parmi les jours de la semaine. Dès lors, le Jour de la Mi-Année (de même que le Grand Lithe) ne fut connu que par son nom, sans indication de jour de semaine (I, 311). Par suite de cette réforme, l'année débuta toujours sur le premier jour de la semaine et se termina sur le dernier ; et le jour de la semaine, pour une date donnée, était toujours le même d'une année à l'autre, si bien que les Gens du Comté ne se donnaient plus la peine

---

1. Dans le Comté, où l'An 1 correspondait à 1601 T.A. À Brie, où l'An 1 correspondait à 1300 T.A., l'exception tombait sur la première année du siècle.

d'inscrire le jour de la semaine dans leurs lettres et leurs journaux[1]. Tant qu'ils restaient chez eux, ils trouvaient cela bien commode ; mais ce l'était beaucoup moins s'ils avaient à voyager au-delà de Brie.

Dans les commentaires ci-dessus tout comme dans le récit, j'ai fait figurer nos noms modernes, tant pour les mois que pour les jours de la semaine, même si bien entendu, ni les Eldar ni les Dúnedain, ni les Hobbits d'ailleurs, ne les connaissaient. Il semblait indispensable de traduire les noms occidentaliens pour éviter toute confusion ; du reste, les caractères saisonniers de nos noms sont plus ou moins équivalents, du moins dans le Comté. Toutefois, le Jour de la Mi-Année coïncidait semble-t-il, autant que faire se peut, au solstice d'été. Auquel cas, les dates du Comté devaient avoir une dizaine de jours d'avance sur les nôtres, et notre Nouvel An correspondait plus ou moins au 9 janvier du Comté.

S'agissant des mois, l'usage occidentalien conservait le plus souvent la forme quenya, comme le latin apparaît aujourd'hui dans nombre de langues étrangères. Ces noms étaient : *narvinyë, nénimë, súlimë, víressë, lótessë, nárië, cermië, úrimë, yavannië, narquelië, hísimë* et *ringarë*. Les noms sindarins (que seuls les Dúnedain utilisaient) étaient : *narwain, nínui, gwaeron, gwirith, lothron, nórui, cerveth, úrui, ivanneth, narbeleth, hithui* et *girithron*.

---

1. On remarquera, en étudiant le Calendrier du Comté, que le seul jour de la semaine qui ne tombait jamais un premier du mois était le vendredi. Les habitants du Comté avaient donc coutume de dire, en manière de boutade, « ce vendredi 1er » pour signifier une journée qui n'existait pas, ou qui verrait des événements très improbables se produire, comme la poussée dentaire des poules ou (dans le Comté) la migration des arbres. L'expression au long donnait : « ce vendredi premier du treizième mois ».

Sur ce point de nomenclature, toutefois, les Hobbits, tant du Comté que de Brie, ne se conformaient pas à l'usage occidentalien, mais conservaient des noms traditionnels tout à fait particuliers, hérités, semble-t-il, des Hommes des vaux de l'Anduin dans l'antiquité ; des noms similaires se retrouvaient, à tout le moins, au Val et au Rohan (cf. les commentaires sur les langues, III, 703-705, 714-718). La signification de ces noms, inventés par les Hommes, était bien oubliée des Hobbits de façon générale, même lorsqu'ils l'avaient déjà sue ; conséquemment, la forme de ces noms était passablement corrompue : *math*, par exemple, en finale de quelques-uns, est une réduction de *monath*.

Les noms des mois du Comté figurent sur le Calendrier. Soulignons que *solmath* se prononçait habituellement (et s'écrivait parfois) *somath* ; *thrimidge* s'écrivait souvent *thrimich* (anciennement *thrimilch*) ; et *blotmath* se prononçait *blodmath* ou *blommath*. À Brie, on employait des noms différents, soit : *frery, solmath, rethe, chithing, thrimidge, lithe, les Jours d'Été, mede, wedmath, harvestmath, wintring, blooting* et *yulemath*. *Frery, chithing* et *yulemath* étaient également en usage dans le Quartier Est[1].

La semaine hobbite avait été empruntée aux Dúnedain : les noms des jours étaient des traductions de ceux qui étaient en usage dans l'ancien Royaume du Nord, lesquels

---

1. « Winterfilth dans le (boueux) Comté » était une expression courante à Brie, allusion plaisante à la signification quelque peu grossière de ce nom (*i.e.* « crotte d'hiver ») dans le parler moderne ; mais si l'on en croit les Gens du Comté, le « Wintring » de Brie était une altération de l'ancien nom, lequel faisait plutôt référence au « remplissage » ou au « parachèvement » de l'année avant l'hiver, héritage d'une époque où le Comput du Roi n'était pas encore universellement adopté, la nouvelle année commençant après la moisson.

étaient à leur tour hérités des Eldar. Les six jours de la semaine des Eldar étaient consacrés à différentes réalités du monde ou nommés d'après elles : les Étoiles, le Soleil, la Lune, les Deux Arbres, le Firmament et les Valar ou Puissances, dans cet ordre, le dernier jour de la semaine étant le plus important des six. En quenya, ils se nommaient *elenya*, *anarya*, *isilya*, *aldúya*, *menelya*, *valanya* (ou *tárion*) ; en sindarin, *orgilion*, *oranor*, *orithil*, *orgaladhad*, *ormenel*, *orbelain* (ou *rodyn*).

Les Númenóréens conservèrent ces associations, dans le même ordre, mais ils rebaptisèrent le quatrième jour *aldëa* (*orgaladh*) pour renvoyer uniquement à l'Arbre Blanc, dont Nimloth, l'arbre qui poussait dans la Cour du Roi à Númenor, était censément issu. En outre, ils souhaitaient disposer d'une septième journée, et comme c'étaient de grands marins, ils ajoutèrent un « jour de la Mer », *eärenya* (*oraearon*), après le jour du Firmament.

Les hobbits s'approprièrent ces conventions, mais ils ne tardèrent pas à oublier la signification des noms traduits ou cessèrent d'y faire attention, et ils en raccourcirent la forme de beaucoup, en particulier dans la prononciation courante. À la fin du Troisième Âge, la première traduction des noms númenóréens était sans doute vieille de deux mille ans ou plus, datant de l'époque où la semaine des Dúnedain (premier principe de leur comput adopté par les peuples étrangers) avait été reprise par les Hommes du Nord. Comme pour les noms des mois, les Hobbits retinrent ces traductions ; ailleurs dans l'espace linguistique de l'occidentalien, on employait plutôt les noms quenya.

On conservait dans le Comté très peu de documents anciens. À la fin du Troisième Âge, le plus remarquable d'entre eux était Peaujaune, autrement appelé l'Annuaire de Tocquebourg[1]. Les premières entrées semblent dater d'au moins neuf siècles avant l'époque de Frodo ; bon nombre d'entre elles sont d'ailleurs citées dans les annales et les généalogies du Livre Rouge. À cet endroit, les noms des jours apparaissent sous des formes archaïques, dont voici les plus anciennes : (1) *sterrendei*, (2) *sunnendei*, (3) *monendei*, (4) *trewesdei*, (5) *hevenesdei*, (6) *meresdei*, (7) *hihdei*. Au temps de la Guerre de l'Anneau, ces formes étaient devenues *steldi*, *soldi*, *lundi*, *arbredi*, *cieldi*, *maridi* et *hautdi*[2].

J'ai également traduit ces noms dans notre langue, en commençant bien sûr par dimanche et lundi, lesquels portent le même nom dans la semaine du Comté, et en modifiant les autres dans l'ordre. Cependant, une précision s'impose. Dans le Comté, le dernier jour de la série, le vendredi (*hautdi*), était le plus important de la semaine. L'après-midi était jour de congé et le soir était consacré aux fêtes. Ainsi, le samedi correspond davantage à notre lundi, et le jeudi s'apparente plutôt à notre samedi[3].

On peut mentionner ici quelques autres noms qui se rapportent au temps, sans pour autant figurer dans les dates et les calendriers. Les saisons le plus souvent énumérées étaient

---

1. Où étaient consignés naissances, mariages et sépultures des familles Touc et autres événements comme la vente de terres et les affaires courantes du Comté.
2. L'auteur a choisi de représenter le parler ancestral des Hommes du Nord, et donc des Hobbits, par le vieil anglais, et le parler commun par l'anglais moderne ; dans la présente traduction, le français se substitue à l'anglais moderne. En anglais, les formes « contemporaines » donnent : *Sterday*, *Sunday*, *Monday*, *Trewsday*, *Hevensday* (ou *Hensday*), *Mersday* et *Highday*. Dans le cas de *Sunday* et *Monday* (« dimanche » et « lundi ») il n'y a donc pas de différence entre la forme hobbite et celle de l'anglais actuel. (*N.d.T.*)
3. C'est pourquoi j'ai écrit, dans la chanson de Bilbo (I 291-294), samedi et dimanche au lieu de jeudi et vendredi.

tuilë, le printemps, *lairë*, l'été, *yávië*, l'automne (ou la moisson), *hrívë*, l'hiver ; mais elles n'avaient aucune définition exacte, et *quellë* (ou *lasselanta*) servait également à nommer la dernière partie de l'automne et le début de l'hiver.

Les Eldar prêtaient une attention particulière au « crépuscule » (dans les régions septentrionales), à savoir le moment de la disparition des étoiles et celui de leur éclosion. Ils avaient plusieurs noms pour ces deux périodes, les plus usuels étant *tindómë* et *undómë*, celui-ci pour le crépuscule du soir, celui-là pour le crépuscule du matin. Le mot sindarin était *uial*, ou, plus précisément encore, *minuial* et *aduial*. Dans le Comté, ces deux mots se disaient souvent *brune du matin* et *brune du soir*. Cf. le lac du Crépuscule (*Nenuial*), que l'on aurait pu traduire *Brunesoir*.

Le Comput et les dates du Comté sont tout ce qui importe pour le récit de la Guerre de l'Anneau. Tous les jours, mois et dates sont présentés dans le Livre Rouge selon les conventions du Comté, ou des équivalences sont données en note. Ainsi les mois et les jours, tout au long du *Seigneur des Anneaux*, se rapportent au Calendrier du Comté. Les seuls points où la différence entre ce calendrier et le nôtre a quelque importance par rapport au récit à la période cruciale (la fin de 3018 et le début de 3019, soit 1418-1419 C.C.) sont les suivants : octobre 1418 ne compte que 30 jours, le 1er janvier est le deuxième jour de 1419, et le mois de février est de 30 jours ; si bien que le 25 mars, date de la chute de Barad-dûr, correspondrait au 27 mars de notre calendrier, si notre année commençait au même moment du cycle saisonnier. La date était néanmoins celle du 25 mars, et dans le Comput du Roi, et dans celui de l'Intendant.

Le Nouveau Comput fut adopté au rétablissement du

Royaume en l'an 3019 T.A. Dans les faits, il s'agissait d'un retour au Comput du Roi, adapté pour un début d'année en période printanière, comme dans la *loa* eldarine[1].

Dans le Nouveau Comput, l'année commençait le 25 mars, ancienne mode, en commémoration de la chute de Sauron et des exploits des Porteurs de l'Anneau. Les mois conservèrent les mêmes noms, à commencer par *víressë* (avril), mais ils s'appliquaient à des périodes antérieures de cinq jours en règle générale. Tous les mois comptaient 30 jours. Il y avait 3 *enderi* ou Jours du Mitan (le deuxième se nommant *loëndë*) entre *yavannië* (septembre) et *narquelië* (octobre), équivalents aux 23, 24 et 25 septembre, ancienne mode. Mais en l'honneur de Frodo, le 30 *yavannië*, soit l'ancien 22 septembre, jour de son anniversaire, devint un jour de fête ; et pour les années bissextiles, on avait coutume de doubler cette fête, appelée *Cormarë* ou Jour de l'Anneau.

On faisait généralement coïncider le début du Quatrième Âge avec le départ de maître Elrond, qui eut lieu en septembre 3021 ; mais pour les besoins des archives du Royaume, l'An 1 du Quatrième Âge coïncidait avec l'année qui commença, selon le Nouveau Comput, le 25 mars 3021, ancienne mode.

Durant le règne du roi Elessar, ce comput fut adopté dans toutes les terres du royaume, sauf dans le Comté, où l'on conserva l'ancien calendrier et le dénombrement des années selon le Comput du Comté. Ainsi, l'An 1 du Quatrième Âge était pour eux l'année 1422 ; et les Hobbits, à supposer qu'ils aient reconnu le changement d'Âge, en situaient le commencement au 2 Yule 1422, et non au mois de mars précédent.

---

1. Le *yestarë* du Nouveau Comput survenait tout de même un peu plus tôt que celui du Calendrier d'Imladris, qui coïncidait plus ou moins avec le 6 avril dans le Calendrier du Comté.

Rien ne laisse croire que les Hobbits aient commémoré le 22 mars ou le 22 septembre d'une quelconque façon ; mais dans le Quartier Ouest, en particulier aux environs de la Colline de Hobbiteville, les gens prirent l'habitude de se réunir pour danser et se divertir dans le Champ de la Fête, si le temps le permettait, le 6 avril. Certains disaient que c'était l'anniversaire du vieux Sam Jardinier, d'autres que c'était le jour où l'Arbre Doré avait fleuri pour la première fois en 1420, d'autres encore, que c'était le Nouvel An des Elfes. Dans le Pays-de-Bouc, le Cor de la Marche retentissait chaque 2 novembre[1] au coucher du soleil, suivi de feux de joie et de réjouissances.

_____

1. Jour anniversaire de la première fois où il sonna dans le Comté, en l'an 3019.

Appendice E

Écriture et orthographe

I

Prononciation des mots et des noms

Les éléments d'occidentalien, ou parler commun, ont été entièrement traduits par des équivalents anglais[1]. Tous les noms et les vocables hobbits doivent donc être prononcés à l'avenant : ainsi, par exemple, le *g* de *Bolgeurre* se prononce comme dans *nageur*, et *mathom* rime avec l'anglais *fathom*.

En transcrivant les écritures anciennes, j'ai tenté de représenter la phonétique d'origine (autant qu'il est possible de la définir) avec un degré raisonnable de précision, tout en cherchant à produire des mots et des noms qui, en caractères modernes, ne paraîtraient ni trop barbares, ni trop étranges. Pour le quenya haut-elfique, j'ai choisi une orthographe similaire à celle du latin, dans la mesure où sa phonétique le permet. On a donc préféré *c* à *k* pour les deux langues eldarines.

---

1. Dans la présente traduction, tous les noms en anglais moderne ont été rendus par des équivalents français. En outre, les exemples et les explications de ce guide de prononciation ont parfois été adaptés afin de les rendre plus accessibles au lecteur de langue française. (*N.d.T.*)

Ceux qui s'intéressent à ce genre de détails pourront se pencher sur les points suivants.

Consonnes

C a toujours la valeur de *k*, même devant *e* et *i* : *celeb* « argent » se prononce *keleb*.

CH sert uniquement à représenter le son entendu dans *bach* (en allemand ou en gallois), non celui de l'anglais *church*. Sauf à la fin des mots et devant *t*, ce son s'était adouci dans le parler du Gondor, prenant la valeur d'un *h* ; ce changement se reflète dans l'orthographe de quelques noms, dont *Rohan*, *Rohirrim* (*Imrahil* est un nom númenóréen).

DH représente le *th* voisé (doux) de l'anglais *these clothes*. Il dérive habituellement de *d*, comme dans le sindarin *galadh* « arbre », cf. le quenya *alda* ; mais découle parfois de la rencontre de *n+r*, comme dans *Caradhras* « Cornerouge », de *caran-rass*.

F représente *f*, sauf en finale, où il fait entendre le son *v* (comme dans l'anglais *of*) : *Nindalf*, *Fladrif*.

G est toujours dur, comme dans l'anglais *give* : *gil* « étoile », dans *Gildor*, *Gilraen*, *Osgiliath*, se prononce comme dans le français *guilde*.

H employé seul, sans autre consonne, a le son de *h* dans l'anglais *house*. La combinaison *ht*, en quenya, fait entendre le même son que *cht* dans l'allemand *echt*, *acht* : dans *Telumehtar* « Orion »[1], par exemple. Voir aussi CH, DH, L, R, TH, W et Y.

I en position initiale, devant une autre voyelle, a le son

---

1. Communément appelé *Menelvagor* en sindarin (I 113), en quenya *Menelmacar*.

consonantique de y dans l'anglais *you*, en sindarin seulement : cf. *Ioreth*, *Iarwain*. Voir Y.

K est employé dans les noms qui ne sont pas d'origine elfique, et est l'équivalent de *c* ; *kh* fait donc entendre le même son que *ch* dans les noms *Grishnákh* (langue orque) ou *Adûnakhôr* (langue adûnaïque, c'est-à-dire númenóréenne). Concernant la langue naine (le khuzdul), voir la note ci-dessous.

L représente plus ou moins le son du *l* initial en anglais, comme dans *let*. Ce son était toutefois « palatalisé », dans une certaine mesure, entre *e* ou *i* et une consonne, ou en finale après *e* et *i*. (Les Eldar auraient probablement transcrit les mots anglais *bell* et *fill* « beol » et « fiol ».) LH représente ce même son lorsque sourd (le plus souvent dérivé de *sl-* en position initiale). En quenya (archaïque), ce son s'écrivait *hl*, mais au Troisième Âge, il se prononçait le plus souvent comme *l*.

NG représente *ng* dans l'anglais *finger*, sauf en finale, où il se prononce comme dans le mot *swing*. Ce son se rencontrait également en quenya, toujours en position initiale, mais on l'a transcrit *n* (comme dans *Noldo*) conformément à la prononciation du Troisième Âge.

PH a le même son que *f*. Il apparaît : (*a*) quand le son *f* se fait entendre à la fin d'un mot, comme dans *alph* « cygne » ; (*b*) quand le son *f* est proche ou dérivé d'un *p*, comme dans *i-Pheriannath* « les Demi-Hommes » (*perian*) ; (*c*) au milieu de quelques mots où il représente un *ff* long (issu de *pp*) comme dans *Ephel* « clôture extérieure » ; et (*d*) en adûnaïque et en occidentalien, comme dans *Ar-Pharazôn* (*pharaz* « or »).

QU est utilisé pour transcrire le son *cw*, très fréquent en quenya mais absent en sindarin.

R représente un *r* roulé, quelle que soit sa position ; ce son ne se perdait pas devant une consonne (comme c'est le cas dans l'anglais *part*). Les Orques, de même que certains Nains, employaient semble-t-il le *r* grasseyé, un son que les Eldar trouvaient déplaisant. RH représente un *r* sourd (le plus souvent dérivé d'un *sr-* initial plus ancien). Ce son s'écrivait *hr* en quenya. Cf. L.

S est toujours sourd, comme dans le français *sol*, *lys* ; le son *z* était inconnu en quenya et en sindarin contemporains. SH, dans les langues naine, orque et occidentalienne, représente un son semblable à *sh* en anglais et *ch* en français.

TH représente le son sourd du *th* anglais dans *thin cloth*. En quenya parlé, il avait pris la valeur d'un *s*, conservant toutefois une graphie différente ; cf. le quenya *Isil*, en sindarin *Ithil*, « Lune ».

TY représente un son qui se rapproche sans doute du *t* dans l'anglais *tune*. Il dérivait principalement de *c* ou de la rencontre de *t+y*. Les locuteurs du parler commun lui substituaient généralement le son *tch* du français, très fréquent en occidentalien. Cf. HY sous la rubrique Y.

V se prononce comme le *v* français mais n'apparaît jamais en finale. Voir F.

W se prononce comme le *w* français. HW représente un *w* sourd, comme dans l'anglais *white* (prononciation du Nord). Ce son n'était pas inusité en quenya en position initiale, mais on n'en trouve, semble-t-il, aucun exemple dans ces pages. Le *v* et le *w* sont tous deux employés pour transcrire le quenya, et ce, même si l'orthographe de cette langue est ici assimilée à celle du latin ; car les deux sons s'y rencontraient et étaient d'origine différente.

Y en quenya, représente la consonne *y* de l'anglais *you*. En sindarin, *y* est plutôt une voyelle (voir ci-dessous). HY est à y ce que HW est à *w*, et représente un son que l'on entend souvent dans l'anglais *hew*, *huge*; le *h* du quenya *eht*, *iht* fait entendre le même son. Les locuteurs de l'occidentalien lui substituaient souvent le son *sh* de l'anglais (c'est-à-dire *ch* en français), plutôt commun dans cette langue. Cf. TY ci-dessus. HY était le plus souvent dérivé de *sy-* et *khy-*; dans les deux cas, les mots apparentés en sindarin conservent le *h* initial, comme dans le quenya *Hyarmen* « sud », *Harad* en sindarin.

Notons que les consonnes redoublées, telles que *tt*, *ll*, *ss*, *nn*, représentent des consonnes longues, dites « doubles ». À la fin des mots de plus d'une syllabe, elles étaient généralement raccourcies, comme dans *Rohan*, de *Rochann* (anciennement *Rochand*).

En sindarin, les combinaisons *ng*, *nd* et *mb*, particulièrement à l'honneur dans les langues eldarines à un certain moment, subirent différents changements par la suite. *mb* devint partout *m*, conservant toutefois sa longueur afin de marquer l'accent tonique (voir plus bas), d'où la graphie *mm* lorsque celui-ci n'est pas implicite[1]. *ng* demeura inchangé sauf en positions initiale et finale, où il fut remplacé par la consonne nasale simple (entendue dans le mot *swing*). *nd* devint le plus souvent *nn*, comme dans *Ennor* « Terre du Milieu », quenya *Endóre*; mais à la fin de monosyllabes accentués, *nd* demeura intact, comme dans le mot *thond* « racine » (cf. Morthond « Sourcenoire »), ainsi que devant *r*, cf. *Andros* « longue-écume ». Ce *nd* figure aussi dans des noms

---

1. Ce qui est le cas dans l'expression *galadhremmin ennorath* (I 425) « la Terre du Milieu enchevêtrée d'arbres ». *Remmirath* (I 159) est composé de *rem* « réseau », quenya *rembe*, + *mîr* « joyau ».

hérités d'une période plus ancienne, dont *Nargothrond*, *Gondolin* et *Beleriand*. Au Troisième Âge, la finale *nd* des longs mots s'était réduite à *n*, par l'intermédiaire de *nn*, comme dans les noms *Ithilien*, *Rohan*, *Anórien*.

Voyelles

Pour les voyelles, on a employé les lettres *i*, *e*, *a*, *o*, *u* et (en sindarin uniquement) *y*. Autant qu'il est possible d'en juger, les sons représentés par ces lettres (autres que *y*) étaient ceux que nous connaissons[1], même si de nombreuses variétés locales échappent sans doute à notre regard[2]. C'est-à-dire que les sons de *i*, *e*, *a*, *o* et *u* avaient à peu près la même valeur que ceux du français *machine*, *relais*, *pâle*, *côte* et *putsch*, indépendamment de la longueur.

En sindarin, les voyelles longues *e*, *a* et *o* avaient la même valeur que les brèves, ayant été dérivées de celles-ci en des temps comparativement récents (les anciens *é*, *á*, *ó* s'étaient

---

1. Le *u* est celui de l'anglais, prononcé « ou ». De même, dans tous les mots et les noms qui ne sont pas des traductions françaises du parler commun (i.e. *Saruman*, *Morannon*, *Thorin*, mais non *Fendeval*, *Montauvent*), les combinaisons AN, EN, IN (et OIN), ON (ainsi que IM, OM, etc.), n'ont pas la valeur de voyelles nasales comme en français, mais se prononcent séparément. AN se prononce « anne », EN se prononce « ènne », et ainsi de suite. Pour plus de détails, voir *Le Hobbit*, p. 7. (*N.d.T.*)

2. La diphtongaison des voyelles longues *é* et *ó*, mise en évidence par certaines graphies, telles *ei* et *ou* (ou leur équivalent dans les caractères de l'époque), paraît assez fréquente en occidentalien et dans la prononciation des noms quenya par les locuteurs de ce parler commun. Cette prononciation était toutefois considérée comme incorrecte ou régionale. Dans le rustique Comté, elle était évidemment très courante. Ainsi, ceux qui prononcerait *yéni únótime*, « les longues années sans nombre », comme on aurait tendance à le faire en anglais (c'est-à-dire, plus ou moins, « yaïni ounôou-taïmi ») ne se fourvoieraient guère davantage que Bilbo, Meriadoc ou Peregrin. Frodo était réputé pour « son aptitude à reproduire les sons étrangers ».

déjà transformés). En quenya, les *é* et *ó* longs, correctement prononcés, comme chez les Eldar, étaient plus nerveux et plus « fermés » que les voyelles brèves.

Parmi les langues de l'époque, seul le sindarin comportait le *u* « modifié » ou antérieur, plus ou moins celui du français *lune*. Il découle en partie d'une modification de *o* et *u*, en partie des anciennes diphtongues *eu*, *iu*. On s'est servi de *y* pour représenter ce son (à l'instar de l'ancien anglais), comme dans *lŷg* « serpent », quenya *leuca*; ou *emyn*, pluriel de *amon* « colline ». Au Gondor, ce *y* prenait généralement la valeur d'un *i*.

Les voyelles longues sont indiquées le plus souvent par l'accent aigu, comme dans certaines variétés d'écriture fëanorienne. En sindarin, les voyelles longues des monosyllabes accentués portent l'accent circonflexe, car celles-ci avaient tendance à être particulièrement prolongées[1]; ainsi, nous obtenons *dûn*, mais *Dúnadan*. L'emploi de l'accent circonflexe dans les autres langues, tels l'adûnaïque ou le parler des Nains, ne possède aucune signification particulière, ayant pour seule fonction de distinguer ces parlers étrangers des langues eldarines (comme pour le *k* en lieu et place de *c*).

En finale, le *e* n'est jamais muet, ni le signe d'une finale allongée comme en anglais. Pour marquer la prononciation de ce *e* final, on l'a souvent (mais pas systématiquement) écrit *ë*.

---

1. Il en va de même pour *Annûn* « coucher du soleil », apparenté à *dûn* « ouest », et pour *Amrûn* « lever du soleil », apparenté à *rhûn* « est ».

Les groupes *er, ir, ur* (en fin de mot ou devant une consonne) ne doivent pas être prononcés comme l'anglais *fern, fir, fur*, mais comme le français *aire, ire, oure*.

En quenya, *ui, oi, ai* et *iu, eu, au* sont des diphtongues (c'est-à-dire qu'ils se prononcent en une seule syllabe). Toutes les autres paires de voyelles sont dissyllabiques. Cette prononciation est souvent dénotée *ëa* (*Eä*), *ëo, oë*.

En sindarin, les diphtongues s'écrivent *ae, ai, ei, oe, ui* et *au*. Les autres groupes ne sont pas des diphtongues. En finale, la graphie *aw* au lieu de *au*, inspirée de l'anglais, n'est du reste pas inusitée dans l'orthographe fëanorienne.

Toutes ces diphtongues étaient « descendantes »[1], c'est-à-dire accentuées sur le premier élément, et composées de voyelles simples plus ou moins fusionnées. Ainsi, *ai, ei, oi, ui* doivent se prononcer, respectivement, comme l'anglais *rye* (non comme le digramme français *ai*), *grey, boy* (non comme le digramme *oi*), *ruin* ; de même, *au* (*aw*) comme l'anglais *loud, how* (non comme le digramme français *au* ou l'anglais *law*).

Rien ne correspond, en anglais ou en français, aux diphtongues *ae, oe, eu* ; *ae* et *oe* peuvent éventuellement se prononcer *ai, oi*.

L'accent tonique

La position de l'« accent tonique » n'est pas indiquée puisque, dans les langues eldarines dont il est ici question, la seule forme du mot suffit à déterminer la place de l'accent. Dans les mots de deux syllabes, il tombe presque toujours sur

---

1. À l'origine. Mais *iu*, en quenya du Troisième Âge, était d'ordinaire une diphtongue ascendante, comme *yu* dans l'anglais *yule*.

la première. Si le mot est plus long, l'accent tombe sur la pénultième (l'avant-dernière), lorsqu'il s'agit d'une voyelle longue, d'une diphtongue ou d'une voyelle suivie de deux consonnes (ou plus). Si la pénultième consiste en une voyelle brève suivie d'une seule (voire d'aucune) consonne, ce qui n'est pas rare, l'accent tombe sur la syllabe précédente (l'antépénultième). Les mots des langues eldarines épousent volontiers cette dernière forme, surtout en quenya.

Dans les exemples suivants, la voyelle accentuée est indiquée par une capitale : isIldur, Orome, erEssëa, fËanor, ancAlima, elentÁri, dEnethor, periAnnath, ecthElion, pelArgir, silIvren. Des mots comme elentÁri « reine des étoiles » sont rares en quenya quand la voyelle est é, á, ó, sauf s'il s'agit de composés (ce qui est ici le cas) ; ils sont plus fréquents avec í, ú : andÚne « coucher du soleil, ouest » en est un exemple. Ils n'existent pas en sindarin, sauf dans des composés. Notons que les digrammes dh, th, ch du sindarin sont des consonnes simples, représentées par une seule lettre dans les caractères d'origine.

Note

Dans les noms qui ne sont pas d'origine eldarine, les lettres ont exactement la même valeur, sauf indication contraire ci-dessus, à l'exception de la langue naine. Dans cette langue, où les sons représentés ci-dessus par th et ch (kh) étaient inconnus, th et kh dénotent des consonnes aspirées, i.e. t ou k suivis d'un h, plus ou moins comme dans l'anglais backhand, outhouse.

Lorsque z apparaît, la prononciation est celle du français ou de l'anglais. gh dans le noir parler et dans la langue orque représente une « spirante postérieure » (celle-ci est à g ce que dh est à d), comme dans ghâsh et agh.

On a donné aux noms « extérieurs » des Nains (ceux dont ils se servent, notamment, dans leur commerce avec les Hommes) des formes nordiques, mais la prononciation est celle que l'on vient de décrire.

C'est aussi le cas des noms de lieux et de personnes du Rohan (lorsque ceux-ci ne sont pas modernisés), à ceci près que *éa* et *éo* sont des diphtongues, que l'on peut rapprocher du son *ea* dans l'anglais *bear*, et du *eo* que l'on entend dans *Theobald* ; y a le son du *u* « antérieur » (celui du français). Les formes modernisées (francisées) sont facilement reconnaissables et se prononcent comme en français. Il s'agit surtout de noms de lieux, par exemple Dunhart (au lieu de *Dúnharg*) ; certains noms (comme Scadufax) présentent une graphie modernisée qu'il convient de prononcer à l'anglaise.

II

L'écriture

Tous les caractères et les modes d'écriture en usage au Troisième Âge étaient d'origine eldarine et dataient déjà, à l'époque, d'une haute antiquité. Ils s'étaient alors développés en alphabets complets, mais les plus anciens modes, où seules les consonnes étaient représentées par des lettres proprement dites, demeuraient tout de même usités.

Les alphabets étaient de deux principales variétés, aux origines distinctes : les *Tengwar* ou *Tîw*, que l'on appellera ici « lettres » ; et les *Certar* ou *Cirth*, que l'on nommera « runes ». Les *Tengwar* avaient été conçues pour l'écriture au pinceau ou à la plume, les formes carrées de certaines inscriptions étant dérivées des formes écrites. Les *Certar* étaient conçues et principalement utilisées pour les inscriptions par grattage ou ciselure.

L'écriture *tengwar* était la plus ancienne, car c'était l'invention des Noldor, les plus doués en la matière parmi les peuples des Eldar; et elle avait vu le jour longtemps avant leur exil. Les toutes premières lettres eldarines, les Tengwar de Rúmil, ne servirent jamais en Terre du Milieu. De nouvelles lettres, les Tengwar de Feänor, bien qu'inspirées des premières, réinventèrent pratiquement le mode d'écriture. Elles furent diffusées en Terre du Milieu par les Noldor en exil, qui les transmirent aux Edain et aux Númenóréens. Au Troisième Âge, leur usage recouvrait plus ou moins tout l'espace linguistique du parler commun.

Les Cirth sont une invention des Sindar du Beleriand. Elles ne servirent longtemps qu'à graver des noms et de brèves inscriptions sur le bois ou la pierre, d'où leurs formes anguleuses, très semblables aux runes de notre époque, malgré quelques variations de détail et des attributions entièrement différentes quant à la valeur des signes. Elles se répandirent à l'est sous une forme ancienne, moins complexe, au cours du Deuxième Âge, et furent ainsi transmises à de nombreux peuples (aux Hommes, aux Nains, et même aux Orques) qui tous les adaptèrent à leurs besoins, selon leur habileté propre ou à défaut. L'une de ces formes simples était encore en usage chez les Hommes du Val, et les Rohirrim en avaient une autre du même genre.

Mais au Beleriand, dès avant la fin du Premier Âge, les Cirth furent remaniées et plus amplement développées. Leur forme la plus riche et la mieux ordonnée était connue sous le nom d'Alphabet de Daeron, car le folklore des Elfes en attribuait l'invention à Daeron, le ménestrel et maître en tradition du roi Thingol du Doriath. Chez les Eldar, l'Alphabet de Daeron ne donna jamais de véritables formes cursives, les Elfes ayant généralisé, pour l'écriture, l'emploi des lettres feänoriennes. De fait, une bonne partie des Elfes de l'Ouest finirent par délaisser complètement l'usage des runes. En pays Eregion, toutefois, on se servait encore de l'Alphabet de Daeron, lequel se répandit alors en Moria, où il devint l'alphabet de prédilection des Nains. Ils n'en abandonnèrent jamais l'usage et l'apportèrent avec eux dans le Nord. Ainsi, bien des années plus tard, il prenait encore couramment le nom d'*Angerthas Moria*, les Longs Alignements de Runes de la Moria. Comme dans leurs modes d'expression orale, les Nains se servaient de toutes écritures d'usage courant, et nombre d'entre eux savaient tracer les lettres feänoriennes avec art ; mais s'agissant de leur propre langue, ils s'en tenaient aux Cirth, qu'ils adaptèrent à l'écriture cursive.

(i)
Les lettres fëanoriennes

Le tableau présenté ici donne, en calligraphie soignée, toutes les lettres couramment utilisées dans les Terres de l'Ouest, au Troisième Âge. L'arrangement choisi est celui qui, à l'époque, était le plus commun, et reflète l'ordre dans lequel on avait coutume de réciter les lettres.

LES TENGWAR

	I	II	III	IV
	1	2	3	4
	5	6	7	8
	9	10	11	12
	13	14	15	16
	17	18	19	20
	21	22	23	24
	25	26	27	28
	29	30	31	32
	33	34	35	36

Ces lettres, à l'origine, ne constituaient pas un « alphabet », une série de caractères désordonnés et indépendants ayant chacun sa valeur propre, récités selon un ordre traditionnel indépendamment de leur forme ou de leur fonction[1]. Il s'agissait en fait d'un ensemble de signes consonantiques, cohérents par la forme et le style, pouvant être adaptés à loisir ou au besoin pour représenter les consonnes de diverses langues, entendues (ou inventées) par les Eldar. Ces lettres ne possédaient aucune valeur fixe ; mais il y avait entre elles certains rapports qui se dégagèrent graduellement.

L'ensemble était composé de 24 lettres primaires, 1 à 24, ordonnées en quatre *témar* (séries) possédant six *tyeller* (degrés) chacune. Il comportait également des « lettres supplémentaires », dont les numéros 25 à 36 constituent des exemples. Parmi celles-ci, seules 27 et 29 constituent des lettres indépendantes ; les autres sont des variantes des lettres primaires. Il y avait aussi un certain nombre de *tehtar* (signes) aux usages variés. Ceux-ci ne figurent pas sur le tableau[2].

Chacune des *lettres primaires* était formée d'un *telco* (queue) et d'un *lúva* (arc). Les formes des numéros 1 à 4 étaient considérées comme normales. La queue pouvait être relevée (9 à 16) ou raccourcie (17 à 24). L'arc était soit ouvert (séries I et III), soit fermé (séries II et IV) ; dans un cas

---

1. Dans notre alphabet, seul le rapport entre P et B eût semblé intelligible aux Eldar ; et le fait qu'ils ne soient pas nommés ensemble, ni avec F, M ou V, leur eût paru absurde.
2. Bon nombre d'entre eux apparaissent dans les exemples de la page de titre, et dans l'inscription de la page I 104, transcrite à la page I 455. Ces signes indiquaient avant tout les voyelles, considérées en quenya comme des modificateurs de la consonne associée ; mais ils servaient aussi de notation abrégée pour les combinaisons de consonnes les plus courantes.

comme dans l'autre, il pouvait également être doublé (numéros 5 à 8, par exemple).

La liberté d'application de ces lettres primaires, reconnue en théorie, était quelque peu limitée par les usages du Troisième Âge, voulant que la série I s'appliquât généralement aux dentales (la série des *t*, *tincotéma*), et la série II aux labiales (la série des *p*, *parmatéma*). Les séries III et IV connaissaient diverses applications selon les besoins des différentes langues.

Dans les langues comme l'occidentalien, où se rencontraient beaucoup de sons consonantiques[1] comme « tch », « dj », « ch », la série III était le plus souvent associée à ceux-ci ; auquel cas, IV représentait la série normale des *k* (*calmatéma*). En quenya, où la *calmatéma* était doublée d'une série palatale (*tyelpetéma*) et d'une série labialisée (*quessetéma*), les palatales étaient représentées par un diacritique fëanorien (habituellement deux points souscrits) servant à dénoter le *y* « postposé », tandis que la série IV représentait *kw*.

En sus de ces attributions plus générales, les rapports suivants étaient aussi communément établis. Les lettres normales, au degré 1, représentaient les « occlusives sourdes » : *t*, *p*, *k*, etc. Le redoublement de l'arc était une indication de « voisement » : si 1, 2, 3, 4 valent *t*, *p*, *ch*, *k* (ou *t*, *p*, *k*, *kw*), alors 5, 6, 7, 8 valent *d*, *b*, *j*, *g* (ou *d*, *b*, *g*, *gw*). La queue relevée marquait l'ouverture de la consonne, qui devenait ainsi une « spirante » : en reprenant les valeurs ci-dessus pour le degré 1, le degré 3 (9-12) vaut *th*, *f*, *sh*, *ch* (ou *th*, *f*, *kh*, *khw/hw*) et le degré 4 (13-16) vaut *dh*, *v*, *zh*, *gh* (ou *dh*, *v*, *gh*, *ghw/w*).

---

1. Dans ce cas-ci, les sons sont représentés de même manière que dans le mode de transcription décrit plus haut, à ceci près que *ch* représente le son de l'anglais *church* (« tch ») ; *j* a la même valeur que le *j* anglais (« dj »), et *zh* représente le son entendu dans l'anglais *azure* et *occasion* (semblable au *j* français).

Le système fëanorien, dans sa forme d'origine, comportait un degré supplémentaire obtenu par un allongement de la queue au-dessus et en dessous de la ligne. Ces lettres représentaient le plus souvent des consonnes aspirées (*t+h*, *p+h*, *k+h*, etc.), mais dénotaient aussi au besoin d'autres variations consonantiques. Ce degré n'était pas utile pour les langues du Troisième Âge transcrites selon ce système ; mais les formes supplémentaires servaient couramment de variantes (plus faciles à distinguer du degré 1) pour les degrés 3 et 4.

Le degré 5 (17-20) était d'ordinaire réservé aux consonnes nasales, aussi les signes 17 et 18 étaient-ils le plus souvent utilisés pour *n* et *m*. Suivant le principe énoncé ci-dessus, le degré 6 aurait dû représenter les nasales sourdes ; mais lesdits sons (que l'on entend par exemple dans le gallois *nh* ou l'ancien anglais *hn*) étant fort peu courants dans les langues concernées, le degré 6 représentait le plus souvent les consonnes les plus faibles (ou semi-vocaliques) de chaque série. De toutes les lettres primaires, ces lettres avaient la plus petite et la plus simple des formes. Ainsi, 21 désignait souvent le *r* faible (non roulé), un son propre au quenya d'origine, considéré dans le système de cette langue comme la plus faible consonne de la *tincotéma* ; 22 était largement utilisé pour *w* ; et quand la série III était désignée comme série palatale, 23 représentait généralement le *y* consonantique[1].

Dans la mesure où certaines consonnes du degré 4 avaient tendance à s'affaiblir, leur prononciation finit par se rapprocher ou par se confondre avec les consonnes du degré 6 (telles

---

1. Sur l'inscription de la Porte Ouest de la Moria, on trouve l'exemple d'un mode, employé pour la transcription du sindarin, dans lequel le degré 6 représente les nasales simples, mais où le degré 5 représente les nasales doubles (ou longues), très fréquentes en sindarin, 17 valant *nn*, mais 21, *n*.

que décrites plus haut). Ainsi, une bonne partie de ces dernières finit par perdre toute fonction claire dans les langues eldarines ; et ce fut à partir de ces lettres que furent tirées, pour une large part, celles employées dans l'expression des voyelles.

Note

L'orthographe standard du quenya ne se conformait pas aux attributions de lettres décrites ci-dessus. Le degré 2 représentait *nd*, *mb*, *ng*, *ngw*, tous plutôt fréquents, puisque *b*, *g* et *gw* ne se rencontraient que dans ces combinaisons, tandis que *rd* et *ld* se voyaient attribuer les lettres 26 et 28. (Pour *lv*, mais non *lw*, de nombreux locuteurs, en particulier les Elfes, employaient *lb* : on se servait des lettres 27+6, car *lmb* était inconnu.) De même, le degré 4 représentait les combinaisons extrêmement fréquentes *nt*, *mp*, *nk*, *nqu*, car le quenya ne possédait pas les sons *dh*, *gh*, *ghw*, et exprimait le *v* à l'aide de la lettre 22. Voir les noms des lettres quenya, p. 490-491.

Les lettres supplémentaires. La 27 était universellement utilisée pour *l*. La 25 (à l'origine, une modification de 21) représentait le *r* pleinement roulé. Les lettres 26 et 28 étaient des modifications de ces dernières : généralement, elles représentaient le *r* (*rh*) et le *l* (*lh*) sourds, respectivement. En quenya, toutefois, elles exprimaient *rd* et *ld*. La 29 était mise pour *s* et la 31 (à double boucle) pour *z*, dans les langues qui possédaient ce son. Les formes inversées, 30 et 32, bien que disponibles pour d'autres usages, servaient le plus souvent de simples variantes pour 29 et 31, par souci de commodité d'écriture : accompagnées de *tehtar* suscrits, par exemple, elles remplaçaient volontiers les formes normales.

La 33 était, à l'origine, une modification servant à

représenter une variante (plus faible) de 11 ; au Troisième Âge, elle exprimait le plus souvent le son *h*. La 34, d'usage plutôt restreint, dénotait surtout le *w* (*hw*) sourd. Les lettres 35 et 36, lorsqu'elles représentaient des consonnes, valaient le plus souvent *y* et *w*, respectivement.

Les voyelles étaient, dans de nombreux modes, représentées par les *tehtar*, généralement placés au-dessus d'une lettre consonantique. Dans les langues comme le quenya, où la plupart des mots se terminaient par une voyelle, le *tehta* se plaçait au-dessus de la consonne précédente ; dans celles comme le sindarin, où les mots s'achevaient le plus souvent sur une consonne, le *tehta* s'écrivait au-dessus de la consonne suivante. En l'absence de consonne à l'endroit requis, le *tehta* se plaçait au-dessus du « support court », qui prenait couramment la forme d'un *i* sans point. Les *tehtar* eux-mêmes, employés pour marquer les voyelles dans différentes langues, étaient de nombreuses formes. Les plus communes, servant généralement à exprimer (diverses variétés de) *e*, *i*, *a*, *o* et *u*, se retrouvent dans les exemples fournis. Les trois points, très souvent mis pour *a* dans l'écriture soignée, pouvaient prendre d'autres formes dans des styles plus rapides, dont une, fort usitée, s'apparentant à un accent circonflexe[1]. Le point suscrit et l'« accent aigu » représentaient souvent *i* et *e* (mais *e* et *i* dans certains modes). Les boucles représentaient *o* et *u*. Dans l'inscription de l'Anneau, la boucle ouverte à droite est mise pour *u* ; mais sur la page de titre, le même signe est mis pour *o*, et

---

1. En quenya, où *a* était une voyelle très fréquente, le signe vocalique était souvent entièrement omis. Ainsi, *calma* « lampe » pouvait s'écrire *clm*. Il n'y avait d'autre lecture possible que *calma*, car *cl* en quenya ne figurait jamais en début de mot, et *m* n'apparaissait jamais en finale. On aurait pu lire *calama*, mais pareil mot n'existait pas.

la boucle ouverte à gauche représente *u*. On accordait la préférence au signe ouvert à droite, et son application dépendait de la langue concernée : dans le noir parler, *o* était plutôt rare.

On indiquait généralement les voyelles longues en plaçant le *tehta* sur le « support long », qui prenait couramment la forme d'un *j* sans point. On pouvait aussi doubler les *tehtar* pour obtenir le même résultat. Toutefois, cette méthode ne s'appliquait guère qu'aux boucles, et quelquefois à l'« accent ». Le double point suscrit dénotait plus souvent le *y* « postposé ».

L'inscription de la Porte Ouest illustre un mode d'« écriture au long » où les voyelles sont exprimées par des lettres entières. Toutes les lettres vocaliques usitées en sindarin y sont représentées. Notons l'usage de la lettre 30 pour dénoter le *y* vocalique, et l'emploi du *tehta* marquant le *y* « postposé », placé au-dessus de la lettre vocalique pour exprimer les diphtongues. Dans ce mode, le *w* « postposé » (servant à exprimer le son *au*, *aw*) était représenté à l'aide de la boucle dénotant *u* ou d'une modification de celle-ci : ~. Mais les diphtongues étaient souvent écrites au long, comme dans la transcription. Les voyelles longues étaient généralement indiquées par l'« accent aigu », en l'occurrence appelé *andaith* « marque de longueur ».

Il existait, outre les *tehtar* déjà mentionnés, plusieurs autres signes dont la principale fonction était d'abréger l'écriture, le plus souvent en exprimant les combinaisons de consonnes les plus courantes sans qu'il soit besoin de les écrire au long. Par exemple, on employait couramment un tiret suscrit (ou une marque semblable au *tilde* espagnol) pour signifier que la consonne au-dessous était précédée de la nasale de même série (comme *nt*, *mp* ou *nk*) ; le même signe, placé en dessous, dénotait toutefois, dans la plupart des cas, une consonne longue ou double. Un crochet pointé vers le bas, rattaché à l'arc principal (comme dans *hobbits*, dernier mot de la page de titre), servait à indiquer le *s* « postposé », surtout dans les combinaisons *ts, ps, ks* (*x*), très fréquentes en quenya.

Il n'existait bien sûr aucun « mode » pour transcrire l'anglais. À partir du système fëanorien, on pourrait en inventer un qui soit phonétiquement adéquat. Le court exemple de la page de titre ne prétend pas en faire la démonstration. Il s'agit plutôt d'un échantillon de ce qu'aurait pu produire un homme du Gondor, hésitant entre les valeurs des lettres propres à son mode d'écriture, et l'orthographe traditionnelle de l'anglais. Notons que le point souscrit (lequel servait notamment à représenter les voyelles affaiblies) est mis ici pour le *and* non accentué, mais dénote également le *e* muet en finale du mot *here* ; *the, of* et *of the* sont représentés par des abréviations (long *dh*, long *v*, et trait souscrit dans le dernier cas).

Les noms des lettres. Dans tous les modes, chaque lettre ou signe portait un nom ; et ces noms étaient conçus pour décrire les attributions phonétiques propres à chacun des modes. Mais il fut bien souvent jugé souhaitable, surtout quand il s'agissait de décrire l'attribution des lettres dans d'autres modes, de disposer d'un nom spécifique à chacune des formes de lettres. Pour ce faire, on employait généralement les « noms complets » du quenya, même lorsqu'ils renvoyaient à des usages propres au quenya. Chaque « nom complet » consistait en un mot quenya où apparaissait la lettre en question. Celle-ci, dans la mesure du possible, venait en début de mot ; mais dans le cas de sons ou de combinaisons inusités en début de mot, ceux-ci venaient immédiatement après une voyelle initiale. Les noms des lettres du tableau allaient comme suit : (1) *tinco* métal, *parma* livre, *calma* lampe, *quesse* plume ; (2) *ando* porte, *umbar* sort, *anga* fer, *ungwe* toile d'araignée ; (3) *thúle*

(*súle*) esprit, *formen* nord, *harma* trésor (ou *aha* fureur), *hwesta*
brise; (4) *anto* bouche, *ampa* crochet, *anca* mâchoires, *unque*
un creux; (5) *númen* ouest, *malta* or, *noldo* (anciennement
ngoldo) un membre du peuple des Noldor, *nwalme* (anciennement *ngwalme*) tourment; (6) *óre* cœur (esprit intime), *vala*
puissance angélique, *anna* don, *vilya* air, ciel (anciennement
wilya); *rómen* est, *arda* région, *lambe* langue, *alda* arbre; *silme*
lumière des étoiles, *silme nuquerna* (*s* renversé), *áre* lumière
du soleil (ou *esse* nom), *áre nuquerna*; *hyarmen* sud, *hwesta
sindarinwa*, *yanta* pont, *úre* chaleur. Les variantes reflètent
des changements survenus *a posteriori* dans le parler quenya
des Exilés. Ainsi, la lettre 11 se nommait *harma* à l'époque
où elle représentait la spirante *ch* indépendamment de sa
position; lorsqu'elle prit la valeur du *h* soufflé en position
initiale[1] (mais non en position médiane), le nom *aha* fut
inventé. *áre* se nommait initialement *áze*, mais ce *z* vint à
se confondre avec 21, et *áre* prit alors en quenya la valeur de
ss, fort usité dans cette langue, et fut rebaptisé *esse*. Le nom
hwesta sindarinwa ou « *hw* gris-elfique » vient du fait que, en
quenya, 12 avait la valeur de *hw*; il n'était donc pas nécessaire de représenter *chw* et *hw* par deux signes distincts. Les
noms de lettres les plus connus et les plus usités étaient 17 *n*,
33 *hy*, 25 *r*, 10 *f* : *númen*, *hyarmen*, *rómen*, *formen* = ouest, sud,
est, nord (cf. le sindarin *dûn* ou *annûn*, *harad*, *rhûn* ou *amrûn*,
forod). Ces lettres représentaient généralement les points
cardinaux O, S, E et N, même dans les langues où leurs noms

---

1. Pour le *h* soufflé, le quenya employait à l'origine une simple queue relevée,
sans arc, appelée *halla* « élancé ». Placée devant une consonne, elle imprimait à
cette consonne un caractère sourd et soufflé; le *r* et le *l* sourds étaient généralement exprimés de cette manière et se transcrivent *hr*, *hl*. Plus tard, 33 vint à
représenter le *h* seul, et le son *hy* (l'ancienne valeur de cette lettre) s'exprima
désormais en ajoutant le *tehta* du *y* « postposé ».

étaient tout à fait différents. Dans les Terres de l'Ouest, on les nommait dans cet ordre, en commençant par l'ouest et en lui faisant face; *hyarmen* et *formen* signifiaient d'ailleurs « région de gauche » et « région de droite » (contrairement à la coutume en usage dans bien des langues des Hommes).

(ii)
Les Cirth

À l'origine, le *Certhas Daeron* fut conçu pour représenter les sons du sindarin, et ceux-là seulement. Les *cirth* les plus anciens étaient les n°s 1, 2, 5, 6; 8, 9, 12; 18, 19, 22; 29, 31; 35, 36; 39, 42, 46, 50; et une *certh* qui prenait alternativement les formes 13 et 15. L'attribution des valeurs n'avait rien de systématique. Les n°s 39, 42, 46 et 50 étaient des voyelles et le demeurèrent dans toutes les évolutions ultérieures. Les n°s 13 et 15 étaient mis pour *h* ou *s*, selon que le n° 35 représentait *s* ou *h*. Ce flottement dans l'attribution des valeurs pour *s* et *h* se maintint dans les agencements ultérieurs. Pour tous les caractères composés d'une « tige » et d'une « branche », soit 1 à 31, la branche, si elle ne partait que d'un côté, se plaçait généralement du côté droit. L'inverse n'était pas rare, mais dépourvu de signification phonétique.

La forme plus étendue et plus élaborée de ce *certhas* était, dans son incarnation la plus ancienne, connue sous le nom d'*Angerthas Daeron*, les ajouts à l'alphabet primitif, de même que sa réorganisation, étant attribués à Daeron. Mais les principaux ajouts, soit l'introduction de deux nouvelles séries 13 à 17 et 23 à 28, sont fort probablement attribuables aux Noldor d'Eregion, puisqu'ils avaient pour but de représenter des sons inconnus en sindarin.

LES ANGERTHAS

1	p	16	zh	31	l	46	e
2	b	17	nj—z	32	lh	47	ĕ
3	f	18	k	33	ng—nd	48	a
4	v	19	g	34	s—h	49	ā
5	hw	20	kh	35	s—'	50	o
6	m	21	gh	36	z—ŋ	51	ŏ
7	(mh) mb	22	ŋ—n	37	ng*	52	ö
8	t	23	kw	38	nd—nj	53	n*
9	d	24	gw	39	i (y)	54	h—s
10	th	25	khw	40	y*	55	*
11	dh	26	ghw,w	41	hy*	56	*
12	n—r	27	ngw	42	u	57	ps*
13	ch	28	nw	43	ū	58	ts*
14	j	29	r—j	44	w		+h
15	sh	30	rh—zh	45	ü		&

Dans ce réagencement de l'*Angerthas*, on remarque les principes suivants (manifestement inspirés du système fëanorien) : (1) un trait ajouté à une branche exprimait le « voisement » ; (2) l'inversion de la *certh* marquait l'ouverture de la consonne, qui devenait une « spirante » ; (3) l'extension de la branche des deux côtés de la tige exprimait le voisement et la nasalité. Ces principes étaient systématiquement observés, sauf en un point. Un signe était requis, en sindarin (archaïque), pour dénoter le *m* spirant (ou *v* nasal), et l'inversion du signe attribué à *m* était la meilleure façon d'obtenir cela. C'est pourquoi l'on assigna la valeur de *m* au n° 6 (réversible), le n° 5 (non réversible) étant alors mis pour *hw*.

Le n° 36, dont la valeur théorique était *z*, représentait, dans l'orthographe du quenya et du sindarin, le son *ss* : cf. la lettre fëanorienne 31. Le n° 39 pouvait dénoter *i* ou *y* (consonne) ; les n°ˢ 34 et 35 étaient mis indifféremment pour *s* ; et la combinaison *nd*, plutôt courante, était représentée par le n° 38, bien que cette forme n'eût aucun lien apparent avec les autres signes attribués aux dentales.

Dans la Table des Valeurs, celles de gauche, lorsque séparées par un tiret, représentent les valeurs de l'*Angerthas*, première forme. À droite du tiret sont données les valeurs de l'*Angerthas Moria* en usage chez les Nains[1]. Les Nains de la Moria, on le voit, introduisirent un certain nombre de changements non systématiques portant sur la valeur des *cirth*, et ils en ajoutèrent de nouveaux : 37, 40, 41, 53, 55, 56. Le glissement de valeur tenait essentiellement à deux causes : (1) la réassignation des valeurs des n°ˢ 34, 35 et 54, devenues

---

1. Les valeurs entre parenthèses ne sont usitées que pour l'elfique ; l'astérisque dénote les *cirth* utilisés exclusivement par les Nains.

respectivement *h*, ' (le coup de glotte entendu en khuzdul, en début de mot avec voyelle initiale) et *s*; (2) la mise au rancart des n°s 13 et 16, auxquels les Nains substituèrent 29 et 30. Notons également l'emploi de 12, mis pour *r*, qui en résulte, l'invention de 53 pour *n* (et la confusion de ce signe avec le 22); l'utilisation de 17 pour *z*, à rapprocher de 54 qui vaut *s*, d'où l'utilisation de 36 pour *ŋ* et l'apparition d'une nouvelle *certh* pour représenter *ng*. Deux autres nouvelles *certh*, 55 et 56, avaient pour origine 46 (forme divisée en deux), et représentaient des voyelles comme celles que l'on entend dans l'anglais *butter*, courantes en langue naine et en occidentalien. Faibles ou évanescentes, ces voyelles étaient souvent indiquées par un simple trait sans tige. Cet *Angerthas Moria* apparaît dans l'inscription relevée sur la tombe de Balin.

Les Nains d'Erebor remanièrent à leur tour ce système, ce qui donna un nouveau mode, le mode d'Erebor, représenté dans le Livre de Mazarbul. Ses principales caractéristiques se résumaient ainsi : 43 mis pour *z*, 17 mis pour *ks* (*x*), et invention de deux nouveaux *cirth*, 57 et 58, mis pour *ps* et *ts*. Ils redonnèrent également à 14 et à 16 les valeurs *j* et *zh*; mais ils utilisaient 29 et 30 pour *g* et *gh*, ou comme simples variantes de 19 et 21. Sauf pour les *cirth* spécifiques à Erebor, n°s 57-58, la table ne rend pas compte de ces particularités.

Appendice F

I

Langues et peuples du Troisième Âge

La langue représentée par l'anglais tout au long de ce récit[1] était l'*occidentalien*, le « parler commun » des régions occidentales de la Terre du Milieu au Troisième Âge. Au cours de cet âge, cet idiome devint la langue maternelle de presque tous les peuples doués de parole (sauf les Elfes) au-dedans des frontières des anciens royaumes de Gondor et d'Arnor, c'est-à-dire tout le long du littoral, d'Umbar jusqu'à la baie du Forochel dans le Nord, et à l'intérieur des terres jusqu'aux Montagnes de Brume et à l'Ephel Dúath. Il s'était également répandu au nord le long de l'Anduin, gagnant les terres à l'ouest du Fleuve et à l'est des Montagnes, jusqu'aux Champs de Flambes.

À l'époque de la Guerre de l'Anneau, au tournant de l'âge, il subsistait comme langue maternelle à l'intérieur de ces mêmes limites, bien que l'Eregion fût en grande partie dépeuplé et que très peu d'Hommes fussent encore établis sur les rives de l'Anduin entre la Rivières aux Flambes et le Rauros.

Un vestige des anciennes peuplades d'Hommes Sauvages

---

1. Dans la présente traduction, il s'agit bien sûr du français. (*N.d.T.*)

menait toujours une existence clandestine dans la Forêt de Drúadan en Anórien ; et dans les collines de Dunlande vivaient les restes d'un peuple séculaire, anciens habitants d'une bonne partie du Gondor. Ces gens conservaient jalousement leur langue ; tandis que sur les plaines du Rohan vivait désormais un peuple nordique, les Rohirrim, venus s'y établir quelque cinq cents ans auparavant. Mais l'occidentalien servait de seconde langue d'échange pour tous ceux qui conservaient leur propre parler, même pour les Elfes, non seulement en Arnor et au Gondor mais à travers les vaux de l'Anduin et jusqu'à la lisière orientale de Grand'Peur. Même parmi les Hommes Sauvages et les Dunlandais, qui fuyaient tous les étrangers, il y en avait qui le parlaient, encore qu'avec difficulté.

Des Elfes

Les Elfes, à une époque reculée des Jours Anciens, se trouvèrent divisés en deux branches principales : les Elfes de l'Ouest (les *Eldar*) et ceux de l'Est. La plupart des Elfes de Grand'Peur et de Lórien étaient de cette dernière souche ; mais leurs langues ne figurent pas dans ce récit, où tous les mots et les noms elfiques sont de forme *eldarine*[1].

Les langues *eldarines* figurant dans ces pages sont au nombre de deux : le haut-elfique ou *quenya*, et le gris-elfique

---

1. À cette époque, en Lórien, on parlait sindarin mais avec un « accent », la plupart des habitants étant d'origine sylvaine. Cet « accent », jumelé à sa connaissance limitée du sindarin, dérouta Frodo (comme il est rapporté dans le *Livre du Thain* par un commentateur du Gondor). Tous les mots elfiques apparaissant dans le livre second, chapitres 6-8, sont d'ailleurs sindarins, ainsi que la plupart des noms de lieux et de personnes. Mais *Lórien*, *Caras Galadhon*, *Amroth* et *Nimrodel* sont probablement des noms d'origine sylvaine, adaptés au sindarin.

ou *sindarin*. Le haut-elfique était une langue ancienne, parlée à Eldamar au-delà de la Mer, la première à avoir été consignée par écrit. Elle n'était plus usitée comme langue maternelle, étant devenue, si l'on peut dire, une sorte de « latin elfique », réservée aux cérémonies et aux sujets plus nobles (en matière de chant et de savoir traditionnel), pour les Hauts Elfes revenus s'exiler en Terre du Milieu à la fin du Premier Âge.

Le gris-elfique était, de par ses origines, apparenté au *quenya* ; car c'était la langue des Eldar qui, parvenus aux rivages de la Terre du Milieu, n'avaient pas traversé la Mer mais étaient demeurés sur les côtes, dans les terres du Beleriand. Thingol Capegrise du Doriath était leur roi, et là, dans le long crépuscule, leur langue s'était transformée, soumise au changement et aux vicissitudes des terres mortelles, s'éloignant considérablement du parler des Eldar d'outre-Mer.

Les Exilés, évoluant parmi les Elfes Gris, plus nombreux, adoptèrent le *sindarin* pour leur usage quotidien ; et c'était donc la langue de tous les Elfes et seigneurs elfes qui apparaissent dans ce récit. Car tous étaient de la race eldarine, même lorsque leurs sujets étaient issus de peuples moins illustres. La plus noble d'entre tous était la dame Galadriel de la maison royale de Finarfin, et sœur de Finrod Felagund, Roi de Nargothrond. Dans le cœur des Exilés, la nostalgie de la Mer était une inquiétude qu'on ne pouvait calmer ; et dans le cœur des Elfes Gris sommeillait la même inquiétude qui, une fois éveillée, ne trouvait aucun apaisement.

Des Hommes

L'*occidentalien* était de la famille des langues des Hommes, bien qu'enrichi et atténué sous l'influence des Elfes. À l'origine, c'était la langue de ceux que les Eldar nommaient *Atani* ou *Edain*, « les Pères des Hommes », en particulier les gens des Trois Maisons des Amis des Elfes qui entrèrent au Beleriand, dans l'ouest de la Terre du Milieu, au Premier Âge. Là, ils vinrent en aide aux Eldar dans la Guerre des Grands Joyaux contre le Sombre Pouvoir du Nord.

Après la chute du Pouvoir Sombre, au cours de laquelle le Beleriand se trouva en grande partie submergé ou détruit, il fut consenti aux Amis des Elfes de passer au-delà de la Mer, comme les Eldar. Mais, les terres du Royaume Immortel leur étant interdites, l'on détacha pour eux une grande île, la plus occidentale de toutes les terres mortelles. Cette île s'appelait *Númenor* (l'Occidentale). Ainsi, la plupart des Amis des Elfes allèrent s'établir à Númenor, où ils devinrent de grands et puissants Hommes, et d'illustres navigateurs à la tête de nombreux navires. Ils étaient beaux de visage et grands de stature, et leur longévité était trois fois celle des Hommes de la Terre du Milieu. Tels étaient les Númenóréens, les Rois des Hommes, que les Elfes nommaient les *Dúnedain*.

De tous les peuples des Hommes, seuls les *Dúnedain* connaissaient et parlaient une langue elfique ; car leurs ancêtres avaient appris la langue sindarine, un savoir important qu'ils avaient transmis à leurs enfants et qui, au fil des années, ne se modifiait guère. Et leurs sages apprirent aussi le quenya haut-elfique, qu'ils plaçaient au-dessus de toute autre langue ; et ils nommèrent dans cette langue beaucoup de lieux considérés comme importants ou vénérables, et bien des personnages de noble lignée et de grand renom[1].

---

1. Parmi ces noms quenya, citons par exemple *Númenor* (ou, au long, *Númenóre*), ainsi qu'*Elendil*, *Isildur* et *Anárion*, et tous les noms royaux du *Gondor*, dont *Elessar* « Pierre-elfe ». La plupart des noms des autres Dúnedain, hommes et femmes, tels *Aragorn*, *Denethor*, *Gilraen*, sont d'origine sindarine, souvent empruntés à des personnages illustres, Hommes ou Elfes, célébrés dans les chants et les

Mais la langue maternelle des Númenóréens demeura, pour le commun des hommes, celle qu'ils tenaient de leurs ancêtres, soit l'adûnaïque, auquel les rois et les grands seigneurs, gonflés d'orgueil, devaient plus tard revenir. Alors, tous délaissèrent le parler elfique, sauf les rares fidèles qui ne trahirent pas leur vieille amitié avec les Eldar. Au faîte de leur puissance, les Númenóréens détenaient de nombreuses places fortes ainsi que des havres sur les côtes occidentales de la Terre du Milieu pour la sécurité de leurs navires ; et l'un des plus importants était Pelargir, près des Bouches de l'Anduin. On y parlait l'adûnaïque, lequel, mêlé à quantité de mots issus des langues des hommes moindres, donna un parler commun qui se répandit le long des côtes parmi tous ceux qui avaient commerce avec l'Occidentale.

Après la Chute de Númenor, Elendil ramena les survivants des Amis des Elfes aux rivages du nord-ouest de la Terre du Milieu. Y habitaient déjà de nombreux hommes qui se réclamaient, en partie ou en totalité, d'une ascendance númenóréenne ; mais bien peu se souvenaient du parler elfique. Dès le commencement, les Dúnedain étaient en tout et pour tout beaucoup moins nombreux que les hommes moindres parmi lesquels ils évoluaient, et qu'ils gouvernaient ; car c'étaient des seigneurs de grande longévité et des hommes puissants et sages. Ils usaient donc du parler commun dans leurs rapports avec les autres peuples et le gouvernement de leurs vastes royaumes ; mais ils lui donnèrent une plus grande ampleur et l'enrichirent de nombreux mots issus des langues elfiques.

Au temps des rois númenóréens, cet occidentalien ennobli

---

chroniques du Premier Âge (comme *Beren* et *Húrin*). Quelques-uns sont de forme mixte, comme *Boromir*.

connut une large diffusion, même parmi leurs ennemis ; et les Dúnedain eux-mêmes l'adoptèrent graduellement, de sorte qu'à l'époque de la Guerre de l'Anneau, la langue elfique n'était plus connue que d'une faible proportion des gens du Gondor ; plus rares encore étaient ceux qui en faisaient un usage journalier. Ces derniers vivaient surtout à Minas Tirith et dans les terres avoisinantes, de même que chez les princes tributaires établis à Dol Amroth. Il n'empêche qu'au royaume de Gondor, presque tous les noms de lieux et de personnes étaient elfiques, tant par la forme que par le sens. Quelques-uns, d'origine inconnue, remontaient sans doute à une époque où les navires des Númenóréens n'avaient pas encore pris la Mer, notamment *Umbar*, *Arnach* et *Erech* ; et les noms *Eilenach* et *Rimmon* désignant des montagnes. *Forlong* est un autre exemple du même genre.

La plupart des Hommes qui habitaient les régions septentrionales des Terres de l'Ouest étaient issus des *Edain* du Premier Âge, ou de leurs proches parents. Leurs langues s'apparentaient donc à l'adûnaïque, et certaines avaient encore quelque ressemblance avec le parler commun. C'était le cas des habitants des vallées supérieures de l'Anduin : les Béorniens et les Hommes des Bois de l'ouest de Grand'Peur ; et, plus au nord et à l'est, les Hommes du Long Lac et ceux du Val. Dans les terres situées entre la Rivière aux Flambes et le Carroc, vivait jadis un peuple que les gens du Gondor appelèrent plus tard les Rohirrim, les Maîtres des Chevaux. Ils avaient conservé leur langue ancestrale, aussi nommèrent-ils en cette langue presque tous les endroits de leur nouveau pays ; et ils se nommaient eux-mêmes les Eorliens, ou les Hommes du Riddermark. Mais leurs seigneurs usaient volontiers du parler commun, et ils le parlaient noblement à la manière de leurs alliés du Gondor ; car au Gondor, dans sa terre d'origine, l'occidentalien conservait un style plus raffiné et plus ancien.

À ces langues, le parler des Hommes Sauvages de la Forêt de Drúadan était tout à fait étranger. Il en allait de même de celui des Dunlandais, aucunement relié, sinon de manière très lointaine. Ce peuple était un vestige des populations qui occupaient anciennement les vallées des Montagnes Blanches. Les Hommes Morts de Dunhart leur étaient apparentés. Mais durant les Années Sombres, d'autres étaient partis s'établir dans les vallons du sud des Montagnes de Brume ; et de là, certains avaient gagné les terres désertes, aussi loin au nord que les Coteaux des Tertres. Les Hommes de Brie en étaient issus ; mais ceux-ci étaient passés depuis longtemps sous la dépendance de l'Arnor, le Royaume du Nord, et ils avaient fait de l'occidentalien leur langue usuelle. Ce n'est qu'en Dunlande que les Hommes de cette souche conservèrent leur parler ancien et leurs coutumes d'antan : un peuple secret, hostile aux Dúnedain, ennemis jurés des Rohirrim.

Leur langue n'apparaît nulle part dans ce livre, sauf pour le nom *Forgoil* qu'ils donnaient aux Rohirrim (et qui, semble-t-il, signifiait Têtes-de-Paille). *Dunlande* et *Dunlandais* sont les noms que leur donnaient les Rohirrim, parce qu'ils avaient la peau bistre et les cheveux foncés ; il n'y a donc aucun lien entre l'élément *dun* de ces noms (du vieil anglais *dunn* « brun foncé ») et le mot gris-elfique *Dûn* « ouest ».

Des Hobbits

Les Hobbits du Comté et de Brie avaient à cette époque, probablement depuis un millénaire, adopté le parler commun. Ils en usaient à leur manière, librement et quelque peu négligemment ; bien que les plus érudits eussent encore la maîtrise d'un registre soutenu lorsqu'il était de mise.

La documentation ne fait état d'aucune langue propre aux Hobbits. Ils semblent, de tout temps, avoir parlé les langues des Hommes près desquels ou parmi lesquels ils vivaient. Aussi, à leur arrivée en Eriador, ils adoptèrent rapidement le parler commun ; et dès l'époque de leur colonisation de Brie, ils avaient déjà commencé à oublier leur ancienne langue. Il s'agissait à l'évidence d'un parler des Hommes de l'Anduin supérieur, apparenté à celui des Rohirrim ; encore que les Fortauds du Sud semblent s'être servis d'une langue apparentée au dunlandais avant de remonter au nord dans le Comté[1].

Au temps de Frodo, il restait encore quelque trace de cela dans les vocables et les noms régionaux, bon nombre desquels ressemblaient fortement à ceux du Val et du Rohan, notamment les noms des jours, des mois et des saisons ; plusieurs autres mots du même genre (tels *mathom* et *smial*) étaient encore d'usage courant, alors que d'autres subsistaient dans les toponymes de la région de Brie et du Comté. Les noms et prénoms des Hobbits étaient tout aussi particuliers, et nombre d'entre eux étaient hérités de l'ancien temps.

Hobbit étaient le nom couramment employé par les Gens du Comté pour désigner tous ceux de leur espèce. Les Hommes les appelaient *Demi-Hommes* et les Elfes *Periannath*. L'origine du mot *hobbit* était oubliée de la plupart. Il semble toutefois que le nom ait été, en tout premier lieu, attribué aux Piévelus par les Peaublêmes et les Fortauds. Il s'agirait de

---

1. Les Fortauds de l'Angle, qui regagnèrent la Contrée Sauvage, avaient déjà adopté l'usage du parler commun ; mais les noms *Déagol* et *Sméagol* sont issus d'une langue d'Hommes, parlée dans la région de la Rivière aux Flambes.

la déformation d'un mot ancien, mieux conservé au Rohan : *holbytla* « bâtisseur de trous ».

Des autres peuples

Les Ents. Les *Onodrim*, ou *Enyd*, étaient le plus antique des peuples encore existants au Troisième Âge. Ils étaient connus des Eldar depuis les temps anciens, et c'est d'ailleurs aux Eldar que les Ents attribuaient, non pas leur propre langue, mais leur désir de parole. La langue qu'ils avaient créée ne ressemblait à aucune autre : lente, sonore, agglutinante, répétitive et, disons-le, verbeuse ; composée d'une multitude de nuances vocaliques et de distinctions de ton et de timbre que même les maîtres du savoir, chez les Eldar, ne s'étaient jamais essayés à représenter par l'écriture. Ils ne l'employaient jamais qu'entre eux mais n'avaient aucun besoin de la garder secrète, car nuls autres ne pouvaient l'apprendre.

Les Ents, cependant, étaient eux-mêmes doués pour les langues, qu'ils apprenaient rapidement et n'oubliaient jamais par la suite. Ils préféraient toutefois les langues des Eldar, chérissant par-dessus tout l'ancienne langue haut-elfique. Les mots et les noms étranges que les Hobbits attribuent dans leurs récits à Barbebois et aux autres Ents sont donc de l'elfique, ou des fragments d'elfique agglutinés à la manière ent[1]. Certains sont en quenya, comme *Taurelilómëa-tumbalemorna Tumbaletaurëa Lómëanor*, que l'on peut traduire par « Forêt-

---

1. Il y a bien quelques cas où les Hobbits semblent avoir voulu représenter les plus courts marmottements ou interjections des Ents ; *a-lalla-lalla-rumba-kamanda-lindor-burúme* n'est pas non plus de l'elfique, et c'est la seule tentative (sans doute très maladroite) visant à représenter un fragment un peu appréciable de véritable entique.

aux-maintes-ombres-vallée-profonde-noire Vallée-profonde-boisée Sombre-pays », par quoi Barbebois entendait plus ou moins : « Il y a une ombre noire dans les profondes vallées de la forêt ». D'autres sont en sindarin, tels *Fangorn* « barbe-(d')arbre » et *Fimbrethil* « mince-hêtre ».

Les Orques et le noir parler. La forme *orque* est celle que prenait le nom de ce peuple infâme chez les autres races, et celle en usage au Rohan. En sindarin, c'était *orch*. Les deux sont certainement apparentées au mot *uruk* du noir parler, bien que ce terme ne s'appliquât normalement qu'aux soldats orques qui sortirent du Mordor et d'Isengard vers cette époque. Les plus chétifs étaient appelés (en particulier par les Uruk-hai) *snaga* « esclave ».

Les Orques furent initialement engendrés par le Pouvoir Sombre du Nord aux Jours Anciens. On dit qu'ils n'avaient pas de langue à eux, mais se contentaient d'emprunter ce qu'ils pouvaient aux autres langues, qu'ils pervertissaient comme ils l'entendaient ; mais ils n'en tiraient que de rudes jargons, à peine convenables pour leurs propres besoins, sauf en matière de jurons et d'insultes. Et très vite, ces créatures, pleines de malveillance et de haine, même envers leur propre espèce, développèrent autant de dialectes barbares qu'il y avait de groupes ou d'établissements parmi eux, si bien que leur parler orque ne pouvait guère servir, dès qu'il s'agissait d'interagir avec d'autres tribus.

Aussi, au Troisième Âge, les Orques se servaient-ils de la langue occidentalienne pour communiquer entre espèces ; de fait, certaines des plus anciennes tribus, dont celles qui subsistaient dans le Nord et les Montagnes de Brume, avaient depuis longtemps adopté le parler commun comme langue maternelle, encore qu'ils en aient fait un sabir presque aussi détestable que la langue orque. Dans ce jargon, le mot *tark* « homme du Gondor » était une forme dégradée de *tarkil*, terme quenya, désignant en occidentalien une personne d'ascendance númenóréenne ; voir III, 297.

Le noir parler aurait été inventé durant les Années Sombres par Sauron, qui aurait voulu en faire la langue de tous ses serviteurs, ce à quoi il ne réussit pas. C'est néanmoins du noir parler que venaient bon nombre de mots d'usage général chez les Orques du Troisième Âge, tel *ghâsh* « feu » ; mais après la première défaite de Sauron, cette langue, dans sa forme primitive, tomba dans l'oubli le plus complet, sauf chez les Nazgûl. Lors de la résurgence de Sauron, elle redevint la langue de Barad-dûr et des capitaines du Mordor. L'inscription de l'Anneau était en noir parler ancien, mais l'invective de l'orque du Mordor (II, 74) en est une forme dénaturée, en usage chez les soldats de la Tour Sombre, dont Grishnákh était le capitaine. *Sharkû*, dans cette langue, signifie « vieil homme ».

Les Trolls. On s'est servi du mot *Troll* pour traduire le sindarin *Torog*. À leur apparition, dans le lointain crépuscule des Jours Anciens, c'étaient des créatures obtuses et maladroites, et leur langage n'était pas plus évolué que celui des bêtes. Mais Sauron s'était servi d'eux, leur apprenant le peu qu'ils étaient capables d'assimiler et les imprégnant de méchanceté afin d'aiguiser leur intelligence. Les trolls prirent donc aux Orques tous les éléments de langage qu'ils pouvaient maîtriser ; ainsi, dans les Terres de l'Ouest, les Trolls de Pierre parlaient une forme altérée du parler commun.

Mais à la fin du Troisième Âge, une race de trolls jusqu'alors inconnue fit son apparition dans le sud de Grand'Peur et aux lisières montagneuses du Mordor. En noir parler, ils se nommaient les Olog-hai. Nul ne doutait que Sauron les avait engendrés, bien qu'on ne sût pas à partir de quelles souches. D'aucuns prétendaient qu'il s'agissait non pas de Trolls mais d'Orques géants ; mais les Olog-hai étaient, de corps et d'esprit, d'une tournure tout à fait dissemblable aux Orques, même ceux des grandes espèces, qu'ils surpassaient largement par la taille, comme par la force. C'étaient bien des Trolls, mais ils étaient pénétrés de la malveillance de leur maître : une race cruelle, agile, puissante, féroce et rusée, mais plus dure que la pierre. Contrairement à l'ancienne race du Crépuscule, ils supportaient la lumière du Soleil, pourvu que Sauron les tînt sous l'emprise de sa volonté. Ils parlaient peu, la seule langue qu'ils connaissaient étant le noir parler de Barad-dûr.

Les Nains. Les Nains forment un peuple à part. Leur étrange genèse, et le pourquoi de leurs ressemblances et dissemblances avec les Elfes et les Hommes, sont racontés dans le Silmarillion ; mais les Elfes mineurs de la Terre du Milieu n'avaient pas connaissance de ce récit, tandis que les récits des Hommes venus après brossent un portrait faussé par le souvenir d'autres races.

Ce sont, en règle générale, des gens coriaces et biscornus, secrets, laborieux, qui longtemps gardent souvenir des injures (mais aussi des bienfaits), et qui aiment la pierre, les gemmes, et les choses qui prennent forme sous la main des artisans, plutôt que celles qui vivent de leur vie propre. Mais ils ne sont pas malfaisants de nature, et rares sont ceux qui ont servi l'Ennemi de leur plein gré, quoi qu'aient pu raconter les Hommes. Car les Hommes d'autrefois convoitaient leurs richesses et les ouvrages de leurs mains, et les deux races ont parfois été ennemies.

Mais au Troisième Âge, l'amitié fleurissait encore en

maints endroits entre les Hommes et les Nains; et il était dans la nature des Nains, lorsqu'ils voyageaient, travaillaient et commerçaient de par les terres, comme ce fut le cas après la destruction de leurs antiques palais, d'employer les langues des Hommes parmi lesquels ils évoluaient. Mais en secret (secret que, contrairement aux Elfes, ils ne révélaient pas volontiers, même à leurs amis), ils parlaient l'étrange langue qui était la leur, et qui ne changeait guère avec les années; car c'était devenu une langue d'érudition plutôt qu'un parler appris à la naissance, qu'ils entretenaient et conservaient comme un trésor du passé. Peu de gens des autres races réussirent jamais à l'apprendre. Dans le présent récit, elle n'apparaît que dans les noms de lieux que Gimli voulut bien révéler à ses compagnons; et dans le cri de guerre qu'il lança au siège de la Ferté-au-Cor. Ce cri, du moins, n'était pas secret, ayant été entendu sur maints champs de bataille depuis le commencement du monde. *Baruk Khazâd! Khazâd ai-mênu!* «Les haches des Nains! Les Nains sont sur vous!»

Le nom de Gimli, toutefois, et ceux de toute sa famille, sont d'origine nordique (issus des langues des Hommes). Leurs noms secrets ou «intérieurs», leurs noms véritables, les Nains ne les ont jamais révélés à quiconque n'était pas de leur race. Ils ne les inscrivent même pas sur leurs tombes.

II

Des questions de traduction

Afin de présenter la matière du Livre Rouge dans une langue que les gens peuvent comprendre aujourd'hui, l'ensemble du paysage linguistique a dû être traduit, dans la mesure du possible, en des termes actuels. Seules les langues étrangères au parler commun conservent leur forme d'origine ; mais elles figurent essentiellement dans les noms de personnes et de lieux.

Le parler commun, c'est-à-dire la langue des Hobbits et celle de leurs récits, a nécessairement été transposé en anglais moderne[1]. Le contraste entre les différentes variétés observables dans l'usage de l'occidentalien se trouve du même coup atténué. On a tenté de représenter ces variations par différents registres de l'anglais ; mais l'écart entre la prononciation et l'idiome du Comté d'une part, et d'autre part l'occidentalien tel que le parlaient les Elfes ou les nobles du Gondor, était plus grand que ce qu'on a pu montrer dans ce livre. En fait les Hobbits parlaient pour la plupart un dialecte rustique, tandis qu'au Gondor et au Rohan, on se servait d'une langue autrement archaïque, plus soutenue et plus concise.

Il convient de noter ici l'un de ces points de divergence qui, bien qu'important, s'est révélé impossible à reproduire. Par les pronoms de la deuxième personne (et souvent aussi de la troisième), la langue occidentalienne marquait une distinction, sans égard au nombre, entre des formes « familières » et des formes « polies ». Or, l'idiome du Comté avait ceci de particulier que les formes « polies » étaient sorties de l'usage courant. On ne les entendait plus que chez les villageois, en particulier dans le Quartier Ouest, pour qui elles avaient valeur hypocoristique. C'est là un point qui revenait souvent, quand les gens du Gondor évoquaient la tournure étrange du parler des Hobbits. Peregrin Touc, par exemple,

---

1. Dans la présente traduction, c'est le français moderne qui joue ce rôle ; les observations de l'auteur, dans la présente section, s'appliquent néanmoins à l'anglais. Pour la bonne compréhension du discours, certains noms de l'anglais d'origine sont ici donnés entre crochets et précédés de la lettre [a]. (*N.d.T.*)

à son arrivée à Minas Tirith, s'adressait familièrement aux personnes de tout rang, y compris au seigneur Denethor lui-même. Une pratique qui pouvait amuser le vieil Intendant, mais qui dut laisser ses serviteurs pantois. Nul doute que ce libre emploi des formes familières n'ait accrédité la rumeur populaire voulant que Peregrin fût un personnage de très haut rang dans son propre pays[1].

On remarquera que les Hobbits, comme Frodo, et d'autres personnages, comme Gandalf et Aragorn, ne s'expriment pas toujours dans le même style. Ce choix est délibéré. Les Hobbits les plus érudits et les plus capables n'étaient pas sans connaître la « langue des livres », comme on disait dans le Comté ; et ils étaient prompts à saisir et à adopter le style de ceux qu'ils rencontraient. Il était, au surplus, tout à fait naturel pour les grands voyageurs de s'exprimer dans la manière des gens qu'ils se trouvaient côtoyer, et c'était d'autant plus vrai pour les hommes qui, comme Aragorn, s'efforçaient bien souvent de cacher leurs origines et leurs desseins. Néanmoins, en ce temps-là, tous les ennemis de l'Ennemi honoraient les choses anciennes, en matière de langues comme en toute autre chose, et ils y prenaient plaisir dans la mesure de leurs

---

1. En quelques endroits, on a voulu marquer ces distinctions par l'emploi non systématique du pronom *thou*. Peu fréquent de nos jours et indéniablement archaïque, ce pronom indique le plus souvent un style cérémonieux ; mais un changement de pronoms, de *you* à *thou* (ou *thee*), entend parfois montrer, à défaut d'autre moyen, une modification significative des termes d'adresse : l'abandon de la forme respectueuse (soit, entre adultes, la forme attendue) au profit de la forme familière. [La traduction française respecte ces principes (*thou* devient systématiquement *tu*). Toutefois, la distinction entre tutoiement et voussoiement (absente en anglais moderne) étant encore bien vivante en français, il a fallu, de manière plus générale, choisir entre les deux formes afin d'exprimer différents rapports (familiarité, autorité, égalité, connivence, etc.). (*N.d.T.*)]

connaissances. Les Eldar, suprêmemement doués avec les mots, maîtrisaient une variété de styles, quoique leur expression la plus naturelle fût celle qui s'approchait de leur propre langue, encore plus ancienne que celle du Gondor. Les Nains s'exprimaient eux aussi avec habileté, s'adaptant aisément à leur entourage, bien que leur élocution semblât plutôt heurtée, et par trop gutturale à certaines oreilles. Mais les Orques et les Trolls parlaient comme bon leur semblait, sans amour pour les mots ou les choses ; et leur langue était en réalité plus vile et plus ordurière que je ne l'ai montré. Je ne crois pas qu'il s'en trouvera pour réclamer de ma part une reproduction plus fidèle, mais ce ne sont pas les exemples qui manquent. On entend encore le même langage dans la bouche de ceux qui pensent comme des Orques : répétitif et ennuyeux, pétri de haine et de mépris, et depuis trop longtemps éloigné du bien pour conserver ne serait-ce que la force expressive, sauf pour qui la puissance de l'expression est proportionnelle à la sordidité du propos.

Cette démarche de traduction n'a, forcément, rien d'exceptionnel, puisqu'elle est inévitable pour tout récit des temps passés. Habituellement, elle s'arrête là ; mais je suis allé plus loin. J'ai également traduit tous les noms occidentaliens selon leur sens. Lorsque apparaît dans ce livre un nom ou un titre qui semble appartenir à notre langue, cela signifie qu'il existait à l'époque un équivalent courant dans le parler commun, en plus ou au lieu de ceux en langues étrangères (le plus souvent elfiques).

En règle générale, les noms occidentaliens étaient des traductions de noms plus anciens : c'est le cas de Fendeval, Bruyandeau, Argentine, Longuestrande, l'Ennemi, la Tour Sombre. D'autres avaient un sens différent, comme le Mont Destin pour *Orodruin* « montagne brûlante », ou

Grand'Peur [ᵃMirkwood] pour *Taur e-Ndaedelos* «forêt de la grande peur»[1]. Quelques-uns étaient des déformations des noms elfiques, comme Loune et Brandivin issus de *Lhûn* et *Baranduin*.

Le choix de traduire ces noms appelle sans doute quelques explications. Conserver tous les noms sous leur forme originelle aurait, m'a-t-il semblé, eu pour effet de masquer une caractéristique essentielle de l'époque du point de vue des Hobbits (point de vue que j'ai cherché le plus souvent à conserver) : le contraste entre une langue très répandue, pour eux aussi ordinaire et habituelle que l'anglais peut l'être pour nous, et les vestiges encore présents de langues beaucoup plus anciennes et plus vénérables. Si je m'étais contenté de transcrire tous les noms, ils auraient semblé tout aussi obscurs aux yeux des lecteurs modernes – si, par exemple, le nom elfique *Imladris* et son équivalent occidentalien *Karningul* avaient tous deux été laissés tels quels. Mais parler d'Imladris au lieu de Fendeval reviendrait à dire Camelot au lieu de Winchester, à ceci près que, dans le premier des cas, l'identité des lieux était connue avec certitude, en dépit du fait qu'il y avait encore à Fendeval un seigneur de grand renom, bien plus vieux que ne le serait Arthur s'il régnait encore à Winchester de nos jours.

Le nom du Comté (*Sûza*), de même que tous les autres toponymes hobbits, ont donc été anglicisés. Cela s'est fait sans trop de difficulté, car leurs noms étaient souvent composés d'éléments analogues à ceux que l'on trouve dans nos toponymes les plus simples : soit des mots encore d'usage courant comme «colline» ou «champ», soit des formes un

---

1. Le nom français traduit plus directement le nom elfique; l'anglais *Mirkwood* signifie plus ou moins «bois sombre». (*N.d.T.*)

peu altérées comme, en anglais, *ton* au lieu de *town*. Mais, comme on l'a déjà dit, d'autres étaient issus d'anciens mots hobbits désormais passés d'usage, lesquels sont représentés par des éléments équivalents dans notre langue (*bourde* pour « habitation », *court* pour « ferme », etc.).

Cependant, les noms de personnes, tant des Hobbits du Comté que de Brie, étaient inhabituels pour l'époque, notamment la coutume qui s'était développée, quelques siècles auparavant, des noms patronymiques hérités de génération en génération. Ces noms de famille avaient pour la plupart une signification claire (dans la langue courante, étant dérivés de surnoms plaisants, de noms de lieux ou – à Brie en particulier – de noms de plantes ou d'arbres). Traduire ces noms ne présentait guère de difficulté ; mais il restait un ou deux noms plus anciens dont la signification s'est perdue, et je me suis contenté d'adapter leur orthographe : *Touc* pour *Tûk* et Boffine pour *Bophîn*, par exemple.

Autant que faire se peut, j'ai suivi pour les prénoms des Hobbits une démarche semblable. Les Hobbits donnaient communément à leurs filles des noms de fleurs ou de pierres précieuses. À leurs garçons, ils donnaient le plus souvent des noms sans signification dans le langage courant ; et certains noms de femme étaient de cette espèce. Citons, à titre d'exemple, Bilbo, Bungo, Polo, Lotho, Tanta, ou encore Nina. On trouve d'inévitables ressemblances avec plusieurs noms encore portés ou connus aujourd'hui : Otho, Odo, Drogo, Dora, Cora, et ainsi de suite. J'ai conservé ces noms, que j'ai simplement adaptés en modifiant la finale ; car dans les noms hobbits, *a* était une finale masculine, tandis que les finales en *o* et en *e* étaient féminines.

Cependant, dans certaines familles anciennes, en particulier celles d'origine peaublême comme les Touc et les

Bolgeurre, on avait coutume de donner des prénoms grandiloquents. La plupart étaient vraisemblablement tirés de légendes du passé, autant des Hommes que des Hobbits ; et si bon nombre d'entre eux ne signifiaient plus rien pour les Hobbits, ils ressemblaient néanmoins aux noms des Hommes de la Vallée de l'Anduin, du Val ou de la Marche. Aussi les ai-je rendus par ces vieux noms, principalement d'origine franque et gothique, que l'on trouve encore chez nous ou qui figurent dans nos livres d'histoire. Ainsi, j'ai pu au moins préserver le contraste souvent amusant entre prénoms et noms de famille, dont les Hobbits eux-mêmes étaient bien conscients. Très peu de noms sont issus des langues classiques, car les plus proches équivalents du latin et du grec, dans la tradition du Comté, étaient les langues elfiques, qui figuraient rarement dans la nomenclature hobbite. Les Hobbits ne furent jamais nombreux à connaître les « langues des rois », comme ils les appelaient.

Les noms des Boucerons différaient de ceux du reste du Comté. Les gens de la Marêche et leurs parents ayant traversé le Brandivin se distinguaient de plusieurs manières, comme on l'a raconté. Nul doute que c'est de l'ancienne langue des Fortauds du Sud qu'ils tenaient bon nombre de leurs noms excessivement étranges. J'ai choisi le plus souvent de les conserver tels quels, car s'ils semblent bizarres aujourd'hui, ils l'étaient tout autant à l'époque. Ils avaient une consonance que l'on pourrait vaguement qualifier de « celtique ».

Ainsi, les traces résiduelles de l'ancienne langue des Fortauds et des Hommes de Brie rappelant la survivance d'éléments celtiques en Angleterre, j'ai parfois cherché à reproduire ces derniers dans ma traduction. Brie, Combe, Archètes et le Bois de Chètes s'inspirent donc de ces reliques de la nomenclature anglaise, choisies en fonction du sens :

brie signifie « colline » et *chètes* signifie « bois ». Quant aux prénoms, un seul a été modifié de cette manière. J'ai choisi Meriadoc parce que le diminutif de ce personnage, Kali, signifiait « jovial, gai », mais il s'agissait en réalité d'une abréviation de Kalimac, un nom du Pays-de-Bouc désormais sans signification[1].

Je ne me suis servi, dans mes transpositions, d'aucun nom d'origine hébraïque ou de semblable provenance. Il n'est rien dans les noms hobbits qui corresponde à cette composante de nos noms. Les diminutifs tels que Sam, Tom, Tim, Mat, sont des abréviations courantes de noms hobbits tout à fait originaux comme Tomba, Tolma, Matta et autres. Mais Sam et son père Ham se nommaient en réalité Ban et Ran. C'étaient là les diminutifs de *Banazîr* et *Ranugad* qui, à l'origine, étaient des surnoms, lesquels signifiaient respectivement « mi-dégourdi, benêt » et « casanier » ; mais, ces mots n'étant plus d'usage courant, ils étaient restés comme prénoms traditionnels dans certaines familles. J'ai donc tenté de conserver ces qualités en proposant Samsaget [ᵃSamwise] et Hamfast, formes modernisées de l'ancien anglais *samwís* et *hámfæst*, de sens très voisin.

Parvenu aussi loin dans mes efforts pour moderniser la langue et les noms des Hobbits et leur donner un air de familiarité, j'ai été entraîné dans une nouvelle démarche. Les langues des Hommes apparentées à l'occidentalien devaient, à mon sens, être rendues par des formes apparentées à l'anglais. J'ai donc transposé la langue du Rohan pour la rapprocher de l'ancien anglais, étant donné sa parenté (relativement lointaine) avec le parler commun, son rapport (très proche) avec l'ancienne langue des Hobbits du Nord, et son caractère

---

1. Le diminutif de Meriadoc, Merry, signifie en anglais « joyeux ». (*N.d.T.*)

archaïque par comparaison à l'occidentalien. Dans le Livre Rouge, il est maintes fois rapporté que les Hobbits, au contact de la langue du Rohan, reconnaissaient de nombreux mots, et voyaient là une langue assez proche de la leur ; ainsi, il paraissait absurde de laisser sous une forme tout à fait étrangère les noms et les mots des Rohirrim préservés dans les chroniques.

J'ai choisi de moderniser la forme et la graphie des toponymes du Rohan dans un certain nombre de cas, comme pour *Dunhart* ; mais ce choix n'est pas systématique, car j'ai suivi l'exemple des Hobbits. Ils modifiaient les noms qu'ils entendaient de la même manière, lorsque ces noms étaient composés d'éléments qu'ils reconnaissaient, ou ressemblaient à des toponymes du Comté ; mais il en est d'autres auxquels ils ne touchaient pas, et j'ai fait la même chose, comme pour *Edoras* « les clos ». Pour les mêmes raisons, quelques noms de personnes ont été modernisés, dont celui de Langue de Serpent[1].

Cette assimilation permet aussi de représenter les vocables régionaux spécifiques aux Hobbits, originaires des parlers du Nord. Je leur ai donné des formes qu'auraient pu prendre, s'ils avaient survécu jusqu'à nos jours, des mots désuets de la langue anglaise. Ainsi, *mathom* est à l'ancien anglais *máthm* ce que le véritable mot hobbit *kast* est au *kastu* de la langue du Rohan. De même, *smial* (ou *smile*, prononcé à l'anglaise) « terrier » est un descendant plausible de l'ancien mot *smygel*, ce qui représente bien la relation qui existait entre le mot hobbit *trân* et celui du Rohan *trahan*. *Sméagol* et *Déagol* sont

---

1. Cette démarche linguistique ne suppose pas que les Rohirrim aient été spécialement proches des anciens Anglo-Saxons à d'autres égards, que ce soit par la culture ou l'art, les armes ou les méthodes de guerre, sinon d'une manière très générale attribuable aux circonstances de leur milieu : celles d'un peuple plus primitif à l'existence relativement simple, vivant au contact d'une culture plus noble et plus vénérable sur des terres jadis comprises dans son domaine.

des équivalents inventés selon le même principe pour les noms *Trahald* « chose qui fouit, se faufile » et *Nahald* « secret » des langues du Nord.

La langue du Val, plus septentrionale encore, n'apparaît au cours du récit que dans les noms des Nains originaires de cette région et donc locuteurs de la langue des Hommes qui y vivaient, d'où leurs noms « extérieurs » choisis dans cette langue. Notons que dans la version anglaise du présent livre, comme dans *Le Hobbit*, c'est la forme *dwarves* qui est utilisée (pour « nains »), bien que les dictionnaires nous disent que le pluriel de *dwarf* est *dwarfs*. Ce serait plutôt *dwarrows* (ou *dwerrows*), si le singulier et le pluriel avaient chacun suivi leur propre voie au cours des années, comme c'est le cas de *man* et *men* (« homme[s] »), ou *goose* et *geese* (« oie[s] »). Mais l'on ne parle plus aussi souvent des nains que l'on parle des hommes, ou même des oies, et les Hommes n'ont pas eu la mémoire assez fidèle pour que l'usage consacre un pluriel spécial à une race désormais abandonnée au conte populaire (où subsiste néanmoins une parcelle de vérité), et enfin aux histoires sans queue ni tête où ils font figure de simples bouffons. Mais au Troisième Âge s'entrevoit encore une part de leur caractère et de leur pouvoir d'antan, encore que déjà un peu pâlis : les descendants des Naugrim, en qui brûle encore la flamme ancienne d'Aulë le Forgeron et couvent les braises d'une longue rancune contre les Elfes ; et en les mains desquels survit un don pour le travail de la pierre que nul n'a jamais égalé.

C'est pour dénoter cela que je me suis hasardé à employer la forme *dwarves*, afin de les distancer un peu, je l'espère, des histoires parfois grotesques que l'on entend de nos jours. *Dwarrows* eût été préférable ; mais je ne m'en suis servi que dans l'appellation *Creusée des Nains* [ᵃ*Dwarrowdelf*], qui représente le nom de la Moria dans le parler commun : *Phurunargian*. Ce nom signifiait en effet « excavation des Nains », mais il s'agissait déjà d'un mot de forme ancienne. *Moria*, par ailleurs, est d'origine elfique, et c'est un nom peu élogieux ; car si les Eldar, ont parfois été contraints, au cours de leurs terribles guerres contre le Pouvoir Sombre et ses serviteurs, de bâtir des forteresses souterraines, ils ne choisissaient pas volontiers d'y vivre. Ils aimaient la terre verdoyante et les lumières des cieux ; et *Moria*, dans leur langue, signifie Gouffre Noir. Mais le nom donné par les Nains eux-mêmes, et qui tout au moins ne fut jamais gardé secret, était *Khazad-dûm*, le Palais des Khazâd ; car tel est le nom qu'ils se donnent eux-mêmes en tant que peuple, et ce, depuis qu'Aulë le leur a donné au moment de leur création, dans les profondeurs du temps.

Elfes traduit à la fois *Quendi*, « les parlants », nom haut-elfique de toute leur espèce, et *Eldar*, le nom des Trois Peuples qui cherchèrent à gagner le Royaume Immortel et qui y parvinrent au commencement des Jours (tous sauf les *Sindar*). Ce mot ancien, en réalité le seul qui pouvait convenir, avait déjà servi à désigner le souvenir qui restait de ce peuple dans la mémoire des Hommes, ou ce que leur imagination avait inventé de plus approchant. Mais ce mot s'est dégradé, et pour beaucoup il n'évoque plus que des esprits mignons ou ridicules, aussi éloignés des Quendi d'autrefois que le papillon du vif faucon – non qu'aucun des Quendi ait jamais eu des ailes au sens corporel, chose tout aussi étrangère à leur nature qu'elle ne l'est à celle des Hommes. C'était une belle et noble race, les aînés des Enfants du monde ; et parmi eux, les Eldar étaient comme des rois, qui maintenant sont partis : les Gens du Grand Voyage, le Peuple des Étoiles. Ils étaient grands, au teint clair et aux yeux gris, mais leur chevelure était sombre, sauf dans la maison dorée de Finarfin[1] ; et leur voix était plus richement mélodieuse qu'aucune voix mortelle entendue de nos jours. Ils étaient vaillants, mais l'histoire de ceux qui revinrent s'exiler en Terre du Milieu fut tragique ; et bien qu'il ait croisé le destin des Pères au temps jadis, leur destin n'est pas celui des Hommes. Leur suprématie est passée depuis bien longtemps, et ils vivent désormais au-delà des cercles du monde, et ne reviennent pas.

Note portant sur trois noms : *Hobbit, Gamgie* et *Brandivin*

Hobbit est un mot inventé. En occidentalien, les rares fois où l'on faisait allusion à ces gens, le mot était *banakil* « demi-homme ». Mais au temps du récit, les gens du Comté et de Brie se servaient du mot *kuduk*, qui ne se disait nulle part ailleurs. Or, selon ce que rapporte Meriadoc, le Roi du Rohan employait le terme *kûd-dûkan* « habitant de trous ». Étant donné que les Hobbits, comme on l'a vu, parlaient par le passé une langue fort apparentée à celle des Rohirrim, il semble probable que *kuduk* ait été une déformation de *kûd-dûkan*. Pour les raisons précédemment mentionnées, j'ai choisi de rendre ce dernier terme par *holbytla* ; et *hobbit* pourrait très bien passer pour une déformation de *holbytla*, si ce nom avait existé autrefois dans notre langue.

Gamgie. Selon la tradition familiale exposée dans le Livre Rouge, le nom de famille *Galbasi* ou, par réduction, *Galpsi*,

---

1. [Cette description des caractéristiques du visage et des cheveux ne s'applique en fait qu'aux Noldor : voir *Le Livre des Contes Perdus*, C. Bourgois Éd., 2002, p. 59.]

était issu du village de *Galabas*, nom généralement compris comme un composé de *galab-* « gibier » et de l'élément archaïque *bas-*, plus ou moins équivalent à l'anglais *wick, wich*. *Gamwich* (prononcé *Gammidge*), semblait donc un bon équivalent. Mais en réduisant *Gammidgy* à *Gamgie* [ᵃ*Gamgee*] pour représenter *Galpsi*, je ne faisais aucunement allusion aux relations qu'entretenait Samsaget avec la famille Casebonne [ᵃCotton], encore que l'esprit hobbit n'eût pas dédaigné semblable plaisanterie, au contraire, si le calembour s'était présenté dans leur langue[1].

[ᵃCotton], en fait, représente *Hlothran*, un nom de village plutôt répandu dans le Comté, composé de *hloth*, « trou ou habitation de deux pièces », et *ran(u)*, qui désigne un petit groupe de ces habitations juché à flanc de colline. Comme nom de famille, il s'agit peut-être d'une déformation de *hlothram(a)* « habitant d'une maison de campagne ». *Hlothram*, rendu par *Casenier*, était le nom du grand-père du fermier Casebonne.

Brandivin. Les noms hobbits de ce cours d'eau étaient des déformations de l'elfique *Baranduin* (accent tonique sur le *and*), dérivé de *baran* « brun doré » et *duin* « (grande) rivière ». *Brandivin* pour *Baranduin* semble de nos jours une déformation assez plausible. En réalité, l'ancien nom hobbit était *Branda-nîn*, « eau frontalière », dont une traduction plus fidèle eût été Bournemarche ; mais par suite d'une plaisanterie qui finit par passer dans l'usage, là encore par allusion à sa couleur, le nom du fleuve était devenu, à l'époque qui nous concerne, *Bralda-hîm* « bière capiteuse ».

---

1. En anglais, *gamgee* est un mot de la langue familière pour désigner un tampon d'ouate, d'où le rapprochement avec le nom *Cotton*, qui rappelle la matière textile. (*N.d.T.*)

Il faut toutefois remarquer que, lorsque les Vieilbouc (*Zaragamba*) prirent le nom de Brandibouc (*Brandagamba*), le premier élément signifiait « pays frontalier » : Marchebouc eût donc été plus exact. Seul un hobbit des plus hardis aurait osé affubler le Maître du Pays-de-Bouc du nom de *Braldagamba* en sa présence.

Index 1
Poèmes et chansons

Index 2

Poèmes et phrases dans des langues autres que le parler commun

Table

APPENDICES

J.R.R. Tolkien

L'auteur

John Ronald Reuel Tolkien naît en 1892 en Afrique du Sud et passe son enfance dans un village près de Birmingham, en Angleterre. Il a seulement quatre ans à la mort de son père, et perd sa mère à l'âge de douze ans. Il est alors recueilli par un prêtre, qui lui donne le goût de la poésie anglo-saxonne. Après avoir servi durant la Première Guerre mondiale, Tolkien poursuit ses études universitaires à Oxford. Brillant spécialiste des langues anciennes, il occupe un poste de professeur de langue et de littérature anglaises jusqu'en 1959. C'est seulement en 1936 qu'il écrit son premier roman, *Le Hobbit*, dont il avait inventé l'histoire pour ses enfants. Tolkien s'inspire des sagas scandinaves, de la mythologie germanique et des romans de la Table ronde pour créer un monde imaginaire d'une grande richesse, la Terre du Milieu. Celle-ci trouve son apogée une vingtaine d'années plus tard avec la publication du *Seigneur des Anneaux*, aujourd'hui considéré comme le chef-d'œuvre de la littérature de fantasy. J.R.R. Tolkien meurt en 1973.

Du même auteur chez Gallimard Jeunesse

Le Seigneur des Anneaux
  1 - La Fraternité de l'Anneau
  2 - Les Deux Tours
  3 - Le Retour du Roi

Le Fermier Gilles de Ham

Du même auteur
_____

dans la collection

FOLIO JUNIOR

LE FERMIER GILLES DE HAM
_____
n° 1163

C'était en un temps très reculé, à une époque où il y avait encore des collines sauvages et des géants qui parcouraient le Vaste Monde. Des géants ? Bien sûr ! Surtout celui qui s'aventura un jour chez notre tranquille fermier appelé Gilles de Ham. Courageux, batailleur, il vint à bout du monstre et devint le personnage le plus respecté de tout le royaume. Las, il n'était pas au bout de ses peines !

Le papier de cet ouvrage est composé de fibres naturelles,
renouvelables, recyclables, et fabriquées à partir de bois
provenant de forêts gérées durablement.

Mise en pages : Nord Compo

Loi n° 49-956 du 16 juillet 1949
sur les publications destinées à la jeunesse
ISBN : 978-2-07-513414-9
Numéro d'édition : 398941
Premier dépôt légal dans la collection : septembre 2019
Dépôt légal : juin 2021
Imprimé en Espagne par Novoprint (Barcelone)